Deuxième édition

EN BONS TERMES

*Introduction au français dans
le contexte nord-américain*

Michel A. Parmentier
Diane Potvin

Bishop's University

Prentice-Hall Canada Inc., Scarborough, Ontario

Canadian Cataloguing in Publication Data
Parmentier, Michel Alfred, 1950-
    En bons termes

2nd ed.
Includes index.
ISBN 0-13-275447-9

1. French language - Textbooks for second language learners - English speakers.* 2. French
language - Grammar - 1950–   . I. Potvin, Diane, 1943–   . II. Title.

PC2112.P37   1989   448.2'421   C88-094539-7

© 1989 Prentice-Hall Canada Inc., Scarborough, Ontario

Prentice-Hall, Inc., Englewood Cliffs, New Jersey
Prentice-Hall International, Inc., London
Prentice-Hall of Australia, Pty., Ltd., Sydney
Prentice-Hall of India Pvt., Ltd., New Delhi
Prentice-Hall of Japan, Inc., Tokyo
Prentice-Hall of Southeast Asia (Pte.) Ltd., Singapore
Editora Prentice-Hall do Brasil Ltda., Rio de Janeiro
Prentice-Hall Hispanoamericana, S.A., Mexico

ISBN 0-13-275447-9
Production Editor: Maurice Esses
Copy Editor: Magda Kryt
Designer: Steven Boyle, Deborah-Anne Bailey
Production Coordinator: Sharon Houston
Typesetting: Colborne, Cox and Burns

    2   3   4   5   93 92 91 90

Printed and bound in Canada

CONTENTS

Preface   xiii

CHAPITRE UN

FAISONS CONNAISSANCE   1

Introduction   2
Grammaire et exercices oraux
    Présentations   3
    L'alphabet   4
    Les sons du français   4
    Les pronoms personnels sujets   5
    Le verbe *être* au présent — forme affirmative   6
    Le verbe *être* à la forme interrogative avec *est-ce que*   7
    Le verbe *être* à la forme négative   8
    Adjectifs — masculin et féminin   9
    Adjectifs — singulier et pluriel   10
    L'accord des adjectifs avec les pronoms personnels sujets   11
Exercices écrits   11
Situations/Conversations   13
Prononciation
      I. L'accent tonique et les groupes rythmiques   13
     II. L'intonation dans les phrases déclaratives   14
    III. L'intonation dans les phrases interrogatives   14

CHAPITRE DEUX

UNE CHAMBRE CONFORTABLE   15

Introduction   16
Grammaire et exercices oraux
    Qu'est-ce que c'est?/C'est, ce sont   17
    Noms : genre et nombre   18
    L'article indéfini : *un/une/des*   19
    Le verbe *avoir*   20
    L'adjectif : genre et nombre (suite)   22
    Place des adjectifs   24
    Place des adjectifs (suite)   25
    Les nombres   26
Exercices écrits   27
Situations/Conversations   29
Composition   29

Prononciation
    I. Enchaînement 29
    II. Liaison 30

CHAPITRE TROIS

UNE PROMENADE DANS LE BOIS   *31*

Introduction 32
Grammaire et exercices oraux
    Verbes réguliers et verbes irréguliers 33
    Présent de l'indicatif des verbes en -*er* 33
    L'article défini 34
    Prépositions de lieu 36
    Contractions 36
    Interrogation — L'inversion 36
    L'impératif 39
    Verbes suivis de prépositions 40
    Rappel 40
    Le verbe irrégulier *aller* 42
    Les pronoms toniques 43
    Jours — mois — saisons — date 44
    Les adjectifs interrogatifs (*which, what*) 45
Exercices écrits 46
Lecture : Une promenade dans le bois 48
Situations/Conversations 49
Compositions 51
Prononciation
    I. L'élision 51
    II. La lettre **h** 51
    III. *Un/une* 51
    IV. *Le/la/les* 52

CHAPITRE QUATRE

UN DIMANCHE A QUEBEC   *53*

Introduction 54
Grammaire et exercices oraux
    Les verbes réguliers en -*ir* 55
    L'heure 57
    Le verbe irrégulier *venir* 59
    Rappel 59
    La possession : préposition *de* — adjectifs possessifs 60
    Les adverbes interrogatifs 62
    Aller + infinitif (le futur proche) 63
    Les nombres 64

Exercices écrits   66
Lecture : Un dimanche à Québec   68
Situations/Conversations   70
Compositions   71
Prononciation
    I. Consonnes finales — Consonnes finales — **e** muet   71
    II. **O** ouvert — **o** fermé (/ɔ/ — /o/)   71

CHAPITRE CINQ

L'ETAT DE SANTE 73

Introduction   74
Grammaire et exercices oraux
    Les verbes réguliers en -*re*   75
    Les adjectifs démonstratifs   76
    Venir de + infinitif (le passé immédiat)   78
    Les verbes irréguliers *vouloir* et *pouvoir*   78
    Les expressions idiomatiques avec *avoir*   80
Le corps humain   82
Exercices écrits   83
Lecture : Un accident bête   85
Situations/Conversations   86
Compositions   88
Prononciation
    Contraste **i, u, ou** — /i/ — /y/ — /u/   88

CHAPITRE SIX

LE MAGASINAGE ET LA MODE 91

Introduction   92
Grammaire et exercices oraux
    Modification orthographiques de quelques verbes réguliers en -*er*   93
    Amener — apporter — emmener — emporter   94
    L'article partitif   95
    Le verbe irrégulier *devoir*   97
    Les pronoms interrogatifs *qui* et *que*   98
    Construction verbe + infinitif   100
    Les pronoms relatifs *qui* et *que*   102
Exercices écrits   104
Lecture : La mode et les jeunes   106
Les vêtements   107
Situations/Conversations   108
Compositions   110

Prononciation
    I. **E** fermé/**e** ouvert (/e/ — /ε/) 110
    II. La lettre **c** 111
    III. La lettre **g** 111

CHAPITRE SEPT

ETUDIER AU QUEBEC   *113*

Introduction 114
Grammaire et exercices oraux
    Le verbe irrégulier *partir* 115
    Le verbe irrégulier *faire* 116
    Quel temps fait-il? 118
    Les pronoms interrogatifs *qui* et *quoi* après une préposition 118
    Il y a 119
    Il faut 120
    Les pronoms personnels objets directs 122
    Les expressions de quantité 124
    Noms de profession avec *être* 125
    C'est (*ce sont*)/*il/elle est*(*ils/elles sont*) 127
Exercices écrits 127
Lecture : L'enseignement au Québec 130
Situations/Conversations 131
Compositions 132
Prononciation
    I. Comment reconnaître les voyelles nasales? 132
    II. Le son /r/ — **r** + voyelle — consonne + **r** 133

CHAPITRE HUIT

LES SPORTS D'HIVER   *135*

Introduction 136
Grammaire et exercices oraux
    Les verbes irréguliers *prendre* et *mettre* 137
    Les pronoms objets indirects 139
    Les verbes irréguliers *savoir* et *connaître* 140
    Le passé composé 142
    Il y a + une expression de temps 145
    Le pronom relatif *où* 145
    L'adjectif *tout* 146
Exercices écrits 147
Lecture : Les sports d'hiver 149
Situations/Conversations 150
Compositions 152

Prononciation : Les voyelles nasales /ã/et/õ/
    I. Le son /ã/   152
    II. Le son /õ/   153
    III. Contraste /ã/ - /õ/   153

CHAPITRE NEUF

DU METRO A L'AEROPORT MIRABEL　　155

Introduction   156
Grammaire et exercices oraux
    Le passé composé avec *être*   157
    L'accord du participe passé des verbes conjugués avec *avoir*   159
    Les pronoms *en* et *y*   160
    Les verbes irréguliers *dire*, *écrire*, *lire*, *rire* et *sourire*   162
    Les prépositions avec les noms géographiques   164
    Les noms de nationalité   166
    Les moyens de transport   167
Exercices écrits   169
Lecture : Du métro à l'aéroport Mirabel   172
Situations/Conversations   174
Compositions   174
Prononciation
    I. La voyelle nasale /ɛ̃/   175
    II. Contraste /ɛ̃/ — /ɛ/   175

CHAPITRE DIX

ARTS ET SPECTACLES　　177

Introduction   178
Grammaire et exercices oraux
    Les verbes pronominaux   179
    Verbes pronominaux à sens idiomatique   181
    Place et forme du pronom réfléchi (suite)   182
    Place des pronoms objets avant le verbe   183
    Depuis + présent de l'indicatif   186
    Les adverbes   188
    Les articles et la négation — rappel   190
Exercices écrits   190
Lecture : Arts et spectables   192
Situations/Conversations   194
Compositions   195
Prononciation
    I. Le son **a** (/a/)   195
    II. Le **r** final   195

CHAPITRE ONZE

LES JEUNES ET LA VIE 197

Introduction   198
Grammaire et exercices oraux
    Le comparatif de l'adjectif   199
    Le superlatif de l'adjectif   201
    Le verbe irrégulier *voir*   202
    Le verbe irrégulier *croire*   203
    Le passé composé des verbes pronominaux   204
    Quelques autres verbes pronominaux   205
Execices écrits   206
Lecture : Les jeunes et la vie   208
Situations/Conversations   209
Compositions   210
Prononciation
    Le son l (/1/)   210

CHAPITRE DOUZE

LE TEMPS DES FETES 211

Introduction   211
Grammaire et exercices oraux
    L'imparfait   213
    La famille   216
    La nourriture   218
    Le verbe irrégulier *boire*   220
Exercices écrits   221
Lecture : Le temps des fêtes   222
Situations/Conversations   224
Compositions   225
Prononciation : Les sons **eu** fermé et **eu** ouvert (/ø/ — /œ/)
    I. **Eu** fermé (/ø/)   226
    II. **Eu** ouvert (/œ/)   226

CHAPITRE TREIZE

LA FAMILLE 227

Introduction   228
Grammaire et exercices oraux
    Contrastes entre l'imparfait et le passé composé   229
    L'imparfait avec *depuis*   231
    Le verbe irrégulier *recevoir*   232
    Le pronom interrogatif *lequel*   233
    Les pronoms démonstratifs   234

Le comparatif et le superlatif de l'adverbe   236
Exercices écrits   237
Lecture : La famille   239
Situations/Conversations   241
Compositions   242
Prononciation
   E caduc (/ə/)   242

CHAPITRE QUATORZE

L'ACADIE   245

Introduction   246
Grammaire et exercices oraux
   Le futur   247
   Le futur avec *quand, dès que, tant que*   250
   Quelqu'un/personne — quelque chose/rien   251
   Les pronoms objets et l'impératif   252
   Place des pronoms après l'impératif   254
   Le verbe irrégulier *tenir*   255
   Le verbe irrégulier *vivre*   256
   Le pronom relatif *dont*   256
Exercices écrits   258
Lecture : L'Acadie   260
Situations/Conversations   261
Compositions   262
Prononciation: **E** caduc (*suite*)
   I. Deux consonnes prononcées + /ə/   262
   II. Contraste : e caduc prononcé/non prononcé   263

CHAPITRE QUINZE

LA LITTERATURE CANADIENNE - FRANÇAISE   265

Introduction   266
Grammaire et exercices oraux
   Le conditionnel présent   267
   La phrase conditionelle   268
   Le verbe *devoir* (imparfait, passé composé, futur, conditionnel présent)   270
   Les pronoms possessifs   272
   Le verbe irrégulier *suivre*   274
Exercices écrits   275
Lecture : La littérature canadienne-française   276
Situations/Conversations   279
Compositions   279
Prononciation
   I. Le son **s** (/s/)   280
   II. Contraste /s/ — /z/   280

CHAPITRE SEIZE

LE FRANÇAIS HORS QUEBEC   281

Introduction   282
Grammaire et exercices oraux
    Le conditionnel passé   283
    Le plus-que-parfait   284
    La phrase conditionnelle au passé   285
    Les adjectifs indéfinis *chaque* et *aucun*   286
    Verbes suivis de *à* ou *de* + infinitif   288
    Expressions d'enchaînement logique   289
Exercices écrits   291
Lecture : Le français hors Québec   292
Situations/Conversations   296
Compositions   297
Prononciation : Les semi-voyelles **oué** et **ué** (/w/ — /ɥ/)
    I. Le son **oué** (/w/)   297
    II. Le son **ué** (/ɥ/)   297
    III. Contraste /w/ — /ɥ/   298

CHAPITRE DIX-SEPT

LES RESSOURCES NATURELLES ET ENERGETIQUES   299

Introduction   300
Grammaire et exercices oraux
    Le futur antérieur   301
    Les verbes irréguliers *ouvrir, offrir, souffrir*   303
    Le participe présent   304
    La négation   306
    Ne . . . que (la restriction)   308
Exercices écrits   309
Lecture : Les ressources naturelles et énergétiques   311
Situations/Conversations   312
Compositions   314
Prononciation : La semi-voyelle /j/ (le yod)
    I. **I** or **y** + pronounced vowel   314
    II. Vowel + **il** or **ille**   314
    III. The combination of sounds /ij/   314

CHAPITRE DIX-HUIT

LES CAJUNS DE LA LOUISIANE   315

Introduction   316
Grammaire et exercices oraux
    Le subjonctif présent   317

Emploi du subjonctif après des expressions impersonnelles   321
Les pronoms relatifs *ce qui, ce que, ce dont*   322
Le verbe irrégulier *battre*   323
Les pronoms relatifs précédés d'une preposition   325
Exercices écrits   326
Lecture : Les Cajuns de la Louisiane   328
Situations/Conversations   330
Compositions   330
Prononciation
    I. **Ch** : le son /ʃ/ et le son /k/   331
   II. **Gn** : le son /ɲ/   331
  III. **Th** : le son /t/   331

CHAPITRE DIX-NEUF

LES AUTOCHTONES 333

Introduction   334
Grammaire et exercices oraux
    Le subjonctif des verbes irréguliers   335
    La voix passive   338
    Le verbe irrégulier *s'asseoir*   341
Exercices écrits   342
Lecture : Les autochtones du Canada   343
Situations/Conversations   345
Compositions   345
Prononciation
    I. Le son **p** (/p/)   345
   II. Le son **t** (/t/)   346
  III. Le son **k** (/k/)   346

L'ECONOMIE ET L'EMPLOI 347

Introduction   316
Grammaire et exercices oraux
    Le subjonctif présent   317
    Emploi du subjonctif après des expressions impersonnelles   321
    Les pronoms relatifs *ce qui, ce que, ce dont*   322
    Le verbe irrégulier *battre*   323
    Les pronoms relatifs précédés d'une préposition   325
Exercices écrits   326
Lecture : Les Cajuns de la Louisiane   328
Situations/Conversations   330
Compositions   330
Prononciation
    S + **i** ou **u**   363

CHAPITRE VINGT ET UN

LA REVOLUTION INFORMATIQUE   365

Introduction   366
Grammaire et exercices oraux
     L'antériorité dans le passé : le plus-que-parfait   367
     L'infinitif passé   368
     Rendre + adjectif   369
     Le verbe irrégulier *valoir*   370
     Le discours indirect   371
Exercices écrits   376
Lecture : La révolution informatique   377
Situations/Conversations   380
Compositions   380
Prononciation
     Liaisons interdites et liaisons obligatoires   380

CHAPITRE VINGT-DEUX

LE PLURALISME CULTUREL   383

Introduction   384
Grammaire et exercices oraux
     Le subjonctif passé   385
     Le verbe *manquer*   387
     Le verbe irrégulier *fuir*   388
     Les verbes irréguliers en *-indre*   389
Exercices écrits   390
Lecture : Le pluralisme culturel   391
Situations/Conversations   393
Compositions   394
Prononciation
     Les groupes figés   394

LA CONJUGAISON DES VERBES   396
VOCABULAIRE   404
INDEX   431

PREFACE

En bons termes, second edition, is a first-year French programme which aims to develop a basic proficiency in the four language skills (listening, speaking, reading, and writing) while fostering an awareness of the French presence in North America. It is designed to encourage and enable students to communicate in French not as a "foreign" language but as an alternative mode of expression for everyday living in the North American, and especially in the Canadian, context.

The progressive acquisition, reinforcement, and creative use of language structures quickly give students the necessary confidence to express themselves. This is very much a core programme, providing a solid foundation on which students may later build. Difficulties are broken down and presented in stages with numerous exercises to ensure assimilation through interactive use in the classroom. Some grammatical forms traditionally presented at this level have been deliberately omitted so that more time can be devoted to a thorough study of forms more commonly used — for instance, no mention is made of the *passé simple*, whereas the forms and uses of the *passé composé* receive a more detailed treatment than is commonly afforded them.

The majority of instructors who used the first edition expressed satisfaction with its overall format and organization. Accordingly, for this second edition our revisions are local improvements, made in response to the specific suggestions of users. The most significant changes occur in the reading passages: some have been replaced by new texts, others have been simplified or entirely re-written, and all the vocabulary sections have been expanded.

Format
The textbook consists of twenty-two chapters, each organized according to the following pattern (Chapters 1 and 2 present slight variations).

Introduction   Mini-dialogues illustrate the use of the main structures to be presented in the chapter.

Grammaire et exercices oraux   This section is subdivided into separate grammatical units, each followed by a series of oral exercises. The title of each unit is in French so that students may become familiar with French grammatical terms, but the explanations are given in English to facilitate study and review outside the classroom. These explanations are simple and point out differences between French and English. The oral exercises progress from substitution and transformation drills to personalized questions and mini-dialogues. They provide ample material for classroom interaction.

Exercices écrits   These are assigned by the instructor for work outside the classroom and serve as reinforcement. They cover all the material studied in the previous section.

Lecture et questions   The reading passage incorporates grammatical structures studied in the chapter and provides additional vocabulary. A number of reading passages focus on various aspects of French culture in North America, whereas others discuss current issues (such as computers and employment) or common interests (sports and travelling).

Each reading passage is followed by a vocabulary list and a set of questions. The questions are designed to test comprehension after the text has been read and studied in class. The vocabulary list includes all the new words contained in the reading passage, some of which are to become part of the active vocabulary: the opportunity to use these is provided in the next section.

Situations/Conversations A range of activities (dialogues, role-playing exercises, and conversation in groups) allows choice and ensures full participation of all students. With supervision, they can actively use the structures and vocabulary acquired in the chapter to express their feelings and opinions and to interact dynamically with each other and the instructor.

Prononciation These sections cover all the basic problems of French pronunciation for English-speaking students. Apart from guiding students through areas such as intonation and liaison, recognition of nasal vowels, and association of letters or letter groups with particular sounds, they provide numerous drills to help the student to develop correct articulatory habits and to distinguish between related sounds.

Supplementary materials

En bons termes is accompanied by a set of tapes and a laboratory manual. Each unit in these corresponds to a chapter in the textbook and includes additional exercises on structures, a listening comprehension exercise, a dictation, and pronunciation drills. A *Guide du maître* provides suggestions on using the text material and reproduces the listening comprehension and dictation exercises found on the tapes.

Acknowledgements

We wish to express our appreciation to the many colleagues who have responded to a survey on *En bons termes* and whose comments and suggestions have proved invaluable in preparing this revised edition. We are especially grateful to Marian Isitt (Brandon University) and Jonathan Rahn (St. Thomas University) for reviewing the manuscript. We would also like to thank the editorial staff at Prentice-Hall Canada, particularly Maurice Esses, David Joliffe, Magda Kryt, Ed O'Connor, and Rich Ludlow.

Michel A. Parmentier
Diane Potvin
January, 1989

CHAPITRE UN

FAISONS CONNAISSANCE

Photo par Melissa McClellan

INTRODUCTION

Comment vous appelez-vous?
   Je m'appelle Suzanne, et vous?
   Je m'appelle Claude.

Suzanne, est-ce que tu es contente ici?
   Oui, je suis très contente.

Et vous, Pierre et Guy, est-ce que
vous êtes très occupés?
   Non, nous ne sommes pas très
occupés.

GRAMMAIRE ET EXERCICES ORAUX

Présentations

LE PROFESSEUR:	Bonjour!★
LES ETUDIANTS:	Bonjour, Monsieur.
LE PROFESSEUR:	Je m'appelle Paul Duval. Comment vous appelez-vous, Monsieur?
RINO:	Je m'appelle Rino Sullo.
LE PROFESSEUR:	Comment allez-vous?
RINO:	Je vais bien, merci.
LE PROFESSEUR:	Comment vous appelez-vous, Mademoiselle?
CATHY:	Je m'appelle Cathy Takeda.
LE PROFESSEUR:	Comment allez-vous?
CATHY:	Très bien, merci.
LE PROFESSEUR:	Et vous, Madame, comment vous appelez-vous?
HEATHER:	Je m'appelle Heather Francis.
LE PROFESSEUR:	Comment allez-vous?
HEATHER:	Pas mal, merci. Et vous?
LE PROFESSEUR:	Je vais bien, merci.
	(At the end of the class)
LE PROFESSEUR:	Au revoir, à demain./A† plus tard./A la prochaine./A bientôt./ Bonsoir. ★

French Ways of Greeting

Most French-speaking students greet each other with ''Bonjour'' or ''Salut''. If they are good friends, they will use ''tu'' rather than ''vous''.

Between Friends

PAUL:	Salut!
RON:	Salut!
PAUL:	Je m'appelle Paul. Comment t'appelles-tu?
RON:	Je m'appelle Ron.
PAUL:	Comment ça va?
RON:	Ça va bien, merci. Et toi?
PAUL:	Comme ci, comme ça.

★ In Canada, ''Bonjour'' and ''Bonsoir'' are often used when parting as well as in greeting. ''Bonne nuit'' (Good night) is used only when a person is going to bed.

† You may notice that the word ''à'' has an accent (**accent grave**), when written lowercase, but when capitalized, it does not. While accents are essential to correct spelling in French, it is customary to omit them from capital letters.

Exercices (Oralement)

A. Répétez selon le modèle.

> *Modéle:* Bonjour, Monsieur.
> *Bonjour, Monsieur.*

1. Bonjour, Madame.
2. Bonjour, Mademoiselle.
3. Bonsoir, Monsieur.
4. Bonsoir, Madame.
5. Salut, Didier.
6. Comment vous appelez-vous?
7. Ça va?
8. Comment ça va?
9. A plus tard.
10. Comment allez-vous?
11. Comment t'appelles-tu?
12. Je m'appelle Jeanne.
13. Très bien, merci.
14. Je vais bien, merci.
15. Au revoir.
16. A bientôt.
17. A la prochaine.
18. Bonne nuit.

B. Students can act out the two sets of dialogues to differentiate between the formal and informal exchanges.

Formal exchange — teacher/student (use ''vous'')

Informal exchange — student/student (use ''tu'')

L'alphabet

In this chart, each letter of the alphabet is followed by phonetic symbols between slash marks, which indicate how the name of the letter is pronounced in French.

a /a/	e /ə/	i /i/	m /ɛm/	q /ky/	u /y/	y /igrɛk/
b /be/	f /ɛf/	j /ʒi/	n /ɛn/	r /ɛr/	v /ve/	z /zɛd/
c /se/	g /ʒe/	k /ka/	o /o/	s /ɛs/	w /dublə ve/	
d /de/	h /aʃ/	l /ɛl/	p /pe/	t /te/	x /iks/	

Les sons du français

French sounds are given below in phonetic symbols, accompanied by their most common spellings.

Vowel Sounds

/i/	pirate, physique, ami	/y/	unité, mur
/e/	aimer, école, les, répéter	/ø/	deux, bleu
/ɛ/	elle, perte, mère, taire, seize	/œ/	neuf, professeur
/a/	la, papa, après, chocolat	/ə/	je, de, retourner
/ɑ/	bas, pâte	/ã/	anglais, enfin
/u/	nous, vous, debout	/ɔ̃/	bon, mon, savon
/o/	beau, gros, faux	/ɛ̃/	vingt, bain, rein
/ɔ/	sort, coffre	/œ̃/	un, brun

Semi-vowels

/j/	rien, bille
/ɥ/	huit, bruit
/w/	oui, toi

Consonants

/p/	pot, après, pape	/z/	rose, raison, zéro
/b/	balle, robe	/ʃ/	chaise, architecte
/t/	table, rater *muss*	/ʒ/	je, manger
/d/	dire, radis	/m/	mari, femme
/k/	kilogramme, beaucoup, quatre	/n/	non, nous, bonne
/g/	garçon, gui	/ɲ/	montagne, cogner
/f/	finance, philosophie	/r/	ramener, arriver, rapport
/v/	vol, arriver	/l/	le, livre, allumer
/s/	silence, classe, dix, cire, garçon		

Bring back

Exercices (Oralement)

A. Répétez les lettres et les mots suivants:

a   e   i   o   u   m   d   p   k   r   v   w   y

mu   lot   dit   bar   fol   le   papa   mini   taxi   rose   date   musique

mademoiselle   quatre   coco   chose   avis   manger   embrasser

B. Épelez (spell):

pomme	ignoble	potiche	vocabulaire
chaise	bureau	coffre	craie *chalk*
table	tapis	magnifique	yoyo
madame	photographe	classe	violon

C. Épelez votre nom.

    Modèle: Je m'appelle John Kowalski.

        J–o–h–n   K–o–w–a–l–s–k–i

Les pronoms personnels sujets

A pronoun is a word used in place of one or more nouns. It may stand for a person, place, thing or idea. Instead of repeating the proper noun "Paul" in the following example, a pronoun can be used:

    Paul is an athlete. Paul goes to practice every day.

    Paul is an athlete. *He* goes to practice very day.

The French Subject Pronouns

je, j'	I	**nous**	we
tu	you	**vous**	you
il	he/it	**ils**	they (m.) – for mixed group
elle	she/it	**elles**	they (f.)
on	one/people (F.C – we)		

Observe that:

1) **Je** is used before verbs beginning with a consonant: **je suis**
   J' is used before a vowel: **j'ai**

2) The **s** in **nous**, **vous**, **ils** and **elles** is not pronounced when the verb begins with a consonant, but when the verb begins with a vowel, a **liaison** occurs:

   > nou$ sommes
   > nous avons

3) The pronoun **on** corresponds to "one", "someone" or "somebody" in English. It can also be used to mean "we", "they", and "you".

4) **Tu** and **vous** both correspond to "you" in English. **Tu** is used as an informal form of address when talking to, for example, a friend, a child, a member of your family, an animal, or to anyone in a situation that allows for informality. **Vous** is used in two distinct ways: 1) to address *one* person formally, i.e. someone you have met for the first time or someone for whom you want to show respect, or, generally, a stranger; 2) to address a group (more than one person).

Note: To allow for practice of both the **tu** and the **vous** forms and to avoid ambiguities, the following conventions have been adopted throughout the exercises in this book:

a) When addressing the instructor, students use the formal **vous** form:
   > INSTRUCTOR: Est-ce que je suis sévère?
   > STUDENT: Oui, *vous* êtes sévère.

b) When addressing each other, students use the **tu** form:
   > STUDENT 1: Est-ce que *tu* es énergique?
   > STUDENT 2: Oui, je suis énergique.

c) When the instructor asks a question using **tu**, he/she is asking an individual student to provide information about him/herself (the student answers with **je**):
   > INSTRUCTOR: Est-ce que *tu* es modeste?
   > STUDENT: Oui, *je* suis modeste.

d) When the instructor asks a question using **vous**, he/she is asking an individual student to provide information about the whole group of students in the class (the student answers with **nous**):
   > INSTRUCTOR: Est-ce que *vous* êtes sympathiques?
   > STUDENT: Oui, *nous* sommes sympathiques.

Le verbe _être_ au présent de l'indicatif — forme affirmative

je suis	I am	**nous sommes**	we are
tu es	you are	**vous êtes**	you are
il	he	**ils**	
elle } **est**	she } is	**elles** } **sont**	they are
on	one		

Exercices (Oralement)

A. Répétez le verbe *être* à toutes les personnes.

> **Modèle:** Je suis optimiste.
> *Je suis optimiste.*

1. Tu _____ optimiste.
2. Il _____ optimiste.
3. Elle _____ optimiste.
4. On _____ optimiste.
5. Nous _____ optimistes.
6. Vous _____ optimistes.
7. Ils _____ optimistes.
8. Elles _____ optimistes.

B. Répondez affirmativement.

> **Modèle:** Je suis jeune?
> *Oui, vous êtes jeune.*

1. Il est jeune? — Oui, il _____ .
2. Je suis jeune? — Oui, vous _____ .
3. Nous sommes jeunes? — Oui, vous _____ .
4. Elles sont jeunes? — Oui, elles _____ .
5. Tu es jeune? — Oui, je _____ .
6. Elle est jeune? — Oui, elle _____ .
7. Vous êtes jeunes? — Oui, nous _____ .
8. Ils sont jeunes? — Oui, ils _____ .
9. Paul est jeune? — Oui, Paul _____ .
10. Jeanne est jeune? — Oui, Jeanne _____ .
11. Paul et Jeanne sont jeunes? — Oui, ils _____ .
12. Louise et Rose sont jeunes? — Oui, elles _____ .
13. On est jeune? — Oui, on _____ .

Le verbe *être* à la forme interrogative avec *Est-ce que*

To ask a question orally in French, you may simply give the declarative sentence a rising intonation instead of a descending one. Compare:

> Pierre est dynamique.   Pierre est dynamique?

Another way to ask a question, both when speaking and writing, is to insert the expression **est-ce que** before the declarative sentence:

> Est-ce que Pierre est dynamique?

As with all oral questions requiring a "yes" or "no" answer, the intonation rises at the end of a question with **Est-ce que**:

> Est-ce que Pierre est dynamique?

The Verb Etre in Questions Using Est-ce que

Est-ce que je suis dynamique?   Est-ce que nous sommes dynamiques?
Est-ce que tu es dynamique?   Est-ce que vous êtes dynamiques?
Est-ce qu'il est dynamique?   Est-ce qu'ils sont dynamiques?
Est-ce qu'elle est dynamique?   Est-ce qu'elles sont dynamiques?
Est-ce qu'on est dynamique?

Note that before **il(s)**, **elle(s)** and **on**, which begin with vowel sounds, the **e** at the end of **Est-ce que** is replaced by an apostrophe.

Exercices (Oralement)

A. Répétez le verbe *être* en mettant la phrase à la forme interrogative.

> *Modèle:* Je suis riche.
>> *Est-ce que tu es riche?*

1. Tu es riche.   Est-ce que je _____ ?
2. Il est riche.   Est-ce qu'il _____ ?
3. Nous sommes riches.   Est-ce que vous _____ ?
4. Vous êtes riches.   Est-ce que nous _____ ?
5. Elles sont riches.   Est-ce qu'elles _____ ?
6. Je suis riche.   Est-ce que tu _____ ?
7. Ils sont riches.   Est-ce qu'ils _____ ?
8. David est riche.   Est-ce que David _____ ?
9. Marie est riche.   Est-ce que Marie _____ ?
10. David et Marie sont riches.   Est-ce que David et Marie _____ ?
11. Thérèse et Louise sont riches.   Est-ce que Thérèse et Louise _____ ?
12. On est riche.   Est-ce qu'on _____ ?

B. Faites la question selon le modèle.

> *Modèle:* Paul est fatigué.
>> *Est-ce que Paul est fatigué?*

1. Anne est malade.   6. Elles sont dynamiques.
2. Daniel est fatigué.   7. Je suis dynamique.
3. Nous sommes énergiques.   8. Tu es riche.
4. Vous êtes malades.   9. Daniel et Anne sont fatigués.
5. Ils sont blonds.   10. On est fatigué.

Le verbe être à la forme négative

Negation is expressed by two words placed before and after the verb: **ne . . . pas** or **n' . . . pas** when the verb begins with a vowel.

Je ne suis pas modeste.   Nous ne sommes pas modestes.
Tu n'es pas modeste.   Vous n'êtes pas modestes.

Pierre/Il
Suzanne/Elle } n'est pas modeste.   Ils
On   Elles } ne sont pas modestes.

Exercices (Oralement)

A. Répétez avec les changements nécessaires:

1. Je ne suis pas riche.
2. Tu _____ .
3. Nous _____ .
4. Pierre _____ .
5. Il _____ .
6. _____ dynamique.
7. Nous _____ .
8. Anne et Marie _____ .
9. Elles _____ .
10. Vous _____ .
11. Pierre et Charles _____ .
12. Tu _____ .
13. _____ malade.
14. Il _____ .
15. Je _____ .
16. Didier _____ .
17. Vous _____ .
18. On _____ .

B. Suivez le modèle.

Modèle: Est-ce que tu es sincère?
Non, je ne suis pas sincère.

1. Est-ce que tu es optimiste?
2. Est-ce que Lucie est pessimiste?
3. Est-ce que nous sommes réalistes?
4. Est-ce que vous êtes responsables?
5. Est-ce que nous sommes modestes?
6. Est-ce que tu es timide?
7. Est-ce qu'elle est fatiguée?
8. Est-ce que Charles et Suzanne sont fatigués?
9. Est-ce que je suis dynamique?
10. Est-ce que tu es dynamique?
11. Est-ce qu'Alain est énergique?
12. Est-ce que Edith et Juliette sont énergiques?

Adjectifs — masculin et féminin

Adjectives are words that modify nouns or pronouns. If adjectives describe, they are called descriptive or qualitative adjectives. They agree in gender (masculine/feminine) with the nouns or pronouns they modify.★

1) Most adjectives are made feminine by adding **e** to the masculine form.

Masculine	*Feminine*
Louis est intelligent.	Marie est intelligente.
Il est absent.	Elle est absente.

2) When the masculine singular form of an adjective ends in **-e**, it does not change in the feminine.

Masculine	*Feminine*
Il est malade.	Elle est malade.
Jean est modeste.	Louise est modeste.

★ In the examples given in this chapter, all nouns and pronouns refer to persons and are thus readily identified as masculine (male) or feminine (female). In the next chapter, you will see that *all* French nouns are either masculine or feminine and that the adjectives modifying them agree accordingly.

Exercices (Oralement)

A. Remplacez les tirets par un adjectif approprié:

intelligent(e), grand(e), petit(e), optimiste, blond(e), malade, amusant(e), dynamique, impatient(e), pressé(e), content(e), présent(e), absent(e)

1. Elle est _____ .
2. Il est _____ .
3. Je suis _____ .
4. Le professeur est _____ .
5. Sylvie est _____ .

6. Réjean est _____ .
7. Anne est _____ .
8. Tu es _____ .
9. Vous êtes _____ .
10. Robert est _____ .

B. Répondez avec un adjectif contraire, selon le modèle.

> *Modèle:* Est-ce que tu es pessimiste? (optimiste)
> *Non, je ne suis pas pessimiste, je suis optimiste.*

Est-ce que tu es . . .

1. impatient(e)? (patient[e])
2. grand(e)? (petit[e])
3. brun(e)? (blond[e])
4. arrogant(e)? (modeste)
5. effronté(e)? (timide)
6. intolérant(e)? (tolérant[e])
7. mécontent(e)? (content[e])
8. insociable? (sociable)
9. apathique? (dynamique)
10. irresponsable? (responsable)

Adjectifs: singulier et pluriel

Adjectives also agree in number with the noun or pronoun which they modify. Most adjectives are made plural by adding **s** to the singular form.

Singular	*Plural*
Je suis dynamique.	Nous sommes dynamiques.
Elle est pressée.	Elles sont pressées.

Adjectives ending in **s** or **x** in the masculine singular form remain the same in the masculine plural form.

Singular	*Plural*
Il est gros.	Ils sont gros.
Pierre est heureux.	Pierre et Jean sont heureux.

L'accord des adjectifs avec les pronoms personnels sujets

Predicate adjectives modifying subject pronouns agree in gender and number with these pronouns. While it is easy to make adjectives agree with subject pronouns in the third person — whose forms (**il**, **elle**, **ils** and **elles**) indicate whether they refer to males or females, an individual or a group — with the other subject pronouns, you must bear in mind to whom these refer in order to make the correct agreement.

1) **Je** may refer to a male or female speaker:

♂ Je suis intelligen<u>t</u>.　♀ Je suis intelligen<u>te</u>.

2) **Tu** may refer to a male or female addressee:

♂ Tu es intelligen<u>t</u>.　♀ Tu es intelligen<u>te</u>.

3) **On** is indefinite; the predicate adjective is always masculine singular:

On est intelligen<u>t</u>.

4) **Nous** may refer to a group of males or females:

♂ Nous sommes intelligen<u>ts</u>.　♀ Nous sommes intelligen<u>tes</u>.

5) **Vous** may be used to address a single individual (male or female) formally:

♂ Vous êtes intelligen<u>t</u>.　♀ Vous êtes intelligen<u>te</u>.

6) **Vous** may also be used to address a group of males or females:

♂ Vous êtes intelligen<u>ts</u>.　♀ Vous êtes intelligen<u>tes</u>.

7) Finally, **nous** and **vous** may refer to mixed groups. In the third person plural, mixed groups are referred to by the pronoun **ils**; the predicate adjective must then be in the *masculine* plural form:

♂ ♀ Nous sommes intelligen<u>ts</u>.

♂ ♀ Vous êtes intelligen<u>ts</u>.

EXERCICES ECRITS

A. *Masculin/féminin de l'adjectif.* Mettez l'adjectif entre parenthèses à la forme qui convient.

1. Suzanne est _____ (fatigué).
2. Il est _____ (fatigué).
3. Pierre est _____ (impatient).
4. Elle est _____ (impatient).
5. Alain est _____ (intelligent).
6. Marie est _____ (intelligent).
7. Josette est _____ (amusant).
8. Elle est _____ (pressé).
9. Paul est _____ (drôle).
10. Hélène est _____ (malade).
11. Elle est _____ (occupé).
12. Il est _____ (intéressant).

B. *Pluriel de l'adjectif.* Mettez l'adjectif entre parenthèses à la forme qui convient.

1. Ils sont _____ (drôle).
2. Elles sont _____ (amusant).
3. Nous sommes _____ (intelligent).
4. Vous n'êtes pas _____ (stupide).
5. Ils ne sont pas _____ (absent).
6. Elles ne sont pas _____ (malade).
7. Suzanne et Henri sont _____ (dynamique).
8. Nathalie et Marie sont _____ (occupé).
9. Alain et Paul sont _____ (poli).
10. Chantal et Alain sont _____ (impatient).
11. Béatrice et Claire sont _____ (fatigué).
12. Vous êtes _____ (intéressant).

C. Répondez aux questions affirmativement.

> *Modéle:* Est-ce que tu es poli(e)?
> *Oui, je suis poli(e).*

1. Est-ce que tu es fatigué(e)?
2. Est-ce qu'il est marié?
3. Est-ce qu'elle est blonde?
4. Est-ce que tu es brun(e)?
5. Est-ce que nous sommes intéressant(e)s?
6. Est-ce que vous êtes grand(e)s?
7. Est-ce que Charles et Marie sont riches?
8. Est-ce que Louise et Anne sont blondes?
9. Est-ce que nous sommes dynamiques?
10. Est-ce que vous êtes poli(e)s?
11. Est-ce que vous êtes fatigué(e)s?

D. Mettez à la forme interrogative.

> *Modèle:* Je suis malade.
> *Est-ce que tu es malade?*

1. Mario est gentil.
2. Olive est grande.
3. Pierre et Paul sont intelligents.
4. Louise et Josette sont blondes.
5. Jacqueline est amusante.
6. Je suis fatigué(e).
7. Elle est intéressante.
8. Nous sommes dynamiques.
9. Vous êtes sympathiques.
10. Nous sommes brun(e)s.

E. Construisez des phrases avec les adjectifs suivants et le verbe *être*.

1. sympathique   Nous _____ .
2. petit   Elle _____ .
3. fatigué   Tu _____ .
4. blond   Elles _____ .
5. réaliste   Je _____ .
6. amusant   Ils _____ .
7. indépendant   Il _____ .
8. malade   Vous _____ .
9. occupé   Nous _____ .
10. pressé   Vous _____ .

SITUATIONS / CONVERSATIONS

1. *Rôles: dialogue entre deux étudiant(e)s.* Utilisez des variations.

> *Modèle:*   CATHY: Salut. Comment ça va?
> RINO: Ça va bien. Et toi?
> CATHY: Pas mal. Comment t'appelles-tu?
> RINO: Je m'appelle Rino. Et toi?
> CATHY: Je m'appelle Cathy.
> RINO: A bientôt.
> CATHY: Au revoir.

2. Préparez un portrait de vous-même à l'aide des adjectifs suivants:

petit(e)	drôle *Funny*	patient(e)	indifférent(e)
grand(e)	dynamique	impatient(e)	occupé(e)
blond(e)	modeste	indépendant(e)	tranquille
brun(e)	optimiste	intelligent(e)	calme
mince	timide	tolérant(e)	pessimiste
énergique	réservé(e)	arrogant(e)	responsable

3. Donnez votre première impression de la personnalité de votre voisin/voisine.

Je pense (I think) qu'il/elle est _____ .

PRONONCIATION

I. *L'accent tonique et les groupes rythmiques*

1) In isolated words, the tonic accent always falls on the last syllable.

Répétez:

intelligent, amusant, épatant, malade, absent, présent, actif, sportif, dynamique, sympathique, occupé, pressé.

2) In rhythmic groups (phrases), words lose their tonic accent. Instead, the accent occurs on the last syllable of the final word of the group.

Répétez:

Ça va.   Ça va bien.   Ça va très bien.

Je suis sportif.

Tu es aimable.

Nous sommes impatients.

Pierre est intelligent.

II. *L'intonation dans les phrases déclaratives*

1) In a declarative sentence which includes only one rhythmic group, the tonic accent has a falling pitch.

Répétez:

Je suis pressé.   Il est sportif.   Elle est active.

2) When the sentence includes two rhythmic groups, the pitch of the voice rises at the end of the first one and falls at the end of the second one.

Répétez:

Il est actif et dynamique.   Suzanne et Pierre sont absents.

Elle est amusante et jolie.   Paul et Marie sont sportifs.

III. *L'intonation dans les phrases interrogatives*

1) By changing the intonation from a descending to a rising pattern, a declarative sentence may be transformed into a question.

Répétez:

Tu es fatiguée?   Vous êtes malades?   Ils sont amusants?

Il est sportif?   Elle est intelligente?

Listen to the following declarative sentences and change them into questions:

Elle est sympathique.   Tu es fatigué.

Il n'est pas amusant.   Vous n'êtes pas contents.

2) When using **est-ce que** at the beginning of a sentence to form a question, the pitch of the voice should also rise at the end of the question.

Répétez:

Est-ce que tu es contente?   Est-ce que vous êtes fatigués?

Est-ce qu'il est triste?   Est-ce qu'elle est blonde?

Est-ce qu'il est amusant?   Est-ce qu'elle est intelligente?

Transform the following statements into questions by using **est-ce que:**

Elle est brune.   Il est absent.

Tu es intelligente.   Vous êtes contents.

Ils sont bruns.   Elles sont amusantes.

CHAPITRE DEUX

UNE CHAMBRE CONFORTABLE

Photo par David Eijsenck

INTRODUCTION

en haut
deuxième planches

premier planches

en bas

Pierre a une belle table et un beau fauteuil pratiques.

chat

porch — un verandah

passage (hall)
chambre de

boudoir — sitting
room

Qu'est-ce que c'est?
  C'est un bureau.
  C'est une chaise.
  Ce sont des livres.

Est-ce que tu as une grande chambre?
  Oui, j'ai une grande chambre.

Est-ce que vous avez des affiches?
  Non, nous n'avons pas d'affiches.

Combien est-ce que vous avez de plantes?
  Nous avons quatre plantes.

appartement ou pièce
  cave ou sous-sol (basement)

salle à manger
une cuisine

chambre
salle de bain
un bibliothèque

salle familiale; chambre à coucher
un salon

réveil-matin - alarm clock
autour (around)
Alors 'well'

GRAMMAIRE ET EXERCICES ORAUX

Qu'est-ce que c'est? / C'est, ce sont

When you want someone to identify an object, ask: **"Qu'est-ce que c'est?"** (What is that?) To answer, use:

C'est + article + singular noun	C'est une table.
or	
Ce sont + article + plural noun	Ce sont des stylos.

Exercices (Oralement)

A. Le professeur indique des objets dans la classe et demande "Qu'est-ce que c'est?" Répondez:

1. C'est un mur.	6. C'est une lampe.	11. Ce sont des stylos.
2. C'est une fenêtre.	7. C'est un tableau. *painty*	12. Ce sont des photos.
3. C'est une porte.	8. C'est un bureau.	13. Ce sont des livres.
4. C'est un plancher. *floor*	9. Ce sont des plantes.	14. Ce sont des murs.
5. C'est un plafond. *ceiling*	10. Ce sont des fauteuils.	15. Ce sont des fenêtres.

Une chambre confortable

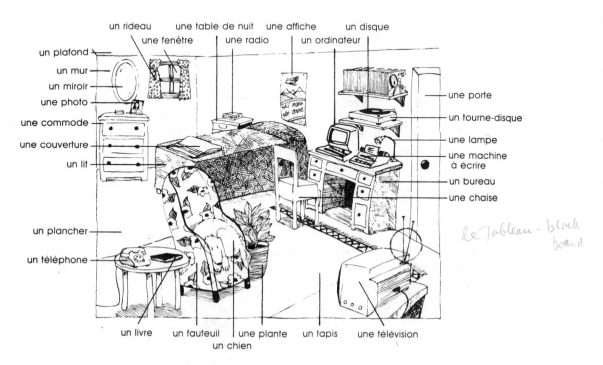

un plafond · un mur · un miroir · une photo · une commode · une couverture · un lit · un plancher · un téléphone

un rideau · une fenêtre · une table de nuit · une radio · une affiche · un ordinateur · un disque

une porte · un tourne-disque · une lampe · une machine à écrire · un bureau · une chaise

un livre · un fauteuil · un chien · une plante · un tapis · une télévision

le Tableau - black board

B. Indiquez des objets dans la classe et demandez à un(e) autre étudiant(e) "Qu'est-ce que c'est?"

Noms: genre et nombre

Noun

A noun is a word that refers to:

a person:	**Sonja, Paul, professeur**
a place:	**Montréal, Québec, village**
a thing or animal:	**lampe, chaise, chien**
an idea:	**démocratie, amour, guerre**

Nouns which begin with a capital letter, such as the names of people or places, are called proper nouns. Nouns which do not begin with a capital letter are called common nouns.

Gender

When a word can be classified as masculine or feminine, it is said to have a gender. In French, all nouns are either masculine or feminine. There is no such thing as a neuter noun.

The gender of most French nouns cannot be inferred from their forms: you must memorize the gender along with the noun. However, some endings are associated with a particular gender:

Masculine Endings		Feminine Endings	
-age	virage	-ade	promenade
-al	arsenal	-aison	combinaison
-ent	sergent	-ette	cigarette
-ier	fermier	-ière	fermière
-eur	chanteur	-euse	chanteuse
-ien	pharmacien	-ienne	pharmacienne
-isme	communisme	-ie	chimie
-ment	gouvernement	-sion	passion
		-ture	confiture
		-té	charité

Number

When a word refers to one person or thing, it is said to be singular. When it refers to more than one, it is called plural. In French, a word in the plural is usually spelled differently than in the singular. Often an **s** is added to the singular word; the final **s**, however, is *never* pronounced.

livre (m. sing.)	livres (m. pl.)
table (f. sing.)	tables (f. pl.)

The Plural of Nouns Ending in:

1) -al ⟶ -aux: animal ⟶ animaux
2) -eau ⟶ -eaux: tableau ⟶ tableaux
3) -eu ⟶ -eux: milieu ⟶ milieux

Note: If a noun ends with an **s** or a **z**, no **s** is added in the plural.

L'article indéfini: _un/une/des_

The Indefinite Article in English

"A" or "an" is used before a singular noun when we speak of a person, animal, thing or idea which is not particularized:

She ate _an_ apple. (not any particular apple)
He saw _a_ man in the street. (not any particular man)

There is no plural form of the indefinite article in English. Plural nouns which do not refer to particular persons or things are used without an article (or occasionally with "some"):

He ate apples. (some apples)
He saw men in the street. (some men)

The Indefinite Article in French

The singular forms of the indefinite article in French match the gender of the noun they precede. **Un** is masculine:

un garçon   a boy
un livre   a book

Une is feminine:

une femme   a woman
une chaise   a chair

As in English, the indefinite article indicates that we do not speak about any particular person or thing. However, in French, there is also a plural form of the indefinite article, **des,** which is used with both masculine and feminine plural nouns and which cannot be omitted. Compare:

J'ai des livres.   I have books. (some books)
Nous avons des chaises.   We have chairs. (some chairs)

Exercices (Oralement)

A. Employez *un* ou *une* devant chaque nom:

_____ bureau	_____ occasion	_____ couverture
_____ magicien	_____ général	_____ électricien
_____ journal	_____ tapis	_____ animal
_____ fenêtre	_____ porte	_____ baigneur *bather*
_____ mécanicien	_____ sergent	_____ chanteuse
_____ ouvrière *worker*	_____ lampe	_____ parade

B. Répétez l'exercice précédent au pluriel.

> ***Modèle:*** occasion
> *des occasions*

Le verbe avoir

j'ai	I have		**nous avons**		we have
tu as	you have		**vous avez**		you have
il	he		**ils**		
elle } a	she } has		**elles** } ont		they have
on	one				

Note: Liaison is required between **on, nous, vous, ils, elles** and the verb.

vous‿avez　　nous‿avons　elles‿ont
on‿a　　ils‿ont

The Interrogative Form with *est-ce que*

Est-ce que j'ai un crayon?
Est-ce que vous avez un fauteuil?

The Negative Form: *ne* + *verbe* + *pas*

je n'ai pas	nous n'avons pas
tu n'as pas	vous n'avez pas
il	ils
elle } n'a pas	elles } n'ont pas
on	

✓ ✓ In a negative construction, **de** is used in place of **un, une, des:**

J'ai un chien. ⟶ Je n'ai pas de chien.
Il a une flûte ⟶ Il n'a pas de flûte.
Ils ont des livres. ⟶ Ils n'ont pas de livres.

Exercices (Oralement)

A. Répondez aux questions affirmativement.

> **Modèle:** Est-ce que tu as une table?
> *Oui, j'ai une table.*

Est-ce que tu as . . .

1. une télévision?
2. un panier?
3. une fenêtre?
4. un bureau?
5. une chaise?
6. un téléphone?
7. un fauteuil?
8. un lit?
9. une table de nuit?
10. des photos?
11. des crayons?
12. des livres?
13. des tables?
14. des stylos?

B. Répétez avec les changements indiqués:

1. Pierre a un livre.
2. Il _____ .
3. Nous _____ .
4. Juliette _____ .
5. Marie et Pierre _____ .
6. Vous _____ .
7. _____ un bureau.
8. Suzanne _____ .
9. Tu as une commode.
10. Olive et Suzanne _____ .
11. Elle _____ .
12. _____ une télévision.
13. Gaston _____ .
14. Nous _____ .
15. Je _____ .

C. Mettez à la forme interrogative.

> **Modèle:** J'ai un téléphone.
> *Est-ce que tu as un téléphone?*

1. Elle a une commode.
2. Nous avons des livres.
3. Vous avez des disques.
4. Ils ont des plantes.
5. Elles ont des tapis.
6. Pierre a un ordinateur.
7. Marie a une télévision.
8. J'ai des photos.

D. Mettez à la forme négative.

> **Modèle:** Il a une couverture.
> *Il n'a pas de couverture.*

1. Elle a un stylo.
2. Vous avez des livres.
3. Nous avons des chaises.
4. Didier a un lit.
5. Pierre et Karine ont des disques.
6. Tu as une lampe.
7. J'ai des affiches.
8. Elle a une chambre.
9. Ils ont des photos.
10. Elles ont des plantes.

E.   Formez des phrases avec les éléments suivants.

> *Modèle:* Je / avoir / livres
> *J'ai des livres.*

1. Nous / avoir / étagère *shelf*
2. Ils / ne pas avoir / fauteuil
3. Jeanne / avoir / ami
4. Je / ne pas avoir / auto
5. Tu / ne pas avoir / chat
6. Les étudiants / avoir / ordinateur
7. Il / avoir / machine à écrire
8. Paul et Toni / avoir / radio
9. Le professeur / ne pas avoir / téléphone
10. Elle / avoir / réveille-matin

L'adjectif: genre et nombre (suite)

Some adjectives do not have a regular feminine form (adding **e** to the masculine form). Study the following patterns:

1) Doubling of the Final Consonant
a) **-ien, -ienne / -iens, -iennes**

	Masculine	*Feminine*
Singular	canadien	canadienne
Plural	canadiens	canadiennes

b) **-el, -elle / -els, -elles**

	Masculine	*Feminine*
Singular	rationnel	rationnelle
Plural	rationnels	rationnelles

c) **-s, -sse / -s, -sses**

	Masculine	*Feminine*
Singular	gros	grosse
Plural	gros	grosses

d) **bon, bonne / bons, bonnes**

	Masculine	*Feminine*
Singular	bon	bonne
Plural	bons	bonnes

2) Masculine: **-eux** / Feminine: **-euse**

	Masculine	Feminine
Singular	heureux	heureuse
Plural	heureux	heureuses

Note: Masculine endings in **-eux** do not change in the plural.

3) Masculine: **-eau** / Feminine: **-elle**

	Masculine	Feminine
Singular	nouveau	nouvelle
Plural	nouveaux	nouvelles

Note: Adjectives ending in **-eau** add **x** for the plural: **-eaux.**

4) Masculine: **-ou** / Feminine: **-olle**

	Masculine	Feminine
Singular	mou *soft*	molle
Plural	mous	molles

5) Masculine: **-if** / Feminine: **-ive**

	Masculine	Feminine
Singular	sportif	sportive
Plural	sportifs	sportives

6) Exceptional Adjectives

	Masculine	Feminine
Singular	vieux	vieille
Plural	vieux	vieilles

	Masculine	Feminine
Singular	doux	douce
Plural	doux	douces

qu'est-ce que ça veut dire — mean

Exercice (Oralement)

A. Répétez avec les changements appropriés.

> **Modèle:** Il est heureux.
> *Elle est heureuse.*

1. Elle est bonne.
2. Il _____ .
3. Elles sont _____ .
4. Ils _____ .
5. _____ heureux.
6. Elles _____ .
7. Elle est _____ *heureuse.* _____ .
8. _____ ambitieuse.
9. Il est _____ *ambitieux* .
10. _____ fou.
11. Elle est _____ *folle* _____ .
12. _____ rationnelles.
13. Ils sont _____ .
14. _____ gros.
15. Elle est _____ *grosse* _____ .
16. Il est vieux. *(old)*
17. Elles sont _____ *vieilles* _____ .
18. _____ bonnes.
19. Il est _____ .
20. _____ nouveau.
21. Elles sont _____ .
22. _____ sérieuses.
23. Ils sont _____ .
24. Elle est _____ .
25. _____ anciennes.
26. Ils sont _____ *anciens* _____ .
27. _____ bas *(low)*
28. Elle est _____ .
29. _____ mou.
30. Ils sont _____ *moux* _____ .

Place des adjectifs

In English, descriptive adjectives precede the noun. In French, they usually *follow* the noun. Adjectives of <u>color, religion or nationality</u> almost always follow the noun and agree in gender and number with the noun or pronoun.

	Masculine	Feminine
Singular	un fauteuil moderne	une chaise brune
	un vin français	une revue française
Plural	des fauteuils modernes	des chaises brunes
	des vins français	des revues françaises

Note: Adjectives of nationality are not capitalized in French. ✓

Exercices (Oralement)

A. Répondez aux questions.

> **Modèle:** Est-ce que tu as une chaise confortable?
> *Oui, j'ai une chaise confortable.*

Est-ce que . . .

1. j'ai une table antique?
2. tu as un disque récent?
3. il a un bureau moderne?
4. elle a un miroir carré? *square*
5. nous avons un disque exceptionnel?
6. vous avez un lit confortable?
7. ils ont une lampe moderne?
8. elles ont un fauteuil superbe?

un prêtre candrei   d'or.
                           (outside)

B. Répondez aux questions.

Modèle: Est-ce que vous avez des livres intéressants?
Oui, nous avons des livres intéressants.

Est-ce que vous avez . . .

1. des photos originales?
2. des plantes vertes?
3. des disques intéressants?
4. des affiches modernes?

5. des lampes anciennes?
6. des lits confortables?
7. des livres précieux?
8. des chaises luxueuses? luxury.

Place des adjectifs (suite)

The following adjectives normally precede the noun and agree in gender and number with the noun they qualify.

	Masculine	Feminine
Singular	un grand lit	une grande table
Plural	de grands lits	de grandes tables

grand	grande (tall/large)
petit	petite (small)
beau	belle (beautiful)
joli	jolie (pretty)
gros	grosse (big)
nouveau	nouvelle (new)
vieux	vieille (old)
bon	bonne (good)
autre	autre (other)

Note: 1) In front of an adjective that is plural, **des ——→de.** Compare:
des livres intéressants / de beaux livres   des chaises confortables / de belles chaises

2) When placed before a masculine singular noun which begins with a vowel or a silent **h**, **beau, nouveau** and **vieux** become **bel, nouvel** and **vieil**:
un vieil ami   un bel homme   un nouvel ordinateur

3) An adjective that modifies more than one noun is plural. If the nouns have different genders the *masculine plural form* is used:
un garçon et une fille courageux   un bureau et une table anciens

Exercices (Oralement)

A. Répondez aux questions.

Modèle: Est-ce que tu as un grand lit?
Oui, j'ai un grand lit.

Est-ce que tu as . . .

1. une petite table?
2. une belle lampe?

3. un joli bureau?
4. un nouveau disque?

5. un vieux tourne-disque?
6. un bon miroir?
7. une belle affiche?

8. un gros fauteuil?
9. une vieille chaise?
10. une bonne télévision?

Exercices (Oralement)

B. Répondez aux questions.

Modèle: Est-ce que vous avez de petites tables?
   Oui, nous avons de petites tables.

Est-ce que vous avez . . .

1. de grands lits
2. de petites tables?
3. de vieux livres?
4. de belles lampes?

5. de beaux disques?
6. de gros fauteuils?
7. de jolies serviettes?
8. de vieilles chaises?

Les nombres

1 un	18 dix-huit	35 trente-cinq
2 deux	19 dix-neuf	36 trente-six
3 trois	20 vingt	37 trente-sept
4 quatre	21 vingt et un	38 trente-huit
5 cinq	22 vingt-deux	39 trente-neuf
6 six	23 vingt-trois	40 quarante
7 sept	24 vingt-quatre	41 quarante et un
8 huit	25 vingt-cinq	42 quarante-deux
9 neuf	26 vingt-six	43 quarante-trois
10 dix	27 vingt-sept	44 quarante-quatre
11 onze	28 vingt-huit	45 quarante-cinq
12 douze	29 vingt-neuf	46 quarante-six
13 treize	30 trente	47 quarante-sept
14 quatorze	31 trente et un	48 quarante-huit
15 quinze	32 trente-deux	49 quarante-neuf
16 seize	33 trente-trois	50 cinquante
17 dix-sept	34 trente-quatre	

Note: The final consonants of all the numbers are pronounced when followed by words beginning with a vowel. The final **x** or **s** of deux, trois, six and dix is pronounced as a /z/ sound.

un ami   deux étudiants   trois exercices

Exercices (Oralement)

A. Répétez:

45	11	13	49	2	17	9	48	16	32
12	22	27	26	12	50	13	23	15	42
15	10	32	19	22	30	40	7	14	48

B.   Donnez la réponse correcte.

Modèle: 2 + 2 =
      Deux plus deux font quatre. / Deux et deux font quatre.

addition

plus

15 + 15 =	32 + 13 =	7 + 15 =
11 + 22 =	18 + 16 =	9 + 2 =
13 + 27 =	15 + 7 =	8 + 7 =

soustraction

moins

17 − 2 =	23 − 9 =	12 − 6 =
40 − 13 =	49 − 23 =	27 − 11 =
48 − 12 =	18 − 16 =	50 − 25 =

multiplication

fois

2 x 2 =	15 x 2 =	5 x 5 =
13 x 2 =	4 x 4 =	12 x 3 =
10 x 4 =	11 x 3 =	7 x 4 =

division

C.   Répondez aux questions.

Modèle: Combien est-ce que tu as de crayons? (12)
      J'ai douze crayons.

Combien est-ce que tu as . . .

1. de livres?   (22)
2. de tables?   (4)
3. de chaises?   (5)
4. de lampes?   (2)
5. de fauteuils?   (4)
6. de fenêtres?   (3)

7. de chats?   (11)
8. de plantes?   (4)
9. de cahiers?   (8) *notebook*
10. d'amis?   (2)
11. d'affiches?   (4)
12. d'exercices?   (23)

EXERCICES ECRITS

A.   Ecrivez *un, une* ou *des*:

1. Est-ce que tu as _____ lit?
2. J'ai _____ *une* _____ commode.
3. Il a _____ *des* _____ chaises.
4. Charles a _____ *une* _____ télévision.
5. Claire a _____ *un* _____ tourne-disque.
6. Ils ont _____ *un* _____ ordinateur.
7. Nous avons _____ *un* _____ chien.
8. Vous avez _____ *un* _____ radio.
9. Elles ont _____ *une* _____ machine à écrire.

10. Ils ont _____ *des* _____ rideaux. *(drapes)*
11. Antoine a _____ *une* _____ chambre.
12. J'ai _____ *des* _____ plantes.
13. Est-ce qu'il a _____ *des* _____ affiches?
14. Vous avez _____ *une* _____ flûte.
15. Ils ont _____ *un* _____ miroir.
16. Georges et Paul ont _____ *un* _____ tapis.
17. Elle a _____ *un* _____ téléphone.
18. Nous avons _____ *des* _____ lampes.

B.   Remplacez les tirets par le verbe *avoir* à la forme qui convient:

1. Elle _____ une télévision.
2. Je _____ un tapis.
3. Edouard _____ des livres.

4. Nous _____ des disques.
5. Tu _____ un ordinateur.
6. Elles _____ des stylos.

C. Mettez les phrases de l'exercice précédent: 1) à la forme négative; 2) à la forme interrogative avec *Est-ce que.*

D. Mettez au pluriel d'après les modèles.

> *Modèles:* C'est un nouvel ordinateur.
> *Ce sont de nouveaux ordinateurs.*
> C'est une chaise confortable.
> *Ce sont des chaises confortables.*

1. C'est un étudiant sportif.
2. C'est une vieille chaise.
3. C'est un gros chien.
4. C'est un livre intéressant.
5. C'est un étudiant sérieux.
6. C'est un bel animal.
7. C'est un grand tableau.
8. C'est une table basse.
9. C'est une bonne idée.
10. C'est un milieu intellectuel.

E. Mettez l'adjectif ou les adjectifs à la place qui convient et faites-les accorder avec le nom.

> *Modèle:* Elle a des tables (petit, bas).
> *Elle a de petites tables basses.*

1. Nous avons des disques (nouveau).
2. J'ai un lit (grand).
3. Il a un fauteuil (confortable).
4. Il a un chien (intelligent).
5. Nous avons une commode (ancien).
6. Tu as un stylo (bon).
7. Nous n'avons pas de commode (beau).
8. Tu as une machine à écrire (pratique).
9. Pierre a des photos (intéressant).
10. Vous avez une lampe (joli, chinois).
11. Ils ont un tourne-disque (bon, moderne).
12. Paul et Louise ont des disques (exceptionnel).
13. J'ai une machine à écrire (vieux).
14. Marie a des lampes (beau, pratique).
15. Elles n'ont pas de couvertures (gros)
16. Vous avez des chambres (luxueux).
17. Ils ont des affiches (superbe).
18. Nous avons des couvertures (doux).

F. Répondez aux questions par des phrases complètes. (Écrivez les chiffres en toutes lettres.)

> Combien est-ce que tu as . . .

1. de chaises?   (3)
2. de tables?   (2)
3. de lampes?   (5)
4. de livres?   (42)
5. de crayons?   (13)
6. de fenêtres?   (6)
7. de fauteuils?   (7)
8. d'affiches?   (5)
9. de photos?   (8)
10. de stylos?   (15)

G. Indiquez les réponses en chiffres écrits.

Modèle: 5 x 5 = *vingt-cinq*

1. 4 x 4 =	5. 50 – 12 =	9. 5 + 6 =
2. 16 + 16 =	6. 20 – 10 =	10. 25 – 12 =
3. 35 – 15 =	7. 5 x 3 =	11. 24 – 10 =
4. 10 + 10 =	8. 10 + 13 =	12. 24 – 12 =

SITUATIONS / CONVERSATIONS

1. Qu'est-ce que vous avez dans votre chambre?

2. Demandez à votre voisin(e) quelle sorte de table il/elle a?

> de chaise
> de fauteuil
> de disques
> etc.

> *Exemple:* J'ai une table ancienne.
> J'ai une petite table.

COMPOSITION

Faites une description des objets de votre chambre:

> *Exemple:* J'ai un grand lit confortable, un vieux tapis, de grandes fenêtres. J'ai aussi
> un tourne-disque, etc.

PRONONCIATION

I. *Enchaînement*

Within a rhythmic group, when a word ends with a pronounced consonant and the next word begins with a vowel sound, that consonant is linked with the vowel.

Répétez:

Il est amusant.

Il est actif.

Il est impatient.

C'est un nouvel ordinateur.

C'est un vieil ami.

Few words in French end in a consonant which is pronounced. However, a number of words end with the letter **e** which is never pronounced in that position: in such a case, the preceding consonant is pronounced and may also be linked with the following word if that word begins with a vowel sound.

Répétez:

Madame Armand	quatre amis
Mademoiselle Olive	un autre étudiant
Elle est absente	une grande armoire
Elle est sportive.	une petite amie

II. *Liaison*

Although in most French words the final consonant is not pronounced, when a word ending in a silent consonant is followed by a word beginning with a vowel sound, that consonant is sometimes pronounced and linked with the vowel sound. Depending on the case, **liaison** is optional, compulsory, or even to be avoided (see Chapter 21). **Liaison** is compulsory between a subject pronoun and a verb as well as between an article and a noun or an adjective and a noun.

Final **s** and **x** are pronounced /z/ in **liaison**; final **d** is pronounced /t/.

Répétez:

nous avons	de bons étudiants
vous avez	de vieux arbres
ils ont	de vieux amis
elles ont	de nouveaux étudiants
des armoires	un grand arbre
des affiches	un grand ami
des amis	un grand animal
des étudiants	Ils ont des amis.
de grands arbres	Nous avons de bons amis.
de bons amis	

CHAPITRE TROIS

UNE PROMENADE DANS *LE BOIS*

Photo avec la permission de The Bruce Trail Association

INTRODUCTION

Est-ce que tu aimes la musique?

Oui, j'aime la musique classique mais je n'aime pas la musique disco.

Est-ce que les étudiants mangent à la cafétéria le samedi?
  Oui, ils mangent à la cafétéria.

Où est le livre de français?
  Il est dans la classe / sur la table / à côté de la fenêtre.

Jouez-vous au hockey?
  Oui, nous jouons au hockey.

Joues-tu de la guitare?
  Je joue de la guitare et du piano.

Marchons ensemble un moment et admirons la nature.
  Sois pratique: rentre chez toi et étudie.

Où allez-vous dimanche?
  Dimanche matin, je reste chez moi, mais dimanche après-midi, Pierre et moi, nous allons au jardin botanique.

Quelle est la date de l'examen?
  C'est le six octobre, c'est-à-dire lundi prochain.

GRAMMAIRE ET EXERCICES ORAUX

Verbes réguliers et verbes irréguliers

The majority of French verbs are regular (**réguliers**), which means that they are conjugated according to a fixed pattern. There are three groups of regular verbs. Their infinitives end in **-er** (first group); in **-ir** (second group); and in **-re** (third group). Dropping the infinitive ending (**la terminaison**) leaves the stem (**le radical**). Regular verbs are conjugated in the various tenses by adding a particular set of endings to the stem.

Irregular verbs are those which do not follow an established pattern and must be memorized individually. (**Être** and **avoir** are irregular verbs.)

Présent de l'indicatif des verbes en -er

The present tense of verbs in the first group is formed by adding to the stem the endings shown in this example:

	danser (to dance)		
je	dans**e**	nous	dans**ons**
tu	dans**es**	vous	dans**ez**
il/elle/on	dans**e**	ils/elles	dans**ent**

Note: The endings **-e, -es, -e, -ent** are silent: hence the forms **je danse, tu danses, il/elle/on danse, ils/elles dansent** all have the same pronunciation.

The first group includes all the regular verbs whose infinitives end in **-er**, such as:

aimer	(to like/to love)	Nous aimons la musique.
arriver	(to arrive)	J'arrive de la cafétéria.
chanter	(to sing)	Est-ce que tu chantes à l'église?
écouter	(to listen to)	Lise écoute un disque.
entrer	(to enter)	Nous entrons dans la classe.
étudier	(to study)	Ils étudient le français.
fumer	(to smoke)	Serge ne fume pas.
habiter	(to dwell)	Nous habitons Montréal.
marcher	(to walk)	Vous marchez dans le parc.
manger	(to eat)	Est-ce que vous mangez au restaurant?
parler	(to speak)	Elle parle l'anglais.
regarder	(to look at/to watch)	Tu regardes la télévision.
rester	(to stay)	Je reste chez moi.
travailler	(to work)	Nous ne travaillons pas bien.

Note: 1) The pronoun **je** before a vowel or a silent **h** becomes **j'**: **j'arrive, j'entre, j'habite.**

2) There is only one verb form in French to indicate the present tense, whereas there are three forms in English:

je danse {	I dance	(present)
	I do dance	(present emphatic)
	I am dancing	(present progressive)

Exercices (Oralement)

A. Répétez chaque phrase. Changez la forme du verbe selon le sujet entre parenthèses.

Modèle: Tu (elle, nous, je) imagines.
Tu imagines. Elle imagine. Nous imaginons. J'imagine.

1. Martin (vous, tu, je) écoute un disque de jazz.
2. Nous (on, vous, Suzanne et Marc) regardons la télévision.
3. Je (vous, ils, tu, un professeur) marche dans le bois.
4. Elle (tu, André, nous) aime la nature.
5. Sylvie (nous, elles, vous) travaille à la bibliothèque.
6. Vous (je, ils, Henri, tu) parlez avec le professeur.
7. Ils (nous, je, Louise) étudient à Toronto.

B. Mettez à la forme négative et à la forme interrogative.

Modéle: Il chante.
Il ne chante pas. Est-ce qu'il chante?

1. Vous parlez.
2. Nous étudions.
3. Elles arrivent.
4. Elle marche.
5. Tu travailles.
6. Je rentre.
7. Il regarde.
8. Ils écoutent.
9. Tu parles.
10. Vous dansez.

C. Posez la question appropriée.

Modèles: Je fume des cigares.
Est-ce que tu fumes des cigares?

Nous regardons un film.
Est-ce que vous regardez un film?

1. Je mange un sandwich.
2. Nous chantons une ballade.
3. J'étudie très fort.
4. Je parle avec Hélène.
5. Vous regardez un film.
6. Nous parlons avec Yvon.
7. J'écoute une chanson.
8. Nous travaillons.
9. Nous marchons.
10. Tu aimes la classe.

L'article défini

Forms

le   before a masculine singular noun or adjective beginning with a consonant:

le garçon, le stylo, le grand bureau

la   before a feminine singular noun or adjective beginning with a consonant:

la table, la serviette, la jolie chaise

l'   before a masculine or feminine singular noun or adjective beginning with a vowel sound or a silent **h**:

l'étudiant, l'homme, l'autre classe

les   before all plural nouns or adjectives:

les stylos, les femmes, les nouveaux livres

Uses of the Definite Article

1) Like ''the'' in English, it precedes nouns indicating particular persons, places or things:

Le professeur est dans la classe.
Les étudiants sont attentifs.
L'université est grande.

2) Unlike ''the'' in English, the definite article in French also precedes nouns used abstractly or in a general sense. Compare:

Le français est facile.	French is easy.
Les arbres sont verts.	Trees are green.
L'honnêteté est une vertu.	Honesty is a virtue.

Exercices (Oralement)

A.   Remplacez l'article indéfini par l'article défini approprié:

un garçon	un mur
une fille	des couvertures
un étudiant	un ordinateur
une étudiante	un arbre
un chat	des feuilles
une chaise	un tapis
des livres	une femme
un pupitre *desk*	des fenêtres
une table	des bois
des disques	un oiseau

B.   Insérez l'article défini qui convient:

télévision	téléphone	photo
lit	table	plante
affiche	machine à écrire	*la* radio
commode	plafond	couverture
disque	miroir	réveille-matin
livre	fauteuil	plancher

Prépositions de lieu place

à (at/in/to/into)	Il est à Montréal; à l'université.
de (from)	Elle arrive de Toronto; de la bibliothèque.
dans (in/into)	La plante est dans le pot.
devant (in front of)	Le professeur est devant les étudiants.
derrière (behind)	Le tableau est derrière le professeur.
sur (on)	Les livres sont sur la table.
sous (under)	Le chien est sous la chaise.
à côté de (beside/next to)	Le restaurant est à côté de la discothèque.
à droite de (to the right of)	Pierre est à droite de Marie.
à gauche de (to the left of)	Sylvie est à gauche de Marie.
entre (between)	Marie est entre Pierre et Sylvie.
en face de (facing)	Jean est en face du professeur.

Contractions

When **à** or **de** precedes the definite article **le** or **les**, the following contractions are made:

à + le = au	**à + les = aux**
de + le = du	**de + les = des**

Nous sommes **au** restaurant.	Il parle **aux** étudiants.
J'arrive **du** cinéma.	Il parle **des** étudiants.

No contraction is made with **la** or **l'**:

Elle est **à la** maison.	Nous sommes **à l'**église.

Contractions are also made with **le** or **les** when **à** or **de** are part of longer prepositions:

à côté de + les étudiants ⟶ à côté **des** étudiants

jusqu'à (up to) + le parc ⟶ jusqu'**au** parc

Interrogation — l'inversion

Questions in French are asked not only by using upward intonation (**Ils sont grands?**) or **Est-ce que** (**Est-ce qu'ils sont grands?**), but also by inverting the subject and verb: **Sont-ils grands?**

Inversion can be used when:

1) the subject is a pronoun, although it is not normally used if the subject is the pronoun **je**.

Tu es fatigué. ————————→Es-tu fatigué?
Vous avez des disques.———→ Avez-vous des disques?

If the verb ends with a vowel, a **t** must be inserted between the verb and the pronouns **il**, **elle** and **on**:

Danse-t-il à la discothèque?
A-t-elle un ordinateur?
Chante-t-on dans la classe?

2) the subject is a noun. The noun remains before the verb, but a subject pronoun of the same gender and number as the noun is added after the verb:

Les arbres sont-ils verts?
René est-il intelligent?
Le professeur regarde-t-il les étudiants?

3) the question begins with an interrogative adverb such as **où** (where) or **d'où** (from where):

Où mange-t-il?
Où Pierre travaille-t-il?
D'où Suzanne arrive-t-elle?

An alternative construction is often used when the subject is a noun and the verb is **être**: **où** + verb (**être**) + noun subject:

Où est Pierre?
Où est le professeur?
Où sont les livres?

Exercices (Oralement)

A. Formez une question avec l'inversion.

Modèles: Tu es sportif.
  Es-tu sportif?

  Bernard regarde la télévision.
  Bernard regarde-t-il la télévision?

1. Elle est sympathique.
2. Vous êtes sportifs.
3. Il a une télévision.
4. Ils marchent dans le bois.
5. Tu manges le fromage.
6. Elles sont amusantes.
7. Lisette mange un sandwich.
8. André regarde un film.
9. Le professeur écoute les étudiants.
10. Les poètes aiment la nature.
11. Louis a une télévision.
12. Les étudiants sont attentifs.

B. Formez la question. Employez *où* et l'inversion.

> *Modèle:* Carole est à Montréal.
> *Où est Carole?*

1. Le chat est sous la table.
2. Julien est derrière la porte.
3. Les livres sont sur le bureau.
4. Il est à droite de la fenêtre.
5. Le professeur est à côté de la porte.
6. Nous sommes dans la classe.
7. Elizabeth est à côté de Pierre.
8. Je suis devant Lucien.
9. La télévision est sur la commode.
10. Marc est dans la chambre.

C. Même exercice.

> *Modèle:* Pierre mange au restaurant.
> *Où Pierre mange-t-il?*

1. Les étudiants marchent dans le bois.
2. Marc et Sylvie dansent à la discothèque.
3. Le professeur travaille à la bibliothèque.
4. Antoinette chante à l'église.
5. Serge entre dans la classe.
6. Les enfants jouent dans le jardin.

D. Répondez par une phrase complète. Utilisez *à, au, à la, à l'* ou *de, de l', de la, du*.

> *Modèle:* D'où arrives-tu? (le cinéma)
> *J'arrive du cinéma.*

1. Où Jean habite-t-il? (Toronto)
2. Où manges-tu? (la cafétéria)
3. Où Pierre mange-t-il? (le restaurant)
4. Où sommes-nous? (l'église)
5. D'où es-tu? (Vancouver)   Je suis de Vancouver
6. D'où rentre-t-elle? (le cinéma)
7. Où Yvette étudie-t-elle? (la bibliothèque)
8. D'où arrive-t-il? (le bois)   du bois
9. Où chantez-vous? (l'église)
10. Où est-il? (l'hôpital)

E. Regardez ''Une chambre confortable,'' (page 17, chapitre deux), et répondez aux questions.

> Où est . . .

1. la radio?
2. l'ordinateur?
3. le fauteuil?
4. la télévision?
5. le téléphone?
6. le tourne-disque?
7. la commode?
8. le miroir?
9. la chaise?
10. le rideau?

F. Posez une question à un(e) autre étudiant(e) avec les verbes suivants: **manger, jouer, étudier, travailler, être, chanter, marcher, habiter.**

Modèle: Où es-tu?
Je suis dans la classe.

L'impératif

Like the indicative, the imperative is a mood (**un mode**). It is a form of the verb used to give commands or offer suggestions.

The imperative has three forms which correspond to the three subject pronouns **tu, nous** and **vous,** but these subject pronouns are omitted. The three forms of the imperative are identical to the corresponding forms of the present indicative, except that the final **s** is dropped from the **tu** form of **-er** verbs.

danser	**chanter**	**parler**
danse	chante	parle
dansons	chantons	parlons
dansez	chantez	parlez

The imperative forms of **être** and **avoir** are irregular.

être	**avoir**
sois	aie
soyons	ayons
soyez	ayez

To form the negative form of the imperative, use **ne** before the verb and **pas** after it:

Ne parle pas!
Ne regardez pas la télévision!
Ne chantons pas!
Ne sois pas méchant! (mean)

Exercices (Oralement)

A. Mettez les verbes à la forme correcte d'après le modèle.

Modèle: (manger) à la cafétéria
Mange à la cafétéria. Ne mange pas à la cafétéria.

1. (écouter) un disque
2. (danser) avec Danielle
3. (étudier) fort
4. (être) dans la classe
5. (manger) à la cafétéria
6. (regarder) les autres étudiants
7. (travailler) dans la chambre
8. (imaginer) le spectacle
9. (chanter) une chanson
10. (rester) chez toi

B. Même exercice.

> *Modèle:* (regarder) le tableau
> *Regardez le tableau. Ne regardez pas le tableau.*

1. (être) attentifs
2. (marcher) sur l'herbe *grass*
3. (respirer) l'air pur

4. (entrer) dans la classe
5. (fumer) la pipe
6. (regarder) le spectacle

C. Même exercice.

> *Modèle:* (écouter) le professeur
> *Écoutons le professeur. N'écoutons pas le professeur.*

1. (regarder) le livre
2. (rentrer) à la maison
3. (marcher) vite

4. (étudier) la philosophie
5. (entrer) dans la chambre
6. (parler) avec Henri

Verbes suivis de prépositions

Many verbs may be followed directly by a noun which is the direct object:

> Il regarde la télévision.   Tu manges un croissant.

Other verbs are followed by a preposition before a noun, as are the following:

> **parler de** (to speak of/about)
>
> Elle parle du professeur.
> Nous parlons de la cafétéria.
>
> **jouer à** (to play games/sports)
>
> Pierre joue au tennis.
> Le vieil homme joue aux cartes.
>
> **jouer de** (to play a musical instrument)
>
> Suzanne joue de la guitare.
> Guy ne joue pas du piano.

Remember that contractions occur with **à** and **de** when followed by the definite articles **le** or **les**:

> le tennis ⟶ jouer **au** tennis (**à** + le)
> les étudiants ⟶ parler **des** étudiants (**de** + les)

Rappel

When the verb **avoir** is in the negative, the indefinite article preceding the direct object always becomes **de** (**d'**):

> J'ai un ordinateur. ⟶ Je n'ai pas d'ordinateur.

This also applies to other *transitive* verbs, i.e., verbs which take a direct object:

Je mange <u>un</u> sandwich. ———▶ Je ne mange pas <u>de</u> sandwich.

Nous écoutons <u>des</u> disques. ———▶ Nous n'écoutons pas <u>de</u> disques.

Exercices (Oralement)

A. Répondez aux questions (affirmativement et négativement):

1. Est-ce que tu joues de la flûte?
2. Est-ce que nous jouons aux échecs dans la classe?
3. Est-ce qu'Albert joue au football?
4. Est-ce que tu regardes un film?
5. Est-ce que vous écoutez un concert?
6. Est-ce que vous écoutez des disques de rock?
7. Est-ce que nous parlons de l'université?
8. Est-ce que le professeur joue du violon?
9. Est-ce que je fume des cigares?
10. Est-ce que l'étudiante mange un steak?

B. De quel(s) instrument(s) est-ce que tu joues?

1. Je joue de . . . le piano, le violon, la flûte, l'harmonica, la batterie, la guitare, l'orgue, la contrebasse, le clavecin, etc.

   A quels jeux joues-tu?

2. Je joue à . . . les échecs, le Monopoly, les cartes, le bridge, le poker, le Scrabble, les dames, les dominos etc.

C. Posez la question à un(e) autre étudiant(e) selon le modèle.

   Modèle: fumer des cigarettes.
   Question: *Est-ce que tu fumes des cigarettes?*
   Réponse: *Oui, je fume des cigarettes. / Non, je ne fume pas de cigarettes.*

1. écouter la radio
2. regarder la télévision
3. marcher dans le bois
4. manger des croissants
5. jouer aux échecs
6. aimer la musique rock
7. jouer de la trompette
8. parler du professeur

D. Répondez à la forme négative.

   Modèle: Regardes-tu un film?
   Non, je ne regarde pas de film.

1. Jean-Luc mange-t-il des bananes?
2. Est-ce qu'Eric écoute un concert?
3. Est-ce que tu fumes un cigare?
4. Le chien mange-t-il un gâteau?
5. Ecoutent-elles une chanson?
6. Est-ce qu'il regarde un livre?
7. Le professeur écoute-t-il des disques?

Le verbe irrégulier aller

Présent de l'indicatif   Impératif

je	vais	nous	allons	va★
tu	vas	vous	allez	allons
il/elle/on	va	ils/elles	vont	allez

Aller is used in expressions such as:

Comment ça va?   Ça va.
Comment allez-vous?   Je ne vais pas très bien.
Comment va Pierre?   Il va bien.

Aller generally means **to go**. It is used with the preposition **à** before the name of a city or a noun indicating a place:

Elle va à la bibliothèque.
Je vais à Montréal.

It is used with the preposition **chez** before a proper noun or a noun designating a person or persons:

Allons chez Catherine.
Ils vont chez des amis.
Elle va chez le médecin.

Exercices (Oralement)

A. Répétez avec les changements appropriés:

1. Il va bien.   8. Diane et Marie _____ .
2. Tu _____ .   9. Vous _____ .
3. Nous _____ .   10. Tu _____ .
4. Vous n'allez pas bien.   11. Est-ce que Maurice va bien?
5. Je _____ .   12. _____ tu _____ ?
6. Elle _____ .   13. _____ ils _____ ?
7. Suzanne va mal.   14. _____ Julie _____ ?

B. Répétez avec les changements appropriés:

1. René va à Trois-Rivières.   4. _____ à la maison.
2. Nous _____ .   5. Tu _____ .
3. Je _____ .   6. Marc et Sylvie _____ .

★ In the **tu** form of the imperative, the **s** is dropped.

7. Vous _____ .
8. _____ chez le médecin.
9. Il _____ .
10. Elles _____ .
11. Est-ce que tu vas chez le professeur?
12. _____ il _____ ?

13. _____ vous _____ ?
14. Nous n'allons pas au cinéma.
15. Je _____ .
16. Jean et Albert _____ .
17. Je _____ .

C. Répondez aux questions. Employez *à, au, à la, à l'* ou *chez*:

1. Où vas-tu? (le coiffeur)
2. Où allez-vous? (le restaurant)
3. Où est-ce que je vais? (la cafétéria)
4. Où allons-nous? (Charles)

5. Où est-ce qu'elle va? (Montréal)
6. Où vont Pierre et Chantal?
   (la discothèque)
7. Où va-t-il? (le dentiste)

Les pronoms toniques

Stress pronouns are used to refer to persons.

Subject Pronouns	Stress Pronouns
je	**moi**
tu	**toi**
il	**lui**
elle	**elle**
nous	**nous**
vous	**vous**
ils	**eux**
elles	**elles**

They are used:

1) to emphasize the subject:

   Marie, <u>elle</u>, est dynamique, mais <u>moi</u>, je suis fatigué(e).
   Stress pronouns come *after* the subject if it is a noun, but *before* a subject pronoun.

2) alone, or in short phrases:

   J'ai un ordinateur, et <u>toi</u>?
   Pierre est sportif, et <u>moi</u> aussi.

3) as part of compound subjects: ✓

   Hélène et <u>moi</u> allons à l'université.

4) as objects of prepositions:

   Nous allons chez <u>Andrée</u>. ⟶ Nous allons chez <u>elle</u>.   Pierre travaille avec <u>moi</u>.
   Elle parle du <u>professeur</u>. ⟶ Elle parle de <u>lui</u>.   Elle va au cinéma sans <u>toi</u>.

Exercices (Oralement)

A. Remplacez le nom souligné par un pronom tonique:

1. Je vais chez <u>Marie</u>. *ell*
2. Hélène est chez <u>Pierre</u>. *Qui*
3. Ils vont chez <u>les Armand</u>. *eux*
4. Marc est à côté de <u>Lucie</u>. *elle*
5. Marc est entre <u>Lucie</u> et <u>Henri</u>. *euss*
6. Les étudiants parlent de <u>M. Paul</u>. *lui*
7. Ils parlent des <u>professeurs</u>. *eux*

B. Employez le pronom tonique correspondant au sujet.

> *Modèle:* Je / fatigué(e)
> > *Moi, je suis fatigué(e).*

1. Tu / sympathique
2. Elle / aimable
3. Nous / sportifs
4. Ils / paresseux *lazy*
5. Vous / dynamiques
6. Je / grand(e)
7. Il / travailleur
8. Elles / drôles

C. Répondez négativement aux questions d'après le modèle.

> *Modèle:* Travailles-tu avec le professeur?
> > *Non, je ne travaille pas avec lui.*

1. Joues-tu au tennis avec Björn?
2. Vas-tu au cinéma avec l'avocate?
3. Manges-tu avec les autres étudiants?
4. Vas-tu à la piscine avec Geneviève?
5. Es-tu à côté de Serge?

Jours — mois — saisons — date

Une semaine = 7 jours

> = lundi, mardi, mercredi, jeudi, vendredi, samedi, dimanche

Le premier jour de la semaine est lundi.
Le dernier jour de la semaine est dimanche.

hier	*aujourd'hui*	*demain*
lundi ←	mardi →	mercredi
vendredi ←	samedi →	dimanche

Note: 1) When referring to a particular day in the preceding or in the following week, use the name of the day only:
> **Il est arrivé dimanche.** (He arrived on Sunday.)
> **Elle va à Montréal mardi.** (She's going to Montreal on Tuesday.)

2) The masculine definite article **le** is used before the name of a day to indicate that some event or action regularly occurs on that particular day:
> **Le samedi, il va à la discothèque.** (On Saturdays, he goes to the discotheque.)
> **Le mardi, il joue aux échecs.** (On Tuesdays, he plays chess.)

Une année = 12 mois

> = janvier, février, mars, avril, mai, juin, juillet, août, septembre, octobre, novembre, décembre

Nous sommes en septembre.
Il arrive en octobre.

4 saisons

= le printemps, l'été, l'automne, l'hiver
Note: Nous sommes en été / en automne / en hiver.
> *but* Nous sommes au printemps.

La date

Quelle est la date aujourd'hui? — C'est le 3 juin.
Quelle est la date de l'examen? — C'est le 20 octobre.

Note: 1) le deux février, le cinq avril, le dix-huit octobre
> *but* le premier août

> 2) le huit mars, le onze avril (**le** *does not become* **l'**)

Les adjectifs interrogatifs (which, what)

The forms of the interrogative adjective are:

	Singular	*Plural*
Masculine	quel	quels
Feminine	quelle	quelles

The interrogative adjective agrees in gender and number with the noun it modifies.

1) It is used before a noun:
Quel film regardes-tu?   Quelles saisons aimes-tu?
Quelle chanson chante-t-elle?   C'est quel jour, aujourd'hui?

2) It may be used after a preposition:
Dans quelle chambre es-tu?   En quelle saison sommes-nous?
À quelle date est Noël?   De quelle ville es-tu?

3) It may be separated from the noun by the verb **être**:
Quelle est la date aujourd'hui?   Quels sont les jours de la semaine?
Quels sont les mois d'hiver?

Exercices (Oralement)

A. Répondez aux questions:
1. En quel mois sommes-nous?   3. Quelle est la date?
2. C'est quel jour, aujourd'hui?   4. En quelle saison sommes-nous?

5. Quels sont les mois de printemps? d'été? d'automne? d'hiver?
6. A quelle date est Noël? Pâques? la Fête du Travail?
7. Quels sont les jours du week-end?
8. Après mercredi, c'est quel jour? et après jeudi? etc.
9. Après juin, c'est quel mois? et après septembre? etc.
10. En quelle saison est décembre? et août? et mars? et octobre? etc.
11. Quelle est la date de l'examen?

B. Posez une question avec un adjectif interrogatif d'après le modèle.

   Modèle: Pâques est le 3 avril.
   A quelle date est Pâques?

1. Nous sommes en automne.
2. Noël est en hiver.
3. Nous sommes en octobre.
4. L'examen est le 15 octobre.
5. La fête des mères est le 20 mai.
6. Le premier jour de la semaine est lundi.
7. Nous sommes dans la classe de français.
8. L'examen est le 1er novembre.
9. Le match de football est le 24 octobre.

EXERCICES ECRITS

A. Ecrivez la forme correcte du verbe entre parenthèses:

1. Nous (danser) _____ dans les discothèques.
2. Je (rentrer) _____ du cinéma.
3. Vous (regarder) _____ le film.
4. Lucie (écouter) _____ la radio.
5. Les étudiants (manger) _____ à la cafétéria.
6. Elle (jouer) _____ de la guitare.
7. Nous (parler) _____ de toi.
8. Elles (arriver) _____ à l'académie de danse lundi.
9. Pierre (aller) _____ à Chicoutimi.
10. Ils (aller) _____ à la bibliothèque.
11. Je (aimer) _____ la nature.
12. Luciano (chanter) _____ l'opéra.
13. Nous (entrer) _____ dans la classe.
14. Tu (rester) _____ chez toi dimanche.
15. Vous (travailler) _____ à la cafétéria.
16. Je (habiter) _____ sur le campus.
17. Josette (arriver) _____ du parc.
18. Je (marcher) _____ jusque chez toi.
19. Elles (étudier) _____ à la bibliothèque.
20. Tu (fumer) _____ des cigarettes.

B. Insérez la préposition et l'article défini qui conviennent:

1. Le tableau est _____ à cour de _____ professeur.
2. Le professeur est _____ à côté les _____ étudiants.
3. La fenêtre est _____ sur le _____ mur.
4. La télévision est _____ sous _____ commode.
5. François est _____ un _____ dentiste.
6. Bernadette entre _____ dans la _____ classe.

C. Ecrivez la question avec la forme appropriée de l'adjectif interrogatif (*quel, quelle, quels, quelles*).

> ***Modèle:*** Noël est le 25 décembre.
> *A quelle date est Noël?*

1. C'est le 6 mai.
2. La fête de Maurice est le 3 avril.
3. Les jours du week-end sont samedi et dimanche.
4. Nous sommes en automne.
5. Nous sommes en décembre.
6. C'est lundi.

D. Insérez l'article défini qui convient. (Attention à la contraction: *au, aux, du, des.*)

1. Les étudiants arrivent (de) _____ la _____ bibliothèque.
2. Mme Brulot va (à) _____ au _____ restaurant.
3. Tu arrives (de) _____ de _____ Etats-Unis.
4. Marc va (à) _____ à l' _____ église.
5. Elles rentrent (de) _____ du _____ cinéma.

E. Posez la question avec l'inversion.

> ***Modèle:*** Il mange à la cafétéria.
> *Où mange-t-il?*

1. Les étudiants arrivent de la piscine.
2. M. Gagnon va à Chicago.
3. Elle va à Miami.
4. Les disques sont sous la chaise.
5. Luc rentre de Montréal.
6. Il regarde la télévision dans la chambre.

F. Faites une suggestion à un(e) ami(e).

> ***Modèle:*** (aller) _____ à Montréal.
> *Va à Montréal.*

1. (demander) _____ un renseignement.
2. (aller) _____ va _____ au cinéma Cartier.

3. (regarder) _regarde_ le film à la télévision.
4. (retourner) _retourne_ chez toi ce soir.
5. (ne pas manger) _____ au restaurant.
6. (étudier) _____ dans ta chambre.
7. (ne pas travailler) _____ à la bibliothèque.
8. (manger) _____ à la cafétéria avec moi.
9. (imaginer) _____ un voyage dans le Nord.
10. (être) _____ gentil(le).

G.   Mettez à la forme négative:

1. Elle mange des croissants.
2. Regardons un film.
3. Ecoute le professeur.
4. Vous jouez aux échecs.
5. Il va à New York.
6. Elles parlent d'une autre étudiante.

H.   Ecrivez la date en toutes lettres:

Modèle: 4/8

   le quatre août

3/6   20/1   8/5   21/2   30/7   13/9   11/11

LECTURE

Une promenade dans le bois

C'est l'automne, une saison magnifique au Canada, pays de bois et de forêts. Les arbres adoptent de multiples couleurs, chaudes et lumineuses: rouge et brun, orange et jaune.

Aujourd'hui, le ciel est bleu. C'est un bon jour pour admirer la nature. Emportons un pique-nique et allons dans le bois!

Nous marchons dans un sentier. Nous respirons l'air pur. Je regarde sous les feuilles mortes et je trouve une variété de champignons. Attention! Ne mangez pas le gros champignon jaune; il est dangereux. Continuons à marcher: bientôt, nous arrivons dans une clairière. L'herbe est confortable. Regardez, à droite, un ruisseau!

Nous sommes assis pour le pique-nique: un fromage, des petits pains et une bouteille de vin. Aimez-vous le calme? Les oiseaux chantent, le ruisseau aussi.

Après le repas, nous rentrons, satisfaits et heureux. Allons le long du ruisseau et marchons dans cet autre sentier. Le soir arrive: les troncs et les branches des arbres ont maintenant des formes fantastiques et mystérieuses. Est-ce que c'est un animal, derrière l'arbre? Non? Alors, j'ai des hallucinations! Rentrons vite avant la nuit.

arbre (m.)	tree	**attention**	beware
assis, ise: être —	to be sitting	**aussi**	also

bientôt	soon	√**le long de**	along
bois (m.)	wood	**maintenant**	now
bouteille (f.)	bottle	**mort, morte**	dead
branche (f.)	branch	**nuit** (f.)	night
champignon (m.)	mushroom	**oiseau** (m.)	bird
chanter	to sing	**pays** (m.)	country/land
chaud, chaude	warm	**petit pain** (m.)	roll
ciel (m.)	sky	**repas** (m.)	meal
clairière (f.)	clearing	**respirer**	to breathe
couleur (f.)	color	**rouge**	red
emporter	to bring along	**ruisseau** (m.)	brook
feuille (f.)	leaf	**sentier** (m.)	path
forêt (f.)	forest	**soir** (m.)	evening
forme (f.)	shape	**tronc** (m.)	trunk
fromage (m.)	cheese	**trouver**	to find
herbe (f.)	grass	**vin** (m.)	wine
jaune	yellow	**vite**	quickly

Questions

1. En quelle saison sommes-nous?
2. De quelles couleurs sont les feuilles?
3. De quelle couleur est le ciel aujourd'hui?
4. Qu'est-ce que nous emportons?
5. Où allons-nous?
6. Où marchons-nous?
7. Qu'est-ce que nous respirons?
8. Où l'auteur regarde-t-il?
9. Qu'est-ce qu'il trouve?
10. Où arrivons-nous?
11. Qu'est-ce que nous mangeons?
12. Qu'est-ce que nous écoutons?
13. Comment sont les arbres le soir?
14. Quelles sont les différentes parties d'un arbre?

SITUATIONS / CONVERSATIONS

1. <u>Demandez</u>   <u>Répondez</u>

a) Quelles sortes de films regardes-tu?   Je regarde les films comiques, intellectuels, dramatiques, les films d'épouvante (Dracula), les films d'espionnage (James Bond), les films western, les films policiers. Et toi?

b) Quel genre de
   musique aimes-tu?

J'aime le jazz, le rock, le disco, le classique, l'opéra, les chansons poétiques, les chansons folkloriques, le blues, la musique western, etc. Et toi?

c) Où travailles-tu
   en été?

Je travaille à l'université, dans un bureau, dans un restaurant, dans un magasin, dans un parc, dans un camp, dans une ferme, dans la construction, etc. Et toi?

d) Où vas-tu en
   vacances en été?

Je vais à la campagne, à la mer, à la montagne, près d'un lac, près d'une rivière, dans une grande ville, sur une île, etc. Et toi?

2. Décrivez un paysage que vous aimez.

> *Exemple:* J'aime la mer, la plage, la montagne, une rivière, un lac, un ruisseau, des cascades, des arbres, des fleurs, des champs, des plaines, des vagues, etc.

3. Désignez des objets et des personnes dans la classe et demandez à un(e) autre étudiant(e) de dire où ils/elles sont situés.

> *Exemple:* Où est John?
> *Il est en face de Paul, à côté de la fenêtre.*

4. Décrivez la position d'un objet dans votre chambre.

> *Exemple:* La machine à écrire est sur le bureau, à côté du mur, sous la fenêtre. Où est le tourne-disque? le réveille-matin? la télévision? la radio? le tapis? etc.

5. Décrivez un objet de la classe avec des mots et des gestes. Les autres étudiants devinent (guess):

> *Exemple:* Il est petit et long. Il est sur le bureau du professeur. Il est noir. (un stylo)

6. Quels sports est-ce que vous pratiquez au printemps / en été / en automne / en hiver?

> Certains sports: le ski de fond, le ski alpin, le ski nautique, la natation, la plongée sous-marine, la voile, l'équitation, le cyclisme, la course à pied, la boxe, le karaté, le judo, la planche à voile, le hockey, le baseball, le football, le volley-ball.

7. Demandez à un(e) autre étudiant(e):

> De quelle couleur est . . . (le mur, le stylo, le tableau, le ciel, la chaise, le livre, etc.)?
> Il/Elle est . . . (jaune, rouge, bleu, etc.).

Les couleurs:	jaune + rouge = orange	jaune + bleu = vert
	rouge + bleu = violet	blanc + noir = gris

COMPOSITIONS

1. Racontez une promenade dans les bois, seul(e) ou avec des amis. Où marchez-vous? Qu'est-ce que vous regardez? Qu'est-ce que vous écoutez? Décrivez la nature autour de vous.

2. Donnez les positions des objets de votre chambre.

PRONONCIATION

I. *L'élision*

The **e muet** in **que, je, le, ce, ne, de** is dropped before a word beginning with a vowel sound or an **h muet**. When writing, the **e** is replaced by an apostrophe.

> Est-ce qu'il est intelligent?
> Qu'est-ce qu'elle regarde?
> J'ai un livre.
> Je n'ai pas de livre.
> L'homme est assis.
> Il n'a pas d'ordinateur.

II. *La lettre h*

H is never pronounced in French. However, **le h muet** and **le h aspiré** are distinguishable. The difference between the two becomes apparent through the phenomena of **élision** and **liaison**.

Compare:

	h muet		**h aspiré**
élision:	l'homme, j'habite	pas d'élision:	le héros, je hèle
liaison:	les hommes	pas de liaison:	les hangars
	des habits		des homards

III. *Un / une*

1) Before a vowel or a silent **h**:

The consonant **n** is pronounced and linked with the initial vowel of the following word (**liaison**). However, **un** is pronounced with a nasal sound and **une** without a nasal sound.

Compare: un arbre / une idée
/õe - na/ /y - ni/

Répétez:

un ami / une amie	un habit / une habitude
un arbre / une armoire	un ombilic / une ombre
un Italien / une Italienne	un ordre / une ordonnance
un ogre / une ogresse	un homme / une omelette
un avocat / une avocate	un étudiant / une étudiante

Replace the definite article by an indefinite article.

> **Exemple:** l'arbre (m.)
> *un arbre*

l'ordinateur (m.)	l'hiver (m.)
l'Espagnole (f.)	l'homme (m.)
l'oreille (f.)	l'épouse (f.)
l'enfant (m.)	l'ombre (f.)

2) Before a consonant:

Un: the **n** is not pronounced and the vowel is nasalized.
Une: the **n** is pronounced and the vowel is not nasalized.

Compare: un bruit / une branche
/œ̃ - b/ /yn - b/

Répétez:

un Canadien / une Canadienne	un sportif / une sportive
un chien / une chienne	un camarade / une camarade
un conducteur / une conductrice	un marchand / une marchande
un disciple / une disciple	un chat / une chatte

Replace the definite article by an indefinite article:

le bibelot	la table	la branche	le tapis	le tableau
la chaise	le stylo	la chambre	la fenêtre	le tronc

IV. *Le / la / les*

1) Contrast <u>le</u> / <u>la</u>

Répétez:

le bout / la boule	le rosé / la rosée
le prix / la prise	le pli / la plie
le but / la bulle	le lit / la lie
le riz / la rime	le cours / la cour

2) Contrast **le** / **les**

Répétez:

le livre / les livres	le jour / les jours
le dimanche / les dimanches	le bruit / les bruits
le piano / les pianos	le disque / les disques
le soir / les soirs	le cahier / les cahiers

CHAPITRE QUATRE

UN DIMANCHE A QUEBEC

Le Château du Parc Montmorency à Québec

Photo par Pierre Pouliot, avec la permission du Governement du Québec

INTRODUCTION

D'où viens-tu?
  Je viens de la cafétéria.

De quelle ville venez-vous?
  Nous venons de Calgary.

Est-ce que c'est ton livre?
  Oui, c'est mon livre.

Est-ce que c'est ma place?
  Non, c'est la place de Jean.

Où allez-vous?
  Je vais à Toronto.

Quand allez-vous à Toronto?
  Je vais à Toronto en fin de semaine.

Pourquoi es-tu pressé(e)?
  Parce que je suis en retard.

Comment est ta chambre?
  Elle est très agréable.

Où vas-tu passer tes vacances?
  Je vais passer un mois à la campagne
  et ensuite, je vais visiter la ville de
  Québec.

GRAMMAIRE ET EXERCICES ORAUX

Les verbes réguliers en -ir

The second group of regular verbs has infinitives ending in **-ir**. These verbs are conjugated by dropping the **-ir** from the infinitive and adding the endings shown below.

finir (to finish/to end/to complete)

Présent de l'indicatif		Impératif
je fin**is**	nous fin**issons**	fin**is**
tu fin**is**	vous fin**issez**	fin**issons**
il/elle/on fin**it**	ils/elles fin**issent**	fin**issez**

Other verbs conjugated like **finir** include:

avertir (to inform/to warn)	Le professeur avertit les étudiants.
bâtir (to build)	Ils bâtissent une maison.
choisir (to choose)	Choisis un cours intéressant.
démolir (to demolish)	On démolit la vieille école.
établir (to establish/to set)	Le gouvernement établit un plan d'action.
fleurir (to bloom)	Les rosiers fleurissent.
obéir à (to obey)	Obéissons à l'autorité.
punir (to punish)	Il punit le chien.
réfléchir à (to think about/to consider)	Je réfléchis à la proposition de Jean.
réussir à (to succeed/to pass (a test))	Il réussit à l'examen.

A number of **-ir** verbs are formed from adjectives:

grand ⟶ **grandir** (to grow, to get bigger)

gros ⟶ **grossir** (to gain weight)

jeune ⟶ **rajeunir** (to get younger)

large ⟶ **élargir** (to widen/to broaden)

pâle ⟶ **pâlir** (to grow pale)

vieux ⟶ **vieillir** (to grow old)

Verbs formed from color adjectives usually have the meaning of "to become white/red, etc." (**Rougir** also means "to blush".)

blanc ⟶ blanchir		jaune ⟶ jaunir	
bleu ⟶ bleuir		noir ⟶ noircir	
blond ⟶ blondir		rouge ⟶ rougir	
brun ⟶ brunir		vert ⟶ verdir	

Exercices (Oralement)

A. Répétez en faisant les substitutions indiquées:

1. Je finis l'exercice.
2. Nous _____ .
3. Elles _____ .
4. Tu _____ .
5. _____ le travail.
6. Henri _____ .
7. Ils _____ .
8. Vous _____ .
9. Vous bâtissez une maison.
10. Je _____ .
11. Tu choisis un cours.
12. Vous _____ .
13. Carole _____ .
14. Nous _____ .

B. Répondez aux questions:

1. Finissons-nous la leçon?
2. Est-ce que tu bâtis une maison?
3. Réfléchis-tu à un problème?
4. Obéissez-vous au professeur?
5. Les parents punissent-ils les enfants?
6. Le professeur punit-il les étudiants?
7. Est-ce que tu établis un programme de travail?
8. Est-ce que les enfants grandissent?
9. Grandis-tu encore?
10. Est-ce que les plantes fleurissent en hiver?
11. Rougis-tu facilement?
12. Est-ce que les arbres verdissent au printemps?
13. Est-ce que tu établis des priorités?
14. Choisis-tu des cours intéressants?

C. Employez l'impératif selon les modèles.

Modèle: obéir
Obéis!

1. réfléchir au problème
2. choisir un numéro
3. réussir à l'examen
4. finir la lettre
5. avertir la directrice

Modèle: finir
Finissons!

6. établir des priorités
7. démolir la vieille maison
8. choisir le bon moment
9. avertir le directeur
10. obéir au professeur

Modèle: ne pas choisir
Ne choisissez pas!

11. ne pas rougir
12. ne pas vieillir
13. ne pas démolir le garage
14. ne pas grossir
15. ne pas punir les enfants

L'heure

1) **Quelle heure est-il?** (What time is it?)

Il est six heures.

Il est midi moins cinq.

Il est sept heures moins le quart.

Il est trois heures et quart.

Il est huit heures et demie★.

Il est deux heures moins vingt.

ou une heure et quarante

Il est deux heures et vingt.

Il est minuit moins dix.

2) Questions:

A quelle heure déjeunes-tu?

— Je déjeune à sept heures.

De quelle heure à quelle heure travailles-tu?

— Je travaille de neuf heures à trois heures.

3) To avoid ambiguity regarding a.m./p.m., the following expressions are used:

du matin (from midnight till noon) Il est huit heures du matin.
de l'après-midi (from noon till 5:59 p.m.) Je rentre à cinq heures de l'après-midi.
du soir (from 6 p.m. till midnight) Le spectacle est à huit heures du soir.

4) A 24-hour system is used (on radio, television, in airports, etc.):

seize heures = (4:00 p.m.) quatre heures de l'après-midi

treize heures quinze = (1:15 p.m.) une heure et quart de l'après-midi

quatorze heures trente = (2:30 p.m.) deux heures et demie de l'après-midi

vingt heures quarante-cinq = (8:45 p.m.) neuf heures moins le quart du soir

---

★ There is always an **-e** at the end of **demi**, except for **midi et demi** and **minuit et demi**. A half hour = **une demi-heure.**

5) Some useful expressions:

    être à l'heure (to be on time)
    être en avance (to be early)
    être en retard (to be late)

Exercices (Oralement)

A. Quelle heure est-il?

1. Il est . . . <u>du matin</u>.

7h 30	10h 15	8h 20	10h 45	7h 50	3h 30

2. Il est . . . <u>de l'après-midi</u>.

2h 10	1h 50	3h 40	5h 15	4h 45	3h 35

3. Il est . . . <u>du soir</u>.

9h 00	9h 50	11h 15	10h 40	7h 35	8h 30

4. Il est <u>midi</u> (12h 00); il est <u>minuit</u> (00h 00).

12h 10	00h 15	11h 50	11h 45	12h 30	00h 20

B. Posez la question à un(e) autre étudiant(e):

1. A quelle heure es-tu dans la classe de français?
2. A quelle heure es-tu au lit?
3. A quelle heure es-tu devant la télévision?
4. A quelle heure es-tu à la cafétéria?
5. A quelle heure finit la classe de français?
6. A quelle heure arrives-tu à l'université?

C. Répondez en faisant une phrase complète:

1. De quelle heure à quelle heure dînes-tu?
2. De quelle heure à quelle heure travailles-tu à la bibliothèque?
3. De quelle heure à quelle heure es-tu dans la classe de français?
4. De quelle heure à quelle heure es-tu au lit?
5. De quelle heure à quelle heure es-tu à l'université?
6. De quelle heure à quelle heure regardes-tu la télévision?

D. Répondez par des phrases complètes:

    Où es-tu généralement . . .

1. à huit heures du matin?
2. à midi?
3. à une heure de l'après-midi?
4. à six heures du soir?
5. à onze heures du soir?

E.   Posez la question à un(e) autre étudiant(e):

Arrives-tu généralement à l'heure/en avance/en retard . . .

1. au cinéma?
2. au travail?
3. à la classe de français?
4. à l'aéroport?

5. chez le dentiste?
6. chez le coiffeur?
7. à un rendez-vous?

Le verbe irrégulier *venir*

Venir (to come) is an irregular verb.

Présent de l'indicatif

je viens	nous venons
tu viens	vous venez
il/elle/on vient	ils/elles viennent

Impératif

viens
venons
venez

Other verbs conjugated like **venir** are **devenir** (to become) and **revenir** (to come back).

Je viens de Halifax.   Je reviens de la bibliothèque.   Il devient paresseux.

Rappel

De (from) + nom de ville:

Je viens <u>de</u> Vancouver.

<u>Contractions</u>: de + le = **du**

de + les = **des**

Elle revient <u>de</u> Trois-Rivières

Victor revient du laboratoire.

Il vient des Etats-Unis. ✓

Exercices (Oralement)

A.   Substituez au pronom sujet les mots entre parenthèses et faites les changements appropriés:

1. Je viens de Calgary. (nous, Claudine, les enfants, vous)
2. Elle devient intelligente. (Pierre, tu, nous, je)
3. Ils reviennent du cinéma. (vous, je, tu, elle, nous)

B.   Répondez aux questions:

1. Viens-tu à la classe de français?
2. Venez-vous à la classe de français?
3. Venons-nous à la piscine le dimanche?
4. Venez-vous à la discothèque ce soir?
5. Est-ce que tu reviens de la bibliothèque?
6. Est-ce que tu deviens paresseux?
7. Est-ce qu'on devient fatigué à une heure du matin?
8. Est-ce que tu reviens de la discothèque à quatre heures du matin?

C. Posez la question à un(e) autre étudiant(e) selon le modèle.

> *Modèle:* tu / venir / avec moi à la bibliothèque
> *Viens-tu avec moi à la bibliothèque?*

1. tu / revenir / au laboratoire demain
2. le professeur / venir / avec nous au cinéma
3. tu / venir / au cinéma avec nous
4. nous / revenir / en classe demain
5. nous / devenir / intelligents dans la classe de français

D. Dites à un(e) autre étudiant(e) . . .

> *Modèle:* de venir à la réception.
> *Viens à la réception.*

1. de venir à la bibliothèque.
2. de ne pas venir au restaurant.
3. de ne pas venir demain.
4. de revenir à l'heure.
5. de revenir à la classe.

E. Dites à d'autres étudiants . . .

> *Modèle:* de venir en classe.
> *Venez en classe.*

1. de venir dimanche soir.
2. de devenir raisonnables.
3. de devenir sportifs.
4. de ne pas devenir malades.
5. de ne pas revenir en retard.

La possession: préposition de — adjectifs possessifs

1) The preposition **de** is used to indicate possession:

le livre de Julien	Julian's book
l'auto d'Hélène	Helen's car
le bureau de la directrice	the manager's desk
la serviette du professeur	the professor's briefcase

2) Possessive Adjectives:

Masculine Singular	Feminine Singular	Plural	
mon	**ma/mon**	**mes**	my
ton	**ta/ton**	**tes**	your
son	**sa/son**	**ses**	his/her/its
notre	**notre**	**nos**	our
votre	**votre**	**vos**	your
leur	**leur**	**leurs**	their

Possessive adjectives agree in gender and number with the noun modified rather than
with the owner:

André mange <u>sa</u> soupe.	Andrew is eating <u>his</u> soup.
Marie prépare <u>son</u> repas.	Mary is preparing <u>her</u> meal.
Le chien cherche <u>sa</u> balle.	The dog is looking for <u>its</u> ball.

The feminine adjectives **ma, ta, sa** become **mon, ton, son** before a feminine singular
noun beginning with a vowel:

Je mange <u>ma</u> pêche. / Je mange <u>mon</u> orange.

<u>Ta</u> voiture est puissante. / <u>Ton</u> auto est puissante.

Il parle avec <u>sa</u> mère. / Il parle avec <u>son</u> amie.

Exercices (Oralement)

A. Répondez affirmativement:

Est-ce que c'est . . .

1. ma classe?
2. notre voiture?
3. son stylo?
4. ton auto?
5. notre livre?
6. ta maison?
7. leur ordinateur?
8. mon taxi?
9. son professeur?
10. sa chaise?
11. ma leçon?
12. leur ville?

Est-ce que ce sont . . .

13. tes tables?
14. ses chiens?
15. ses amis?
16. nos livres?
17. mes cigarettes?
18. ses cahiers? (exercise book)
19. nos photos?
20. leurs disques?
21. vos amis?
22. leurs enfants?
23. tes parents?
24. ses projets?

B. Transformez selon les modèles.

Modèles: l'auto de Paul
> *son auto*
> l'auto de mes parents
> *leur auto*

1. la blouse de Francine
2. le chien du professeur
3. les amis de Michel
4. le professeur de Jean et de Suzanne
5. les disques de ton père
6. le stylo de Pierre
7. les cigarettes de la secrétaire
8. les parents des étudiants
9. les projets du directeur
10. la chambre de mon amie

C. Répondez aux questions:

1. As-tu ton stylo?
2. Regardes-tu ton livre de français?
3. Sommes-nous dans notre classe?
4. Avons-nous nos disques?
5. Viens-tu en classe avec ton chien?
6. Tes parents sont-ils jeunes?
7. Est-ce que les parents aiment leurs enfants?
8. Est-ce que Josette regarde sa télévision?
9. Ecoutez-vous votre professeur?
10. Réfléchis-tu à tes problèmes?

Les adverbes interrogatifs

Où / D'où (where/from where)

Où vas-tu? — Je vais au restaurant.

D'où viens-tu? — Je viens de la bibliothèque.

Quand (when)

Quand revient-il? — Il revient lundi.

Comment (how)

Comment vas-tu? — Je vais bien, merci.

Comment est ton amie? — Elle est jolie et sympathique.

Pourquoi (why)

Pourquoi es-tu triste? — Parce que j'ai des problèmes.

1) After these interrogative adverbs, either **est-ce que** or inversion may be used:

Comment vas-tu à Toronto?   Où est-ce que Pierre travaille?

Comment est-ce que tu vas à Toronto?   Où Pierre travaille-t-il?

2) To answer a question beginning with **pourquoi, parce que** (because) or **à cause de** (because of) may often be used. **Parce que** is a conjunction followed by a clause. **A cause de** is a preposition followed by a noun or a pronoun:

Pourquoi es-tu heureux? — Parce que j'ai une nouvelle amie.

Pourquoi aimes-tu le professeur? — A cause de sa belle voix.

Exercices (Oralement)

A. Posez des questions avec l'adverbe interrogatif approprié.

Modèles: Je vais bien.
Comment vas-tu?
Il revient lundi.
Quand revient-il?

1. Nous allons à la bibliothèque.
2. Elle revient demain.
3. Il arrive en taxi.
4. Il est intéressant.
5. Je viens de Medicine Hat.
6. Il va à Québec.
7. Il est absent parce qu'il est malade.
8. Les cours finissent vendredi.

Où mangent-ils les étudiants
Où est-ce que les étudiants

9. Les étudiants mangent à la cafétéria.
10. Mon père travaille à Montréal.
Où travaille-t-il ton père

11. Ma mère est dans sa chambre.
12. Arthur va à l'église en autobus.

B. Remplacez *est-ce que* par l'inversion.

1. Où est-ce que Paul va?
2. Comment est-ce que Claudine travaille?
3. Pourquoi est-ce que les enfants chantent? *- ils)*
4. Quand est-ce que tes parents reviennent?
5. D'où est-ce qu'Hélène vient?
6. Quand est-ce que les enfants regardent la télévision?
7. Où est-ce que M. Vincent bâtit une maison?
8. Comment est-ce que tes parents reviennent de l'aéroport?

C. Répondez aux questions. (Use **parce que** or **à cause de** according to the answer suggested.)

1. Pourquoi aimes-tu ce film? (il est intéressant)
2. Pourquoi es-tu en retard? (ma motocyclette)
3. Pourquoi obéis-tu aux règlements? (ils sont raisonnables)
4. Pourquoi es-tu fatigué(e)? (mon travail)
5. Pourquoi les arbres jaunissent-ils? (nous sommes en automne)

Aller + *infinitif (le futur proche)*

Aller in the present tense followed by an infinitive may be used to indicate that an event will (or will not) take place in the near future.

Je vais revenir demain.   I am going to come back tomorrow.
Nous n'allons pas regarder la télé.   We are not going to watch television.

Exercices (Oralement)

A. Mettez les verbes au futur proche.

Modèle: (aujourd'hui) Il choisit un cours.
(demain) *Il va choisir un cours.*

1. Nous regardons un bon film.
2. Vous venez au rendez-vous.
3. Il parle à ses parents.
4. Ils obéissent au professeur.
5. Vous revenez avec nous.
6. Elle prépare le dîner.
7. Tu réussis à l'examen.
8. Je mange à la cafétéria.
9. Il finit son travail.
10. Elles choisissent un livre.

B. Répondez négativement:

1. Est-ce que tu vas regarder le film à la télé?
2. Vas-tu préparer le café?
3. Allons-nous manger au restaurant chinois?

ennuyant - boring

4. Vas-tu aller au zoo?
5. Est-ce qu'elle va jouer du piano?
6. Vont-ils parler à leurs parents?

7. Va-t-elle être malade?
8. Allez-vous devenir intelligents?

C. Répondez aux questions:

1. Où vas-tu aller demain?
2. Le professeur va-t-il/elle être en retard demain?
3. Quand vas-tu aller à la bibliothèque?
4. Vas-tu réussir à l'examen?
5. Les enfants vont-ils grandir?
6. Allons-nous finir la leçon?
7. Vas-tu réfléchir à ta composition?
8. Allez-vous venir au cinéma avec moi?

D. Posez la question à un(e) autre étudiant(e), qui répond à la question.

> *Modèle:* Où / manger? (à la cafétéria)
> Question: *Où vas-tu manger?*
> Réponse: *Je vais manger à la cafétéria.*

1. Quand / manger? (à 5 h de l'après-midi)
2. Quand / danser? (samedi)
3. Où / danser? (à la discothèque)
4. Où / travailler? (à la bibliothèque)
5. Comment / revenir? (en taxi)
6. Comment / aller à la Nouvelle-Orléans? (en train)

E. Répondez aux questions:

Où allez-vous aller cet après-midi? ce soir? demain? demain soir? la semaine prochaine? l'année prochaine? pendant vos vacances d'été? pendant vos vacances d'hiver?

Les nombres

50	cinquante	80	quatre-vingts
51	cinquante et un	81	quatre-vingt-un
52	cinquante-deux	82	quatre-vingt-deux
60	soixante	90	quatre-vingt-dix
61	soixante et un	91	quatre-vingt-onze
62	soixante-deux	92	quatre-vingt-douze
70	soixante-dix	100	cent
71	soixante et onze	101	cent un
72	soixante-douze	102	cent deux

200 deux cents	1986 mille neuf cent quatre-vingt six/
201 deux cent un	dix-neuf cent quatre-vingt six
412 quatre cent douze	2000 deux mille
1000 mille	1 000 000 un million
1001 mille un	1 000 000 000 un milliard
1231 mille deux cent trente et un	

Note: 1) The letter **s** is added to **vingt** in **quatre-vingts** and to **cent** in multiples of one hundred (**deux cents**, etc.), but it is dropped when these are followed by another number (**quatre-vingt-un, trois cent quarante**).

2) A hyphen is used in compound numbers from 0 to 100.

3) **Et** is used in 21, 31, 41, 51, 61, 71 but not in 81, 91, 101.

4) In a date, **mil** (not **mille**) is used: 1988 = mil neuf cent quatre-vingt huit
1812 = mil huit cent douze.

Exercices (Oralement)

A. Répétez:

53	98	73	103	748
80	84	95	218	992
67	59	82	573	546
91	70	76	690	888
72	67	99	100	666
1840	1900	2680	10 000	111 000
1980	1600	8949	80 300	230 000
1971	1990	7850	30 640	845 000
1984	1975	6374	40 950	738 940

B. Donnez la réponse correcte.

Modèle: 20 + 20 = 40
Vingt plus vingt font quarante.

plus			
	20 + 50 =	100 + 30 =	1100 + 250 =
	40 + 25 =	300 + 50 =	800 + 500 =
	60 + 15 =	600 + 66 =	600 + 400 =
	80 + 3 =	820 + 24 =	3200 + 700 =
	70 + 20 =	460 + 13 =	5850 + 23 =

fois			
	10 x 10 =	20 x 3 =	25 x 5 =
	100 x 10 =	45 x 2 =	80 x 3 =
	100 x 100 =	20 x 4 =	90 x 4 =
	1000 x 1000 =	9 x 9 =	50 x 7 =

EXERCICES ECRITS

A. Complétez les phrases avec la forme correcte du verbe approprié.

réussir	finir	brunir	verdir
avertir	réfléchir	établir	rougir
démolir	vieillir	punir	obéir

1. Nous _____ à l'examen.
2. Ils _____ la vieille église.
3. Les enfants _____ à leurs parents.
4. Louise _____ à l'agent de police.
5. Vous _____ devant une jeune fille.
6. Je _____ souvent à mes problèmes.
7. Les arbres _____ en automne au Québec.
8. Les feuilles _____ au printemps.
9. Paul _____ son chien.
10. Elle _____ toujours en été.
11. Nous _____ un nouveau système.
12. Mes parents _____ bien.

B. Répondez par des phrases complètes:

Où es-tu généralement . . .

1. à 8h00 du matin? (le restaurant)
2. à 10h00 du matin? (la classe)
3. à 12h00? (la cafétéria)
4. à 3h00 de l'après-midi? (la bibliothèque)
5. à 6h00 du soir? (dans la cuisine)
6. à 8h00 du soir? (devant la télé)
7. à 11h00 du soir? (dans mon lit)

C. Complétez les phrases avec les verbes *venir, revenir* et *devenir*:

1. Je _____ avec vous.
2. Tu ne _____ pas dimanche?
3. Lise _____ au travail demain?
4. Elles _____ lundi soir.
5. Nous _____ à l'université en septembre.
6. Vous _____ en classe jeudi.
7. Tu _____ à mon bureau demain.
8. Charles _____ de Winnipeg.
9. Ils _____ de Montréal.
10. Le livre _____ intéressant à la fin.
11. Il _____ raisonnable.
12. Nous _____ responsables.

D. Employez *de/du/de la/d'*:

1. Le livre vient *de la* bibliothèque.
2. Robert revient *de* Shédiac.
3. Louise vient *de la* cafétéria.
4. Nous revenons *du* cinéma.
5. Ils reviennent *de la* discothèque.
6. Vous revenez *du* magasin.
7. Il revient *du* centre commercial.
8. Elles reviennent *des* cours de français.
9. Elle vient *de* Nanaimo.

E. Remplacez *le, la, les* par les adjectifs possessifs.

mon/ma/mes	ton/ta/tes *elle*	son/sa/ses
l'ami	les stylos	le programme
le livre	le bureau	l'amie
la table	la ville	l'université
les cigarettes	la télévision	le problème
la tasse	la rue	l'idée
la maison	les exercices	l'examen
le taxi	le chien	la réponse

notre/nos	votre/vos	leur/leurs
le chat	l'appartement	les ennemis
les vacances	les parents	l'enfant
le jardin	la chambre	la réponse
la maison	l'ordinateur	le téléphone
le pays	la province	le laboratoire
la profession	l'automobile	l'attitude
l'adresse	l'équipe	les chaises

votre [maison]

F. Mettez au futur proche:

1. Madeleine finit son travail.
2. Tu bâtis une maison.
3. Vous réfléchissez un moment.
4. Jules et Pierre téléphonent au professeur.
5. Je marche avec toi.
6. Nous allons à Paris.
7. J'écoute le concert.
8. Tu choisis un cours de géologie.
9. Ils parlent à leur avocate.
10. On ne démolit pas l'école.
11. Je ne grossis pas.
12. Tu reviens demain matin.
13. Elle ne prépare pas son examen.
14. Ils ne visitent pas Québec.
15. Nous ne regardons pas le film.

G. Formez la question avec l'adverbe interrogatif approprié.
   Modèle: Je réfléchis parce que j'ai des problèmes.
         Pourquoi réfléchis-tu?

1. Ils vont en autobus au cinéma. (2 questions)
2. Gaston va dîner au restaurant demain. (2 questions)
3. Ils arrivent samedi. (1 question)
4. Simone est intelligente. (1 question)
   Comment est Simone.

5. Il a deux automobiles <u>parce qu'il est riche</u>. (1 question)
6. J'aime Paul <u>à cause de son charme</u>. (1 question)
7. Elle revient de <u>Montréal</u>. (1 question)

LECTURE

Un dimanche à Québec

Pour remonter aux sources de l'histoire du pays, rien n'est plus profitable que de déambuler dans les rues étroites de la ville de Québec. C'est dimanche, le soleil est chaud et caressant; laissez la ville raconter son histoire.

Entrez dans Québec par le pont Pierre-Laporte et roulez sur le boulevard Laurier où vous allez trouver des hôtels et motels et des centres commerciaux. Plus loin, vous remarquez le centre hospitalier de l'université Laval, ensuite la maison de Radio-Canada et le campus universitaire.

Continuez dans la Grande-Allée et admirez l'entrée des plaines d'Abraham, appelées aussi Parc des Champs de Batailles, et l'édifice de l'Assemblée Nationale. Lorsque vous arrivez à la Porte Saint-Louis, laissez votre voiture et passez à l'intérieur des vieux murs. La rue Saint-Louis date du début de la colonie française. C'est là que vous trouvez la maison Jacquet, construite en 1675, où le célèbre romancier Philippe Aubert de Gaspé écrit *Les Anciens Canadiens.* Juste derrière la maison Jacquet, il y a le Monastère des Ursulines, fondé en 1642 par Mère Marie de l'Incarnation, qui est la première institution d'enseignement en Amérique.

Allez jusqu'à la Terrasse Dufferin, au sommet du Cap Diamant. Une soixantaine de mètres plus bas coule le Saint-Laurent; à l'est, la pointe de Lévis et le bout de l'Ile d'Orléans. C'est sur cette île qu'un jour de 1603 Samuel de Champlain arrive avec son équipage pour fonder la petite colonie qui donne naissance au Canada. A côté de la Terrasse, il y a le Château Frontenac, inauguré le 13 décembre 1893 et commandé par la compagnie du Canadien Pacifique.

Une falaise sépare la ville en deux parties, la Haute et la Basse ville. Quittez la Haute ville et descendez un de ces interminables escaliers qui mènent en bas, à la Place Royale. A droite, il y a la maison de Louis Jolliet, le coureur de bois et explorateur qui découvre en 1672 le Mississipi avec le Père Marquette.

Remontez en Haute ville et venez sur les remparts de la Citadelle. A vos pieds se trouvent les offices du 22e régiment. Devant vous les Plaines d'Abraham. C'est là que la colonie française d'Amérique est, pendant deux mois consécutifs, la cible des Anglais qui sont de l'autre côté du fleuve, à Lévis. Les efforts de Montcalm sont vains. En 1763, le Traité de Paris confirme la conquête et la Nouvelle-France passe aux mains de l'Angleterre.

Tout ici, au détour d'une rue, sur le porche d'une église, sur la façade d'un édifice, révèle le passé.

à l'intérieur de	inside	**il y a**	there is
appelé(e)	called	**jusqu'à**	up to/all the way to
au détour de	at the turn of	**laisser**	to let/to leave
à vos pieds	at your feet	**mener**	to lead
bout (m.)	extremity	**mur** (m.)	wall
célèbre	famous	**partie** (f.)	part
centre commercial (m.)	shopping center	**passer aux**	to be handed
champ de bataille (m.)	battlefield	**mains de**	over to
cible (f.)	target	**pointe** (f.)	tip/headland
commandé(e)	ordered	**pont** (m.)	bridge
couler	to flow	**plus**	more
coureur de bois (m.)	trapper	**plus bas**	below
déambuler	to stroll	**plus loin**	further
début (m.)	beginning	**quitter**	to leave
découvrir	to discover	**raconter**	to tell
descendre	to go down	**remarquer**	to notice
donner naissance à	to give birth to	**remonter**	to go back up
écrire	to write	**révéler**	to reveal
édifice (m.)	building	**rien**	nothing
église (f.)	church	**rouler**	to roll/to drive
enseignement (m.)	education	**rue** (f.)	street
ensuite	then	**soixantaine** (f.)	sixty or so
équipage (m.)	crew	**sommet** (m.)	top
escalier (m.)	stairway	**tout**	everything
étroit, oite	narrow	**(se) trouver**	to be located
falaise (f.)	cliff	**ville** (f.)	city
façade (f.)	frontage	**voiture**	car
île (f.)	island		

lorsque - pohia

romanai - apoclui
lorsque - when

Questions

1. Pourquoi est-ce que la ville de Québec est intéressante à visiter?
2. Comment entre-t-on dans Québec?
3. De quand date la rue Saint-Louis?
4. Pourquoi la maison Jacquet est-elle célèbre?
5. Quel est l'intérêt du Monastère des Ursulines?
6. Où est la Terrasse Dufferin?
7. Quel est le nom du fondateur de Québec?
8. Où est la falaise?
9. Pourquoi les Champs de Batailles sont-ils réputés?   *w·m se sont batu.*
10. En quelle année la Nouvelle-France passe-t-elle aux mains de l'Angleterre?

SITUATIONS / CONVERSATIONS

1. Demander et donner la direction. (Réponses dans le texte — page 68)

> *Exemple:*   Question: Pardon Monsieur/ Madame/Mademoiselle, où est le Château Frontenac, s'il vous plaît?
>
>   Réponse: *Allez tout droit jusqu'à la Terrasse Dufferin. Le château est à droite.*

     Où est le Cap Diamant s.v.p.?
         le fleuve St-Laurent?
         la Place Royale?
         la Citadelle?
         le parc des Champs de Batailles?
         le boulevard Laurier?

2. Décrivez votre ville natale (where you were born):

Nom de la ville, situation géographique, aspect physique, industries principales, attraits touristiques, monuments célèbres, particularités.

3. Quelle ville souhaitez-vous visiter et pourquoi?

> *Exemple:*   Je souhaite visiter Québec/ Montréal/ Toronto/ Winnipeg/ New York/ Paris/ Los Angeles parce qu'il y a des monuments historiques; parce que mes parents habitent là; parce qu'il y a des restaurants exotiques; parce que l'architecture est exceptionnelle; parce que le site est merveilleux; parce que j'aime l'ambiance/ l'atmosphère de la ville/ les théâtres/ les clubs de nuit/ les cinémas/ l'opéra/ les spectacles/ le stade, etc.

4. Quel est votre horaire quotidien? Votre emploi du temps pendant une journée? une semaine? une année?

> *Exemple:*   Le lundi, je vais à l'université; le mardi, je reste à la maison; le mercredi, je vais au marché pour les achats; etc.

5. Préparez votre alibi pour une journée précise. L'Inspecteur Poirot va vous interroger.

> *Exemple:*   Dans la journée du 8 août: de 8h00 à 11h00 du matin, je suis au lit. De 11h00 à 2h00, je mange à la cafétéria. De 2h00 à 4h00, je suis dans ma classe de maths et de géographie, etc.

COMPOSITIONS

1. Racontez une visite dans une ville et décrivez les monuments et les sites historiques. *HaliFax*

2. Décrivez l'organisation de votre fin de semaine. Employez le futur proche.

PRONONCIATION

I. *Consonnes finales — consonnes finales* +e *muet*

1) Generally, final consonants are not pronounced:

   trois, bond, droit, petit, chinois, long

2) The final consonants **c, f, l, r** are usually pronounced:

   avec, sportif, sel, par

3) The final **e** is silent (**-es** and **-ent** as plural forms and/or verb endings are also silent):

   disque, commode, active, dynamique, livres, parlent

4) The consonant which precedes the final **e** is pronounced:

   droite, petite, chinoise, grande, barbe

Répétez:

il est grand / elle est grande
il est content / elle est contente
il est heureux / elle est heureuse
il est épatant / elle est épatante   *splendid*
il est blond / elle est blonde
il est présent / elle est présente
il est absent / elle est absente
il est impatient / elle est impatiente

Note: When the following word begins with a consonant, the final consonant in **cinq, six, huit** and **dix** is not pronounced:

   cinq arbres / cinq livres
   six enfants / six disques
   huit oiseaux / huit pots
   dix hommes / dix cahiers

II. O *ouvert* — o *fermé (/ɔ/ — /o/)*

1) **O ouvert** (/ɔ/) is generally found in a closed syllable (a syllable ending with a pronounced consonant).

2. **O fermé** (/o/) is found in an open syllable (not ending with a pronounced consonant), in a syllable closed by a /z/ sound, or when it is spelled **au, eau** or **ô**.

   Répétez: /ɔ/

   d'accord, sport, téléphone, porte, mol, robe

   Répétez: /o/

   rose, ôte, beau, stylo, nos, vos, gauche

   Répétez d'après le modèle:

beau / bol	faux / folle
mot / molle	nos / nord
peau / porc	tôt / tord
sot / sort	saule / sol
vôtre / votre	paume / pomme

CHAPITRE CINQ

L'ETAT
DE SANTE

Le Tour de l'Ile de Montréal 1987

Photo par Germaine Salois

INTRODUCTION

Est-ce que vous attendez le médecin, Monsieur? Et vous, Mesdames?

Non, nous attendons l'infirmière.

Oui, j'attends le médecin.

DÉFENSE DE FUMER

SALLE DES URGENCES

Posez ce stylo, cette carte et ces papiers sur cette table.

Est-ce que le médecin est là?
    Oui, elle* vient d'arriver.

Est-ce que le médecin peut vendre des médicaments?
    Non, mais vous pouvez acheter des médicaments à la pharmacie.

Voulez-vous des aspirines?
    Non, je veux des vitamines.

Où avez-vous mal?
    J'ai mal au ventre.

Avez-vous peur du médecin?
    Non, mais j'ai peur des piqûres.

---

* In French, the masculine nouns **médecin** and **docteur** are used for both male and female doctors.

GRAMMAIRE ET EXERCICES ORAUX

Les verbes réguliers en -re

The third group is made up of regular **-re** verbs. The **-re** ending is dropped from the infinitive and the following endings are added:

attendre (to wait/to wait for)

Présent de l'indicatif

j'	attend**s**	nous	attend**ons**
tu	attend**s**	vous	attend**ez**
il/elle/on	attend*	ils/elles	attend**ent**

Impératif

attend**s**
attend**ons**
attend**ez**

Other verbs conjugated like **attendre** include:

entendre	(to hear)	J'entends un bruit étrange.
perdre	(to lose)	Vous perdez la tête!
rendre	(to hand back/to return)	Nous rendons le livre.
répondre à	(to answer)	Ils ne répondent pas aux lettres.
vendre	(to sell)	Vends-tu ta voiture?

Exercices (Oralement)

A.   Répétez en faisant les substitutions indiquées:

1. J'attends l'autobus.
2. Nous _attendons_ .
3. Ils _attendent_ .
4. _Attends_ un taxi.
5. Vous _attendez_ .
6. Tu _attends_ .
7. _____ rends des livres.
8. Elle _rend_ .
9. Nous _rendons_ .
10. Ils _rendent_ .

11. Elle répond aux questions.
12. Tu _réponds_ .
13. Elles _répondent_ .
14. _Répond_ au professeur.
15. Je _réponds_ .
16. Vous _répondez_ .
17. Ils _répondent_ .
18. _Ils_ vendent des disques.
19. Nous _vendons_ .
20. Vous _vendez_ .

B.   Répondez aux questions:

1. Est-ce que tu entends la directrice?
2. Entendez-vous le professeur?
3. Répondez-vous aux questions du professeur?
4. Est-ce que le professeur répond aux questions des étudiants?
5. Rends-tu les livres à la bibliothèque?
6. Le professeur rend-il/elle des compositions aux étudiants?
7. Est-ce que tu vends ta voiture?

---

* Note that in the inversion **attend-il/elle/on**, the letter **d** is pronounced /t/.

8. Vends-tu ton vélo?
9. Est-ce qu'on vend des livres à la bibliothèque?
10. Est-ce que tu perds ton temps?
11. Est-ce que vous perdez votre temps à l'université?
12. Perds-tu ton argent à la loterie?
13. Perds-tu ton argent au poker?
14. Attends-tu tes amis après la classe?
15. Attendez-vous le professeur quand il/elle est en retard?

C. Posez la question avec l'inversion.
    Modèle: Pierre rend le livre à la bibliothèque.
        Pierre rend-il le livre à la bibliothèque?

1. On entend la musique.
2. Solange vend ses disques.
3. Il perd son temps.
4. Le professeur attend les étudiants.
5. Elle rend le disque à Hubert.
6. Il répond au téléphone.

D. Employez l'impératif d'après les modèles.
    Modèle: rendre le livre à la bibliothèque
        Rends le livre à la bibliothèque.

1. attendre cinq minutes
2. ne pas vendre la maison
3. ne pas perdre l'argent
4. répondre au téléphone

    Modèle: répondre aux questions
        Répondons aux questions.

5. attendre l'autobus
6. vendre la voiture
7. rendre le disque à Suzanne
8. ne pas perdre notre temps

    Modèle: ne pas vendre vos livres
        Ne vendez pas vos livres.

9. attendre l'arrivée de Mario
10. ne pas perdre l'adresse du restaurant
11. rendre l'argent à Guy
12. ne pas répondre aux insultes

Les adjectifs démonstratifs

	Singular	Plural
Masculine Before a Consonant	ce	ces
Masculine Before a Vowel Sound	cet	ces
Feminine	cette	ces

The demonstrative adjective agrees in gender and number with the noun modified:

ce garçon ⟶ ces garçons
cet homme ⟶ ces hommes
cette table ⟶ ces tables

These forms correspond to the English "this" or "that" ("these" or "those"). In French, however, the distinction between "this" and "that" is not usually made except for emphasis or to distinguish between two items or groups of items, in which case **-ci** and **-là** are added to the noun modified:

J'aime cette maison-ci mais Hélène aime cette maison-là.
I like this house but Helen likes that house.

Exercices (Oralement)

A. Remplacez *le/la/les* par *ce/cet/cette/ces:*

le concert	l'homme	l'épaule	les genoux
les filles	la femme	la profession	le front
l'enfant	le bras	le dos	l'oreille
l'animal	la jambe	les dents	le doigt
la voiture	les cheveux	la bouche	les organes
le problème	la poitrine	le coude	les pieds
le matin	l'après-midi	l'oeil	la dent
le soir	les yeux	le nez	les ongles

B. Répondez selon le modèle.

Modèle: Attends-tu cet homme? (une femme)
        Non, mais j'attends cette femme.

1. Attends-tu ce taxi? (un autobus)
2. Est-ce que tu vends ce disque? (un livre)
3. Vas-tu manger cette pêche? (une orange)
4. Allons-nous finir ce chapitre aujourd'hui? (un exercice)
5. Ecoutes-tu ce chanteur? (une chanteuse)

C. Répondez selon le modèle.

Modèle: Rends-tu ce livre-ci?
        Non, mais je rends ce livre-là.

1. Attends-tu cet autobus-ci?
2. Est-ce qu'on démolit cette maison-ci?
3. Vas-tu vendre cette voiture-ci?
4. Vas-tu choisir ce disque-ci?
5. Allons-nous à ce restaurant-ci?
6. Réponds-tu à ces questions-ci?

Venir de + infinitif (le passé immédiat)

Venir in the present tense followed by **de + infinitif** indicates that the action or event referred to by the infinitive has just taken place:

Je viens de finir ce travail.	I have just finished this work.
Il vient de téléphoner au médecin.	He has just phoned the doctor.

Exercices (Oralement)

A.   Répondez aux questions affirmativement:

1. Est-ce que nous venons de finir le chapitre quatre?
2. Est-ce que tu viens de manger?
3. Est-ce que le professeur vient d'entrer?
4. Est-ce que tu viens d'écouter les nouvelles? (news)
5. Est-ce que tes parents viennent d'arriver d'Ottawa?
6. Est-ce que nous venons de réparer la radio?
7. Est-ce que vous venez de répondre à des questions?

B.   Utilisez le passé immédiat dans la réponse négative.

> *Modèle:* Vas-tu regarder un film?
> *Non, je viens de regarder un film.*

1. Vas-tu travailler à la bibliothèque?
2. Vas-tu parler à ton médecin?
3. Vas-tu aller à Montréal?
4. Allons-nous répondre aux questions?
5. Allons-nous écouter des disques?
6. Le chien va-t-il manger?
7. Les enfants vont-ils jouer au hockey?
8. Allez-vous répondre aux questions du professeur?

Les verbes irréguliers vouloir et pouvoir

vouloir (to want/to wish)		**pouvoir** (to be able to)	
je veux	nous voulons	je peux	nous pouvons
tu veux	vous voulez	tu peux	vous pouvez
il/elle/on veut	ils/elles veulent	il/elle/on peut	ils/elles peuvent

1) **Vouloir** may be followed by a noun or an infinitive:

> Je veux un disque de musique classique.
> Elle veut aller au cinéma.

2) **Pouvoir** is usually followed by an infinitive. It may indicate ability to do something or permission to do something:

Pouvez-vous réparer ma voiture?   Can you (are you able to) repair my car?

Les enfants ne peuvent pas entrer   Children are not permitted (to
dans ce cinéma.   go) in this cinema.

Exercices (Oralement)

A.   Construisez des phrases selon le modèle.

Modèle: Je veux travailler. Et toi?
Moi aussi, je veux travailler.

1.   Je veux aller à Banff. Et lui? Et toi? Et eux? Et Hélène?
2.   Nous voulons manger. Et vous? Et elles? Et toi? Et Stéphane?
3.   Je peux attendre cinq minutes. Et eux? Et lui? Et vous? Et elles?
4.   Nous pouvons aller au cinéma. Et toi? Et Pascale? Et les enfants? Et vous?

B.   Répétez en remplaçant le pronom sujet par les mots entre parenthèses et en changeant la forme du verbe:

1.   Je ne peux pas aller au cinéma ce soir. (nous, Daniel, vous, elle)
2.   Pouvez-vous répondre aux questions? (ils, tu, elle, nous)
3.   Elle veut écouter ce concert. (tu, mes parents, je, ils)
4.   Je ne veux pas danser. (Suzanne, ils, tu, vous)

C.   Posez la question à un(e) autre étudiant(e).

Modèle: pouvoir / venir au cinéma avec moi
Peux-tu venir au cinéma avec moi?

1.   vouloir / regarder un film à la télé ce soir
2.   pouvoir / répondre à ma question
3.   vouloir / vendre tes vieux livres
4.   pouvoir / réussir à l'examen
5.   vouloir / aller au restaurant
6.   vouloir / aller aux Etats-Unis
7.   pouvoir / jouer du piano
8.   vouloir / travailler avec moi
9.   vouloir / devenir riche
10.   pouvoir / aller avec moi à la bibliothèque
11.   vouloir / attendre l'autobus avec moi

D.   Répondez selon le modèle.

Modèle: Peux-tu fermer la télévision?
Non, je ne peux pas.

1.   Peux-tu téléphoner au médecin?
2.   Veux-tu regarder le film western?
3.   Peux-tu venir au cinéma avec moi?
4.   Veux-tu jouer aux cartes avec nous?
5.   Peux-tu entrer dans les discothèques?

Modèle: Veux-tu venir avec moi à l'infirmerie?
Oui, je veux bien.

6. Peux-tu avertir mon ami?
7. Veux-tu finir ce travail pour moi?
8. Peux-tu répondre au téléphone?
9. Veux-tu attendre un moment?
10. Veux-tu aller au concert demain soir?

Les expressions idiomatiques avec avoir

avoir . . . ans (to be . . . years old)	J'ai dix-huit ans.
avoir l'air + **adjectif** (to seem/to) + **de** + **nom** look like) + **de** + **infinitif**	Elle a l'air intelligent(e).★ Il a l'air d'un bandit. Ils ont l'air de travailler fort.
avoir besoin de + **nom** (to need) + **infinitif**	Les étudiants ont besoin de vacances. J'ai besoin de consulter un médecin.
avoir chaud/froid (to be warm/cold)	J'ai chaud en été. Nous avons froid en hiver.
avoir envie de + **nom** (to feel like) + **infinitif**	As-tu envie d'un dessert? J'ai envie de regarder ce film.
avoir faim/soif (to be hungry/thirsty)	J'ai faim; je veux un sandwich. Il a soif; il veut un verre de jus.
avoir hâte de + **infinitif** (to be eager/impatient)	J'ai hâte de rentrer chez moi. Elle a hâte d'avoir dix-huit ans.
avoir l'intention de + **infinitif** (to intend)	Nous avons l'intention de visiter Montréal.
avoir peur de + **nom** (to be afraid of) + **infinitif**	Il a peur des maladies. Ils ont peur de perdre leur temps.
avoir mal à + **nom** (to have a . . . ache)	J'ai mal à la tête/aux yeux/au ventre/au dos/aux dents.
avoir raison / tort de + **infinitif** (to be right/wrong)	J'ai raison. Toi, tu as tort. Elle a raison de vouloir réussir.

★ The adjective can be made to agree either with **l'air** (masculine singular) or with the subject.

Exercices (Oralement)

A. Répondez aux questions:

1. Quel âge as-tu?
2. Quel âge a ton père?
3. Quel âge a ta mère?
4. As-tu chaud en hiver?
5. As-tu froid en été?
6. Quand avons-nous chaud généralement?
7. Est-ce qu'on a froid dans un sauna?
8. As-tu faim à midi? à minuit?
9. Vas-tu avoir faim ce soir?
10. Est-ce qu'on a soif dans le désert?
11. Est-ce qu'on a soif après un match de tennis?

B. Répondez aux questions selon le modèle.

Modèle: As-tu envie d'un dessert? (d'un verre de vin)
Non, je n'ai pas envie d'un dessert mais j'ai envie d'un verre de vin.

1. As-tu envie d'une nouvelle voiture? (d'un nouveau vélo)
2. As-tu envie d'un livre? (d'un disque)
3. As-tu envie de regarder un film? (d'aller à la discothèque)
4. As-tu envie de manger un sandwich? (de manger un croissant)
5. As-tu besoin d'une aspirine? (d'un bon café)
6. As-tu besoin d'une moto? (d'une voiture)
7. As-tu besoin d'aller chez le médecin? (d'aller chez le dentiste)
8. As-tu peur du professeur? (de l'examen)
9. As-tu peur des chiens? (des serpents)
10. As-tu peur d'aller chez le dentiste? (d'avoir mal aux dents)

C. Répondez aux questions selon le modèle.

Modèle: Antoine a l'air malade. (fatigué)
Non, il a plutôt l'air fatigué.

1. Pierrette a l'air dynamique. (nerveux)
2. Guy a l'air distrait. (préoccupé)
3. Il a l'air d'un acteur de cinéma. (d'un boxeur)
4. Elle a l'air d'une avocate. (d'une pharmacienne)
5. Le chien a l'air d'avoir faim. (d'avoir soif)
6. Cet enfant a l'air d'avoir peur. (d'être fatigué)

D. Répondez aux questions:

1. As-tu l'intention de devenir riche?
2. As-tu hâte de travailler?
3. Avez-vous hâte d'avoir des vacances?

4. Avez-vous l'intention de réussir à l'examen?
5. Les hommes ont-ils raison de vouloir la paix?
6. Les femmes ont-elles tort de vouloir l'égalité?

E. Vous êtes médecin. Posez la question à un(e) autre étudiant(e).

> *Modèle:* Avez-vous mal / la tête? (les oreilles)
> Question: *Avez-vous mal à la tête?*
> Réponse: *Non, mais j'ai mal aux oreilles.*

1. Avez-vous mal / les yeux? (les sinus)
2. Avez-vous mal / le dos? (le ventre)
3. Avez-vous mal / les pieds? (les jambes)
4. Avez-vous mal / la tête? (les yeux)
5. Avez-vous mal / les genoux? (les chevilles)
6. Avez-vous mal / les bras? (les coudes)
7. Avez-vous mal / le cou? (la tête)
8. Avez-vous mal / le ventre? (la poitrine)
9. Avez-vous mal / l'estomac? (la tête)
10. Avez-vous mal / le coeur? (la poitrine)

Le corps humain

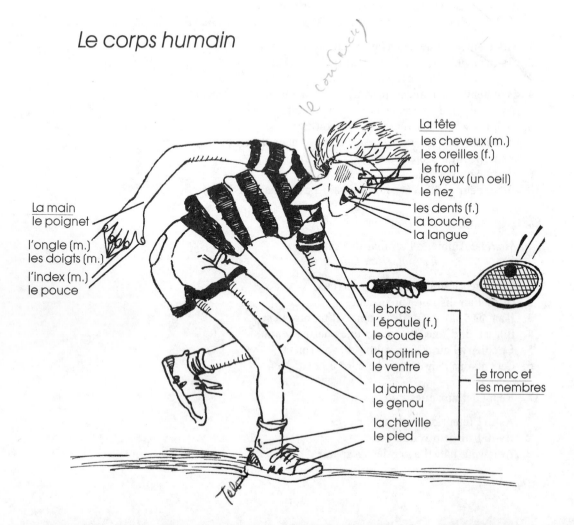

EXERCICES ECRITS

A. Mettez le verbe à la forme correcte:

1. Ils _attendent_ l'autobus numéro 38. (attendre)
2. Elle _entend_ un bruit bizarre. (entendre)
3. Je _vends_ ma vieille auto. (vendre)
4. Hubert _perd_ souvent la tête. (perdre)
5. Nous _répondons_ à sa lettre. (répondre)
6. Tu _rends_ le livre à Jean. (rendre)
7. Il _attend._ un taxi. (attendre)
8. Lise et Jeanne _entendent_ la musique. (entendre)

B. Posez la question avec l'adverbe interrogatif approprié (*où/quand/comment/pourquoi*) et en employant l'inversion.

Modèle: Il attend l'autobus <u>devant l'hôpital</u>.
    Où attend-il l'autobus?

1. Il perd son temps <u>dans les discothèques</u>.
2. On vend des médicaments <u>à la pharmacie</u>.
3. Elle répond <u>correctement</u> aux questions du médecin.
4. Il vend ses livres <u>parce qu'il a besoin d'argent</u>.
5. On entend la sirène <u>à midi</u>.

C. Employez l'impératif et dites à un(e) ami(e) de:

1. Rendre le disque à son amie.
2. Ne pas perdre l'ordonnance du médecin. (*script*)
3. Répondre à la question de l'infirmière.
4. Ne pas vendre sa belle voiture.
5. Attendre la spécialiste après l'examen.

D. Remplacez *le/la/les* par *ce/cet/cette/ces*:

la pilule (*pill*)	les jambes	la pharmacienne	le malade
le pied	la gorge	l'infirmière	la malade
la tête	le médecin	l'enfant	l'étudiant
le dos	la spécialiste	les adultes	les maladies

E. Mettez les verbes *pouvoir* et *vouloir* à la forme correcte:

pouvoir

1. Tu _peux_ partir avant midi.
2. Nous _pouvons_ attendre l'autobus.
3. Vous _pouvez_ répondre aux questions.
4. Elle _peut_ entendre la conversation.
5. Je _peux_ finir l'exercice.
6. Ils _peuvent_ inviter leurs amis.

vouloir

1. Je _____ déjeuner au restaurant.
2. Nous _____ regarder un film à la télé.
3. Ils _____ finir les devoirs après la classe.
4. Elles _____ un café.
5. Tu _____ une bière.
6. Il _____ une nouvelle auto.

F. Répondez aux questions par des phrases complètes:

1. Est-ce que tu veux travailler ce soir?
2. Est-ce que vous voulez venir en classe dimanche?
3. Pouvons-nous finir ce chapitre aujourd'hui?
4. Peux-tu entrer dans les discothèques?
5. Veux-tu aller à la plage ce soir?
6. Voulez-vous venir au restaurant avec moi?
7. Est-ce que les enfants veulent jouer au hockey?
8. Est-ce que les étudiants veulent réussir aux examens?
9. Veux-tu perdre ton temps?
10. Veux-tu perdre ton argent dans les casinos?
11. Peux-tu jouer de la guitare? du piano? du violon?
12. Peux-tu aller sur la lune?
13. Tes parents veulent-ils venir dans notre classe?
14. Voulez-vous réussir à l'examen de français?
15. Pourquoi veux-tu étudier le français?
16. Où veux-tu aller ce soir?
17. Quelle sorte de voiture veux-tu?
18. Quand vas-tu pouvoir aller à Montréal?
19. A quelle heure peux-tu rentrer chez toi?
20. Où peut-on regarder un film?

G. Répondez aux questions selon le modèle.

Modèle: Est-ce que tu vas à la bibliothèque?
Non, je viens d'aller à la bibliothèque.

1. Est-ce que tu regardes un film?
2. Est-ce que Monique finit son travail?
3. Est-ce que vous réfléchissez à cette question?
4. Est-ce que les enfants écoutent des disques?
5. Est-ce qu'il vend sa voiture?

H. Complétez les phrases avec imagination.

Modèle: Quand je suis fatigué(e), je . . . (avoir mal à)
Quand je suis fatigué(e), j'ai mal aux yeux.

1. Quand je suis à la discothèque, je . . . (avoir envie de)
2. J'admire Renée parce qu'elle . . . (avoir l'air de)
3. Je veux rentrer chez moi parce que je . . . (avoir hâte de)
4. Quand on est fatigué, on . . . (avoir besoin de)

5. Demain, je . . . (avoir l'intention de)
6. Solange ne veut pas être malade parce qu'elle . . . (avoir peur de)
7. On va chez le dentiste quand on . . . (avoir mal à)

I. Répondez aux questions par des phrases complètes:

1. Quel âge as-tu?
2. Quel âge a le professeur?
3. Quand est-ce que tu as chaud / soif / faim / froid?
4. Quand as-tu peur?
5. Quand as-tu mal à la tête?
6. Quelle voiture as-tu envie d'avoir?
7. Quelle ville as-tu l'intention de visiter?
8. De quoi as-tu hâte?
9. Quand as-tu l'air intelligent / important / malade/ stupide?
10. De quoi as-tu besoin présentement?

LECTURE

Un accident bête

Karine Dubois est parfaitement au courant du code de la route et quand elle va à bicyclette, elle garde toujours la droite, ralentit au carrefour et s'arrête au feu rouge. Malheureusement ce n'est pas le cas de Milou, le chien de son ami Philippe.

Un jour Karine descend la rue Belvédère quand brusquement Milou saute devant la bicyclette. La cycliste dérape et tombe par terre.

Philippe , son voisin, accourt et essaie de la relever. Peine perdue, Karine pousse un cri de douleur et refuse de bouger. Après quelques instants, Philippe va téléphoner à l'hôpital pour demander une ambulance.

L'ambulance arrive sans tarder. A l'Urgence une infirmière accueille la patiente. On fait une radiographie de la cheville et finalement un jeune médecin vient examiner la jambe.

Après l'examen, le médecin confirme qu'elle n'a pas de jambe cassée mais qu'elle a une entorse assez grave pour une hospitalisation de quelques jours.

Dans sa chambre, au 3e étage de l'aile B, elle bavarde avec ses compagnes de chambre pendant qu'une infirmière prend sa température et administre une piqûre pour calmer la douleur.

Heureusement que Philippe vient voir son amie et apporte, pour son réconfort, des fleurs magnifiques et des chocolats. Qu'est-ce qu'elle lui donne en échange? Des conseils sur la manière de dresser les chiens.

accourir	to come running	**bavarder**	to chat
accueillir	to greet	**bouger**	to move
aile (f.)	wing	**brusquement**	abruptly
apporter	to bring	**carrefour** (m.)	crossroads
(s')arrêter	to stop	**cas** (m.)	case

cassé (e)	broken	grave	serious
code de la route (m.)	traffic rules	manière (f.)	way
compagne de chambre (f.)	roommate	peine perdue	waste of time
		pendant que	while
conseil (m.)	piece of advice	piqûre	injection
courant: être au –	to be well informed	pousser un cri	to cry out
déraper	to skid	radiographie (f.)	X-ray
douleur (f.)	pain	relever	to help someone up
dresser	to train		
échange: en –	in exchange	réservé(e) à	reserved for
entorse (f.)	sprain	sans tarder	without delay
essayer	to try	sauter	to jump
étage (m.)	floor/level	tenter de	to attempt to
examen médical (m.)	medical examination	tomber par terre	to fall down
		urgence (f.)	emergency
feu (m.)	traffic light	voisin, ine	neighbor
garder	to keep		

Questions

1. Comment Karine démontre-t-elle qu'elle est au courant du code de la route?
2. Pourquoi tombe-t-elle de sa bicyclette?
3. Pourquoi Philippe n'arrive pas à relever Karine?
4. Pourquoi est-ce qu'il téléphone à l'hôpital?
5. Qui accueille la jeune fille à l'urgence?
6. Où a-t-elle mal?
7. Karine a-t-elle une jambe cassée?
8. Pourquoi l'infirmière lui administre-t-elle une piqûre?
9. Quel réconfort Philippe apporte à son amie?
10. Quels conseils donne-t-elle en échange?

SITUATIONS / CONVERSATIONS

1. *Une visite chez le médecin.* Un(e) étudiant(e) joue le rôle du médecin et deux autres jouent les rôles de la secrétaire et de la patiente/du patient. Inspirez-vous du modèle ci-dessous.

a) (*Avec la secrétaire du médecin*)

SECRÉTAIRE: Bonjour, Monsieur.

PATIENT: Bonjour, je suis Louis Dupras et j'ai rendez-vous à 7h 00 avec Docteur Lafontaine.

SECRÉTAIRE: Est-ce que c'est votre première visite? Est-ce que vous avez un dossier ici?

PATIENT: Oui, c'est ma première visite et je n'ai pas de dossier.

SECRÉTAIRE:	Votre carte d'assurance-maladie, s'il vous plaît?
PATIENT:	Voici ma carte.
SECRÉTAIRE:	Passez à la salle d'attente. Le docteur vous appelle dans quelques minutes.
PATIENT:	Très bien, merci.

b) *(Avec le médecin)*

LE MÉDECIN:	Bonjour Monsieur. Quel est l'objet de votre visite?
PATIENT:	Bonjour docteur. Eh bien, j'ai mal à la tête et à la gorge. Je tousse, j'ai le nez bouché et j'ai aussi mal aux oreilles.
LE MÉDECIN:	Eh bien, ce n'est pas grave. Vous avez une grippe. Voici une ordonnance et vous allez revenir dans quinze jours.
PATIENT:	Très bien, merci docteur. Au revoir.

Autres symptômes:	Je tousse, je respire mal, j'étouffe. J'ai mal au coeur. J'ai une douleur dans la poitrine. J'ai des étourdissements, je perds connaissance.
Autres maladies:	le rhume, la grippe, une pneumonie, la fièvre, une bronchite.
Des médicaments:	des aspirines, du sirop, des antibiotiques, des onguents.

2. Qu'est-ce qu'on peut faire avec . . . (What can you do with . . .)

les yeux? le nez? la bouche? l'estomac? les pieds? les jambes? les poumons? les mains? les oreilles? les doigts? les bras?

Exemple: Avec la tête, je pense.

(Verbes: respirer, digérer, marcher, entendre, embrasser, écouter, regarder, goûter, travailler, jouer d'un instrument, etc.)

3. Décrivez votre acteur ou actrice préféré(e).

4. Décrivez votre animal favori:
J'aime les chats/les chiens/les souris/les vaches/les écureuils/les lions/les tigres/les girafes/les éléphants/les kangourous, etc.

Le pelage (fur) est blanc/brun/noir; avec des raies/des taches/des couleurs différentes, etc.

Le cou est très long/court/étroit/large, etc.

La queue (tail) est longue/courte/courbée, etc.

Les pattes (legs) sont longues/courtes, etc.

Le museau, la gueule (mouth) est rond(e)/pointu(e), etc.

5. Pour rester en bonne santé, on a besoin . . .

> de manger des fruits, de respirer de l'air pur, de consulter un médecin, de manger modérément, d'éviter l'alcool, de marcher plusieurs heures par jour, de jouer d'un instrument de musique, de surveiller son alimentation, de pratiquer des sports, de ne pas fumer de cigarettes, etc.

COMPOSITIONS

1. Vous êtes malade. Ecrivez une courte lettre à votre professeur pour expliquer la situation.
2. Quelles sont les mauvaises habitudes qui sont nuisibles à votre santé?
3. Décrivez un régime de vie recommandé pour rester en bonne santé.
4. Dessinez et coloriez un clown et indiquez les parties du corps.

PRONONCIATION

***Contraste* i, u, ou** — /i/ — /y/ — /u/

1) La voyelle **i** (/i/)

Répétez d'après le modèle:

ris	petit	image	amiral
si	radis	idée	habiter
mi	mardi	idem	politique
dit	lundi	arriver	

2) La voyelle **u** (/y/)

(Bring your tongue to the front as for /i/, but round the lips.)

Répétez d'après le modèle:

dit / du	mi / mu	lit / lu	débit / début
ni / nu	pis / pu	pli / plu	habit / abus
si / su	riz / rue	bris / bru	pari / paru
fi / fut	vit / vu	cri / cru	écrit / écru

Répétez d'après le modèle. (Try not to say **biu, miu, piu.**)

bu	buvez	rébus	amusant
pu	pudique	repus	rebuter
mû	musique	ému	débuter

3) La voyelle **ou** (/u/)

(Rounded lips as for /y/, but bring your tongue towards the back; for /y/, the tongue is pushed towards the front.)

Répétez d'après le modèle:

tu / tout	mu / mou	bru / broue
bu / bout	pu / pou	truc / trouve
rue / roue _wheel_	vu / vous	bulle _bubble_ / boule _ball_
du / doux	nu / nous	furet / fourré

4) Contraste /i/ — /y/ — /u/

Répétez d'après le modèle:

vit / vu / vous	pis / pu / pou	mi / mue / mou
rit / rue / roux	fi / fût / fou	ni / nu / nous
si / su / sous	dit / du / doux	lit / lu / loue _(hire)_

CHAPITRE SIX

LE MAGASINAGE ET LA MODE

Photo avec la permission du Governement du Québec

INTRODUCTION

Est-ce que tu emmènes ton copain au centre commercial?

    Non, je n'emmène pas mon copain, j'emporte ma calculatrice.

Après le magasinage, vous venez chez moi?

    D'accord, j'apporte mes disques et j'amène Pierre.

Ce châle est magnifique! Est-ce de la soie?

    Non, c'est du coton et des fibres synthétiques.

A quelle heure dois-tu rencontrer Pierre?

    Je dois rencontrer Pierre à quatre heures et ensuite nous devons aller au magasin de chaussures.

Qui crée de si jolies robes?

    Je pense que c'est Michel Robichaud.

Qu'est-ce que tu vas choisir, l'écharpe ou le châle?

    Je vais choisir le châle.

Vas-tu acheter le manteau que tu viens d'essayer?

    Oui, c'est un manteau que j'aime et qui ne coûte pas cher.

GRAMMAIRE ET EXERCICES ORAUX

Modifications orthographiques de quelques verbes réguliers en -er

Spelling Changes Before Silent Endings (-e, -es, -ent).

1) In verbs like **acheter** (to buy), **amener** (to bring), **emmener** (to take), the letter **e** which precedes the final consonant in the stem takes an **accent grave** (è) before a silent ending:

> j'achète, tu achètes, il achète, ils achètent
> *but* nous achetons, vous achetez

2) In verbs like **préférer** (to prefer), **espérer** (to hope), **répéter** (to repeat), **précéder (to precede)**, the **accent aigu** over the **e** which precedes the final consonant in the stem changes to an **accent grave** before a silent ending:

> je préfère, tu préfères, il préfère, ils préfèrent
> *but* nous préférons, vous préférez

3) In verbs like **appeler** (to call) and **jeter** (to throw), the final consonant in the stem is doubled before a silent ending:

> j'appelle, tu appelles, il appelle, ils appellent
> *but* nous appelons, vous appelez
> je jette, tu jettes, il jette, ils jettent
> *but* nous jetons, vous jetez

4) In verbs ending in **-yer**, the **y** changes to **i** before a silent ending. (In verbs ending in **-ayer**, like **payer**, the **y** may be retained as an optional spelling.)

> **ennuyer** (to bore/to bother):
> j'ennuie, tu ennuies, il ennuie, ils ennuient
> *but* nous ennuyons, vous ennuyez
>
> **payer** (to pay for):
> je paie, tu paies, il paie, ils paient
> *but* nous payons, vous payez

Verbs Ending in -ger and -cer

1) With verbs whose stems end in **g** like **manger** (to eat) or **obliger** (to force/to compel), whenever the ending does not begin with **e** or **i**, the letter **e** must be inserted between the stem and the ending, as in the **nous** form of the present tense:

> nous mangeons, nous obligeons

2) With verbs whose stems end in **c**, like **commencer** (to begin) or **agacer** (to bother/to irritate), a **cédille** must be placed under the letter **c** (ç) whenever the ending does not begin with **e** or **i**, as in the **nous** form of the present tense:

> nous commençons, nous agaçons

Exercices (Oralement)

A. Substituez au sujet les mots entre parenthèses:

1. Lucien appelle le professeur chez lui. (tu, elles, vous, je, nous)
2. André jette de vieux papiers. (je, ils, l'étudiant, nous)
3. Tu espères une récompense. (vous, elles, Suzanne, je)   *aigu ⟹ grave*
4. Elles achètent des vêtements. (vous, je, nous, Lucien)
5. Ils paient comptant. (nous, tu, Juliette, je)
   cash

B. Répondez aux questions, affirmativement et négativement:

Est-ce que . . .

1. tu jettes tes vieux vêtements?
2. vous jetez vos vieux souliers?
3. tu achètes à crédit?
4. vous achetez à crédit?
5. tu emmènes ton ami(e) à la boutique?
6. vous emmenez votre professeur au cinéma?
7. j'emmène mes étudiants au centre commercial?
8. vous répétez après le professeur?
9. vous préférez le français à l'anglais?
10. nous commençons la leçon?
11. vous mangez à la cafétéria?
12. nous mangeons dans la classe?
13. la télévision ennuie les enfants?
14. tu amènes tes parents à la classe de français?
15. vous amenez vos amis à la classe de français?

Amener — apporter — emmener — emporter

amener (une personne/un animal)	
apporter (une chose)	to bring (along)
emmener (une personne/un animal)	
emporter (une chose)	to take (along)

David amène sa petite amie chez lui.
Sylvie emmène son chien chez le vétérinaire.
J'apporte une bouteille de vin pour le repas.
Quand il va en voyage, il emporte des livres.

Exercice (Oralement)

Répondez aux questions par des phrases complètes:

1. Est-ce que vous amenez vos amis chez vous?
2. Est-ce que tu emportes des livres de la bibliothèque?

3. Qu'est-ce que vous apportez à la classe de français?
4. Où amène-t-on une personne blessée? *injured*
5. Où amène-t-on un animal blessé?
6. Quelle(s) personne(s) emmenez-vous à la discothèque?
7. Qu'est-ce que tu emportes quand tu vas en voyage?
8. Quand emmène-t-on une personne chez le médecin?
9. Qu'est-ce que tu apportes à un ami malade?
10. Quels vêtements apportez-vous pour aller à la plage? *un maillot.*

L'article partitif

Forms of the Partitive Article

du   before a masculine singular noun beginning with a consonant
de la before a feminine singular noun beginning with a consonant
de l' before a masculine or feminine noun beginning with a vowel sound
des   before a plural noun

1) The partitive article is used before singular mass nouns (referring to items which are not countable): **de l'argent, de la musique, du mérite.** The plural form of the partitive article is used before countable nouns (**des fleurs**) and nouns which are always plural, like **des gens** (people). The partitive article is used when referring to an undetermined amount of the item mentioned, and thus corresponds to ''some'' or ''any''. While ''some'' and ''any'' are frequently omitted in English, in French, the partitive article must be stated:

Je veux de la salade.	I want (some) salad.
Elle mange du pain.	She is eating (some) bread.
Ils regardent des photos.	They are looking at (some) pictures.

2) When they precede a noun which is the direct object of a verb, all forms of the partitive article are reduced to **de** after a negative expression such as **ne . . . pas**:

J'ai de l'argent. ⟶ Je n'ai pas d'argent.
Elle écoute de la musique. ⟶ Elle n'écoute pas de musique.

This change does not occur after a verb like **être**, which is not a transitive verb (that is, it does not take a direct object):

Ce sont des gens intelligents.
Ce ne sont pas des gens intelligents.

3) The use of the partitive article must be clearly distinguished from that of the definite article. The definite article is used when speaking about a particular item or with nouns used abstractly or in a general sense. The partitive article is used when speaking about an undertermined amount of the item to which the noun refers. Do not be confused by the fact that, in English, articles are not usually placed before abstract nouns, or that ''some'' is frequently omitted before nouns.

Compare:

She likes plants.	Elle aime <u>les</u> plantes.
She buys plants.	Elle achète <u>des</u> plantes.
Talent is a gift.	<u>Le</u> talent est un don.
He has talent.	Il a <u>du</u> talent.

Exercices (Oralement)

A. Répondez aux questions affirmativement et négativement:

Est-ce que tu as . . .

1. de l'argent?
2. de la chance?
3. de l'ambition?
4. du courage?
5. du talent?

6. de la patience?
7. de l'enthousiasme?
8. de la ténacité?
9. de l'imagination?

Est-ce que tu manges . . .

10. de la salade?
11. du fromage?
12. du beurre?

13. du porc?
14. du boeuf?
15. de la crème glacée?

Est-ce que tu veux . . .

16. du vin?
17. de la bière?
18. du café?
19. du thé?

20. du whisky?
21. de la vodka?
22. de l'eau?
23. du coca?

B. Employez les mots indiqués d'après le modèle.

Modèle: Je n'ai pas . . . mais j'ai . . .
Je n'ai pas d'argent, mais j'ai de l'ambition.

du courage, de l'enthousiasme, de l'énergie, du talent, de l'ambition, de la chance, de la patience, du tact, de la ténacité, de l'imagination, de l'intuition

C. Changez l'article défini en article partitif:

le respect	la lumière	l'ombre
l'amabilité *kino neči*	le sel	l'obscurité
l'eau	le sucre	le poulet
la neige	l'air	la moutarde

D. Mettez à la forme négative:

1. Elle mange de la salade.
2. Il a de l'argent.
3. C'est de la moutarde.

4. Ils invitent des gens intéressants.
5. J'entends du bruit.
6. Elle écoute du jazz.

7. Nous avons de la patience.
8. J'apporte de la vodka.
9. Tu as de la patience.
10. C'est du whisky.

11. Il veut du café.
12. Elle achète du porc.
13. Elle prépare de la pâtisserie.

Le verbe irrégulier *devoir*

Présent de l'indicatif

je dois	nous devons
tu dois	vous devez
il/elle/on doit	ils/elles doivent

1) **Devoir** followed by a noun may mean "to owe":

Je dois dix dollars à mon ami.
I owe my friend ten dollars.

2) In the present tense, and followed by an infinitive, **devoir** may express:

a) necessity or obligation (must/to have to):
Nous devons rendre les livres à la bibliothèque.
We must return the books to the library.
On doit payer ses dettes.
One must pay one's debts.

b) probability (must):
Il doit avoir chaud après ce match.
He must be hot after that match.

c) intention or expectation (to be supposed to):
Je dois rencontrer Marie au restaurant ce soir.
I am supposed to meet Mary at the restaurant tonight.
Il doit arriver cet après-midi.
He is supposed to arrive this afternoon.

Exercices (Oralement)

A. Changez la forme du verbe selon le sujet entre parenthèses:

1. Je dois finir ce travail. (tu/elle/nous/vous)
2. Il doit être fatigué après le match. (ils/vous/les athlètes/elle)
3. Elle doit arriver demain soir. (tu/il/nous/les enfants)

B. Répondez à la question:

1. Est-ce que tu dois de l'argent à la banque?
2. A quelle heure la classe doit-elle finir?
3. Quand devons-nous avoir l'examen?

4. Est-ce que vous devez rendre des livres à la bibliothèque?
5. Dois-tu rencontrer le professeur après la classe?
6. Les étudiants doivent-ils être enthousiastes?
7. Le professeur doit-il être intéressant?
8. Est-ce que je dois expliquer la leçon?
9. Est-ce que tu dois de l'argent à tes parents?
10. Devons-nous répéter cet exercice?

C. Répondez aux questions d'après le modèle.

Modèle: A quelle heure Armand arrive-t-il? (à cinq heures)
Armand doit arriver à cinq heures.

1. A quelle heure rentres-tu chez toi?
2. A quelle heure vas-tu à la bibliothèque?
3. A quelle heure la classe finit-elle?
4. Quand vas-tu à Shawinigan?
5. Quand vas-tu chez le médecin?
6. Quand rencontres-tu tes amis?
7. Pourquoi vas-tu à la pharmacie?
8. Qu'est-ce que tu étudies ce soir?
9. Retournes-tu au magasin bientôt?
10. Quand joues-tu au soccer?

D. Transformez les phrases selon le modèle.

Modèle: Le professeur est fatigué après la classe.
Oh! oui, il doit être fatigué.

1. Hélène a chaud après cette compétition sportive.
2. Les enfants ont peur après ce film d'épouvante.
3. Le chien a soif après cette promenade.
4. Elle est déprimée après cet examen difficile.
5. Il parle français après ce cours.
6. Il a envie d'un bon café après ce gros repas.
7. Je suis fatiguée après ce long travail.
8. Edouard est nerveux après cet accident.
9. Les étudiants sont en forme après les exercices.
10. J'ai besoin de repos après ces études.

Les pronoms interrogatifs *qui* et *que*

Qui

To ask a question about a person, the interrogative pronoun **qui** is used.

1) To ask the identity of a person, use **Qui est-ce**:

Qui est-ce?   C'est Bernard.
C'est le professeur.
C'est le père de Léonard.
Ce sont mes voisins.

2) **Qui** may be used as the subject of an interrogative sentence:

Qui joue du piano? — Moi, je joue du piano.
Qui veut aller au défilé de mode? — Suzanne et Pierre veulent aller au défilé de mode. *fashion show*

3) **Qui** may also be used as the direct object of a verb:

Qui regardes-tu? — Je regarde ce mannequin.

Que

The interrogative pronoun **que** is used to ask a question about a thing.

1) To ask someone to identify or name something, use **Qu'est-ce que c'est:**

Qu'est-ce que c'est? — C'est un sac à main
                        Ce sont des chaussures. *shoes*

2) **Qu'est-ce qui** (que + est-ce qui) is used as the subject of an interrogative sentence:

Qu'est-ce qui est sur la table? — C'est mon châle.
Qu'est-ce qui fatigue René? — C'est la chaleur. *heat.*

3) **Que** (+ inversion) or **Qu'est-ce que** (que + est-ce que) are used as direct object of the verb:

Que regardes-tu? — Je regarde un ensemble de ski.
Qu'est-ce que tu écoutes? — J'écoute un opéra.

Exercices (Oralement)

A.   Utilisez *Qui est-ce?* ou *Qu'est-ce que c'est?* d'après les modèles.

Modèles: C'est mon ami.
          Qui est-ce?
          Ce sont des insectes.
          Qu'est-ce que c'est?

1. C'est le professeur de Lucien.
2. C'est une machine à coudre. *sew*
3. Ce sont des bandes magnétiques.
4. C'est un couturier. *dress-maker*
5. C'est Mme Barrault.

6. Ce sont des étudiants en dessin. *drawing*
7. Ce sont des magazines.
8. C'est mon père.
9. C'est Mila.
10. C'est un foulard. *scarf*

B.   Posez la question appropriée d'après les modèles.

Modèles: J'écoute le bruit du ruisseau.
          Qu'est-ce que tu écoutes?
          Elle écoute Claude.
          Qui écoute-t-elle?

1. Marie mange de la crème glacée.
2. Elle veut des vêtements.
3. Nous écoutons le couturier.

4. Je vais rencontrer une amie de Jean.
5. Ils emportent leurs croquis *sketch*
6. J'emmène ma mère au défilé de mode.

(inversion)

C. Posez la question appropriée d'après les modèles.

Modèles: Ma cravate est sous la chaise.
   Qu'est-ce qui est sous la chaise?
   Luc joue aux échecs.
   Qui joue aux échecs?

1. Les étudiants travaillent à la bibliothèque.
2. Le défilé de mode vient de commencer.
3. Hélène vient d'arriver.
4. Ce costume est élégant.
5. Le couturier va parler à la réunion.
6. Les examens fatiguent les étudiants.

D. Demandez à un(e) autre étudiant(e):

1. Qu'est-ce qu'il/elle regarde?
2. Qui regarde-t-il/elle?
3. Qu'est-ce qu'il/elle dessine?
4. Qui vend des ceintures?
5. Qui est son voisin/sa voisine?
6. Qui aime-t-il/elle regarder dans un film?
7. Qu'est-ce qu'il/elle aime écouter à la radio?
8. Qu'est-ce qu'il/elle veut manger?
9. Qui désire-t-il/elle rencontrer?

Construction verbe + infinitif

Certain verbs expressing a sentiment, wish, movement, or perception are frequently followed by an infinitive.

1) Verbs expressing like, dislike or preference:

aimer   **Elle aime dessiner.**
          She likes to draw.

adorer   **J'adore regarder les vitrines.**
          I love to look in the windows.

aimer mieux   **J'aime mieux jouer que travailler.**
          I would rather play than work.

préférer   **J'aime les vêtements à la mode mais je préfère porter des vêtements confortables.**
          I like fashionable clothes but I prefer to wear comfortable clothes.

détester   **Il déteste aller dans les magasins.**
          He hates going into stores.

2) Verbs expressing a wish:

désirer   **Elle désire avoir des enfants.**
          She wants to have children.

espérer   **J'espère aller au Mexique.**
          I hope to go to Mexico.

souhaiter   **Il souhaite rencontrer ce mannequin.**
          He would like to meet this model.

3) **pouvoir, vouloir,** and **devoir**

pouvoir	**Pouvez-vous réparer ma jupe?**
	Can you fix my skirt?
vouloir	**Il veut danser avec Béatrice.**
	He wants to dance with Beatrice.
devoir	**On doit regarder ce film.**
	We must watch this film.

4) **aller** and **venir:**

aller	**Va chercher le chien.**
	Go and fetch the dog.
venir	**Viens écouter ce disque.**
	Come and listen to this record.

5) Other verbs like:

penser★	**Je pense aller en vacances aux Etats-Unis.**
	I intend to spend my vacation in the United States.
compter	**Il compte arriver ce soir.**
	He expects to arrive tonight.

Note: 1) Verbs of perception like **écouter, entendre** and **regarder** may be followed by an infinitive clause. The subject of the infinitive is different from the subject of the verb of perception.

> Elle écoute son ami jouer.
> Elle écoute son ami jouer de la guitare.
> Nous entendons les étudiants répéter.
> Nous entendons les étudiants répéter la phrase.

2) If the infinitive is not followed by an object, its subject may come after rather than before it:

> Elle écoute jouer son ami.
> Nous entendons répéter les étudiants.

Exercices (Oralement)

A. Répondez aux questions:

1. Est-ce que vous désirez étudier la coiffure?
2. Est-ce que tu aimes mieux aller à la boutique ou au centre commercial?
3. Détestes-tu travailler?
4. Espérez-vous réussir dans vos études?
5. Est-ce que tu adores aller au concert?
6. Comptes-tu acheter une garde-robe?
7. Souhaites-tu rencontrer le premier ministre?

★ **Penser** usually means ''to think''. Followed by an infinitive, it is equivalent to ''to intend to'' or ''to expect to''.

B. Dites à un(e) autre étudiant(e) de . . . .

1. venir regarder la télévision.
2. aller rendre ses livres à la bibliothèque.
3. venir manger chez vous.
4. aller acheter du maquillage. *makeup*
5. venir écouter vos disques.
6. aller chercher ses croquis. *sketch*

C. Transformez les phrases d'après le modèle.

> *Modèle:* Elle écoute son ami. Son ami chante.
> *Elle écoute son ami chanter.*

1. Luc regarde Sylvie. Sylvie danse.
2. Les étudiants écoutent le professeur. Le professeur parle.
3. J'entends mon voisin. Il joue du piano.
4. Entends-tu Lise? Elle répond à la directrice.
5. Je veux regarder Marc. Marc joue au football.
6. Tu dois écouter le conférencier. Il parle.
7. Elle aime entendre Jean-Pierre Rampal. Il joue de la flûte.

Les pronoms relatifs *qui* et *que*

A relative pronoun serves two purposes:

1) It connects two clauses, a main clause and a subordinate (relative) clause of which it is part and in which it has a grammatical function (subject, direct object, etc.);

2) It stands for a noun or pronoun (its *antecedent*) previously mentioned in the main clause.

He is talking to a man who looks intelligent.

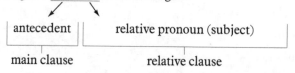

antecedent	relative pronoun (subject)
main clause	relative clause

Qui

Qui is the *subject form* of the relative pronoun, whether its antecedent is a person (who/that) or a thing (which/that):

> **Je n'aime pas les gens qui ont toujours raison.**
> I do not like people who are always right.
> **Elle préfère les vêtements qui ne coûtent pas cher.**
> She prefers clothes which are inexpensive.

Que

1) **Que** is the *direct object form* of the relative pronoun. Its antecedent may be a person (whom/that) or a thing (which/that):

> **Elle admire un chanteur que je déteste.**
> She admires a singer whom I hate.
> **Où est la cravate que je viens d'acheter?**
> Where is the tie which I have just bought?

2) In English, a relative pronoun which is the direct object in the relative clause is frequently omitted, but in French it must always be expressed:

> I like the dress you are going to buy.
> **J'aime la robe que tu vas acheter.**

Exercices (Oralement)

A. Transformez les phrases selon le modèle.

> *Modèle:* Regarde cette jeune fille. <u>Elle</u> entre dans le magasin.
> *Regarde cette jeune fille qui entre dans le magasin.*

1. Elle porte une blouse. <u>Cette blouse</u> est très élégante.
2. Il aime une jeune fille. <u>Cette jeune fille</u> préfère son ami.
3. Pierre vient d'acheter un oiseau. <u>Cet oiseau</u> ne chante pas.
4. Ne porte pas cette chemise. <u>Elle</u> est sale.
5. Nous allons féliciter un ami. <u>Il</u> vient de réussir à son examen.

B. Transformez les phrases selon le modèle.

> *Modèle:* Je dois rendre ce livre. Je viens de finir <u>ce livre</u>.
> *Je dois rendre ce livre que je viens de finir.*

1. N'emporte pas ces vêtements. Je veux regarder <u>ces vêtements</u>.
2. Elle souhaite rencontrer ce couturier. Elle admire <u>ce couturier</u>.
3. Allons acheter cette robe. Tu désires <u>cette robe</u>.
4. Ma femme vient d'inviter ce couple. Je n'aime pas <u>ce couple</u>.
5. Je vais chercher un magazine. Tu vas aimer <u>ce magazine</u>.

C. Transformez les phrases en employant *qui* ou *que*:

1. Pierre vient d'acheter ce veston. <u>Il</u> n'a pas de boutons.
2. Nous venons de regarder un film. Nous recommandons <u>ce film</u>.
3. C'est une jupe. <u>Cette jupe</u> est à la mode.
4. Elle attend un ami. <u>Cet ami</u> vient de Chicago.
5. Veux-tu cette cravate? Je porte <u>cette cravate</u> dans les grandes occasions.
6. Parlons à cet étudiant. <u>Il</u> travaille à l'atelier de couture.

D. Remplacez les tirets par *qui* ou *que:*

1. J'aime beaucoup la jupe _____ tu portes.
2. Il entre dans les magasins _____ ont l'air bon marché.
3. Tu dois rappeler cette femme _____ vient de téléphoner.
4. Elle préfère acheter des vêtements _____ sont confortables.
5. Quand vas-tu commencer le travail _____ le professeur vient de donner?
6. J'attends mes amis _____ sont en retard.
7. Je vais au concert entendre ce musicien _____ tu détestes.
8. Va consulter le médecin _____ travaille à l'hôpital Ste.-Marie.
9. Voici les croquis _____ je viens de dessiner.

E. Complétez les phrases:

1. J'aime les hommes qui . . . .
2. J'adore les femmes qui . . . .
3. Je vais acheter la veste que . . . .
4. Il vient de regarder un film que . . . .
5. N'achète pas le veston qui . . . .
6. Elle parle d'une couturière qui . . . .
7. Je déteste les couleurs que . . . .
8. Je préfère les bottes qui . . . .

EXERCICES ECRITS

A. Ecrivez la forme correcte du verbe entre parenthèses:

1. Tu (préférer) _____ la blouse au chandail.
2. Vous (emmener) _____ vos parents au concert.
3. Elle (envoyer) _____ une lettre à son ami.
4. Je (espérer) _____ aller à Vancouver.
5. Elles (jeter) _____ leurs vieilles robes.
6. Le sujet (précéder) _____ normalement le verbe.
7. Il (acheter) _____ une chemise.
8. Vous (payer) _____ comptant.
9. Il (appeler) _____ sa petite amie.
10. Nous (commencer) _____ le repas.

B. Selon le contexte, utilisez un des verbes *amener, emmener, apporter, emporter* à la forme appropriée:

1. Quand il vient chez nous, il _____ sa guitare et nous chantons ensemble.
2. Les infirmiers _____ le malade à l'hôpital.
3. Quand on va en voyage, on _____ son passeport.
4. Paul _____ son chien quand nous allons marcher.

C. Remplacez les tirets par la forme correcte de l'article partitif:

1. Justine a _____ ambition, mais elle n'a pas _____ patience.
2. Ce musicien a _____ talent.
3. Voulez-vous _____ bière ou _____ vin?

4. Tu as _____ chance: tu vas bientôt avoir _____ vacances.
5. Veux-tu _____ sucre dans ton café?
6. Lucien n'a pas _____ argent.

D. Complétez les phrases avec imagination et avec un infinitif.

> *Modèle:* Les étudiants espèrent . . . .
> *Les étudiants espèrent avoir une bonne note.*

1. Les touristes aiment . . . .
2. Un gourmet adore . . . .
3. Je ne peux pas . . . .
4. Pensez-vous . . . .
5. Ce musicien désire . . . .
6. Les journalistes souhaitent . . . .
7. Les étudiants doivent . . . .
8. Le professeur déteste . . . .
9. Venez . . . .
10. Voulez-vous . . . .
11. Ce vieil homme désire . . . .
12. Va . . . .
13. Ma mère préfère . . . .

E. Répondez aux questions avec *devoir.*

> *Modèle:* Qu'est-ce que tu achètes? (un veston)
> *Je dois acheter un veston.*

1. Qu'est-ce qu'on rend à la bibliothèque? (des livres)
2. Quand le train arrive-t-il? (à cinq heures)
3. Qu'est-ce que nous mangeons? (de la viande)
4. Qui attendez-vous? (Lucie et Jacques)
5. Est-ce que Daniel est dans sa chambre? (Oui)
6. Qui rencontre-t-elle? (un journaliste)

F. Voici la réponse. Posez la question appropriée aux mots soulignés.

> *Modèle:* Elle termine sa composition.
> *Qu'est-ce qu'elle termine?*

1. Elle écoute les commentaires sportifs.
2. C'est mon professeur de couture.
3. Les spectateurs regardent le mannequin.
4. Nous allons acheter des chandails.
5. C'est une sculpture moderne.
6. Je viens de rencontrer une couturière.
7. Ce sont mes voisins.
8. Il compte acheter une robe pour Martine.

G. Transformez les phrases selon le modèle. Employez *qui* ou *que.*

> *Modèle:* Regarde la jeune fille. Elle porte une jupe bleue.
> *Regarde la jeune fille qui porte une jupe bleue.*

1. Nous venons de voir un film. Ce film terrifie les enfants.
2. Apporte ce disque. Tu viens d'acheter ce disque.

3. Peux-tu payer cette jupe? Tu veux acheter cette jupe.
4. Je dois rencontrer un ami. Il est en retard.
5. Nous commençons un travail. Il est long et compliqué.
6. Peux-tu apporter la brosse? Elle est dans la salle de bain.
7. J'espère rencontrer cet homme. Tu admires cet homme.

H.   Remplacez les tirets par *qui* ou par *que:*

1. Sa femme déteste les vêtements _____ il aime porter.
2. Voilà le costume _____ je veux acheter.
3. Va chercher le dessin _____ est dans ta chambre.
4. Je n'aime pas parler aux gens _____ ont l'air arrogant.

LECTURE

La mode et les jeunes

Il est vrai que les adolescents et les adolescentes aiment porter des jeans mais ils s'intéressent beaucoup à la mode. Quand ils ont de l'argent, ils préfèrent acheter des vêtements à la mode plutôt que d'acheter autre chose.

La mode est essentielle pour les jeunes autant à l'école qu'ailleurs. Ils s'habillent selon leur tempérament et leurs goûts mais toujours en suivant de très près la mode. Très souvent, lorsqu'une jeune personne ne suit pas la mode elle se tient à l'écart des autres et est moins recherchée de ses camarades. Suivre la mode, cela ne veut pas dire qu'il faut être habillé richement mais plutôt avec goût et selon les dernières créations.

Parfois, la mode peut devenir encombrante parce qu'elle l'emporte sur les valeurs d'une personne. Il y a plusieurs groupes de jeunes qui créent une certaine mode seulement pour s'exprimer ou se valoriser. Une jeune fille, Nathalie, avoue: "Moi, quand je suis à la mode, je suis bien dans ma peau et cela me donne confiance en moi." Elle ajoute: "Je suis attirée par un garçon qui est bien habillé car il a meilleure apparence et c'est ça que les jeunes regardent en premier."

De leur côté, les garçons préfèrent l'allure sportive pendant la semaine mais, en fin de semaine, ils sont souvent vêtus de costumes élégants car la mode masculine est aussi belle que la mode féminine.

(Article tiré de L'Education, vol. 1 no. 3 (1987), d'I. Saint-Amand)

ailleurs	elsewhere	**confiance** (f.)	confidence
ajouter	to add	**créer**	to create
à la mode	fashionable	**l'emporter sur**	to prevail over
allure (f.)	look	**en premier**	first
argent (m.)	money	**encombrante**	inhibiting
attiré(e)	attracted	**être bien dans**	to feel great
autant	as much	**sa peau**	
autre chose	something else	**(s')exprimer**	to express
camarade (m./f.)	buddy, pal	**goût** (m.)	taste
car	because	**(s')habiller**	to dress

(s')intéresser à	to be interested in	**sportif,ive**	athletic
jeune (m./f.)	young person	**suivre**	to follow
lorsque	when	**tempérament** (m.)	nature
meilleur(e)	best	**(se) tenir à l'écart**	to keep to oneself
parfois	sometimes	**valeur** (f.)	value
plutôt (que)	rather (than)	**se valoriser**	to self-actualize
porter	to wear	**vêtement** (m.)	clothes, article of clothing
recherché(e)	to be in great demand		
richement	richly	**vêtu(e)**	dressed
selon	according to	**vouloir dire**	to mean
souvent	often	**vrai(e)**	true

Questions

1. Quel est le vêtement que les adolescents et les adolescentes aiment porter?
2. Qu'est-ce que les jeunes achètent quand ils ont de l'argent?
3. Comment s'habillent les jeunes?
4. Qu'arrive-t-il à une personne qui ne suit pas la mode?
5. Que veut dire ''suivre la mode''?
6. Quand la mode devient-elle encombrante?
7. Pourquoi certains groupes de jeunes créent-ils leur mode?
8. Que représente la mode pour Nathalie?
9. Pourquoi est-elle attirée par les garçons bien habillés?
10. Que préfèrent les garçons?

Les vêtements

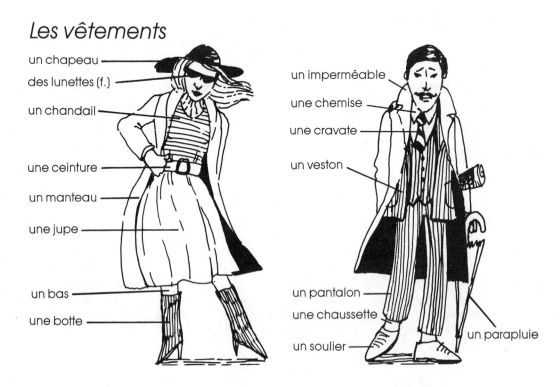

un chapeau
des lunettes (f.)
un chandail
une ceinture
un manteau
une jupe
un bas
une botte

un imperméable
une chemise
une cravate
un veston
un pantalon
une chaussette
un soulier
un parapluie

Useful Expressions

acheter à crédit	to buy on credit
une aubaine	a bargain
coûter (cher/pas cher)	to be expensive/inexpensive
dépenser de l'argent	to spend money
en coton, en laine, en nylon	(made of) cotton, wool, nylon
essayer (un vêtement)	to try on (an article of clothing)
être bien/mal habillé(e)	to be well/badly dressed
porter	to wear
payer comptant	to pay cash
à la mode	fashionable
bon marché★	inexpensive
chic★	chic/smart
confortable	comfortable
démodé(e)	out of style
élégant, ante	elegant
excentrique	eccentric
neuf, neuve★	brand-new
usé(e)	worn out
du lèche-vitrine: faire —	to go window shopping
une garde-robe	a wardrobe

SITUATIONS / CONVERSATIONS

1. *Dans un magasin de vêtements.* Un(e) étudiant(e) joue le rôle d'un vendeur/une vendeuse; un(e) autre étudiant(e) joue le rôle d'un(e) client(e). Variez les achats: sous-vêtements, chaussures, vêtements de sport, d'été, d'hiver, etc. Le vendeur/la vendeuse prend les mesures du client/de la cliente et donne des conseils. Le client/la cliente peut être facile/difficile, payer comptant, acheter à crédit, donner un chèque, etc.

Inspirez vous du modèle ci-dessous.

(*Au rayon "Hommes"*)

LE VENDEUR: Bonjour, Monsieur. Je peux vous aider?

DANIEL: Oui, je veux acheter un costume.

LE VENDEUR: Essayez ce costume-ci. Cette couleur est très à la mode en ce moment.

★ **Bon marché** and **chic** do not change when modifying a feminine or plural noun. **Neuf**, in contrast to **nouveau**, always comes after the noun modified.

DANIEL:	Je n'aime pas porter du gris. Je préfère le bleu marine.
LE VENDEUR:	Voilà un costume bleu qui est élégant et confortable.
DANIEL:	En effet, je vais l'essayer.
	(Louis revient de la cabine d'essayage.)
DANIEL:	J'achète ce costume. Combien coûte-t-il?
LE VENDEUR:	Il est assez bon marché; il coûte seulement cent cinquante dollars. Vous avez une carte de crédit?
DANIEL:	Non, je paie comptant.

(Au rayon "Femmes")

BRIGITTE:	Mademoiselle, s'il vous plaît!
LA VENDEUSE:	Oui, mademoiselle. Vous désirez essayer cette robe? La cabine est par ici . . .
	(Brigitte revient de la cabine d'essayage.)
BRIGITTE:	Est-ce qu'elle est en coton?
LA VENDEUSE:	Moitié coton, moitié fibres synthétiques. Vous êtes très jolie dans cette robe.
BRIGITTE:	Est-ce qu'elle coûte très cher?
LA VENDEUSE:	Vous avez de la chance, c'est une vraie aubaine! Elle coûte seulement trente dollars.
BRIGITTE:	Dans ce cas, j'achète!

2. Qu'est-ce que tu portes quand tu vas à la discothèque? tu es en classe? tu vas en camping? tu es sur une plage? tu participes à une réunion de famille? tu as un rendez-vous d'amoureux?

3. Quelle importance accordez-vous aux vêtements pour vous-mêmes? pour d'autres personnes? quand aimez-vous être élégant(e)? Quels vêtements préférez-vous sur une personne de l'autre sexe?

4. Complétez avec imagination à tour de rôle:

> J'aime les hommes qui . . . .
> Je préfère les femmes qui . . . .
> Je déteste les films qui . . . .
> Je n'aime pas les professeurs qui . . . .
> J'adore manger les choses qui . . . .
> J'aime mieux les vêtements qui . . . .
> Je souhaite rencontrer le politicien qui . . . .

5. Qu'est-ce que vous devez faire cet après-midi? demain matin? demain soir? lundi prochain? cette année? l'année prochaine?

6. De quoi est composée la garde-robe typique d'un étudiant/une étudiante?

COMPOSITIONS (CHOOSE ONE)

1. Vous allez dans un magasin acheter de nouveaux vêtements. Racontez.

2. Décrivez le consommateur parfait.

3. Quelle est l'importance de la mode pour vous?

PRONONCIATION

I. _E fermé / e ouvert_ (/e/ — /ɛ/)

E fermé (closed **e**) — /e/

The sound /e/ never occurs in closed syllables (syllables ending in a consonant sound). In an open syllable, the sound /e/ is associated with various spellings:

1) **er** at the end of a noun, adjective or infinitive:
   inviter, marcher, premier, un étranger

2) **é, ée, és, ées:**
   l'été, fatigué, une armée, espérer, désolés

3) **es** in one-syllable words:
   mes, tes, ses, ces, les, des

4) **ez:**
   chez, vous parlez, vous finissez, le nez

5) the verb ending **ai**:
   j'ai, je chanterai (future tense)

Répétez:

J'ai l'été pour travailler.   Vous venez de chez René.
Allez chercher mes clés.   Vous devez espérer.
Ces ouvriers sont fatigués.   Vous répétez comme un bébé.

E ouvert (open e) — /ɛ/

In a closed syllable, the sound /ɛ/ is associated with the following spellings:

1) **e, è, ê**:
   errer, emmène, espère, la tête, la bête

2) **ai, ai, ei**:
   locataire, plaire, maître, treize, la neige

In an open syllable, it is associated with the spellings:

1) **è, ê, et**: grès, forêt, billet, ballet

2) **ai, aid, aie, ais, ait, aix**: mais, paix, laid, dais
However, the tendency is to use /e/ instead of /ɛ/ in an open syllable.

Répétez:

Il amène son père au ballet.
Le locataire plaît à ma mère.
Treize cigarettes restent dans le paquet.
La neige est épaisse dans la forêt.

Contraste /e/ — /ɛ/

Répétez:

répétez/répète   préférez/préfère
précédez/précède   digérez/digère
espérez/espère   référez/réfère
ouvrier/ouvrière   postier/postière
épicier/épicière   boulanger/boulangère

premier/première/premièrement
dernier/dernière/dernièrement
particulier/particulière/particulièrement

II. *La lettre c*

1) The letter **c** is pronounced /s/ when followed by **e, i** or **y**:
   citer, cerf, racine, macérer, cyanure
2) It is pronounced /k/ when followed by other vowels:
   cadeau, coder, cure, cancan, conseil, écouter

3) The **cédille** placed under **c** indicates that the sound /s/ is retained before vowels other than **e, i** or **y**:

> maçon, tronçonner, commençons, agaçons

III. *La lettre g*

1) the letter **g** is pronounced /ʒ/ when followed by **e, i** or **y**:

> gêner, geindre, gymnastique, rage, agir, genre

2) It is pronounced /g/ when followed by other vowels:

> gâteau, gond, gant, gober, ambigu, goûter

3) When the letter **e** is inserted between **g** and a vowel other than **e, i** or **y**, it indicates that **g** must be pronounced /ʒ/:

> nous mangeons, nous obligeons

4) When the letter **u** is inserted between **g** and **e, i** or **y**, it is not pronounced but it indicates that **g** must be pronounced /g/:

> guerre, digue, fatigué, langue, guitare, Guy

CHAPITRE SEPT

ETUDIER AU QUEBEC

Université du Québec à Montréal
Photo © copyright par Jacques Lafond

INTRODUCTION

Est-ce que vous faites des études?

Oui, Nicole fait de la médecine. Henri et moi, nous faisons des études de sociologie.

Sors-tu souvent le soir?
 Non, je ne sors pas pendant la semaine, mais le samedi, mes amis et moi, nous sortons ensemble.

Quel temps fait-il aujourd'hui?
 Il fait chaud et il fait soleil.

Avec qui vas-tu sortir ce soir?
 Ce soir, je sors avec Maryse.

De quoi allez-vous parler?
 Nous allons parler de nos examens.

Est-ce qu'il y a un examen aujourd'hui?
 Non, il n'y a pas d'examen aujourd'hui, mais il va y avoir un examen mardi prochain.

Que faut-il faire pour avoir de bonnes notes?
 Il faut bien faire son travail et il faut étudier ses leçons.

Est-ce que tu m'écoutes?
 Oui, je t'écoute attentivement.

Regardes-tu la télévision ce soir?
 Non, je ne la regarde pas, j'étudie.

As-tu beaucoup de travail à l'université?
 Je fais beaucoup de devoirs avant les examens, mais en général, je n'ai pas trop de travail.

Que font tes parents dans la vie?
 Mon père est ingénieur et ma mère est médecin.

Qui est ton professeur de chimie?
 C'est Monsieur Dubois. Il est intéressant.

GRAMMAIRE ET EXERCICES ORAUX

Le verbe irrégulier *partir*

Présent de l'indicatif

je pars	nous partons
tu pars	vous partez
il/elle/on part	ils/elles partent

The imperative of **partir** is regular: its three forms are identical to those of the **tu, nous** and **vous** forms in the present tense.

Partir means "to leave/to go away" and is often used with **pour** (for) and **de** (from), or accompanied by an adverbial expression. It must be distinguished from two other verbs:

1) **aller**. **Partir** may be used by itself, but **aller** must be followed by a preposition:

Je pars.   I am going/I am leaving.
Je vais chez Paul.   I am going to Paul's.

2) **quitter** (to leave a place/a person/an activity) and **laisser** (to leave something or someone behind), which are transitive verbs:

L'avion part de Detroit à six heures.
Les étudiants quittent l'université à six heures.
M. Adam vient de quitter sa femme.
Elle laisse ses livres dans la classe.
Ils partent en vacances et laissent leurs enfants chez les grands-parents.

Other verbs conjugated on the same pattern as **partir** are:

dormir	(to sleep):	dors, dors, dort, dormons, dormez, dorment
mentir	(to lie):	mens, mens, ment, mentons, mentez, mentent
sentir	(to smell/to feel):	sens, sens, sent, sentons, sentez, sentent
servir	(to serve):	sers, sers, sert, servons, servez, servent
sortir	(to go out):	sors, sors, sort, sortons, sortez, sortent

Exercices (Oralement)

A. Répondez aux questions affirmativement:

1. Est-ce que nous partons de la piscine à six heures?
2. Est-ce que tu pars de la piscine à six heures?
3. Est-ce que les étudiants partent de la piscine à six heures?
4. Partez-vous pour Toronto demain?
5. Pars-tu pour Toronto demain?
6. Est-ce qu'elle sort de la classe?
7. Est-ce que je sors de la classe?
8. Est-ce qu'ils sortent avec leurs amis?
9. Est-ce que les fleurs sentent bon?

10. Est-ce que le parfum sent bon?
11. Est-ce que tu sens une bonne odeur dans la cuisine?
12. Est-ce que tu mens à tes parents?
13. Est-ce que les enfants dorment douze heures par nuit?
14. Est-ce qu'un chien dort douze heures par nuit?
15. Est-ce que ta mère sert du caviar aux invités?

B.   Demandez à un(e) autre étudiant(e) s'il/si elle . . .

1. dort pendant la classe de français.
2. sort avec ses amis le samedi soir.
3. part pour Montréal.
4. quitte la maison à neuf heures.
5. ment à ses parents.
6. ment à ses amis.
7. sert du vin à ses amis.
8. sert du caviar à son chien.
9. dort pendant la journée.
10. sent la bonne odeur de la cafétéria.

Le verbe irrégulier *faire*

Présent de l'indicatif

je fais	nous faisons
tu fais	vous faites
il/elle/on fait	ils/elles font

The imperative of **faire** is regular.

Faire (to do/to make) is used in a variety of expressions:

1) Studies:

faire des études	to study/to take classes
faire des études de français/d'anglais/ de médecine/de danse, etc.	to study French/English/medicine/ dance, etc.
faire du français, etc.	to study French, etc.
faire des exercices	to do exercises
faire un travail	to do an assignment
faire un baccalauréat/une maîtrise	to do a Bachelor's degree/a Master's

2) At home:

faire la cuisine	to do the cooking
faire le ménage	to do the housework
faire la vaisselle	to do the dishes

3) Sports:

faire du sport	to take part in sports
faire du tennis/du ski	to play tennis/to ski

4) Miscellaneous:

faire 10 kilomètres à pied	to walk 10 kilometers
faire 100 kilomètres en voiture	to drive 100 kilometers
faire l'amour	to make love
faire la guerre	to make war
faire des affaires	to do business
faire des progrès	to make progress

Exercices (Oralement)

A. Répondez aux questions:

1. Est-ce que tu fais du français? de l'anglais? de la physique?
2. Est-ce que vous faites des exercices dans la classe de français?
3. Faites-vous des études universitaires?
4. Fais-tu des études de médecine?
5. Est-ce que tu fais un baccalauréat? une maîtrise? un doctorat?
6. Vas-tu faire une maîtrise après ton baccalauréat?
7. Les banquiers font-ils des affaires? (business dealing)
8. Qui fait la vaisselle chez vous?
9. Est-ce que vous faites le ménage dans la classe?
10. Est-ce que le professeur fait la vaisselle dans la classe?
11. Fais-tu du sport? Quel sport?
12. Est-ce que vous faites des progrès en français?

B. Demandez à un(e) autre étudiant(e) s'il/si elle . . .

1. fait des mathématiques; de la psychologie; de la chimie; de l'anglais; du russe.
2. fait un baccalauréat; une maîtrise; un doctorat.
3. fait la cuisine; la vaisselle; son lit.
4. fait une composition pour le professeur de français.
5. veut faire du sport.

C. Répondez aux questions:

1. Que faisons-nous en ce moment?
2. Combien de kilomètres fais-tu pour venir à l'université?
3. Pourquoi fais-tu du français?
4. Quand fais-tu la cuisine?
5. En quelle saison fait-on du ski? du tennis?
6. Quelles nations font la guerre en ce moment?

Quel temps fait-il?

Il fait beau. / Il fait mauvais. / Il fait tempête. _stormy_
Il fait chaud. / Il fait froid. / Il fait du brouillard. _fog_
Il fait (du) soleil. / Il fait frais.
Il fait sec. / Il fait humide.
Le ciel est bleu et pur. / Le ciel est couvert de nuages.

Les précipitations: Il pleut (pleuvoir). Il neige (neiger). Il grêle _hail_ (grêler).

La température: Combien fait-il?   Il fait 25 degrés.
                Il fait combien?   Il fait 10 sous zéro. (Il fait moins 10.)

Exercice (Oralement)

Répondez aux questions:

1. Quel temps fait-il aujourd'hui?
2. Quel temps fait-il au printemps? en été? en automne? en hiver?
3. En hiver, il neige. Et en été?
4. Quel temps fait-il à Miami en été?
5. Quel temps fait-il à Edmonton en hiver?
6. Il fait combien aujourd'hui?
7. En général, combien fait-il en hiver? en été?
8. Est-ce qu'il pleut aujourd'hui?
9. Est-ce qu'il neige?
10. Qu'est-ce que tu fais quand il pleut? quand il fait tempête?
11. Comment est le ciel aujourd'hui?
12. Quel temps va-t-il faire demain?
13. Est-ce qu'il va pleuvoir demain? Est-ce qu'il va neiger? Est-ce qu'il va grêler?
14. Est-ce qu'il va neiger à Noël?
15. Est-ce qu'il va faire beau pendant la fin de semaine?
16. Est-ce qu'on a facilement le rhume quand il fait froid et humide?
17. Est-ce qu'il fait du brouillard en automne?

Les pronoms interrogatifs _qui_ et _quoi_ après une préposition

Qui and **quoi** are the interrogative pronouns used as objects of prepositions.

1) **Qui** refers to persons:

A qui parles-tu? — Je parle à Francine.
Avec qui sors-tu? — Je sors avec Marcelle. _marshall_
A côté de qui es-tu assis(e)? — Je suis assis(e) à côté de Guy.
A qui penses-tu? — Je pense à mon amie Louise.

2) **Quoi** refers to things:

A quoi est-ce que tu joues? — Je joue au poker.
De quoi joues-tu? — Je joue du violon.
A quoi réfléchis-tu? — Je réfléchis à l'exercice.
Avec quoi fais-tu la vaisselle? — Avec du savon et une éponge.

Exercice (Oralement)

Posez la question qui correspond à la réponse donnée.

> **Modèle:** Elle joue aux cartes.
> *A quoi joue-t-elle?*

1. Je pense à ma composition.
2. Nous jouons du piano.
3. Ils jouent au baseball.
4. Nous parlons de nos études.
5. Elles parlent du recteur de l'université.
6. Je vais téléphoner à Sylvie.
7. Les parents pensent à leurs enfants.
8. J'ai besoin d'argent.
9. Elle a envie d'une nouvelle robe.
10. Ils ont besoin de toi.
11. Je pense à toi.
12. Elles ont peur du professeur.
13. On fait du vin avec du raisin.
14. Henri sort avec Jacinthe.
15. Il fait la vaisselle avec une éponge.
16. Elle est assise derrière Lucien.
17. Ils comptent sur leurs amis.

Il y a

1) **Il y a** (there is/there are) is used to indicate the presence of persons or things. It may be followed by singular or plural nouns:

Il y a un conférencier dans la salle.
Il y a des étudiants dans le corridor.

2) To form a question, one may use either **est-ce qu'il y a** or **y a-t-il**:

Est-ce qu'il y a un tourne-disque dans la classe?
Y a-t-il une télévision dans ta chambre?

3) After **il n'y a pas**, the indefinite and partitive articles all become **de**:

Il y a un arbre dans le jardin. ⟶ Il n'y a pas d'arbre.
Il y a du sucre dans mon café. ⟶ Il n'y a pas de sucre.

Exercices (Oralement)

A.   Répondez aux questions:

1. Est-ce qu'il y a un tableau dans la classe? une girafe? une télévision? un professeur? une bicyclette?
2. Qu'est-ce qu'il y a sur le bureau du professeur? derrière le professeur? sur le mur? au plafond?

B.   Demandez à un(e) autre étudiant(e) s'il y a . . .

1. un ordinateur dans sa chambre.
2. des feuilles sur les pupitres.
3. un sandwich dans sa serviette.
4. des vampires en Transylvanie.
5. des rhinocéros en Alaska.
6. un bon film à la télé ce soir.
7. des livres intéressants à la bibliothèque.
8. des nuages dans le ciel.
9. un examen demain.
10. des gens sympathiques à l'université.

C.   Répondez aux questions:

1. Est-ce qu'il va y avoir un cours à la télévision?
2. Est-ce qu'il va y avoir un examen la semaine prochaine?
3. Est-ce qu'il va y avoir beaucoup de gens sur la terre en l'an 2000?
4. Où est-ce qu'il y a des arbres?
5. Où y a-t-il des animaux exotiques?
6. Combien y a-t-il d'étudiants dans la classe?
7. Combien est-ce qu'il y a d'étudiants à l'université?
8. Pourquoi est-ce qu'il y a de la pollution dans les villes?

Il faut

1) The irregular verb **falloir** (to be necessary) is only used with the pronoun **il**. **Il faut** may be followed by a noun or an infinitive:

Il faut du talent pour être artiste.   One needs talent to be an artist.
Il faut travailler pour réussir.   It is necessary to work in order to succeed.

2) The negative form **il ne faut pas** does not mean "it is not necessary" but rather "one must not":

Il ne faut pas fumer dans la classe.
Il ne faut pas avoir peur des difficultés.

3) The expression corresponding to "it is not necessary" is **il n'est pas nécessaire de** which is followed by an infinitive:

Il n'est pas nécessaire d'avoir une calculatrice pour faire une addition.

Exercices (Oralement)

A.   Répondez aux questions avec un nom.

Modèle: Qu'est-ce qu'il faut pour réussir?
Il faut de l'ambition.

1. Qu'est-ce qu'il faut pour être un bon étudiant?
2. Qu'est-ce qu'il faut pour être un bon professeur?
3. Qu'est-ce qu'il faut pour être un bon acteur?
4. Qu'est-ce qu'il faut pour être amusant?   *sens de l'humeur.*
5. Qu'est-ce qu'il faut pour être heureux?
6. Combien de personnes faut-il pour avoir un quatuor?
7. Combien de cartes faut-il pour jouer au poker?   *Cinquante deux*
8. Qu'est-ce qu'il faut pour réussir au collège?

B.   Répondez aux questions avec un infinitif.

Modèle: Que faut-il faire pour bien dormir? (faire de l'exercice)
Il faut faire de l'exercice.

1. Que faut-il faire pour avoir de bonnes notes? (travailler)
2. Que faut-il faire pour avoir un baccalauréat? (faire des études)
3. Que faut-il faire pour être en forme? (faire du sport)
4. Que faut-il faire pour être heureux? (garder son sens de l'humour)
5. Que faut-il faire pour avoir des amis? (montrer de la générosité)

C.   Répondez aux questions d'après le modèle.

Modèle: Qu'est-ce qu'il ne faut pas faire quand on a le rhume? (sortir dans le froid)
Il ne faut pas sortir dans le froid.

Qu'est-ce qu'il ne faut pas faire . . .

1. quand on a du travail? (regarder la télé)
2. quand on est sportif? (fumer)
3. quand on est à l'hôpital? (faire du bruit)
4. quand on veut être économe? (dépenser beaucoup d'argent)
5. quand on est en classe? (dormir)

Les pronoms personnels _objets directs_

Personal pronouns change according to their grammatical function in the sentence. Here are the forms of the _direct object_ pronouns:

Subject Pronouns	Direct Object Pronouns
je	**me★**
tu	**te★**
il	**le★**
elle	**la★**
nous	**nous**
vous	**vous**
ils	**les**
elles	**les**

Le, la, les may stand for:

1) a proper noun:

Est-ce que tu admires Gaston? — Oui, je l'admire.

2) a noun preceded by a definite article (**le, la, les**):

Attends-tu l'autobus? — Je l'attends.

3) a noun preceded by a demonstrative adjective:

Veux-tu ce livre? — Je le veux.

4) a noun preceded by a possessive adjective:

Est-ce qu'il écoute mes disques? — Oui, il les écoute.

A direct object pronoun precedes the verb even if the verb is in the infinitive and follows another conjugated verb:

Affirmative	Negative	Interrogative (inversion)
Il la regarde.	Il ne la regarde pas.	La regarde-t-il?
Tu m'écoutes.	Tu ne m'écoutes pas.	M'écoutes-tu?
Nous allons l'acheter.	Nous n'allons pas l'acheter.	Allons-nous l'acheter?
Elle veut le jeter.	Elle ne veut pas le jeter.	Veut-elle le jeter?

Exercices (Oralement)

A. Remplacez les mots soulignés par des pronoms.

1. Je prépare le cours de maths.
2. Nous aimons les étudiants.
3. Ils adorent ce professeur.
4. Il trouve la leçon intéressante.
5. Vous n'avez pas l'heure.
6. Elle préfère la musique classique.
7. Ecoutez-vous les commentaires?
8. On étudie les sciences dans cette classe.
9. Finissez-vous le travail bientôt?
10. J'écoute la conférencière.

★ Before a vowel sound, **me** becomes **m'**, **te** becomes **t'**, **le** and **la** both become **l'**:

il m'écoute, je t'entends, nous l'emportons

B. Répondez aux questions avec des pronoms, affirmativement et négativement.

> *Modèle:* Aimes-tu le livre?
> *Oui, je l'aime.*
> *Non, je ne l'aime pas.*

1. Achètes-tu le journal?
2. Regardes-tu la télévision?
3. Explique-t-il le problème?
4. Est-ce que tu tolères le racisme?
5. Finit-elle sa composition?
6. Attend-on l'autobus?
7. Est-ce que vous écoutez la radio?
8. Aidons-nous les enfants?
9. Est-ce que tu aimes ces exercices?
10. Regrettez-vous cette décision?

C. Formulez la question, selon le modèle.

> *Modèle:* Je regarde la télévision.
> *La regardes-tu?*

1. J'ai le journal d'aujourd'hui.
2. Il prépare l'examen d'anglais.
3. Nous écoutons le nouveau programme.
4. Elle choisit le cours de comptabilité.
5. Vous entendez la chanson.
6. Ils étudient les sciences sociales.
7. Je fais les exercices.
8. On invite les étudiants de première année.

D. Répondez aux questions.

Est-ce que . . .

1. tu me regardes?
2. je vous regarde?
3. elle te regarde?
4. nous te regardons?
5. vous me regardez?
6. il me regarde?
7. vous m'écoutez?
8. tu m'écoutes?
9. je t'écoute?
10. vous nous écoutez?
11. nous vous écoutons?
12. ils vous écoutent?
13. vous pouvez m'entendre?
14. tu peux m'entendre?
15. je peux te rencontrer?
16. tu peux me rencontrer?
17. vous pouvez nous rencontrer?
18. nous pouvons vous rencontrer?
19. tu vas m'inviter?
20. je vais vous inviter?

E. Demandez à un(e) autre étudiant(e) s'il/si elle . . .

> *Modèle:* vous regarde.
> *Est-ce que tu me regardes?*

1. vous écoute.
2. vous trouve intelligent(e).
3. vous trouve intéressant(e).
4. veut vous inviter à sortir.
5. peut vous attendre.
6. va vous accompagner à la bibliothèque.
7. vous déteste.
8. vous aime.
9. va vous aider.
10. vous donne son numéro.

F. Répondez à la question avec un pronom, affirmativement ou négativement.

Modèle: Viens-tu d'acheter ce livre?
Oui, je viens de l'acheter.
Non, je ne viens pas de l'acheter.

1. Vas-tu regarder la télévision ce soir?
2. Faisons-nous cet exercice?
3. Manges-tu ton sandwich dans la classe?
4. Est-ce je vais inviter les étudiants au restaurant?
5. Aimes-tu écouter les politiciens?
6. Devons-nous faire les exercices?
7. Est-ce que tu fais la vaisselle?
8. Rendez-vous vos livres à la bibliothèque?
9. Ecoutes-tu la radio?
10. Est-ce que tu adores la musique disco?

Les expressions de quantité

Expressions of quantity are followed by **de** before a noun rather than by the full partitive article. Most may be used with both countable and uncountable nouns:

+ Uncountable Noun (Singular)	+ Countable Noun (Plural)
assez de temps (enough)	**assez** d'exercices (enough)
beaucoup de travail (a lot of)	**beaucoup** de livres (many)
combien de sucre? (how much)	**combien** de stylos? (how many)
peu de chance (little)	**peu** de films (few)
tant de courage (so much)	**tant** de femmes (so many)
trop de sucre (too much)	**trop** de cigarettes (too many)

There are a few special cases:

1) **un peu de** (a little) is used exclusively with uncountable nouns whereas **quelques** (a few) is used only with countable nouns:

   un peu de talent / quelques amis

2) **quelques** (a few) and **plusieurs** (several) are used only with plural countable nouns; they are not followed by **de** and they have the same form with both masculine and feminine nouns:

   plusieurs hommes/plusieurs femmes
   quelques garçons/quelques filles

3) **la plupart** (most) is followed by the full partitive article and may be used with either countable or uncountable nouns; the partitive article agrees with whatever follows the expression.

   la plupart du temps   (most of the time)
   la plupart des gens   (most people)

Exercices (Oralement)

A.   Répondez aux questions:

1. Y a-t-il beaucoup d'étudiants dans la classe?
2. Avez-vous trop de travail?
3. Est-ce qu'il y a assez de nourriture dans les pays pauvres?
4. As-tu trop d'argent, assez d'argent ou seulement un peu d'argent?
5. Manges-tu assez de fruits?
6. As-tu beaucoup de disques ou seulement quelques disques?
7. Fumes-tu trop de cigarettes?
8. As-tu assez de talent pour être acteur/actrice?
9. Est-ce que les automobiles créent trop de pollution?
10. Est-ce que tu as peu d'imagination?

B.   Demandez à un(e) autre étudiant(e) s'il/si elle . . .

1. a beaucoup de vêtements.
2. a peu d'ambition.
3. mange trop de chocolat.
4. fait assez d'exercices.
5. a besoin d'un peu de chance.
6. veut écouter quelques disques.
7. aime avoir quelques amis.
8. aime un peu de sucre dans son café.
9. a trop de travail.
10. fait trop de compositions.
11. n'a pas assez de temps libre.
12. regarde beaucoup de films.

C.   Remplacez les tirets par une expression de quantité appropriée:

1. Il faut _____ argent pour acheter une Rolls-Royce.
2. Il fume _____ cigarettes: ce n'est pas bon pour sa santé.
3. Je n'ai pas _____ ambition pour devenir avocat(e).
4. Aux échecs, il faut _____ patience.
5. C'est un homme admirable: Il a _____ courage!

D.   Quelle est votre idée de la vie parfaite?

Il faut avoir   beaucoup de . . .   un peu de . . .
                assez de . . .   quelques . . .
                pas trop de . . .   peu de . . .

Noms de profession avec <u>être</u>

1) The indefinite article (**un, une, des**) is not used before an unmodified noun indicating a profession after the verbs **être** and **devenir**:

Je suis ingénieur.   Tu vas devenir médecin.
Il est maçon.   Elle va être dentiste.
Ils sont étudiants.   Elle veut devenir avocate.

2) If the noun indicating a profession is modified by an adjective, the indefinite article must be used:

> Je suis un étudiant brillant.
> Elle va devenir une excellente architecte.

3) After **c'est** and **ce sont**, the indefinite article must also be used:

> C'est un ingénieur.
> C'est une contrebassiste.
> Ce sont des étudiants.

4) When should one use, for instance, **il est architecte** rather than **c'est un architecte** and vice versa? (Both forms may be translated as "He is an architect.")

> **C'est un architecte** is used when one wants to _identify_ that person: it answers a question (which may be implied) such as **Qui est-ce?**

> **Il est architecte** is used to _characterize_ a person whose identity is known or has been previously stated: it could answer such a question as **Que fait-il dans la vie?**

Exercices (Oralement)

A. Employez *c'est (ce sont)* ou *il/elle est (ils/elles sont)*:

> *Modèles:* ingénieur
> *Il est ingénieur.*
> des fermiers
> *Ce sont des fermiers.*

1. musicienne
2. un policier
3. une avocate
4. un fermier
5. fermière
6. informaticien   *computer scientist*
7. des maçons
8. une pharmacienne
9. une commerçante
10. un vendeur
11. des professeurs
12. institutrice   *teacher*
13. un instituteur
14. infirmières   *nurse*
15. électriciens
16. une informaticienne

B. Changez la phrase selon les modèles.

> *Modèles:* Il est plombier. (mauvais)
> *C'est un mauvais plombier.)*
> Elles sont architectes. (bonnes)
> *Ce sont de bonnes architectes.*

1. Elle est hôtesse de l'air. (jeune)
2. Ils sont médecins. (excellents)
3. Elle est directrice de banque. (compétente)
4. Il est psychiatre. (prudent)
5. Il est musicien. (réputé)
6. Elles sont avocates. (dynamiques)
7. Elle est traductrice. (intelligente)
8. Ils sont dentistes. (nouveaux)

C'est, Ce sont; Il/Elle est, Ils/Elles sont

1) C'est, Ce sont

+ article + nom (avec ou sans adjectif)
C'est le livre de Jean.
C'est une table.
C'est une jolie femme.
Ce sont des fruits.
C'est un étudiant intelligent.

+ nom propre
C'est Hélène.
C'est Mme Bertrand.
Ce sont les Morel.

2) Il/Elle est, Ils/Elles sont

+ nom de profession (sans article)
Il est pilote.
Elles sont vendeuses.

+ préposition + nom
Elle est sur la table.
Il est à Toronto.
Ils sont dans la petite boîte.

+ adjectif (sans nom)
Elle est pratique.
Ils sont jeunes.
Il est intelligent.

Exercice (Oralement)

Employez *C'est (Ce sont)* ou *Il/Elle est (Ils/Elles sont)*:

1. _____ une calculatrice; _____ très utile.
2. _____ Marc Bellac; *C'est* un jeune architecte; *il est* à Montréal.
3. _____ *C'est* _____ une institutrice; _____ *Elle est* _____ amusante.
4. _____ *Ce sont* _____ des outils; _____ *Ils* _____ dans le studio.
5. _____ *Ce sont* _____ les Duval; *ils sont* sympathiques; *ils sont* à côté des Marchand.
6. _____ *Ce sont* _____ des psychologues compétents; *ils sont* à l'université.

EXERCICES ECRITS

A. Remplacez les tirets par la forme correcte du verbe entre parenthèses:

1. (Sentir) _____ -vous cette bonne odeur?
2. Marcel et Hélène (sortir) _____ ce soir?
3. Je ne (mentir) _____ pas à mes amis.
4. Nous (partir) _____ pour New York demain.
5. Elle (dormir) _____ dix heures par nuit.

B. Répondez aux questions:

1. A quelle heure sors-tu de chez toi le matin?
2. A quelle heure sortons-nous de la classe?

3. A quelle heure pars-tu de chez toi le matin?
4. Est-ce que tu mens parfois à tes amis?
5. Est-ce que les criminels mentent à la police?
6. Qu'est-ce qui sent bon? mauvais?
7. Qu'est-ce qu'on sent quand on entre dans la cuisine de ta mère?
8. Est-ce que tu sers du vin à tes invités?

C. Complétez les phrases en employant une expression appropriée avec *faire: faire des affaires, faire la cuisine, faire la guerre, faire l'amour, faire des mathématiques.*

1. Les soldats _____.
2. Cet étudiant _____.
3. Les banquiers _____.
4. Les amoureux _____.
5. C'est un gourmet et il _____.

D. Répondez aux questions.

1. Faites-vous du sport? Quels sports?
2. Aimes-tu faire la cuisine?
3. Que fais-tu à l'académie de danse?
4. Qu'est-ce que tu aimes faire le dimanche?
5. Combien de kilomètres fais-tu en auto par semaine?

E. Répondez aux questions avec *deux* expressions sur le temps pour chaque réponse:

1. Quel temps fait-il en été?
2. Quel temps fait-il aujourd'hui?
3. Quel temps fait-il en hiver?

F. Posez la question qui correspond à la réponse donnée:

1. Nous avons besoin d'amour.
2. Je sors avec Hugo.
3. Elle a envie de caviar.
4. Yvette pense à sa mère.
5. Ils jouent aux échecs.

G. Répondez aux questions par des phrases complètes. Employez *Il y a* ou *Il n'y a pas*:

1. Y a-t-il des acteurs dans un film?
2. Est-ce qu'il y a du bruit dans une discothèque?
3. Est-ce qu'il y a de la bière dans un cocktail?
4. Y a-t-il des gens sur la planète Mars?
5. Y a-t-il des arbres dans la classe?

H. Choisissez une des expressions de la liste suivante pour compléter les phrases: *travailler, manger des fruits, écouter avec attention, mentir, dormir.*

1. Dans la classe, il faut _____.
2. Quand on est fatigué, il faut _____.
3. Quand on est très riche, il n'est pas nécessaire de _____.

4. Quand on veut être honnête, il ne faut pas _____.
5. Pour avoir assez de vitamines, il faut _____.

I.   Répondez aux questions:

1. Pourquoi faut-il faire du sport?   *Parceque il foiot fave en forme*
2. Quand faut-il porter un manteau?
3. Quelles qualités faut-il avoir pour être heureux?
4. A quelle heure faut-il venir en classe?
5. Où faut-il aller quand on veut rencontrer des gens?
6. Que faut-il porter quand on va à la plage?
7. Où faut-il aller quand on est très malade?
8. Où faut-il aller quand on a mal aux dents?

J.   Remplacez les mots soulignés par des pronoms:

1. L'estomac digère les aliments.
2. Elle espère rencontrer le Prince Charmant.
3. Nous comptons avoir nos vacances en juillet.
4. Je n'ai pas envie de manger cette salade.
5. Ils n'ont pas besoin de faire ces exercices.
6. Elle admire Gandhi.
7. Nous allons attendre Marcelle à la gare.
8. Trouvez-vous ce livre intéressant?
9. Regardes-tu ce film?
10. Il fait sa composition.
11. Ils mangent mon gâteau.
12. Elle achète notre maison.
13. Je finis ce travail.
14. Elle attend l'autobus.
15. Je n'entends pas ta radio.
16. Je n'aime pas ce professeur.
17. Il aime Sonja.

K.   Répondez d'après le modèle.

> **Modèle:** Est-ce que tu m'écoutes?
>   *Oui, je t'écoute.*

1. Est-ce que je te regarde?
2. Ecoutons-nous les disques d'Alain?
3. Est-ce que vous voulez m'inviter?
4. Irma veut-elle cette robe?
5. Est-ce que je dois t'écouter?
6. Espères-tu vendre ta vieille auto?
7. Comptez-vous nous rencontrer demain?
8. Allons-nous manger les steaks?
9. Est-ce qu'il faut faire cet exercice?
10. Peux-tu me donner ce verre?

L.   Remplacez les tirets par une expression de quantité appropriée: *beaucoup de, trop de, tant de, un peu de, quelques, peu de.*

1. Tu vas être malade: tu manges _____ chocolat.
2. C'est merveilleux: tu as _____ chance!
3. Les gens pauvres ont _____ argent.

4. Les gens riches ont _____ argent.
5. Il faut avoir au moins _____ patience.
6. Je ne désire pas des choses extraordinaires: je veux seulement avoir _____ amis.

M. Employez *C'est (Ce sont)* ou *Il/Elle est (Ils/Elles sont)*:

1. _____ un vieux médecin; _____ à l'hôpital Saint-Vincent; _____ fatigué.
2. _____ Olivier; _____ un nouvel étudiant; _____ dans ma classe.
3. _____ la mère de Jean; _____ infirmière.
4. _____ mon chien; _____ gentil.
5. _____ une excellente voiture; _____ rapide.
6. _____ électriciens; _____ dans la maison.

LECTURE

L'enseignement au Québec

Avant même l'école primaire, certains enfants vont à la maternelle et apprennent la lecture et l'écriture. L'école primaire va de la première à la sixième année. Les instituteurs et les institutrices enseignent aux écoliers et aux écolières à lire et à écrire le français ou l'anglais, selon le cas. Les enfants font aussi du calcul, de l'histoire, de la géographie, du dessin et des sciences naturelles.

Le secondaire dure cinq ans, du secondaire un au secondaire cinq. La majorité des élèves sont dans des polyvalentes, mais il existe aussi des collèges privés. Les élèves commencent à suivre des cours de langue seconde, à faire des mathématiques, de la physique et de la chimie. Un certain nombre de cours sont obligatoires, d'autres sont facultatifs.

Le Cégep (Collège d'Enseignement Général Et Professionnel) est une institution particulière au Québec. Il faut normalement deux ans pour obtenir un Diplôme d'Etudes Collégiales qui permet d'entrer à l'université. Les programmes professionnels exigent trois ans d'études spécialisées. Dans le programme général, les matières qu'on peut étudier sont diverses, comme à l'université.

Au niveau universitaire, le premier cycle, qui dure trois ans, mène au baccalauréat. Les deuxième et troisième cycles (maîtrise et doctorat) correspondent à des études avancées: les étudiants doivent encore suivre des cours, mais il faut aussi rédiger des thèses et faire de la recherche.

L'université est divisée en facultés: Lettres, Sciences pures, Sciences appliquées, Sciences humaines, Administration, Droit et Médecine. Chaque faculté a un doyen et comprend plusieurs départements.

Les universités sont nombreuses au Québec. Il y a des universités anglophones (McGill, Concordia, Bishop's) et des universités francophones (l'université du Québec, Montréal, Laval, Sherbrooke). Le réseau de l'université du Québec comprend plusieurs campus: Montréal, Trois-Rivières, Chicoutimi, Rimouski. A part les étudiants à temps plein, il y a des étudiants à temps partiel: ce sont souvent des adultes qui suivent des cours du soir parce qu'ils ont besoin d'un recyclage ou parce qu'ils veulent améliorer leurs connaissances.

Monique · Ayotte

améliorer	to improve	**exiger**	to require
année (f.)	grade	**facultatif, ive**	optional
à part	apart from	**fixer**	to determine
appliqué(e)	applied	**grâce à**	thanks to
avant	before	**instituteur, trice**	schoolteacher
chaque	each	**langue maternelle**	mother tongue
comprendre	to include	**lecture** (f.)	reading
créé(e)	created	**maternelle** (f.)	nursery school
début (m.)	beginning	**matière** (f.)	subject
dessin (m.)	drawing	**même**	even
diplôme (m.)	degree	**niveau** (m.)	level
doyen, doyenne (m., f.)	dean	**obligatoire**	compulsory
droit (m.)	law	**obtenir**	to receive
durer	to last	**permettre**	to enable
école (f.)	school	**plusieurs**	several
écolier, ière	primary/secondary school student	**recherche** (f.)	research
		rédiger	to write
écriture (f.)	writing	**réseau** (m.)	network
élève (m., f.)	pupil	**suivre des cours**	to take courses
encore	still	**temps partiel: à —**	part-time
enseignement (m.)	education	**temps plein: à —**	full-time
étape (f.)	stage		

Questions

1. Où vont certains enfants avant l'école primaire?
2. Combien d'années l'école primaire dure-t-elle? et l'école secondaire?
3. Qui enseigne à l'école primaire?
4. Quels types d'écoles secondaires y a-t-il?
5. Quels types de cours est-ce qu'on suit au secondaire? et au Cégep?
6. Qui fait de la recherche?
7. Qui sont les étudiants à temps partiel?
8. Etes-vous étudiant(e) à temps partiel ou à temps plein?
9. Dans quelle faculté étudiez-vous?
10. Quel diplôme préparez-vous?

SITUATIONS / CONVERSATIONS

1. Vous voulez passer une année dans une université québécoise. Vous parlez de vos projets à un(e) ami(e) qui étudie à cette université. Posez des questions, demandez des renseignements à votre ami(e).
   — Comment sont les professeurs? les cours? les étudiants?
   — Pouvez-vous trouver des cours dans votre domaine de spécialisation? Y a-t-il beaucoup d'examens?
   — Les classes sont-elles petites ou grandes? Les contacts entre les étudiants et les professeurs sont-ils faciles?
   — Pourquoi votre ami(e) est-il/elle à cette université?

2. Qu'est-ce que vous étudiez? Pourquoi? Quelle est votre matière préférée? Que pensez-vous du système universitaire en général? Comment trouvez-vous les méthodes d'enseignement? Partagez-vous la mentalité des autres étudiants?

3. Exposez vos projets d'avenir. Quelle profession allez-vous choisir? Quelles études devez-vous faire? Quels cours devez-vous suivre?

> Je veux devenir vendeur/vendeuse, directeur/directrice de banque, instituteur/institutrice, médecin, dentiste, psychiatre, psychologue, travailleur/travailleuse social(e), professeur, architecte, notaire, avocat/avocate, infirmier/infirmière, ingénieur, pilote d'avion.

> Je dois faire un baccalauréat, une maîtrise, un doctorat, un diplôme spécialisé, un stage (avocat, expert-comptable), un internat (médecin, psychiatre).

> Je dois suivre des cours de français, anglais, allemand, espagnol, littérature, philosophie, psychologie, sociologie, économie, sciences politiques, histoire, géographie, chimie, physique, biologie, mathématiques, informatique, administration, comptabilité, finance, droit.

COMPOSITIONS

1. Vous faites des études: parlez de vos joies et de vos frustrations, des avantages et des inconvénients, de vos rapports avec les professeurs et les autres étudiants.

2. Comment organisez-vous votre programme d'études? Quelles sont les matières que vous étudiez? Quels sont vos cours? Comment travaillez-vous et où? Qu'est-ce que vous préférez étudier et pourquoi?

3. Quand on est étudiant, qu'est-ce qu'il faut faire? Qu'est-ce qu'il ne faut pas faire? Qu'est-ce qu'il n'est pas nécessaire de faire?

4. Qu'est-ce que vous voulez devenir? Qu'est-ce que vous devez étudier pour entrer dans cette profession?

PRONONCIATION

I. *Comment reconnaître les voyelles nasales?*

A vowel *is nasal* when followed by **n** or **m** in three instances:

1) vowel + **n** or **m** at the end of a word:
   la maison, la main, le paysan, brun

2) vowel + **n** or **m** + final consonant (unpronounced):
   chantons, devant, saint

3) vowel + **n** or **m** + pronounced consonant:
   manche, lundi, ombre, imparfait

A vowel *is not nasal* when followed by **n** (**nn**) or **m** (**mm**) + vowel (pronounced or silent):

femme, pardonner, aimer, plume, inutile, imaginer

Exception: At the beginning of a word, **en** and **em** are always nasal:

emporter, emmener, entendre, enfant

Répétez:

1. fin / fine
   bon / bonne
   don / donne

   son / sonne
   nain / naine
   pan / panne

2. inutile / indien
   amener / amputer
   image / impropre

   anis / année
   inné / indiscret
   amour / ampoule

3. marchand / marchande
   blond / blonde
   adolescent / adolescente
   atteint / atteinte

   maint / mainte
   long / longue
   parent / parente
   étudiant / étudiante

II. *Le son /r/ — r + voyelle — consonne + r*

(Back of the tongue raised towards the soft palate; tip of the tongue against the lower front teeth.)

Répétez d'après le modèle:

1. le gant / le rang / le grand
   le gond / le rond / gronder
   le gain / le rein / grincer

   le goût / le roux / grouiller
   le gave / la rave / grave

2.

rincer	rage	rive	robe	réfléchir	retirer	ronce	rang
rein	radis	riz	rot	rébus	redire	ronge	ranci
éreinté	rave	rideau	rôder	récif	repus	rond	ramper

3. gras / gris / gros / grue / gré / grand / gronder / grincer
   cri / cru / croûte / crasse / craie / cran / crin
   pré / pris / proue / prends / produit / pratique
   bras / briser / brouter / bru / brandir / brin
   drap / drôle / dru
   très / trou / tronc / train

CHAPITRE HUIT

LES SPORTS D'HIVER

Bain de neige. Carnaval de Québec 1988

Photo avec la permission du Carnaval de Québec

INTRODUCTION

Est-ce que tu prêtes ton
équipement à ton frère?
   Je lui prête ma raquette de tennis.

Est-ce que l'entraîneur donne
des conseils aux joueurs?
   Oui, il leur donne des conseils.

Est-ce que tu connais John?
   Oui, je le connais bien.

Est-ce qu'il sait jouer au tennis?
   Il sait jouer au tennis.

Avez-vous joué au hockey hier soir?
   Nous n'avons pas joué hier soir,
   mais nous avons fait une partie
   il y a deux jours.

Avez-vous gagné la partie?
   Non, nous avons perdu.

Où vas-tu passer tes vacances?
   Près d'un lac où je vais pouvoir
   faire de la voile.

Est-ce que tous tes frères et
soeurs font du sport?
   Tous mes frères font du hockey
   et toutes mes soeurs font du
   basket-ball.

GRAMMAIRE ET EXERCICES ORAUX

Les verbes irréguliers *prendre* et *mettre*

Présent de l'indicatif

prendre (to take)		**mettre** (to put / to put on / to set)	
je	prends	je	mets
tu	prends	tu	mets
il/elle/on	prend	il/elle/on	met
nous	prenons	nous	mettons
vous	prenez	vous	mettez
ils/elles	prennent	ils/elles	mettent

The imperative forms of **prendre** and **mettre** are regular.
Apprendre (to learn) and **comprendre** (to understand) are conjugated like **prendre.**
Permettre (to allow/to permit), **promettre** (to promise) and **soumettre** (to submit) are conjugated like **mettre.**

Exemples:

Je prends le canot.	I am taking the canoe.
Prenez votre temps.	Take your time.
Nous apprenons le judo.	We are learning judo.
Je ne comprends pas pourquoi.	I do not understand why.
Elle met un maillot.	She puts on a swimsuit.
Mets les balles sur la table.	Put the balls on the table.
Je vais mettre la table.	I am going to set the table.

Note the following constructions with **permettre, promettre** and **soumettre**:

1) **Ils permettent à leurs enfants de faire de l'alpinisme.**
   They allow their children to go mountain-climbing.

   Elle promet à son père de remporter la médaille d'or.
   She promises her father that she is going to win the gold medal.

2) **Je viens de soumettre un travail au professeur.**
   I have just submitted an assignment to the professor.

   Ils promettent une récompense à Paul.
   They are promising Paul a reward.

Exercices (Oralement)

A. Mettez les verbes au présent:

prendre

1. Je _____ l'autobus.
2. Tu _____ tes skis.
3. Il _____ sa raquette.
4. Elle _____ ses patins.

5. Nous _____ nos gants.
6. Vous _____ vos balles.

7. Ils _____ leur équipement.
8. Elles _____ leur voilier.

mettre

9. Je _____ mon chapeau.
10. Tu _____ ton chandail.
11. Il _____ sa casquette.
12. Elle _____ son maillot.

13. Nous _____ nos souliers.
14. Vous _____ vos gants.
15. Ils _____ leurs lunettes.
16. Elles _____ leurs patins.

B. Répondez affirmativement et négativement selon le modèle.

Modèle: Est-ce que tu prends tes skis?
Oui, je prends mes skis. Non, je ne prends pas mes skis.

1. Est-ce que tu comprends le français?
2. Est-ce que vous apprenez à jouer au hockey?
3. Est-ce que vous comprenez vos moniteurs?
4. Est-ce que tu mets un manteau pour jouer au hockey?
5. Est-ce qu'on met des patins pour faire du ski?
6. Est-ce que les enfants apprennent à jouer au hockey?
7. Est-ce que tu promets à tes parents de gagner la partie?
8. Est-ce que vous soumettez des compositions à vos professeurs?
9. Est-ce que tu permets à tes amis de prendre ta raquette?
10. Est-ce qu'on permet aux chiens d'entrer dans les arénas?

C. Dites à un(e) autre étudiant(e) . . .

Modèle: de prendre ses skis.
Prends tes skis.

1. de ne pas mettre de tuque.
2. d'apprendre les règles du jeu.
3. de promettre une récompense aux gagnants.
4. de comprendre les règlements.
5. de prendre du repos.
6. de ne pas mettre la table.
7. de ne pas mettre ses doigts sales sur tes espadrilles.

D. Posez la question à un(e) autre étudiant(e):

1. Quels vêtements mets-tu en hiver? en été?
2. Prends-tu un gant pour jouer au baseball?
3. Combien de langues apprends-tu?
4. Comprends-tu l'espagnol? l'allemand? le russe? le japonais?
5. Vas-tu prendre des vacances cet été?
6. Quand devons-nous soumettre une composition au professeur?
7. Est-ce que tu promets à tes co-équipiers de marquer des points?

Les pronoms objets indirects

Subject Pronouns	Indirect Object Pronouns
je	**me**
tu	**te**
il	**lui**
elle	**lui**
nous	**nous**
vous	**vous**
ils	**leur**
elles	**leur**

1) The indirect object pronouns **lui** and **leur** stand for a noun indicating a person preceded by the preposition **à**:

> Vas-tu parler <u>au professeur</u>? — Oui, je vais <u>lui</u> parler.
> Est-ce qu'il répond <u>aux étudiants</u>? — Il <u>leur</u> répond.
> Téléphones-tu <u>à Sylvie</u>? — Je <u>lui</u> téléphone.

2) Like direct object pronouns, indirect object pronouns precede the verb, even when the verb is in the infinitive and follows another conjugated verb:

Affirmative	Negative	Interrogative (inversion)
Il <u>nous</u> parle.	Il ne <u>nous</u> parle pas.	<u>Nous</u> parle-t-il?
Tu <u>lui</u> téléphones.	Tu ne <u>lui</u> téléphones pas.	<u>Lui</u> téléphones-tu?
Elle doit <u>leur</u> obéir.	Elle ne doit pas <u>leur</u> obéir.	Doit-elle <u>leur</u> obéir?

Exercices (Oralement)

A. Remplacez les mots soulignés par un pronom object indirect:

1. Je téléphone <u>à Jacques</u>.
2. Ils parlent <u>aux joueurs</u>.
3. Nous obéissons <u>à l'arbitre</u>.
4. J'explique la leçon <u>à mon camarade</u>.
5. Tu adresses la lettre <u>à la monitrice</u>.
6. Il parle <u>à ces athlètes</u>.
7. Tu vas donner ton numéro <u>à l'instructrice</u>.
8. Vous répondez <u>au professeur</u>.
9. Pierre demande un renseignement <u>à Jeanne</u>.
10. Il va répéter les règles <u>aux joueurs</u>.
11. Paul achète des fleurs <u>à la gagnante</u>.
12. Je donne un examen <u>à mes élèves</u>.
13. Il achète des fruits <u>aux enfants</u>.
14. Daniel va donner le livre <u>à Louise</u>.

15. Il va téléphoner à l'inspecteur.
16. Philippe aime donner des conseils à ses amis.
17. Je veux acheter une raquette à mon partenaire.
18. Il espère passer le ballon à son co-équipier.

B. Répondez aux questions.

Est-ce que . . .

1. tu me parles?
2. je te parle?
3. tu lui parles?
4. il te parle?
5. tu me téléphones?
6. je te téléphone?
7. elle te téléphone?
8. tu lui téléphones?
9. je te réponds?
10. tu me réponds?
11. vous nous répondez?
12. nous vous répondons?
13. vous nous téléphonez?
14. nous vous téléphonons?
15. vous nous promettez?
16. nous vous promettons?
17. je vous permets?
18. vous lui permettez?
19. tu veux me parler?
20. je veux te parler?
21. vous voulez me parler?
22. nous voulons vous parler?
23. vous devez m'obéir?
24. nous devons lui obéir?
25. ils doivent t'obéir?
26. je peux te téléphoner?
27. tu peux me téléphoner?
28. nous pouvons vous téléphoner?
29. vous pouvez nous téléphoner?

C. Posez la question selon le modèle.

Modèle: Je leur téléphone.
        Est-ce que tu leur téléphones? / Leur téléphones-tu?

1. Il me téléphone.
2. Ils m'obéissent.
3. Elle nous parle.
4. Je lui obéis.
5. Elle me donne un chèque.
6. Il nous permet de sortir.
7. Je vais lui téléphoner ce soir.
8. Nous préférons leur téléphoner.
9. Elle veut m'acheter une cravate.
10. Il doit nous répondre demain.

Les verbes irréguliers savoir et connaître

Présent de l'indicatif

	savoir	**connaître**
je	sais	connais
tu	sais	connais
il/elle/on	sait	connaît
nous	savons	connaissons
vous	savez	connaissez
ils/elles	savent	connaissent

The imperative forms of both verbs are regular. Both **savoir** and **connaître** mean "to know"; however, they are used differently and are not interchangeable:

1) **Connaître** means to know (to be acquainted with or to be familiar with) a person or a place:

> Je connais Claire Dubé.
> Il connaît bien Winnipeg.
> Connais-tu ce restaurant?

2) **Savoir** means to know facts, to be informed about something:

> Je sais la conjugaison du verbe être.
> Elle ne sait pas mon nom.

3) **Savoir** may be followed by an infinitive or a subordinate clause introduced by **que** (that), but not **connaître**:

> Je sais patiner.
> Nous savons qu'il est malade.

Note: "Can" in English is sometimes used as an equivalent for "to know how to", in which case it corresponds to **savoir** in French. Compare:

> Elle sait nager.   She can swim. (She knows how to swim.)
> Elle peut nager longtemps.   She can swim a long time. (She is able to . . . .)

Exercices (Oralement)

A. Répondez aux questions:
1. Savez-vous la date du match de boxe?
2. Savez-vous l'adresse du professeur?
3. Sais-tu le numéro de téléphone du centre sportif?
4. Sais-tu jouer au hockey?
5. Sais-tu jouer du piano?
6. Savez-vous parler français?
7. Sais-tu faire la cuisine?

B. Répondez aux questions:
1. Connais-tu la Nouvelle-Ecosse?
2. Connais-tu la Floride?
3. Connaissez-vous le forum à Montréal?
4. Est-ce que tes parents me connaissent?
5. Connaissez-vous la musique de Mozart?
6. Connais-tu bien Detroit?
7. Connais-tu tous les joueurs de l'équipe?

C. Demandez à un(e) autre étudiant(e) s'il/si elle . . .
1. sait nager.
2. sait faire du ski.
3. sait jouer aux échecs.
4. sait faire la cuisine.
5. connaît Québec.
6. connaît New York.
7. connaît les livres de Margaret Laurence.
8. connaît un bon médecin.

D. Employez *savoir* ou *pouvoir*, selon le contexte.

1. Une mécanicienne _____ réparer une voiture.
2. Nous _____ faire des compétitions en ski.
3. Un bon athlète _____ nager pendant trois heures.
4. Ce bébé a dix mois et il _____ déjà marcher.
5. Ce joueur blessé ne _____ pas marcher très vite.

Le passé composé

1) The **passé composé** is used to indicate that an action or situation occurred in the past. It corresponds to both the simple past (I ate) and the present perfect (I have eaten) in English.

2) The **passé composé** is formed by using the present tense of an auxiliary verb (**avoir** or **être**) followed by the past participle of the verb. For most verbs, the auxiliary verb which is used is **avoir**.

3) The past participle of regular verbs consists of the stem plus an ending. The endings for the three regular verb groups are as follows:

Group	Infinitive	Stem	Ending
1. -er	manger	mang-	-é
2. -ir	finir	fin-	-i
3. -re	attendre	attend-	-u

Passé composé

j'	ai mangé	ai fini	ai attendu
tu	as mangé	as fini	as attendu
il/elle/on	a mangé	a fini	a attendu
nous	avons mangé	avons fini	avons attendu
vous	avez mangé	avez fini	avez attendu
ils/elles	ont mangé	ont fini	ont attendu

4) In the negative, **ne** precedes **avoir** and **pas** follows it:
   Il n'a pas répondu à ma question.

5) In a question with inversion, the pronoun follows the form of **avoir**:
   As-tu parlé à l'instructeur?
   Le joueur de tennis a-t-il téléphoné?

6) The direct and indirect object pronouns precede **avoir**:
   Il m'a regardé.
   Elle ne lui a pas téléphoné.
   Leur ont-ils répondu?

7) Here are the past participles of the irregular verbs which were presented in previous chapters and which take **avoir** as an auxiliary verb:

avoir	j'ai <u>eu</u>	pouvoir	j'ai <u>pu</u>
connaître	j'ai <u>connu</u>	prendre†	j'ai <u>pris</u>
devoir	j'ai <u>dû</u> *Owed*	savoir	j'ai <u>su</u>
être	j'ai été	vouloir	j'ai <u>voulu</u>
faire	j'ai <u>fait</u>	falloir (il faut)	il a <u>fallu</u>
mettre★	j'ai <u>mis</u>	pleuvoir (il pleut)	il a <u>plu</u>

For verbs conjugated like **dormir** (**mentir, sentir, servir**), add the ending **-i** to the stem: **j'ai dormi, j'ai menti, j'ai senti, j'ai servi.**

Exercices (Oralement)

A. Mettez au passé composé:

-er	**-ir**	**-re**
1. Je demande.	11. Elle réfléchit.	21. Il attend.
2. Il écoute.	12. Vous obéissez.	22. Tu perds.
3. Nous regardons.	13. Ils démolissent.	23. Nous entendons.
4. Vous donnez.	14. Elles fleurissent.	24. Vous vendez.
5. Ils mangent.	15. Nous réussissons.	25. Ils rendent. *give back*
6. Tu parles.	16. Il grossit.	26. Nous répondons.
7. Il invite.	17. Ils vieillissent. *look*	27. Ils vendent.
8. Elles acceptent.	18. J'avertis. *inform*	28. Elle rend.
9. Vous refusez.	19. Tu choisis.	29. Nous attendons.
10. Nous expliquons.	20. Vous établissez.	30. Ils perdent.

B. Mettez à la forme négative.

> ***Modèle:*** J'ai joué au soccer.
> *Je n'ai pas joué au soccer.*

1. Il a invité des camarades.
2. Ils ont regardé le match à la télé.
3. J'ai puni les joueurs.
4. Nous avons obéi à la monitrice.
5. Elle a fini son entraînement.
6. Tu as rougi.
7. Vous avez attendu le signal.
8. Il a vendu sa motoneige.
9. J'ai répondu à la question.
10. Nous avons vendu nos skis.

★ promettre: <u>promis</u>; permettre: <u>permis</u>; soumettre: <u>soumis</u>

† apprendre: <u>appris</u>; comprendre: <u>compris</u>

C. Mettez à la forme interrogative. Employez l'inversion.

Modèle: Vous avez mangé.
   Avez-vous mangé?

1. Il a fini son travail.
2. Vous avez attendu l'autobus.
3. Cet étudiant a réussi à son examen.
4. Ils ont perdu la partie.
5. Marie a parlé à son entraîneur.
6. Ils ont choisi un autre skieur.
7. Tu as répondu à la lettre de ton entraîneur?
8. Le médecin a examiné les blessés. *injured*

D. Mettez les verbes au passé composé:

1. Je ne comprends pas cette partie.
2. Il apprend le patinage.
3. Nous prenons le train.
4. Elle dort huit heures.
5. Tu sers du jus aux athlètes.
6. Il ment à ses partenaires. *parthers*
7. Il pleut.
8. Il faut réparer la motoneige.
9. Elles font des progrès.
10. Il fait du sport.
11. Vous faites de la gymnastique.
12. Il a des difficultés.
13. Nous avons un ballon. *eu*
14. Ils sont malades. *été*
15. Elle est cycliste.
16. Je connais des cavaliers. *rider*
17. Nous mettons la table. *mis*
18. Il promet une moto à son fils.
19. Elle permet à ses enfants de regarder le match de hockey.

E. Répondez aux questions:

1. As-tu eu un accident récemment?
2. Le coureur a-t-il eu un rhume?
3. Avez-vous eu des compétitions la semaine dernière?
4. As-tu été malade récemment?
5. As-tu fait des progrès au tennis?
6. As-tu fait du ski l'hiver dernier?
7. Avons-nous fait beaucoup d'exercices dans ce cours?
8. As-tu mis un casque ce matin?
9. Avez-vous compris les règlements?
10. As-tu dormi douze heures?
11. Avez-vous dormi pendant la classe?
12. Est-ce qu'il a plu hier?
13. As-tu connu des boxeurs intéressants dans ta vie?
14. As-tu su répondre à mes questions?

F. Répondez négativement selon le modèle.

Modèle: As-tu dormi? (pouvoir)
   Non, je n'ai pas pu dormir.

1. As-tu mangé? (pouvoir)
2. As-tu fini ton test? (pouvoir)
3. As-tu regardé ce film? (pouvoir)
4. As-tu acheté un nouveau bateau? (pouvoir)
5. As-tu attendu l'autobus? (devoir)
6. As-tu démoli le garage? (devoir)
7. As-tu vendu tes palmes? (devoir)
8. As-tu écouté ce disque? (vouloir)
9. As-tu joué au tennis? (vouloir)
10. As-tu averti la monitrice? (vouloir)
11. As-tu apprécié son travail? (savoir)
12. As-tu répondu aux questions? (savoir)
13. As-tu fait cet exercice? (savoir)

Il y a + une expression de temps

Il y a followed by an expression of time has the meaning "ago." It may be used with a verb in the **passé composé.**

> **Il a quitté le Canada il y a un mois.**
> He left Canada a month ago.
> **La partie de tennis a commencé il y a cinq minutes.**
> The tennis game started five minutes ago.
> **Quand as-tu fait du ski? — Il y a deux jours.**
> When did you go skiing? — Two days ago.

Exercice (Oralement)

Répondez aux questions selon le modèle.

> *Modèle:* Quand avez-vous joué au baseball? (cinq ans)
> *Nous avons joué au baseball il y a cinq ans.*

1. Quand a-t-il visité l'Europe? (dix ans)
2. Quand as-tu parlé à Victor? (dix minutes)
3. Quand ont-ils appris la nouvelle? (deux jours)
4. Quand as-tu acheté ces beaux skis? (deux semaines)
5. Quand ont-ils pris le train? (trois jours)
6. Quand la partie a-t-elle commencé? (un quart d'heure)
7. Quand as-tu rencontré Lucie? (longtemps)

Le pronom relatif où

1) **Où** is a relative pronoun which means "where" when its antecedent is a noun indicating a place:

> **C'est le restaurant où j'ai dîné hier.**
> This is the restaurant where I had dinner yesterday.
> **Québec est une ville où j'aime marcher.**

2) **Où** as a relative pronoun may also mean "when" if its antecedent is a noun indicating a time period:

> **1980 est l'année où j'ai quitté Montréal.**
> 1980 is the year when I left Montreal.
> **Mes parents m'ont donné une moto le jour où j'ai eu dix-huit ans.**

Exercices (Oralement)

A. Transformez les phrases selon le modèle.

> *Modèle:* Je connais la rue. Tu habites <u>dans cette rue.</u>
> *Je connais la rue où tu habites.*

1. Je connais un restaurant. On sert des repas japonais <u>dans ce restaurant.</u>
2. Il aime les discothèques. Il y a beaucoup de gens <u>dans ces discothèques.</u>
3. Le Yukon est une région. Il fait très froid <u>dans cette région.</u>
4. Je vais t'amener dans un musée. On peut voir des poteries anciennes <u>dans ce musée.</u>
5. Il fait du ski de fond dans un bois. Il y a de belles pistes <u>dans ce bois.</u>

B. Transformez les phrases selon le modèle.

> *Modèle:* J'ai été malade <u>cette semaine-là.</u>
> *C'est la semaine où j'ai été malade.*

1. Nous avons joué au tennis ce <u>matin-là.</u>
2. J'ai fini mes études secondaires <u>cette année-là.</u>
3. Il a eu un accident de ski <u>ce jour-là.</u>
4. Il a beaucoup neigé <u>ce mois-là.</u>
5. Nous avons gagné le match <u>ce soir-là.</u>

L'adjectif *tout*

The adjective **tout** (**toute**/**tous**/**toutes**) agrees with the noun it modifies and precedes the determiner (article or possessive adjective or demonstrative adjective). It corresponds to ''all'' or ''whole'' in English:

J'ai écouté <u>tout</u> l'opéra.	I listened to the whole opera.
Il a fait du ski <u>toute</u> la journée.	He skied the whole day.
<u>Tous</u> ces joueurs sont excellents.	All those players are excellent.
Elle a acheté <u>toutes</u> mes vieilles robes.	She bought all my old dresses.

Note the expressions **tout le monde** (everybody) and **tous les jours** (every day):

Il connaît <u>tout le monde.</u>	He knows everybody.
Il joue au football <u>tous les jours.</u>	He plays football every day.

Exercices (Oralement)

A. Refaites les phrases selon le modèle.

> *Modèle:* <u>Ces joueurs</u> sont compétents.
> *Tous ces joueurs sont compétents.*

1. <u>La partie</u> a été intéressante.
2. Il a compris <u>la leçon.</u>
3. J'ai donné <u>mes disques</u> à Guy.
4. <u>Les étudiants</u> sont fatigués après les examens.
5. <u>Mes vêtements</u> sont sales.
6. Il a mangé <u>le gâteau.</u>
7. Elle a fait <u>la vaisselle.</u>
8. Tu as menti à <u>tes amis.</u>
9. J'ai besoin de <u>ces livres.</u>

B. Répondez aux questions selon le modèle.

Modèle: Veux-tu écouter <u>mes disques</u>?
Oui, je veux écouter tous tes disques.

1. As-tu peur de <u>ces animaux</u>?
2. Peux-tu faire <u>ces exercices</u>?
3. Dois-tu faire <u>le ménage</u>?
4. Est-ce que tu connais <u>mes amies</u>?
5. Est-ce que tu comptes réussir
   à <u>tes examens</u>?

EXERCICES ECRITS

A. Mettez les phrases au passé composé.

Modèle: Je regarde les Jeux olympiques.
J'ai regardé les Jeux olympiques.

1. Il met ses skis.
2. Nous prenons la bicyclette.
3. Ils apprennent le golf.
4. Je ne comprends pas cette leçon.
5. Il connaît l'entraîneur de l'équipe.
6. Je téléphone à mon instructeur.
7. Elle brunit au soleil.
8. Nous rendons l'argent à Jean.
9. Ils choisissent une nouvelle piscine.
10. Je réponds à sa lettre.
11. Vous attendez un taxi.
12. Il veut venir avec moi.
13. Ils doivent partir.
14. Nous avons quelques rondelles.
15. Elles ne savent pas réparer le filet.
16. Ils sont perdants.
17. Je fais du ski de fond.
18. Vous choisissez un nouveau club.
19. Il avertit l'arbitre.
20. Valérie pratique l'escrime.

B. Employez *savoir* ou *connaître* au présent selon le contexte:

1. Babette _____ jouer aux échecs.
2. Nous _____ l'entraîneur de Jean.
3. Ils _____ Mme Raymond.
4. Je _____ faire la cuisine.
5. Tu _____ l'aréna Maurice Richard.
6. Vous _____ mon nom.
7. Il _____ mon père.

C. Complétez les phrases avec un des verbes suivants au présent: *apprendre, mettre, permettre, comprendre, promettre, prendre, soumettre.*

1. Luc _____ l'autobus pour Montréal.
2. Ils _____ une récompense aux gagnants.
3. Nous _____ les règles du tennis.
4. Mme Dufy _____ à ses enfants d'aller aux olympiques.
5. Vous _____ la raison de mon absence.
6. Tu _____ un chandail.
7. Je _____ un projet à l'instructrice.

D. Répondez affirmativement selon le modèle. Employez les pronoms objets indirects.

> *Modèle:* Téléphones-tu à ta mère?
> *Oui, je lui téléphone.*
> Vas-tu me téléphoner?
> *Oui, je vais te téléphoner.*

1. Est-ce que vous me parlez?
2. Est-ce que tu me téléphones?
3. Est-ce que je vous réponds?
4. Est-ce que je vous promets de bonnes notes?
5. Est-ce que tu veux me parler?
6. Est-ce que je peux te téléphoner?
7. Peux-tu me donner tes vieux skis?
8. Est-ce que ton père va t'acheter une voiture?
9. Obéis-tu à tes moniteurs?
10. Est-ce que tu me promets d'être à l'heure?
11. A-t-il promis une médaille aux gagnants?
12. As-tu parlé au médecin?
13. Est-ce qu'on doit obéir aux arbitres?
14. Est-ce que tu nous permets de fumer?

E. Complétez les phrases suivantes avec imagination:

1. 1980 est l'année où . . . .
2. New York est une ville où . . . .
3. Je connais une discothèque où . . . .
4. Septembre est le mois où . . . .
5. Ste-Anne est la station de ski où . . . .

F. Refaites les phrases selon le modèle en employant la forme correcte de *tout*.

> *Modèle:* Je comprends la leçon.
> *Je comprends toute la leçon.*

1. Sylvie admire les joueurs de football.
2. Je connais les livres de Marie-Claire Blais.
3. Elle a aimé le film.
4. J'ai jeté mes vieux vêtements.
5. Cette leçon est difficile.
6. Il a répondu aux questions.

G. Répondez aux questions selon le modèle en employant *il y a* plus l'expression entre parenthèses.

> *Modèle:* Vas-tu manger un sandwich? (une heure)
> *Non, j'ai mangé un sandwich il y a une heure.*

1. Vas-tu faire du ski de fond? (deux jours)
2. Vas-tu prendre un café? (dix minutes)
3. Vas-tu vendre tes patins? (un mois)
4. Vas-tu mettre la table? (une demi-heure)
5. Va-t-il pleuvoir? (une heure)

LECTURE

Les sports d'hiver

L'hiver au Québec est synonyme de froid, de vent et de neige; c'est aussi l'occasion de s'adonner aux sports d'hiver comme le ski alpin, le ski de fond, la raquette, la moto-neige, le patinage et le hockey sur glace. Parmi toutes ces activités sportives, le ski gagne de plus en plus en popularité.

Il existe dans l'est de nombreuses stations de ski telles que le Mont-Tremblant, Saint-Sauveur, Ste-Anne, Orford, et Sutton qui offrent des pistes bordées de beaux boisés où les skieurs débutants, intermédiaires et experts peuvent se laisser aller au plaisir de skier. Elles sont équipées de remontées mécaniques ultra-rapides, de systèmes d'éclairage pour du ski de soirée, et de chalets dispersés dans la montagne où des restaurants et des cafétérias reçoivent les skieurs à l'heure du repas ou de la détente.

Pour les adeptes du ski de fond, on trouve des centaines de kilomètres de sentiers qui traversent des paysages magnifiques. Des relais chauffés, le long du parcours, permettent aux skieurs et aux skieuses de se réchauffer et de casser la croûte. Que désirent les jeunes? Des émotions fortes, de nouveaux défis, des descentes paisibles, le calme de la nature enneigée — le ski offre tout cela et même davantage. On peut skier six mois par année dans des conditions optimales; les autres six mois sont dédiés aux amateurs de plein air pour des randonnées pédestres, des pique-niques au sommet des montagnes ou des parties de sucre.

adepte (m./f.)	follower, enthusiast	**neige** (f.)	snow
(s')adonner(à)	to devote oneself (to)	**nombreux, euse**	numerous
boisé (m.)	woodland	**occasion** (f.)	opportunity
border	to border	**paisible**	peaceful
casser la croûte	to have a bite	**patinage** (m.)	skating
centaine (f.)	a hundred	**parcours** (m.)	course, trail
chalet (m.)	cottage	**parmi**	among
chauffer	to heat	**partie de sucre** (f.)	sugaring off
davantage	even more	**paysage** (m.)	scenery
débutant, ante	beginner	**piste** (f.)	run
défi (m.)	challenge	**plaisir** (m.)	pleasure
dédier	to devote	**permettre**	to allow
détente (f.)	relaxation	**plein air** (m.)	open air
éclairage (m.)	lighting	**pouvoir**	to be able to
enneigé(e)	snowy	**randonnée** (f.)	walk
fort, forte	strong	**relais** (m.)	relay
gagner (en)	to gain	**recevoir**	to receive
(se) laisser	to let oneself	**repas** (m.)	meal
le long de	along	**(se) réchauffer**	to warm up
montagne (f.)	mountain	**remontée** (f.)	ski lift
motoneige (f.)	snowmobile	**ski de fond** (m.)	cross-country skiing

ski de soirée (m.)	night skiing	**traverser**	to cross
sentier (m.)	trail	**trouver**	to find
synonyme	synonymous	**vent** (m.)	wind
tel, telle que	such as		

Questions

1. A quels sports s'adonne-t-on l'hiver au Québec?
2. Quelle activité sportive gagne en popularité?
3. Qu'est-ce qui borde les pistes de ski?
4. Que trouve-t-on dans les stations de ski?
5. De quoi les adeptes du ski de fond disposent-ils?
6. Que désirent les jeunes?
7. Combien de temps skie-t-on au Québec?
8. A quoi sont réservés les autres six mois de l'année?

SITUATIONS / CONVERSATIONS

1. A quels sports t'adonnes-tu? Où, et quand?

   Je fais — du football, du baseball, du golf, du tennis, du soccer, du hockey, du hockey sur gazon, du ballon-balai, du basketball, du judo, du karaté, du ski alpin, du ski de randonnée (de fond), du canotage, du patinage, du cyclisme, du squash, du jogging, etc.

   — de la natation, de la boxe, de la lutte, de la plongée sous-marine, de la voile, de la planche à voile, de la gymnastique, de la course à pied, de l'équitation, de l'alpinisme, etc.

2. Faites-vous partie d'une équipe sportive? De quel sport s'agit-il? Combien y a-t-il de membres dans l'équipe? Qui est votre entraîneur? Comment est-il/elle? Quelle position jouez-vous dans l'équipe? (à la défense/à l'offensive/à l'aile gauche ou droite/à l'avant ou à l'arrière/gardien de but, etc.) Pratiquez-vous souvent ce sport? Quand? A quel endroit? Quelle sorte de joueur/joueuse êtes-vous? (agressif,ive, détendu(e), brutal(e), indépendant,ante, etc.) Quelles sont vos plus graves erreurs au jeu? vos meilleurs moments?

3. Pour pratiquer votre sport favori, de quoi avez-vous besoin?

SPORT	ENDROIT	EQUIPEMENT
a) D'ÉQUIPE		
extérieur le football, le base-ball, etc.	terrain ou stade	un ballon, des gants, des souliers cloutés, un bâton, etc.

intérieur		
le basketball, le curling, le ballon-balai, etc.	un gymnase, un terrain	des balles, des balais, des rondelles, etc.

b) INDIVIDUELS

extérieur		
le ski, la course à pied, l'équitation, la natation, le cyclisme, le jogging, le canotage, le patinage, etc.	une piste, des pentes, une piscine, une patinoire, une rivière/un lac, etc.	des skis, un cheval, un maillot, une bicyclette, des patins, un canot et des rames, etc.

intérieur		
la natation, le patinage, la plongée, la gymnastique	une piscine, une patinoire, un gymnase, etc.	un costume, une bombe d'oxygène, des palmes, des appareils, des barres, etc.

c) AVEC PARTENAIRE

extérieur		
le golf, le tennis, le canotage, etc.	un terrain, un court, une rivière/un lac, etc.	des bâtons, des balles, des raquettes, un canot, etc.

intérieur		
le squash, le raquetball, etc.	un court	des balles et des raquettes

d) DE COMBAT

la boxe, la lutte, le judo, le karaté, etc.	un matelas, une arène, etc.	un costume, des gants, un maillot, etc.

4. Pourquoi aimez-vous les sports? Quelle place ont-ils dans votre vie? (Réponses possibles: pour la détente, pour les loisirs, pour rencontrer des amis, par habitude, pour développer mes muscles, pour évaluer mes aptitudes, par goût de la compétition, pour rester en bonne santé, par obligation envers l'équipe, pour plaire à mes parents/à mes amis, etc.)

5. Préparez pour les amateurs de sports un bulletin de nouvelles sportives.

6. Racontez le match le plus excitant que vous avez vu.

> *Exemple:* Une partie de hockey — Les Canadiens ont gagné 5 à 4 contre les Oilers — Wayne Gretzky a compté 3 buts et a obtenu 2 punitions, etc.

7. Donnez des indices sur votre athlète favori(te): nous allons deviner de qui il s'agit.

   Exemples: Indice: C'est le plus grand joueur de hockey à l'heure actuelle.
   Réponse: Wayne Gretzky

   Indice: Il a été champion poids lourd à deux reprises.
   Réponse: Muhammad Ali

8. Connaissez-vous les sports? Comment joue-t-on au tennis? au hockey? au baseball? (Décrivez l'équipement nécessaire, le nombre de joueurs, les règles du jeu.)

9. Comment devient-on champion?

COMPOSITION

1. Est-ce que vous pensez que l'importance accordée aux sports à la télévision est justifiée? Expliquez.
2. Est-il bon d'obliger les enfants à pratiquer des sports dès leur plus jeune âge?
3. Préparez une interview d'une personnalité sportive. Quelles questions allez-vous poser? Un(e) autre étudiant(e) joue le rôle de l'athlète que vous avez choisi.
4. Est-ce que généralement vous préférez la compagnie d'un sportif ou d'un intellectuel? Expliquez pourquoi.
5. Quel est le sport idéal à votre avis et pour quelles raisons?

PRONONCIATION

Les voyelles nasales /ã/ et /õ/

I.   *Le son /ã/*

The nasal vowel /ã/ is associated with the spellings **an, am, en** and **em** (when **n** or **m** is not pronounced).

Répétez:

1. bas / ban   chat / chant   ça / sang
   pas / pan   tas / tant   là / lent
   ras / rang   va / vent

2. chant / chante   lent / lente   rend / rendu
   rang / range   pend / pendu   tend / tendu

3. ampoule   endormir   jument
   entier   parent   hareng
   embrasser   marchand   devant

II. *Le son* /õ/

The nasal vowel /õ/ is associated with the spellings **on** and **om** (when **n** or **m** is not pronounced).

Répétez

1. tôt / ton   pot / pont   dos / don
   rot / rond   sot / son   vos / vont
   mot / mon   faux / font   lot / long

2. son / songe   bon / bonté   plomb / plombier
   rond / ronde   mon / montez   front / frontière
   pont / ponte   long / longueur   blond / blondir

3. ombre   plafond   répondre
   ongle   canon   dénombrer
   bison   prison   démontrer

III. *Contraste* /ã/ — /õ/

For /õ/, round the lips. For /ã/, bring the tongue forward.

Répétez

on / an   tremper / tromper
bon / banc   ranger / ronger
don / dans   bandit / bondit
rond / rang   angle / ongle
mont / ment   ambre / ombre

CHAPITRE NEUF

DU METRO A L'AEROPORT MIRABEL

Le métro, Montréal
Photo avec la permission de CIDEM

INTRODUCTION

Qu'est-ce que tu lis?

Je lis une lettre de mes amis américains: ils m'écrivent toutes les semaines.

Où êtes-vous allés en voyage?
    Mes amis et moi, nous sommes allés au Manitoba.

Quand Louise est-elle revenue de Winnipeg?
    Elle est revenue il y a deux jours, mais ses parents y sont restés.

Jeanne et Marie sont-elles rentrées de vacances?
    Non, elles ne sont pas rentrées.

As-tu emporté tes bagages?
    Oui, je les ai emportés.

Où as-tu mis ta serviette?
    Je l'ai mise sur la table.

Est-ce que tu as une voiture?
    Moi, je n'en ai pas, mais mes parents en ont deux.

As-tu fait beaucoup de voyages?
    Oui, j'en ai fait beaucoup, mais seulement au Canada.

Est-ce que tu aimes rencontrer des gens d'autres pays?
    Oui, j'aime en rencontrer.

Est-ce que Martine est allée à New York?
    Elle y est allée il y a une semaine et elle n'en est pas encore rentrée.

Est-ce que tu as réfléchi à nos projets?
    Oui, j'y ai beaucoup réfléchi.

Qui est cet homme?
    C'est un médecin; il est américain.

Et la jeune femme qui l'accompagne?
    C'est sa femme; elle est anglaise.

D'où viennent-ils?
    Lui, il vient de la Louisane et elle, elle vient de Londres.

Est-ce qu'ils travaillent en Ontario?
    Non, ils travaillent au Québec, mais ils passent leurs vacances en Ontario.

GRAMMAIRE ET EXERCICES ORAUX

Le passé composé avec <u>être</u>

1) A few verbs, which usually indicate motion or transition, use **être** instead of **avoir** as an auxiliary verb in the **passé composé** and other compound tenses. Some of these verbs are regular **-er** verbs and their past participle ends in **é**:

arriv<u>er</u>	(to arrive)	arriv<u>é</u>
entr<u>er</u>	(to enter)	entr<u>é</u>
mont<u>er</u>	(to go up)	mont<u>é</u>
pass<u>er</u>	(to pass by)	pass<u>é</u>
rentr<u>er</u>	(to go home/to come back in)	rentr<u>é</u>
retourn<u>er</u>	(to go back/to return)	retourn<u>é</u>
rest<u>er</u>	(to stay/to remain)	rest<u>é</u>
tomb<u>er</u>	(to fall)	tomb<u>é</u>

One verb is a regular **-re** verb; its past participle ends in **-u**:

descendre (to go down)	descend<u>u</u>

Other verbs conjugated with **être** are irregular:

all<u>er</u>	(to go)	all<u>é</u>
ven<u>ir</u>	(to come)	ven<u>u</u>
deven<u>ir</u>	(to become)	deven<u>u</u>
reven<u>ir</u>	(to come back)	reven<u>u</u>
part<u>ir</u>	(to leave)	part<u>i</u>
sort<u>ir</u>	(to go out)	sort<u>i</u>
mour<u>ir</u>	(to die)	m<u>or</u>t
naître	(to be born)	n<u>é</u>

2) When **être** is used as the auxiliary verb, the past participle agrees in gender and number with the subject.

	Masculine Subject	*Feminine Subject*
Singular	Je suis entr<u>é</u>.	Je suis entré<u>e</u>.
	Tu es sort<u>i</u>.	Tu es sorti<u>e</u>.
	Il est descend<u>u</u>.	Elle est descend<u>ue</u>.
Plural	Nous sommes part<u>is</u>.	Nous sommes part<u>ies</u>.
	Vous êtes arriv<u>és</u>.	Vous êtes arriv<u>ées</u>.
	Ils sont tomb<u>és</u>.	Elles sont tomb<u>ées</u>.

Note: If the formal **vous** is used to address one person, the past participle is singular (masculine or feminine). When **nous, vous** or **ils** refer to a mixed group, the past participle is masculine plural.

Exercices (Oralement)

A. Mettez les verbes au passé composé:

1. Il monte dans l'autobus.
2. Le chien monte sur le siège.
3. Nous montons au premier étage.
4. Je descends du train.
5. Le chat descend de l'auto.
6. Vous descendez en ascenseur.
7. Il passe par Drummondville pour aller à Montréal.
8. Je passe devant le complexe sportif.
9. Nous passons par la rue Queen.
10. L'ouvrier tombe du toit.
11. La vieille dame tombe dans sa cuisine.
12. Je tombe sur la glace.
13. Nous restons à la maison.
14. Elle reste chez elle samedi.
15. Il reste sportif.
16. Elles restent célibataires.
17. Jean retourne à Toronto.
18. Vous revenez de voyage.
19. Il part en Afrique.
20. Nous allons en vacances.

B. Répondez aux questions:

1. A quelle heure êtes-vous arrivé(e)s en classe?
2. A quelle heure sommes-nous entré(e)s dans la classe?
3. Es-tu sorti(e) hier soir?
4. Es-tu rentré(e) tard hier soir?
5. A quelle heure es-tu rentré(e) hier soir?
6. Es-tu resté(e) dans ta chambre hier soir?
7. Etes-vous venu(e)s en classe hier soir?
8. Quand es-tu devenu(e) canadien(ne)?
9. Sommes-nous allé(e)s au cinéma ensemble?
10. Es-tu passé(e) par la bibliothèque ce matin?
11. Es-tu allé(e) à la cafétéria aujourd'hui?
12. En quelle année es-tu né(e)?
13. En quelle année est mort le président Kennedy?
14. Es-tu tombé(e) sur la glace cet hiver?
15. Es-tu monté(e) dans un autobus ce matin?

C. Posez la question à un(e) autre étudiant(e) selon le modèle.

> *Modèle:* Quand / arriver / en classe
> Question: *Quand es-tu arrivé(e) en classe?*
> Réponse: *Je suis arrivé(e) en classe à dix heures.*

1. En quelle année / naître
2. A quelle heure / sortir / hier soir
3. A quelle heure / rentrer / hier soir
4. Quand / aller / au cinéma
5. Avec qui / sortir
6. Rester / dans ta chambre hier soir
7. Quand / devenir / sportif(-ive)

D.   Répondez aux questions selon le modèle en employant *il y a.*

Modèle: Quand est-il mort? (six mois)
   Il est mort il y a six mois.

1. Quand es-tu arrivé(e)? (une demi-heure)
2. Quand es-tu rentré(e) de l'université? (dix minutes)
3. Quand est-elle retournée aux Etats-Unis? (six mois)
4. Quand êtes-vous entré(e)s en classe? (vingt minutes)
5. Quand es-tu allé(e) à la bibliothèque (deux jours)
6. Quand êtes-vous venu(e)s à mon bureau? (deux semaines)
7. Quand sont-ils revenus de vacances? (trois jours)
8. Quand est-elle devenue infirmière? (cinq ans)
9. Quand est-il sorti de la maison? (deux heures)
10. Quand sont-elles parties pour Chicago? (une semaine)
11. Quand est-il mort? (trois mois)

E.   Demandez à votre voisin(e) où il/elle est allé(e) hier soir? avant-hier? il y a trois jours? la semaine dernière? le mois dernier? l'été / l'hiver dernier?

L'accord du participe passé des verbes conjugués avec <u>avoir</u>

When **avoir** is used as an auxiliary verb in compound tenses, the past participle is invariable. However, if the direct object *precedes* the verb, then the past participle must agree in gender and number with the direct object. Here are the main cases when the direct object may precede the verb:

1) When the direct object is a pronoun:
   J'ai acheté cette voiture. → Je l'ai achetée.
   Ils ont attendu les enfants. → Ils <u>les</u> ont attend<u>us</u>.

2) When the direct object is the relative pronoun **que** (the past participle agrees with its antecedent):
   La leçon <u>qu</u>'il a appri<u>se</u>.
   Les fruits <u>que</u> j'ai achet<u>és</u>.

3) In an interrogative sentence with the adjective **quel**:
   <u>Quelle voiture</u> as-tu ache<u>tée</u>?
   <u>Quels disques</u> as-tu <u>choisis</u>?

Though the agreement of the past participle is of concern mainly in written French, it affects pronunciation whenever the feminine ending **-e** (or **-es**) is added to a past participle ending in a consonant, since the consonant must then be pronounced. Compare:
   Le chandail qu'il a mis.   /   La robe qu'elle a mi<u>se</u>.
   Les exercices que j'ai faits. /   Les erreurs que j'ai fai<u>tes</u>.
   Le cadeau qu'il m'a promis. /   La récompense qu'il m'a prom<u>ise</u>.

Exercice (Oralement)

A. Répondez affirmativement aux questions selon le modèle.

Modèle: As-tu fait la vaisselle?
Oui, je l'ai faite.

1. As-tu compris la leçon?
2. As-tu compris ce livre?
3. Avez-vous compris les exercices?
4. Avez-vous compris les questions?
5. As-tu appris la leçon?
6. As-tu appris les règles du jeu?
7. As-tu fait le ménage?
8. As-tu fait la vaisselle?
9. Avez-vous fait la composition?
10. As-tu mis le livre sur la table?
11. As-tu mis ta serviette sur la table?
12. As-tu soumis ta demande au directeur?

B. Transformez les phrases selon le modèle.

Modèle: Elle a mis une jolie robe.
La robe qu'elle a mise est jolie.

1. Il a appris une leçon difficile.
2. J'ai fait une longue composition.
3. Elle a soumis une demande intéressante.
4. Il a promis une récompense généreuse.
5. Ils ont pris une voiture neuve.

C. Posez la question selon le modèle.

Modèle: Il a soumis une demande.
Quelle demande a-t-il soumise?

1. Il a mis une chemise.
2. Elle a mis une jupe.
3. Il lui a promis une récompense.
4. Il a appris des règles.
5. Elle a compris une question.
6. Ils ont pris des fleurs.

Les pronoms *en* et *y*

En

En replaces:

1) **de** as a preposition of place (from) plus its object:

Est-il revenu de Trois-Rivières? — Oui, il en est revenu hier.

2) the partitive article (**du, de la, de l', des, de**) plus a noun:

Il a de l'argent. ⟶ Il en a.
Elle n'a pas d'argent. ⟶ Elle n'en a pas.
Je mange des fruits. ⟶ J'en mange.

3) a noun preceded by a number or an expression of quantity. The number or expression is retained and placed after the verb:

As-tu une voiture? — Oui, j'en ai une.
Combien de cours as-tu? — J'en ai cinq.
J'ai trop de travail. ⟶ J'en ai trop.
Il a beaucoup d'amis. ⟶ Il en a beaucoup.

Y

Y replaces:

1) a preposition of place (**à, dans, devant, sur**, etc.) plus its object:

Il va à Montréal. ⟶ Il y va.

Elle reste dans sa chambre. ⟶ Elle y reste.

2) **à** as a preposition required by a verb plus the noun following it if the noun represents a thing:

Je réfléchis à mes problèmes. ⟶ J'y réfléchis.

Il répond aux questions. ⟶ Il y répond.

If the noun refers to a person, the indirect object pronoun is used:

Il répond au professeur. ⟶ Il lui répond.

Note: 1) Both **en** and **y** precede the verb. They precede the auxiliary verb in compound tenses. They precede the infinitive when it is preceded by another conjugated verb:

Vas-tu à la banque? ⟶ Y vas-tu?

Je suis allé(e) à la banque. ⟶ J'y suis allé(e).

Je n'ai pas de stylo. ⟶ Je n'en ai pas.

Elle veut acheter une robe. ⟶ Elle veut en acheter une.

2) **En** may be used with the expression **il y a**:

Y a-t-il des absents? — Oui, il y en a. / Non, il n'y en a pas.

Y a-t-il un film à la télé? — Oui, il y en a un. / Non, il n'y en a pas.

3) With **en**, there is no agreement of the past participle of verbs using **avoir** in compound tenses:

As-tu acheté des chemises? — Oui, j'en ai acheté.

Compare with:

As-tu jeté tes chemises — Oui, je les ai jetées.

Exercices (Oralement)

A. Remplacez les mots soulignés par *en:*

1. Je veux des skis.
2. Nous avons demandé des renseignements.
3. Nous arrivons d'Ottawa.
4. Il a mangé des fruits.
5. Elle n'a pas de voiture.
6. Elle ne veut pas prendre de taxi.
7. As-tu acheté des billets?
8. Ont-ils vendu des disques?
9. Ils sont revenus du Brésil.
10. Elle n'a pas réservé de chambre.

B. Répondez aux questions selon le modèle.

Modèle: As-tu beaucoup de livres? (plusieurs)
Non, je n'en ai pas beaucoup mais j'en ai plusieurs.

1. As-tu trop d'argent (assez)
2. As-tu trois voitures? (une)
3. As-tu assez de temps libre? (un peu)
4. Apprends-tu plusieurs langues? (une)
5. As-tu un ticket? (deux)

C.   Répondez aux questions en employant *en:*

1. Est-ce que tu fumes des cigares?
2. As-tu mangé de la salade ce matin?
3. Viens-tu de Kuala Lumpur?
4. As-tu trop d'argent?
5. Est-ce que tu fais du ski?

6. As-tu fait des exercices de français?
7. Descendez-vous du bateau?
8. Avez-vous eu un passeport?
9. Prends-tu un billet aller-retour?
10. Est-ce que tu as un visa?

D.   Remplacez les mots soulignés par *y:*

1. Luc est entré au restaurant.
2. Nous sommes allés à la gare.
3. Il est resté longtemps en Colombie-Britannique.
4. Il n'a pas répondu à la question.
5. Ils n'ont pas réfléchi aux conséquences.

6. Elle veut aller au cinéma.
7. Je dois rester dans la classe.
8. Il doit descendre au terminus.
9. Je vais chercher Jean à l'aéroport.
10. Nous pensons à une croisière.

E.   Répondez affirmativement en employant *y*, *lui* ou *leur* selon le cas:

1. As-tu réfléchi à ce problème?
2. Est-ce que tu réponds aux questions?
3. As-tu répondu au professeur?
4. As-tu répondu à la lettre de tes parents?
5. As-tu parlé à tes parents?

F.   Répondez affirmativement et négativement aux questions selon le modèle.

   Modèle: Y a-t-il beaucoup de voitures dans la rue?
        Oui, il y en a beaucoup. Non, il n'y en a pas beaucoup.

1. Y a-t-il un aéroport à Toronto?
2. Y a-t-il assez de sièges dans l'autobus?
3. Y a-t-il une télévision dans ta chambre d'hôtel?
4. Y a-t-il un départ ce soir?
5. Y a-t-il un taxi devant la porte?

Les verbes irréguliers *dire, écrire, lire, rire et sourire*

Présent de l'indicatif

	dire (to say)	**écrire** (to write)	**lire** (to read)
je, j'	dis	écris	lis
tu	dis	écris	lis
il/elle/on	dit	écrit	lit
nous	disons	écrivons	lisons
vous	dites	écrivez	lisez
ils/elles	disent	écrivent	lisent

Note: These verbs follow a similar pattern of conjugation except for the form **vous dites** (compare with **vous faites**).

Présent de l'indicatif
rire (to laugh)

je ris	nous rions
tu ris	vous riez
il/elle/on rit	ils/elles rient

Sourire (to smile) is conjugated like **rire**.

Participes passés:

dire	dit
écrire	écrit
lire	lu
rire	ri
sourire	souri

Exercices (Oralement)

A. Répétez et faites les changements nécessaires:

1. Vous écrivez très mal.
2. Je _____ .
3. Bruno _____ une lettre.
4. Nous _____ .
5. Les garçons _____ .
6. Alain rit souvent.
7. Tu _____ .
8. Ils _____ .
9. Annick sourit au bébé.
10. Nous _____ .
11. Pourquoi _____ -tu?
12. Nous lisons lentement.
13. Alfred _____ .
14. Je _____ un roman.
15. Les autres _____ .
16. Vous _____ .
17. Elle dit toujours la vérité.
18. Je _____
19. Nous _____ bonjour.
20. Tu _____ .
21. Pourquoi dis-tu un mensonge?
22. _____ -vous _____ ?

B. Mettez les phrases suivantes au passé composé:

1. Tu lui dis de téléphoner.
2. Il écrit une composition.
3. Nous lisons le journal.
4. Elles disent la vérité.
5. Vous lisez beaucoup.
6. Pourquoi rit-il?
7. Pourquoi souriez-vous?
8. Nous n'écrivons pas de lettres.

C. Répondez aux questions:

1. A qui dis-tu bonjour le matin?
2. Dis-tu toujours la vérité?
3. A qui écris-tu régulièrement?
4. As-tu écrit une composition cette semaine?
5. Qui a écrit cet article?
6. Est-ce que tu lis beaucoup?
7. Est-ce que tu lis les journaux? Quels journaux?
8. Qu'est-ce que vous lisez en vacances?
9. Qu'est-ce que tu aimes lire?
10. A qui souris-tu généralement?
11. Est-ce qu'on rit quand on va au cirque?

Les prépositions avec les noms géographiques

Here is a list of types of geographical names with the prepositions which must be used 1) when someone is going there or someone or something is located there; (2) when someone or something is coming from there.

Names of Cities

1) going to/being there: use **à**.
   Je vais <u>à</u> Victoria.   Le parlement est <u>à</u> Ottawa.

2) coming from/place of origin: use **de/d'**.
   Elle vient <u>de</u> Kingston.   Je reviens <u>d'</u>Halifax.

Names of Countries and Continents

1) going to/being there:
   a) before feminine names (ending: silent **e**): use **en**.
      en Afrique, en Amérique, en Asie, en Australie, en Europe, en Angleterre, en Chine, en France, en Russie
      (one exception: **le** Mexique ———— **au** Mexique)
   b) before masculine names: use **au/aux**.
      au Brésil, au Canada, au Japon, aux Etats-Unis

2) coming from/place of origin:
   a) before feminine names: use **de/d'**.
      d'Allemagne, d'Australie, d'Espagne, d'Italie
   b) before masculine names: use **du/des**.
      du Guatemala, du Japon, des Etats-Unis

Names of Canadian Provinces

1) l'Alberta, la Colombie-Britannique, l'Ontario, la Nouvelle-Ecosse, la Saskatchewan
   a) going to/being there: use **en**.
      en Ontario, en Saskatchewan
   b) place of origin: use **de la** or **de l'** (before a vowel).
      de l'Alberta, de la Colombie-Britannique

2) le Manitoba, le Nouveau-Brunswick, le Québec
   a) going to/being there: use **au**.
      au Manitoba, au Québec
   b) place of origin: use **du**.
      du Nouveau-Brunswick

3) Terre-Neuve, l'Ile-du-Prince-Edouard
   a) going to/being there: use **à**.
      à Terre-Neuve, à l'Ile-du-Prince-Edouard
   b) place of origin: use **de**.
      de Terre-Neuve, de l'Ile-du-Prince-Edouard

Names of States (U.S.)

1) names which have a French version:
   a) going to/being there: use **en**.
      en Californie, en Caroline du Nord, en Floride, en Louisiane
   b) place of origin: use **de** or **de la** (with compound names).
      de Californie, de Pennsylvanie, de la Caroline du Sud, de la Virginie de l'Ouest

2) other names:
   a) going to/being there: use **dans le** (except **au** Texas).
      dans le Maine, dans le Missouri
   b) place of origin: use **du** or **de l'** (before a vowel).
      du Minnesota, de l'Ohio

Exercices (Oralement)

A.   Répondez selon le modèle.

   Modèle: Où est l'Université de Montréal?
   A Montréal, au Québec, au Canada, en Amérique du Nord.

1. le Château Frontenac?   (Québec)
2. le Mont Royal?   (Montréal)
3. la Tour du CN?   (Toronto)
4. Terre des Hommes?   (Montréal)
5. Marineland?   (Niagara Falls)
6. la Statue de la liberté?   (New York)
7. la Maison Blanche?   (Washington)
8. le Kremlin?   (Moscou)
9. le Forum?   (Rome)
10. l'Assemblée Nationale?   (Québec)
11. le Parlement canadien?   (Ottawa)
12. le Palais de Buckingham?   (Londres)
13. la Tour Eiffel?   (Paris)
14. le Mur?   (Berlin)
15. le Stampede?   (Calgary)

B.   Répondez selon le modèle.

   Modèle: D'où vient le cognac? (France)
   Le cognac vient de France.

D'où vient/viennent . . .

1. le Dixieland?   (Louisiane)
2. le pétrole?   (Alberta)
3. l'électricité?   (Québec)
4. les cigares?   (Cuba)
5. les ordinateurs?   (Etats-Unis)
6. le gruyère?   (Suisse)
7. le café?   (Brésil)
8. le caviar?   (Russie)
9. le baseball?   (Etats-Unis)
10. le golf?   (Ecosse)
11. le tango?   (Argentine)
12. le champagne?   (France)
13. les pêches?   (Ontario)
14. les pommes de terre?
    (Nouvelle-Ecosse)
15. le maïs?   (Mexique)
16. le flamenco?   (Espagne)
17. la Toyota?   (Japon)
18. la Volkswagen?   (Allemagne)
19. la Rolls-Royce?   (Angleterre)
20. l'Alfa-Roméo?   (Italie)

C. Substituez au nom souligné les noms entre parenthèses en employant la préposition appropriée:

1. Je vais aller en <u>Angleterre</u> l'an prochain. (Australie, Japon, Mexique, Espagne, Pérou)
2. Nous sommes allés aux <u>Etats-Unis</u> l'été dernier. (Portugal, Chine, Suisse, Chili, Afrique)
3. Je veux aller en <u>Alberta</u> pour les vacances. (Québec, Terre-Neuve, Colombie-Britannique)
4. Est-ce que ton cousin est au <u>Texas</u>? (Vermont, Virginie, Louisiane, Missouri, Floride)
5. Elle vient de <u>Chine</u>. (Japon, Suède, Brésil, Etats-Unis)
6. Je reviens de <u>Terre-Neuve</u>. (Québec, Saskatchewan, Manitoba, Colombie-Britannique, Nouveau-Brunswick)

Les noms de nationalité

Countries	Names of Nationalities	
	Masculine	*Feminine*
l'Angleterre	un Anglais	une Anglaise
l'Allemagne	un Allemand	une Allemande
le Canada	un Canadien	une Canadienne
la Chine	un Chinois	une Chinoise
l'Espagne	un Espagnol	une Espagnole
les Etats-Unis	un Américain	une Américaine
la France	un Français	une Française
la Grèce	un Grec	une Grecque
l'Irlande	un Irlandais	une Irlandaise
l'Italie	un Italien	une Italienne
le Mexique	un Mexicain	une Mexicaine
la Russie	un Russe	une Russe
la Suisse	un Suisse	une Suisse
la Suède	un Suédois	une Suédoise

Names of nationalities are capitalized when they are used as nouns to refer to people. Otherwise they are not capitalized:

C'est un Japonais.   He is a Japanese (citizen).
Il est japonais.   He is Japanese.
J'ai une voiture japonaise.   I have a Japanese car.
Il apprend le japonais.   He is learning Japanese.

Exercices (Oralement)

A. Répondez aux questions selon le modèle.

> *Modèle:* Est-ce que Pierre est né en France?
> *Oui, c'est un Français.*

1. Est-ce que Suzanne est née aux Etats-Unis?
2. Est-ce qu'Elizabeth est née au Canada?
3. Est-ce que Dimitri est né en Russie?
4. Est-ce que Spiros est né en Grèce?
5. Est-ce que Maria est née au Mexique?
6. Est-ce que Heidi est née en Suisse?
7. Est-ce qu'Erin est née en Irlande?
8. Est-ce que Klaus est né en Allemagne?

B. Répondez aux questions:

1. Es-tu canadien(ne)?
2. Est-ce que la Rolls-Royce est une voiture allemande?
3. Est-ce que la Volkswagen est une voiture suisse?
4. Est-ce que l'Ohio est une province canadienne?
5. Est-ce que Dickens est un auteur américain?
6. Est-ce que Madrid est une ville grecque?
7. Quelles sont les langues officielles au Canada? en Belgique? en Suisse?
8. Quelle est la langue officielle du Brésil? du Pérou? de la Suède?

Les moyens de transport

L'avion (**un avion** = a plane)

un aéroport	airport	**un steward**	steward
la douane	customs	**une hôtesse de l'air**	stewardess
un passeport	passport	**décoller**	to take off
un visa	visa	**atterrir**	to land
un pilote	pilot		

Le train

une gare	train station	**un aller-retour**	round trip (ticket)
un billet	ticket	**un wagon**	car
un aller simple	one-way (ticket)	**un wagon-restaurant**	diner

Le bateau

un port	harbor	**une cabine**	cabin
une réservation	reservation	**une couchette**	bunk bed
une croisière	cruise	**un pont**	deck

Le métro

une station	station	un jeton	token
descendre à une station	to get off at a station		

L'autobus

un terminus	bus station	un conducteur/ une conductrice	driver
un arrêt	bus stop	un express	express bus

Le taxi

un chauffeur	driver	un pourboire	tip
un client/	customer	payer la course	to pay the fare
une cliente	customer		

L'automobile

un/une auto- mobiliste	car driver	un chauffeur	driver
un conducteur/ une conductrice	driver	un passager/ une passagère	passenger
monter en voiture	to get in a car		
descendre de voiture	to get out of a car		

A pied (on foot)

aller (à l'université) à pied	to go (to the university) on foot
marcher	to walk
faire une promenade	to take a walk
traverser la rue	to cross the street
le trottoir	the sidewalk

Note the following contrasts:

1) — aller à . . . en avion, en train, etc.
   — prendre l'avion (le train, etc.) jusqu'à . . .
       Je vais à Montréal en train.
       Je prends le train jusqu'à Montréal.

2) — dans l'avion, dans le train, dans l'autobus (on a plane, a train or a bus);
   — sur le bateau (on a boat).

3) — les passagers is used for plane or boat passengers;
   — les voyageurs is used for train or bus passengers.

Exercices (Oralement)

A. Répondez par une phrase complète selon le modèle.

> *Modèle:* Comment es-tu allé(e) à New York?
> *J'y suis allé(e) en avion/en train/en voiture.*

Comment es-tu allé(e) à Londres? à Paris? à la bibliothèque?
à Cuba? au magasin? à l'Ile-du-Prince-Edouard?
à Montréal? à Vancouver? en Chine? aux Etats-Unis?
à Toronto? à Terre-Neuve? à la station Henri-Bourassa?
au cinéma? au zoo?

B. Répondez aux questions:

1. A quel aéroport prenez-vous généralement l'avion?
2. As-tu peur quand l'avion décolle? quand il atterrit?
3. Que fait une hôtesse de l'air? un steward?
4. Où est-ce qu'on prend le train?
5. Faut-il faire une réservation pour prendre le bateau?
6. As-tu déjà fait une croisière en bateau?
7. Où peut-on acheter des jetons de métro?
8. Est-ce qu'un autobus express fait beaucoup d'arrêts?
9. Est-ce que tu donnes des pourboires aux chauffeurs de taxi?

C. Rendez-vous d'un endroit à un autre et utilisez le plus grand nombre de moyens de transport.

> *Exemple:* J'ai pris l'avion jusqu'à Paris, ensuite j'ai pris le train jusqu'à Marseilles, ensuite . . .

EXERCICES ECRITS

A. Mettez les verbes au passé composé. Faites attention à l'accord du participe passé:

1. Hier soir, Ariane (sortir) _____ avec Frédéric. Ils (aller) _____ à un concert.
2. Lise (venir) _____ m'apporter un bouquet de roses.
3. Les enfants (arriver) _____ de l'école à quatre heures et ils (monter) _____ à leur chambre pour changer de vêtements.
4. Après les cours, Rose (rester) _____ à la bibliothèque pour faire sa composition.
5. Mes parents (partir) _____ en vacances.
6. La grand-mère de Simon (mourir) _____ il y a deux jours.

7. Marguerite (naître) _____ au Canada mais elle (aller) _____ habiter les Etats-Unis.

8. Il (tomber) _____ quand il (descendre) _____ du toit.

9. Nos amis (retourner) _____ au Manitoba.

10. Après leurs études, elles (devenir) _____ hôtesses de l'air.

B. Répondez aux questions affirmativement. Employez *y* ou *en*.

Modèles: Vas-tu à Montréal?

J'y vais.

As-tu un ticket d'autobus?

J'en ai un.

1. Sont-ils allés au cinéma hier soir?
2. Est-il retourné au Québec?
3. Est-elle partie de Vancouver?
4. Est-ce qu'elles font du ski?
5. Est-il revenu de la bibliothèque?
6. Est-ce que René est dans le jardin?
7. A-t-elle répondu aux questions?
8. Est-ce qu'ils veulent réfléchir à notre proposition?
9. Est ce-qu'il a acheté une voiture?
10. As-tu beaucoup de travail?
11. Ont-elles apporté des disques?
12. Est-ce qu'il pense acheter deux chiens?
13. Est-ce qu'elle prend des vitamines?
14. Descends-tu du train?
15. Achètes-tu des billets?
16. Vont-ils aux Etats-Unis?
17. Etes-vous resté(e)s longtemps au Manitoba?
18. Réfléchis-tu à ce projet?
19. Avez-vous des réservations?
20. Pensez-vous prendre une couchette?

C. Répondez aux questions par des phrases complètes:

1. Combien de compositions françaises as-tu écrites?
2. Quel livre lis-tu en ce moment?
3. A qui écris-tu des lettres?
4. Quel journal as-tu lu récemment?
5. Dis-tu toujours la vérité?
6. Avec qui est-ce que tu ris?
7. A qui souris-tu généralement?

D. Répondez aux questions affirmativement selon le modèle. Employez un pronom personnel objet direct ou le pronom *en*. Faites attention à l'accord du participe passé.

> ***Modèle:*** As-tu acheté cette voiture?
>> *Oui, je l'ai achetée.*

1. A-t-elle compris cette leçon?
2. As-tu écouté ce disque?
3. A-t-il fini sa croisière?
4. As-tu réservé la chambre?
5. A-t-il acheté des jetons de métro?
6. As-tu regardé des photos?
7. Ont-ils rapporté des souvenirs?
8. As-tu regardé le tableau de l'horaire?
9. As-tu appris la leçon?
10. As-tu lu ces dépliants publicitaires?
11. A-t-elle fait des voyages?
12. As-tu pris ma valise?
13. As-tu lu mes cartes postales?

E. Employez la préposition correcte:

1. Terre des Hommes est _____ Montréal mais la Tour du CN est _____ Toronto.
2. _____ Berlin il y a un mur célèbre mais il y en a un aussi _____ Chine.
3. L'Assemblée Nationale est _____ Québec mais _____ Ontario, _____ Ottawa, il y a la colline parlementaire.
4. La Maison Blanche est _____ Washington, _____ Etats-Unis, mais _____ Moscou, _____ Russie, il y a le Kremlin.
5. Le stade olympique est _____ Montréal mais le Stampede est _____ Calgary, _____ Alberta.

F. Transformez les phrases en mettant les verbes soulignés au passé composé. (Attention à l'accord du participe passé.)

> ***Modèle:*** Quelle revue lis-tu?
>> *Quelle revue as-tu lue?*

1. Quel cours choisit-il?
2. La voiture qu'il achète coûte cher.
3. Quels films regardes-tu?
4. Quel livre écrit-il?
5. C'est la chemise que j'achète.

G. Répondez affirmativement selon le modèle.

> ***Modèle:*** Est-ce qu'elle est née en Angleterre?
>> *Oui, elle est anglaise.*

1. Est-ce qu'il est né au Canada?
2. Est-ce qu'il est né au Japon?
3. Est-ce qu'elle est née en Irlande?
4. Est-ce qu'il est né aux Etats-Unis?
5. Est-ce qu'elle est née en Italie?
6. Est-ce qu'elle est née en Espagne?
7. Est-ce qu'il est né au Mexique?
8. Est-ce qu'il est né en Allemagne?
9. Est-ce qu'elle est née en Russie?
10. Est-ce qu'il est né au Québec?

H. Indiquez les moyens de transport appropriés.

> *Modèle:* Comment peut-on aller à New York?
>
> > *On peut aller à New York en avion, en train, en autobus et en automobile.*

Comment peut-on aller . . .

1. à Vancouver?
2. à l'université?
3. en Alaska?
4. en Angleterre?

5. à Montréal
6. à Terre-Neuve?
7. au centre-ville?
8. en Louisiane?

LECTURE

Du métro à l'aéroport Mirabel

A bord de l'avion; il est 8h30. Les passagers sont un peu fatigués après une course contre la montre pour attraper le vol 132 d'Air Canada qui est parti à 8h00 de l'aéroport Mirabel en direction de New York.

Jeanne Moisan, représentante d'une compagnie commerciale, est à bord de cet appareil. La semaine dernière, elle a téléphoné à Air Canada pour faire des réservations. Elle a pris un billet aller-retour New York-Montréal. On lui a réservé une chambre simple dans un hôtel reconnu avec un grand lit, toilette et douche. Avant de partir, Jeanne a averti ses collègues et son patron de son départ pour New York et de la date de son retour. Elle doit rencontrer deux directeurs d'entreprises qui vont peut-être acheter des produits de sa compagnie.

Comme d'habitude, Jeanne n'est pas sortie hier soir. Elle est restée chez elle et a fait ses bagages. Elle a mis son réveille-matin à 5h00 pour avoir le temps de faire ses derniers préparatifs. A 6h00 elle est sortie et est allée prendre le métro qui l'a amenée à l'hôtel d'où elle est montée dans l'autobus qui conduit les voyageurs à l'aéroport Mirabel.

Mirabel est situé à quelques minutes de Montréal. C'est l'endroit de départ et d'arrivée des vols internationaux. L'aéroport est un énorme bâtiment extrêmement moderne. Chaque ligne aérienne a son comptoir. Jeanne est allée au comptoir d'Air Canada où un employé a vérifié son billet, a pris et pesé ses bagages.

Le haut-parleur a annoncé: ''Les voyageurs à destination de New York, vol direct 132 d'Air Canada, à bord s'il vous plaît.''

Les hôtesses de l'air et les stewards, dans leur uniforme bleu marine, ont accueilli les voyageurs, leur ont souri et leur ont dit ''Bonjour''. Jeanne a pris place dans la section des non-fumeurs. Le capitaine leur a donné des renseignements sur la durée du vol, sur l'heure d'arrivée et sur l'altitude. Il leur a souhaité ''Bon voyage''.

L'enseigne ''ATTACHEZ VOS CEINTURES'' est allumée. C'est le décollage.

Enfin, c'est New York. Il est 9h15; l'avion atterrit doucement. Le travail recommence pour Jeanne Moisan.

à bord de	aboard	entreprise (f.)	firm
accueillir	to greet	fatigué(e)	tired
aller-retour	round trip	haut-parleur (m.)	loudspeaker
allumé(e)	lit; on (light)	ligne aérienne (f.)	airline
amener	to bring	lit (m.)	bed
appareil (m.)	plane	mettre	to put
attacher	to tie/to do up	métro (m.)	subway
atterrir	to land	partir	to leave
attraper	to catch	passager, ère (m., f.)	passenger
bâtiment (m.)	building	patron, patronne (m., f.)	boss
billet (m.)	ticket	peser	to weigh
ceinture (f.)	seat belt	peut-être	maybe
chambre simple (f.)	single room	prendre	to take
		préparatif (m.)	preparation
chez elle	at (her) home	produit (m.)	product
comme d'habitude	as usual	recommencer	to start again
		rencontrer	to meet
comptoir (m.)	counter	renseignement (m.)	information
conduire	to give a ride/ to take (somewhere)	représentant, ante (m., f.)	sales representative
course contre la montre (f.)	race against the clock	retour (m.)	return
		réveille-matin (m.)	alarm-clock
décollage (m.)	takeoff	semaine (f.)	week
départ (m.)	departure	sortir	to go out
dernier, ière	last	souhaiter	to wish
doucement	softly	sourire	to smile
douche (f.)	shower	temps (m.)	time
durée (f.)	duration	travail (m.)	work
enfin	at last	uniforme (m.)	uniform
employé(e) (m., f.)	clerk	vérifier	to check
endroit (m.)	place	vol (m.)	flight
énorme	huge, enormous	voyageur, euse (m., f.)	traveller
enseigne (f.)	sign		

Questions

1. Pourquoi les passagers sont-ils fatigués?
2. Quelle est la profession de Jeanne?
3. Quelles réservations a-t-elle faites?
4. Qu'est-ce qu'elle a fait avant de partir?
5. Comment est-elle arrivée à l'aéroport Mirabel?
6. Où est l'aéroport Mirabel?
7. Qu'est-ce que l'employé d'Air Canada a fait pour Jeanne?

8. Qu'est-ce que le haut-parleur annonce?
9. Que font les hôtesses de l'air? Et le capitaine?
10. Quelle est l'heure de départ et l'heure d'arrivée du vol 132?

SITUATIONS / CONVERSATIONS

1. Racontez un voyage que vous avez fait.

   Pourquoi êtes-vous allé(e) à cet endroit? Avec qui? Y êtes-vous allé(e) en avion, en train, en auto? Qu'est-ce que vous avez emporté? Qu'est-ce que vous avez visité? Quand êtes-vous parti(e) et revenu(e)? Qui avez-vous rencontré? etc.

2. Qu'avez-vous fait pendant vos vacances l'été dernier? L'hiver dernier?

   Réponses possibles: visiter un endroit, voir mes parents, faire des sports, aller à la mer, prendre du repos, faire du ski, faire un voyage, etc.

3. Quels pays ou quelles villes désirez-vous visiter et pour quelles raisons?

   Raisons: la montagne, la mer, la plage, le climat, la nature, les sites, les monuments, les restaurants, les sports, les vestiges des différentes civilisations, l'héritage national, la langue, les coutumes, le paysage, etc.

4. Racontez un incident désagréable qui vous est arrivé en voyage.

   Quand est-ce arrivé? A quel endroit? A quel moment? Qu'est-ce que vous avez fait ou dit? etc.

5. Avez-vous déjà voyagé en avion, en bateau, en train? Racontez votre premier voyage.

6. De tous les moyens de transport, lequel préférez-vous et pour quelles raisons?

7. Qu'est-ce qu'une automobile représente pour vous?

   Est-elle une nécessité? A quoi sert-elle? Est-elle à l'image de votre personnalité?

8. Présentez-vous au comptoir d'Air Canada, du Canadien, de l'Autobus Voyageur, ou de la Compagnie transatlantique et achetez des billets pour un voyage. Un(e) étudiant(e) joue le rôle du/de la client(e); un(e) autre étudiant(e) le rôle de l'employé(e).

COMPOSITIONS

1. Racontez un voyage exceptionnel que vous avez fait. Comment avez-vous voyagé? Avec qui? Qu'est-ce que vous avez visité?

2. Existe-t-il un pays où vous souhaitez vivre? Pour quelles raisons?

3. Imaginez une conversation entre deux passagers d'un vol aérien.

4. Racontez un accident que vous avez eu dans le passé.

PRONONCIATION

I.   *La voyelle nasale* /ɛ̃/

The nasal vowel /ɛ̃/ is associated with the spellings **aim, ain, ein, eim, in, im, yn** and **ym**.

Répétez:

pain	mince	symbole
rein	impur	syndicat
daim	saint	indécis
vin	ceinture	plainte

It is also associated with the spelling **-en** after **é, i** or **y** and with the spelling **in** after **o**:

Répétez:

Européen	loin	mien
bien	coin	tien
rien	soin	sien
moyen	foin	citoyen

II.   *Contraste* /ɛ̃/ — /ɛn/

Répétez:

plein/pleine	canadien/canadienne
vain/vaine	américain/américaine
chien/chienne	musicien/musicienne
mien/mienne	européen/européenne

ARTS ET SPECTACLES

Cirque du Soleil
Photo par Barry King

INTRODUCTION

Qu'est-ce que tu fais le dimanche?
  Je me repose et je me promène.

Est-ce que tu téléphones à tes parents?
  Oui, nous nous téléphonons et nous nous parlons toutes les semaines.

Quand est-ce que Nicole s'en va?
  Elle s'en va demain: elle se rend à Montréal.

Habille-toi! Nous sommes en retard.
  Ne t'inquiète pas; je m'habille tout de suite.

Voulez-vous vous reposer?
  Non, nous n'avons pas le temps de nous reposer: nous devons nous préparer pour le concert.

Depuis quand ce film passe-t-il à Montréal?
  On peut le voir dans plusieurs cinémas montréalais depuis le mois de janvier.

Depuis combien de temps es-tu cinéphile?
  Depuis plusieurs années.

Allez-vous quelquefois au théâtre?
  Malheureusement, nous ne pouvons pas y aller souvent parce que nous sommes presque toujours trop occupés.

GRAMMAIRE ET EXERCICES ORAUX

Les verbes pronominaux

Pronominal Verbs

Pronominal verbs are used with a reflexive pronoun which represents the same person or thing as the subject. The reflexive pronoun is placed before the verb and must agree with the subject: **me, te, se, nous, vous** are reflexive pronouns.

Here are the present indicative forms of **se laver** (to wash). Note the correspondences between subject pronouns and reflexive pronouns:

je me lave	I wash (myself)
tu te laves	you wash (yourself)
il se lave	he washes (himself)
elle se lave	she washes (herself)
on se lave	one washes (oneself)
nous nous lavons	we wash (ourselves)
vous vous lavez	you wash (yourself/yourselves)
ils se lavent	they wash (themselves)
elles se lavent	they wash (themselves)

The reflexive pronouns **me, te** and **se** become **m', t'** and **s'** before a vowel sound: **je m'habille** (I get dressed). The reflexive pronoun is placed immediately before the verb in the negative and interrogative constructions as well:

Elle ne s'habille pas.
Se lave-t-elle?

The reflexive pronoun may be either the direct object or the indirect object of the verb. Compare:

	Nonreflexive Construction	Reflexive Construction
Direct Object	Elle regarde la fleur.	Elle se regarde.
Indirect Object	Il parle à Jean.	Il se parle.

Meaning of Pronominal Verbs

Pronominal verbs indicate that the action of the verb is reflected back upon the subject. With a singular or plural subject, the verb usually indicates a *reflexive* action:

Je me regarde.	I look at myself.
Il se parle.	He is talking to himself.

With a plural or compound subject, the verb may indicate a *reciprocal* action:

Alain et Suzanne se regardent.	Alain and Suzanne are looking at each other.
Nous nous parlons.	We talk to each other (one another).

Some Regular -er Pronominal Verbs

s'arrêter	(to stop)	Il s'arrête au feu rouge.
s'inquiéter	(to worry)	Je m'inquiète parce qu'il est en retard.
se préparer	(to get ready)	Je me prépare pour le concert.
se promener	(to take a walk)	Nous nous promenons dans la Place des Arts.
se rencontrer	(to meet)	Nous nous rencontrons au cinéma.
se reposer	(to rest)	Il se repose après son spectacle.
se ressembler	(to resemble)	Les jumeaux se ressemblent.
se téléphoner	(to phone)	Elles se téléphonent souvent.

Note: All of these verbs are used in nonflexive constructions as well. Similarly, many other verbs which have been presented so far may also be used pronominally.

Exercices (Oralement)

A.   Remplacez les tirets par la forme correcte du verbe.

1. se réveiller tôt
Je _____ .
Elle _____ .
Vous _____ .
Ils _____ .

3. s'habiller rapidement
Je _____ .
Tu _____ .
Ils _____ .
Nous _____ .

5. se brosser les dents
Il _____ .
Tu _____ .
Nous _____ .
Vous _____ .

2. se coucher tard
Nous _____ .
Elles _____ .
Vous _____ .
Tu _____ .

4. se peigner les cheveux
Vous _____ .
Tu _____ .
Il _____ .
Elle _____ .

6. s'endormir doucement
Je _____ .
Ils _____ .
Tu _____ .
Vous _____ .

B.   Répondez aux questions affirmativement et négativement:

1. Est-ce que tu te laves le matin?
2. Est-ce que nous nous reposons en vacances?
3. Vous préparez-vous pour l'examen?
4. Est-ce que les chats et les chiens s'aiment bien?
5. Est-ce que je me promène dans la classe?
6. Les étudiants se rencontrent-ils au cinéma?
7. Est-ce que nous nous téléphonons?
8. Est-ce que vous vous inquiétez à cause du spectacle?
9. Est-ce que Roméo et Juliette s'aiment?
10. Est-ce que tu te regardes souvent dans le miroir?
11. Est-ce que vous vous parlez quand vous avez le trac?
12. T'habilles-tu avec élégance?

C.   Demandez à un(e) autre étudiant(e) s'il/si elle . . .

1. se lave.
2. se promène dans les bois.
3. s'habille chaudement.
4. se repose à midi.
5. s'arrête au feu rouge.

6. se prépare pour l'examen.
7. se promène avec vous.
8. se lève tôt.
9. s'inquiète à cause de son audition.
10. se maquille.

D. Répondez aux questions:

1. Où les étudiants se rencontrent-ils?
2. Pourquoi s'habille-t-on élégamment pour le concert?
3. Pourquoi se lave-t-on?
4. Quand est-ce que tu te laves?
5. Pourquoi t'inquiètes-tu?
6. Où te promènes-tu?
7. Quand est-ce que vous vous téléphonez, tes parents et toi?
8. Est-ce que tes parents s'inquiètent à cause de toi?
9. Est-ce que vous vous ressemblez, ton père et toi? ta mère et toi?
10. Est-ce que tu t'habilles à la mode?
11. Quand est-ce que tu te reposes?

Verbes pronominaux à sens idiomatique

A number of pronominal verbs do not indicate a reflexive or reciprocal action but have an idiomatic meaning. Some of these verbs only exist in the pronominal form, like **se méfier de** (to mistrust/to distrust) or **se souvenir de** (to remember). They may also be verbs whose pronominal form has a meaning which is different from their nonpronominal form:

aller	to go	**s'en aller**	to go away/to leave
appeler	to call	**s'appeler★**	to be named
attendre	to wait	**s'attendre à**	to expect
entendre	to hear	**s'entendre avec**	to get along with
rendre	to give back	**se rendre à**	to go to
servir	to serve	**se servir de**	to use
trouver	to find	**se trouver**	to be located

Exercices (Oralement)

A. Répondez aux questions affirmativement et négativement:

1. Est-ce que tu t'en vas après la classe?
2. Est-ce que tu t'appelles Marc?
3. Est-ce que tu t'appelles Sylvie?
4. Est-ce que je m'appelle Gaston?
5. Est-ce que tu t'entends avec tes parents?
6. Le chef d'orchestre s'entend-il bien avec les musiciens?
7. Les artistes s'entendent-il bien ensemble?
8. Est-ce que vous vous rendez au théâtre après la classe?
9. Est-ce que tu te rends souvent à Montréal en train?

★ **S'appeler** may also have a reciprocal meaning, i.e., ''Ils s'appellent au téléphone.'' (They call each other on the phone.)

10. Est-ce que le metteur en scène s'attend à des miracles?
11. Est-ce que vous vous attendez à un four?
12. Est-ce que tu te sers d'un pinceau?
13. Est-ce que je me sers de gouache?
14. Est-ce qu'on se sert de peinture pour une aquarelle?
15. Est-ce que l'acteur de sert de sa mémoire?
16. Est-ce que tu te souviens du chapitre un?
17. Est-ce que les vieux acteurs se souviennent de leur rôle?
18. Vous souvenez-vous de la première heure de cours?
19. Est-ce que tu te méfies de tout le monde?
20. Est-ce que les artistes se méfient des critiques?
21. Est-ce que le théâtre se trouve au centre-ville?

B. Demandez à un(e) autre étudiant(e) s'il/si elle . . .

1. s'entend bien avec les artistes.
2. se sert d'un ordinateur.
3. se souvient de sa première pièce de théâtre.
4. se rend chez lui/elle après la classe.
5. s'attend à un succès.
6. s'attend à avoir de bonnes notes en interprétation.
7. s'appelle Honoré.
8. s'en va après la classe.
9. se met au travail.
10. se sert de peinture à l'huile.
11. se méfie des critiques.
12. s'attend à des éloges.
13. se souvient de la date de l'exposition.

C. Répondez aux questions:

1. De quoi te sers-tu pour peindre?
2. Où se trouve le studio?
3. Dans quelle ville se trouve la Place des Arts?
4. A quel genre de film est-ce que tu t'attends?
5. Avec qui t'entends-tu bien?
6. Avec qui est-ce que tu ne t'entends pas bien?
7. Est-ce que je me souviens de tous vos noms?
8. Comment s'appelle ton actrice favorite?
9. Comment est-ce que je m'appelle?
10. Comment t'appelles-tu?
11. De quoi nous servons-nous pour faire une aquarelle?
12. Où est-ce que tu te rends après la classe?

Place et forme du pronom réfléchi (suite)

When the pronominal verb is used in the affirmative imperative, the reflexive pronoun is placed after the verb. The reflexive pronoun **te** becomes **toi**. Compare:

Declarative	Imperative
Tu t'habilles.	Habille-toi.
Nous nous habillons.	Habillons-nous.
Vous vous habillez.	Habillez-vous.

When the verb is in the negative imperative, the reflexive pronoun remains before the verb:

Ne t'habille pas.   Ne nous habillons pas.   Ne vous habillez pas.

When the pronominal verb is used in the infinitive form after another conjugated verb, the reflexive pronoun must agree with the subject of that verb:

Je dois m'habiller.   Nous voulons nous promener.
Tu dois te laver.   Vous pouvez vous reposer.
Il aime se regarder.   Ils veulent se téléphoner.
Elle ne veut pas s'en aller.   Elles doivent s'arrêter.
On doit se préparer.

Exercices (Oralement)

A. Dites à un(e) autre étudiant(e) de . . .

> *Modèles:* s'en aller.
> *Va-t'en.*
> ne pas s'inquiéter.
> *Ne t'inquiète pas.*

1. s'attendre à des difficultés.
2. se servir d'un microphone.
3. ne pas s'arrêter.
4. ne pas s'en aller.
5. se rendre au concert.
6. ne pas s'attendre à un four.
7. se mettre au travail.
8. se trouver au studio à six heures.
9. se préparer à une surprise.
10. ne pas se servir de votre chevalet.
11. se promener avec son chien.
12. se reposer.
13. ne pas se laver maintenant.

B. Demandez à un(e) autre étudiant(e) s'il/si elle . . .

> *Modèle:* veut s'en aller.
> *Veux-tu t'en aller?*

1. doit se rendre au musée.
2. aime se servir d'un ordinateur.
3. déteste se costumer.
4. espère pouvoir se reposer.
5. doit se préparer pour un concert.
6. sait se servir d'une craie.
7. peut se souvenir de la date du ballet.
8. compte se rendre à Montréal bientôt.
9. veut s'habiller à la mode.

Place des pronoms objets avant le verbe

Direct and indirect object pronouns along with **y** and **en** may be used in various combinations before a verb. The sequence in which they are placed is the following:

me	+	le	+	lui	+	y	+	en
te		la		leur				
se		les						
nous								
vous								

> *Exemples:* Il me rend mon livre. ⟶ Il me le rend.
> Il lui rend son livre. ⟶ Il le lui rend.
> Il y a des livres ici. ⟶ Il y en a ici.
> Je leur donne des livres. ⟶ Je leur en donne.

In the negative, **ne** precedes the pronouns which precede the verb:

> Il ne nous le donne pas.

In a question using inversion, the pronouns also precede the verb:

> Vous les donne-t-il?

When an infinitive follows another conjugated verb, the pronouns precede the infinitive:

> Elle veut me les donner.

When the verb is in the **passé composé**, the pronouns precede the auxiliary verb:

> Il ne m'en a pas donné.
> Nous le lui avons prêté.

Exercices (Oralement)

A. Répondez aux questions d'après le modèle.

> *Modèle:* Est-ce que tu me rends mon livre?
> *Oui, je te le rends.*

1. Est-ce que tu lui donnes ton livre?
2. Est-ce que tu lui donnes le tableau?
3. Est-ce que tu lui donnes les billets de théâtre?
4. Est-ce que tu leur prêtes ton violon?
5. Est-ce que tu leur prêtes ton ordinateur?
6. Est-ce que tu leur prêtes tes costumes?
7. Est-ce que tu me rends ma cravate?
8. Est-ce que tu me rends mon pinceau?
9. Est-ce que tu me rends mes disques?
10. Est-ce que tu nous rends nos magazines?
11. Est-ce que tu nous rends notre chevalet?
12. Est-ce que tu nous rends nos photographies?
13. Est-ce que tu le prêtes à Serge?
14. Est-ce que tu le donnes à Monique?
15. Est-ce que tu le vends aux Archambault?
16. Est-ce que tu la rends aux danseurs?
17. Est-ce que tu les donnes aux musiciens?

B. Même exercice.

> *Modèle:* Est-ce que tu lui as prêté la voiture?
> *Oui, je la lui ai prêtée.*

1. Est-ce que tu leur as prêté le cahier?
2. Est-ce que tu leur as prêté la partition?
3. Est-ce que tu leur as prêté tes tambours?
4. Est-ce que tu lui as donné les tutus?
5. Est-ce que tu lui as donné le film?
6. Est-ce que tu lui as donné ta flûte?
7. Est-ce que tu m'as prêté ta caméra?
8. Est-ce que tu m'as prêté tes disques?
9. Est-ce que je t'ai emprunté ton livre?
10. Est-ce que je t'ai emprunté tes jumelles?
11. Est-ce que tu les as prêtés à Jean?
12. Est-ce que tu les as donnés aux chanteurs?
13. Est-ce que tu les as empruntés aux Brault?
14. Est-ce que tu les as vendus à Réjeanne?

C. Même exercice.

> *Modèle:* Est-ce que tu leur donnes beaucoup d'argent?
> *Oui, je leur en donne beaucoup.*

1. Est-ce que tu lui empruntes de l'argent?
2. Est-ce que tu lui empruntes beaucoup d'argent?
3. Est-ce que tu lui donnes assez d'argent?
4. Est-ce que tu lui donnes de l'argent?
5. Est-ce que tu lui sers du vin?
6. Est-ce que tu lui sers de la bière?
7. Est-ce que tu lui donnes des disques?
8. Est-ce que tu leur prêtes des photographies?
9. Est-ce que tu lui empruntes un livre?
10. Est-ce que tu lui vends une sculpture?
11. Est-ce que tu lui prépares deux sandwiches?
12. Est-ce que tu leur donnes trois chèques?
13. Est-ce que tu lui parles de tes problèmes?
14. Est-ce que tu leur parles de tes projets?
15. Est-ce que tu lui as donné des conseils?
16. Est-ce que tu leur as servi du champagne?
17. Est-ce que tu lui as emprunté de la peinture?
18. Est-ce que tu lui as prêté un peu d'argent?
19. Est-ce que tu leur as acheté un piano?
20. Est-ce que tu leur as acheté un orgue?
21. Est-ce que tu leur as vendu des tableaux?
22. Est-ce qu'il y a de l'eau?

23. Est-ce qu'il y a <u>du vin</u>?
24. Est-ce qu'il y a <u>des comédiens</u>?
25. Est-ce qu'il y a <u>beaucoup de comédiennes</u>?
26. Est-ce qu'il y a <u>trois représentations</u>?

D. Même exercice.

> *Modèle:* Veux-tu m'emprunter <u>de l'argent</u>?
> *Oui, je veux t'en emprunter.*

1. Vas-tu me vendre <u>des disques</u>?
2. Vas-tu me servir <u>du café</u>?
3. Veux-tu me prêter <u>de l'argent</u>?
4. Veux-tu lui donner <u>un tableau</u>?
5. Dois-tu leur donner <u>des livres</u>?
6. Dois-tu leur donner <u>de l'argent</u>?
7. Peux-tu me prêter <u>un chevalet</u>?

E. Même exercice.

> *Modèle:* Veux-tu me donner <u>ta bicyclette</u>?
> *Oui, je veux te la donner.*

1. Peux-tu me passer le <u>microphone</u>?
2. Veux-tu me prêter <u>tes écouteurs</u>?
3. Vas-tu lui acheter <u>cette radio</u>?
4. Est-ce que je vais vous rendre <u>vos partitions</u>?
5. Est-ce que tu peux me prêter <u>tes notations musicales</u>?
6. Est-ce que vous devez me donner <u>vos compositions</u>?
7. Est-ce que tu dois leur rendre <u>ces costumes</u>?
8. Est-ce que tu veux me vendre <u>la sculpture</u>?
9. Est-ce que tu vas nous vendre <u>tes figurines</u>?
10. Est-ce que tu vas leur vendre <u>cette statue</u>?

Depuis + *présent de l'indicatif*

The present tense is used in conjunction with the preposition **depuis** to indicate that an action or condition began in the past and is still going on in the present. This corresponds to the use of the present perfect with "since" and "for" in English.

1) **Depuis quand?** (Since when/How long)
   The preposition **depuis** may be followed by an expression which indicates the point in time when the action or condition began: it then has the meaning of "since". **Depuis quand** is used in a question which would elicit such an answer:

> **Depuis quand est-il malade? — Depuis mardi.**
> Since when has he been sick? — Since Tuesday.
> **Nous étudions le français depuis le mois de septembre.**
> We have been studying French since September.

2) **Depuis combien de temps?** (How long/For how long)
Depuis may also be followed by an expression indicating the length of time during which the action or condition has been going on. In this instance, its meaning corresponds to ''for''. **Depuis combien de temps** is used in the corresponding question:

> **Depuis combien de temps travaille-t-il? — Depuis deux ans.**
> How long has he been working? — For two years.
>
> **Il est malade depuis une semaine.**
> He has been sick for a week.

Exercices (Oralement)

A. Répondez aux questions d'après le modèle.

> *Modèle:* Depuis quand es-tu ici? (hier)
> *Je suis ici depuis hier.*

1. Depuis quand sommes-nous dans la salle de théâtre? (10h30)
2. Depuis quand étudies-tu la musique? (septembre)
3. Depuis quand fais-tu du piano? (1980)
4. Depuis quand est-ce que tu joues ce personnage? (l'an dernier)
5. Depuis quand est-il malade? (dimanche)
6. Depuis quand sortent-ils ensemble? (le commencement des cours)

B. Répondez aux questions d'après le modèle.

> *Modèle:* Depuis combien de temps sommes-nous dans la classe? (une demi-heure)
> *Nous sommes dans la classe depuis une demi-heure.*

1. Depuis combien de temps fait-il froid? (deux semaines)
2. Depuis combien de temps pleut-il? (trois jours)
3. Depuis combien de temps as-tu mal à la tête? (10 minutes)
4. Depuis combien de temps est-ce que je parle? (une heure)
5. Depuis combien de temps vas-tu à l'académie de danse? (six mois)
6. Depuis combien de temps est-ce qu'elle s'habille? (une demi-heure)
7. Depuis combien de temps est-il dans la salle de bain? (20 minutes)
8. Depuis combien de temps est-ce qu'il est pianiste? (3 mois)
9. Depuis combien de temps sont-ils là? (5 jours)

C. Voilà la réponse. Posez la question appropriée, soit avec *depuis quand*, soit avec *depuis combien de temps*:

1. Il a le rôle depuis trois jours.
2. Nous nous promenons depuis ce matin.
3. Elle se repose depuis dix minutes.
4. Ils s'aiment depuis dix ans.
5. Je fais de la fièvre depuis samedi.
6. Elle regarde la télé depuis cet après-midi.

7. Il fait de la danse depuis un mois.
8. Elle se prépare depuis deux heures.
9. Il est en tournée depuis l'an dernier.
10. Nous travaillons dans cette troupe depuis 1975.
11. Ils se promènent depuis dix heures du matin.
12. Il dort depuis hier soir.
13. Elle pratique depuis une demi-heure.
14. Je joue aux échecs depuis six mois.
15. Nous étudions la comédie depuis septembre.

Les adverbes

Formation

1) Many adverbs are formed by adding **-ment** to adjectives according to the following rules:

Add **-ment** to the *feminine* form of the adjective if its masculine form ends in a consonant:

fier	fière	fièrement
général	générale	généralement
habituel	habituelle	habituellement
heureux	heureuse	heureusement
long	longue	longuement
réel	réelle	réellement

Add **-ment** to the *masculine* form of the adjective if it ends in a vowel:

facile	facilement	pratique	pratiquement
ordinaire	ordinairement	vrai	vraiment

If the masculine form of the adjective ends in **-ant** or **-ent**, replace those endings with **-amment** and **-emment**:

constant	constamment	récent	récemment

2) A number of frequently used adverbs are not formed from adjectives:

assez	ici (here)	quelquefois (sometimes)
beaucoup	là (there)	souvent (often)
bien (well)	mal (badly)	toujours (always)
déjà (already)	même (even)	très (very)
encore (still/yet)	peu	trop
enfin (finally)	presque (almost)	vite (quickly)

Position in the Sentence

1) When adverbs modify a verb in a simple tense, such as the present, the adverb immediately follows the verb (or **pas** in the negative):

Il ne va pas souvent au cinéma.

Il va quelquefois au théâtre.

Elle parle constamment en classe.

When the verb is in a compound tense, such as the **passé composé**, short adverbs are placed between the auxiliary verb and the past participle, but adverbs in **-ment** are often placed after the past participle:

> Il a presque terminé.
> Nous sommes déjà allés chez eux.
> Elle a répondu poliment.

2) Adverbs modifying an adjective or another adverb are placed immediately before the word they modify:

> Il est très fatigué.
> Elle a fort bien joué.

3) Adverbs modifying a whole sentence are placed at the beginning or at the end of the sentence:

> Heureusement, il ne nous a pas vus.
> Il fait trop chaud ici.

Exercices (Oralement)

A. Voici le masculin de l'adjectif. Formez l'adverbe correspondant.

actif; nouveau; malheureux; doux; rationnel; pénible; certain; énergique; grand; ancien; généreux; joli; sérieux; exceptionnel; fréquent; méchant; attentif

B. Formez les adverbes et insérez-les dans les phrases.

1. Jean-Louis joue au Grand Théâtre. (habituel)
2. Charlotte aime le jazz. (réel)
3. Elle parle de son spectacle. (abondant)
4. Vous jouez du piano. (merveilleux)
5. Ils ont oublié leur texte. (complet)
6. Il a choisi de nouveaux acteurs. (final)
7. L'orchestre a acheté de nouveaux instruments. (heureux)
8. Elle joue le même rôle. (constant)
9. Nous comprenons votre position. (absolu)
10. Nous apprécions votre critique. (véritable)

C. Insérez l'adverbe entre parenthèses dans la phrase, à la place appropriée:

1. Elle se lave le matin. (toujours)
2. Nous avons fini nos exercices. (presque)
3. Ils s'entendent avec leurs camarades. (bien)
4. Je suis allé(e) à la montagne. (souvent)
5. Est-ce que tu joues aux échecs? (encore)
6. J'ai dormi la nuit dernière. (trop)
7. Il compose une nouvelle pièce. (encore)
8. Je vais au théâtre (souvent)
9. Il vient à l'opéra. (quelquefois)
10. Il joue ce rôle. (mal)

Les articles et la négation — rappel

When a verb is in the negative, remember to apply the following rules concerning the articles which precede the direct object:

1) The definite articles **le, la, les** do not change:

Prends la serviette.   Ne prends pas la serviette.
Il écoute les oiseaux.   Il n'écoute pas les oiseaux.

2) The indefinite articles **un, une, des** and the partitive articles **du, de la, de l', des** all become **de**:

Il mange un sandwich.   Il ne mange pas de sandwich.
Elles vendent des livres.   Elles ne vendent pas de livres.
Il a apporté du vin.   Il n'a pas apporté de vin.
Il y a de l'eau ici.   Il n'y a pas d'eau ici.

This change does not occur after **être**:

C'est un homme remarquable: Ce n'est pas un homme remarquable.
C'est de la folie.   Ce n'est pas de la folie.

Exercice (Oralement)

Mettez à la forme négative:

1. Elle m'a emprunté de l'argent.
2. Je pense trouver des violons chinois.
3. Tu vas nous apporter un tableau.
4. Mon père veut me payer un orgue.
5. Elle fait du théâtre depuis un an.
6. Je connais une pièce moderne.
7. C'est un comédien dévoué.
8. Allons écouter un concert.
9. Elle admire l'ami de Pierre.
10. Marc m'a prêté un disque de jazz.
11. Il faut manger de la viande.
12. Ce sont des artistes bizarres.
13. Elle porte un costume du 17ᵉ siècle.
14. J'aime faire des cadeaux à mes amis.

EXERCICES ECRITS

A. Insérez le pronom réfléchi qui convient:

1. Nous _____ reposons pendant la fin de semaine.
2. Servez- _____ d'un ordinateur.
3. Nous _____ rencontrons à cinq heures.
4. Ne _____ inquiète pas!
5. Souviens- _____ de notre rendez-vous.
6. Elle _____ promène avec son chien.
7. Alain et Suzanne _____ entendent bien ensemble.

B. Répondez aux questions par des phrases complètes:

1. Est-ce qu'on s'arrête à un feu rouge?
2. Est-ce que tu t'inquiètes pour ton avenir?
3. Où est-ce que tu te promènes?
4. Comment t'appelles-tu?

5. Est-ce que tu te rends souvent à Sherbrooke?
6. Où se trouve le cinéma?
7. Te sers-tu d'un calculatrice pour faire une addition?
8. Est-ce que tu t'attends à réussir à l'audition?
9. Est-ce que le violoncelle et l'alto se ressemblent?
10. Est-ce que tu te laves le matin?

C. Remplacez les tirets par le verbe pronominal approprié. Laissez le verbe à l'infinitif mais mettez le pronom à la forme qui convient.

   Verbes: se servir, se promener, se reposer, s'attendre, s'en aller, s'aimer, se rencontrer, s'habiller, s'entendre.

1. Quand on est fatigué, on doit _____ .
2. Pour peindre, j'aime _____ d'une spatule.
3. Nous allons _____ demain pour en parler ensemble.
4. Elle veut _____ à la dernière mode.
5. As-tu envie de _____ dans le bois?
6. Si tu ne pratiques pas, tu dois _____ à de fausses notes.
7. Je préfère _____ avec tout le monde, même avec des gens difficiles.
8. Comme tous les amoureux, vous espérez _____ toute votre vie.
9. Il est tard: je dois _____ .

D. Remplacez les mots soulignés par des pronoms.

   Modèle: Il n'a pas prêté sa voiture à Pierre.
      Il ne la lui a pas prêtée.

1. Mon ami m'a rendu deux livres.
2. Il offre un cadeau à ses parents.
3. Elle achète ses costumes à Montréal.
4. Je vous ai prêté ma caméra.
5. Lui as-tu emprunté de l'argent?
6. Il n'a pas répondu à son maître.
7. Elles doivent me rendre ma partition.
8. Tu dois la rendre à Jean demain.
9. Mon père va m'acheter une flûte.
10. Donne-moi le film.
11. Prête le tutu à Sylvie.
12. Vends tes disques à tes amis.
13. Ne m'emprunte pas d'argent!

E. Répondez aux questions par des phrases complètes:

1. Depuis quand étudiez-vous le cor?
2. Depuis combien de temps allez-vous au Conservatoire?
3. Depuis combien de temps habitez-vous dans cette ville?
4. Depuis quand le jazz existe-t-il?

F. Complétez les phrases:

1. Depuis un an, je . . .
2. Je danse le ballet depuis. . . .
3. Nous n'avons pas vu de bon film depuis. . . .
4. Depuis une heure, la chanteuse. . . .
5. Depuis six mois, je. . . .

G. Formez un adverbe et mettez-le dans la phrase.

Modèle: Nous avons fini notre travail. (entier).
Nous avons entièrement fini notre travail.

1. Elle a oublié l'heure. (complet)
2. Nous nous sommes mis à la tâche. (rapide)
3. Il nous a parlé de son rôle. (fréquent)
4. Les émissions de télévision sont intéressantes. (exceptionnel)
5. Elle exécute une pièce. (pénible)
6. Nous travaillons tous les soirs. (trop)
7. Je pratique le piano le matin. (toujours)
8. Ils écoutent des disques de jazz. (souvent)
9. Vous allez au théâtre. (quelquefois)
10. Est-ce que tu as joué de la flûte? (encore)

H. Mettez à la forme négative:

1. Il a pris la clarinette.
2. Le chat joue du piano.
3. Ce sont des émissions intéressantes.
4. Il y a des flûtistes dans l'orchestre symphonique.
5. Ma voisine a acheté un tourne-disque.
6. L'enfant a du talent.
7. Il fait du soleil depuis trois jours.
8. C'est un tableau fascinant.

LECTURE

Arts et spectacles

Vous en avez assez de la routine. Vous voulez sortir, vous divertir, vous trouver parmi d'autres gens, vous rafraîchir l'esprit. Ouvrez le journal à la rubrique ''Arts et spectacles''. A Montréal, vous avez le choix: il y en a pour tous les goûts.

Pour les amateurs d'art, il y a d'abord les expositions du Musée des Beaux-Arts et du Musée d'Art Contemporain. Profitez-en pour faire le tour des collections permanentes. Ensuite, allez flâner d'une galerie à une autre le long des rues Sherbrooke et Saint-Denis. Vous allez y trouver des tableaux, des aquarelles et des photographies. On y expose les oeuvres d'artistes québécois, canadiens et étrangers.

Vous adorez le cinéma, vous allez regarder tous les nouveaux films, vous connaissez tous les metteurs en scène; une seule difficulté: qu'est-ce que vous allez choisir? Il y a au moins cent trente cinémas à Montréal. On y passe tous les films récents: canadiens, américains, québécois, anglais, français. On trouve également des films d'autres pays, soit en version originale avec sous-titres, soit doublés. Certains cinémas se spécialisent dans les films anciens, les classiques du cinéma, les rétrospectives. En août, il y a le festival international du film: vous pouvez regarder trois ou quatre films différents chaque jour pendant une dizaine de jours.

Les théâtres vous ouvrent leurs portes ainsi que les cafés-théâtres où vous pouvez assister à une pièce et prendre une consommation ou même un repas. Mais vous préférez peut-être le ballet ou le concert? La Place des Arts en présente régulièrement; des solistes, des quatuors ou même des orchestres symphoniques se produisent dans certaines églises.

Vous êtes plutôt porté vers les variétés? Allez dans un des clubs du Vieux-Montréal écouter des chanteurs-compositeurs. Pour le jazz et le rock, il existe de multiples bars, clubs et cafés. Les groupes de rock qui attirent les foules se produisent à l'amphithéâtre du stade olympique.

Vous ne voulez pas seulement écouter, mais aussi danser et rencontrer de nouvelles personnes: vous avez le choix entre le quartier Saint-Denis où on parle français et le quartier de l'Ouest où on parle anglais. Les clubs et les discothèques abondent. La soirée va être longue . . . .

abonder	to be plentiful	**goût** (m.)	taste
amateur d'art (m.)	art lover	**journal** (m.)	newspaper
aquarelle (f.)	watercolor	**metteur en scène**	
ancien, ienne	old	(m.)	director (film)
assister à	to attend/to see (a show)	**nouveau, nouvelle**	new
		oeuvre (f.)	work
attirer	to attract	**ouvrir**	to open
chanteur, euse (m., f.)	singer	**parmi**	among
		passer un film	to show a film
chaque	each	**pays** (m.)	country
choix (m.)	choice	**pendant**	during
connaître	to know	**pièce** (f.)	play
détendu(e)	relaxed	**porte** (f.)	door
(se) divertir	to have fun	**porté(e): être —**	to be inclined
dizaine	ten or so	**(se) produire**	to perform
doublé	dubbed	**profiter de**	to take advantage of
église (f.)	church	**quartier** (m.)	area, neighborhood
en avoir assez de	to have had enough of, to be bored with	**rencontrer**	to meet
		(se) rafraîchir	to refresh
esprit (m.)	mind	**rubrique** (f.)	column
étranger, ère	foreign	**seul(e)**	alone, only
exposer	to exhibit	**seulement**	only
exposition (f.)	exhibition	**soit**	either
flâner	to stroll	**sous-titre** (m.)	subtitle
foule (f.)	crowd	**spectacle** (m.)	show
galerie (f.)	art gallery	**tableau** (m.)	painting

Questions

1. Qu'est-ce que c'est, la routine?
2. Quand on veut sortir, comment s'informe-t-on?

3. Qu'est-ce qu'il y a dans un musée d'art?
4. Quels genres d'expositions y a-t-il dans les galeries? Quels artistes y sont représentés?
5. Quels genres de films peut-on regarder à Montréal?
6. Préférez-vous les films doublés ou les films sous-titrés? Pourquoi?
7. Que peut-on faire dans un café-théâtre?
8. Où peut-on aller entendre de la musique classique?
9. Où va-t-on pour écouter du jazz et du rock?
10. Dans quels quartiers y a-t-il des discothèques?

SITUATIONS / CONVERSATIONS

1. Vous voulez sortir en groupe. L'un(e) de vous veut aller au cinéma, un(e) autre veut aller à un concert de musique classique, un(e) autre encore veut aller au théâtre ou dans un club de jazz ou dans un discothèque, etc. Présentez des arguments pour justifier votre choix (les qualités uniques du spectacle que vous choisissez, la médiocrité des autres, etc.).

2. Parlez d'un film récent que vous avez aimé: la mise en scène; le jeu des acteurs; la photographie; l'histoire; les qualités comiques, dramatiques, sentimentales; l'imagination; la valeur psychologique, sociologique ou simplement humaine.

3. Décrivez votre tableau préféré. Qui est le peintre? Parlez de la composition, des couleurs, du sujet.

4. *Dans un bar, un café, une discothèque.* Vous faites la connaissance d'une jeune femme ou d'un jeune homme qui vous intéresse. Faites la conversation.

5. Vous êtes à Montréal en visite. Vous ne connaissez pas la ville, mais vous y avez un(e) ami(e). Demandez-lui des conseils: où aller pour visiter des expositions, écouter de la musique, danser?

Exemple:

TON AMI(E): Qu'est-ce que tu veux faire?
TOI: Je veux écouter de la musique.

TON AMI(E): Quel genre de musique?
TOI: Du jazz. Tu connais un bon club où il y en a?

TON AMI(E): Oui, j'en connais certains.
TOI: Je cherche un endroit, où il n'y a trop de monde et où ce n'est pas trop cher.

TON AMI(E): Alors, va à ce petit bar qui se trouve dans la rue Saint-Denis.
TOI: Est-ce que c'est loin?
TON AMI(E): Non, tu peux y aller à pied.

COMPOSITIONS

1. Vous avez visité un musée d'art. Racontez votre visite et parlez des oeuvres que vous avez admirées et qui vous ont impressionné(e).

2. Etes-vous amateur de théâtre? de ballet? de cinéma? de musique? Exposez vos goûts, vos préférences. Allez-vous souvent au spectacle?

3. Décrivez un bar, un café ou une discothèque que vous aimez: le décor, la clientèle, l'ambiance.

PRONONCIATION

I.   Le son a (/a/)

Répétez d'après le modèle:

amour	arme	patte *paw*	voyage	banal
ami	appeler	rate	visage	final
adolescent	amener	date	arabe	terminal
agacer *annoy*	année	chatte	salade	rural
abri	assis	latte	macabre	festival

II.   Le r final

Répétez d'après le modèle:

1.	bar	fard	marc	retard
	car	part	gare	départ
	dard	lard	rare	hasard
2.	partir	finir	choisir	ouvrir
	sortir	réfléchir	offrir	jaunir
3.	mort	dors	port	encore
	bord	sors	tort	adore
4.	mur	dur	bure	parure
	pur	sur	cure	hachure
5.	pour	jour	amour	détour
	tour	sourd	toujours	rebours
6.	peur	soeur	laideur	rameur
	coeur	beurre	horreur	chanteur

CHAPITRE ONZE

LES JEUNES ET LA VIE

Photo avec la permission de l'Université du Québec à Montréal

INTRODUCTION

Est-ce que ta vie professionnelle est plus importante que ta vie familiale?

Non, ma vie familiale est aussi importante que ma vie professionnelle.

Est-ce que Marc est un bon garçon?
  C'est le meilleur garçon de la classe.

Est-ce qu'il est sérieux?
  Il est plus sérieux que moi.

Regardez par la fenêtre.
Qu'est-ce que vous voyez?
  Nous voyons des jeunes qui se promènent main dans la main.

Est-ce que tu crois au coup de foudre?
  Je n'y crois pas mais ma soeur y croit.

Suzanne, à quelle heure t'es-tu levée?
  Je me suis levée à sept heures; ensuite je me suis lavée et je me suis brossé les cheveux.

Est-ce que Pierre et Aline se sont téléphoné?
  Non, ils ne se sont pas téléphoné mais ils se sont rencontrés au restaurant.

GRAMMAIRE ET EXERCICES ORAUX

Le comparatif de l'adjectif

Comparative of Superiority

The comparative of superiority in English is formed by using "more" before the adjective or by adding the suffix **-er** to the adjective (warm<u>er</u>). In French, only one structure is used: the adverb **plus** is placed before the adjective and **que** follows it:

Paul est un garçon <u>plus</u> gentil <u>que</u> René.
Un chimpanzé est <u>plus</u> intelligent <u>qu'</u>un chien.

Bon (good) has an irregular comparative form which is the equivalent of "better": **meilleur, meilleure, meilleurs, meilleures.**

Le champagne est <u>meilleur que</u> la bière.
Suzanne est une <u>meilleure</u> pilote <u>que</u> Lucie.

Bon marché (inexpensive) also has an irregular comparative form which is invariable: **meilleur marché.**

Cette robe est <u>meilleur marché que</u> ton pantalon.

Comparative of Equality: <u>aussi</u> . . . <u>que</u> (as . . . as)

Il est devenu <u>aussi</u> grand <u>que</u> son père.
La politique est-elle <u>aussi</u> importante <u>que</u> l'économie?

Comparative of Inferiority: moins . . . que (less . . . than)

Les enfants sont <u>moins</u> inhibés <u>que</u> les adultes.
Le français est <u>moins</u> difficile <u>que</u> le chinois.

Note: The comparative occupies the same position as the adjective normally would, either before or after the noun modified:

Jean est un <u>bel</u> homme.   C'est un garçon <u>sympathique</u>.
Jean est un <u>plus bel</u> homme que René.   C'est un garçon <u>plus sympathique</u> que son frère.

Stress pronouns may be used in comparisons after **que**:
Hélène est meilleure que <u>moi</u> au tennis.   Elle est plus intelligente que <u>lui</u>.

Exercices (Oralement)

A. Faites des comparaisons (supériorité et infériorité) d'après le modèle.

Modèle: Je suis aimable. Henri est plus aimable.
Henri est plus aimable que moi.
Je suis moins aimable qu'Henri.

1. Il est sportif. Elle est plus sportive.
2. Le train est rapide. L'avion est plus rapide.
3. Arthur est sympathique. Lucie est plus sympathique.

4. Tu es timide. Elle est plus timide.
5. Nous sommes dynamiques. Nos parents sont plus dynamiques.
6. Le lilas est joli. Les roses sont plus jolies.
7. Je suis jeune. Tu es plus jeune.
8. Vous êtes actives. Elles sont plus actives.
9. Juillet est chaud. Août est plus chaud.

B. Faites des comparaisons. Employez *meilleur* et *moins bon* d'après le modèle.

Modèle: Une bonne voiture: la Lada — la Mercédès.
La Mercédès est une meilleure voiture que la Lada.
La Lada est une moins bonne voiture que la Mercédès.

1. Une bonne viande: le boeuf — le veau.
2. Un bon sport: la natation — le golf.
3. Un bon investissement: une maison — une voiture de sport.
4. Une bonne solution: un compromis — une dispute.
5. Un vêtement bon marché: un pantalon — une robe de soirée.

C. Faites la comparaison appropriée (supériorité, infériorité ou égalité) avec un des adjectifs suivants: *jeune, long, bon marché, intellectuel, grand, riche, ambitieux, sentimental, malchanceux.*

Modèle: Elle a douze ans. Tu as douze ans.
Elle est aussi jeune que toi.
Tu es aussi jeune qu'elle.

1. Alain lit dix livres par mois. Catherine en lit deux par année.
2. Henri mesure 1 mètre 75. Gilbert mesure 1 mètre 75.
3. Février a 28 jours. Janvier a 31 jours.
4. Une radio coûte 50 dollars. Une télévision coûte 500 dollars.
5. M. Brault a un million. Mme Proulx a un million.
6. Jean veut devenir maçon. Sylvie veut devenir premier ministre.
7. Hélène a une jambe cassée. Lucien est dans le coma.
8. Arthur attend la femme de sa vie. Marcel veut faire beaucoup de conquêtes.

D. Répondez aux questions:

1. Es-tu moins grand(e) que ton père?
2. Es-tu plus petit(e) que ta mère?
3. Le singe est-il aussi intelligent que l'être humain?
4. Sommes-nous aussi intelligents qu'Einstein?
5. Les chats sont-ils plus affectueux que les chiens?
6. Es-tu meilleur(e) en maths que moi?
7. Est-ce que le professeur est plus terrifiant que Dracula?
8. Sommes-nous plus sages que nos ancêtres?

9. Le jazz est-il moins dynamique que le rock?
10. Un être humain est-il moins intelligent que l'ordinateur?
11. Le Tiers-Monde est-il aussi riche que les pays industrialisés?
12. Est-ce que l'avion est plus dangereux que la voiture?
13. Les Adirondacks sont-ils aussi impressionnants que les Rocheuses?
14. Les dauphins sont-ils plus intelligents que les chimpanzés?
15. Es-tu aussi musclé(e) qu'un gorille?
16. La campagne est-elle aussi polluée que la ville?
17. Les Montagnes Rocheuses sont-elles plus hautes que l'Himalaya?
18. La viande est-elle meilleur marché que les fruits?
19. Est-ce que le vin est plus cher que la bière?
20. Est-ce que les Canadiens sont aussi nombreux que les Américains?

Le superlatif de l'adjectif

1) Adjectives are made superlative by using the following constructions:

le/la/les plus . . . de	the most . . . in
	the . . . -est . . . in
le/la/les moins . . . de	the least . . . in

2) If the adjective precedes the noun, the construction is:

le/la/les + **plus/moins** + adjective + noun + **de**

C'est la plus grande pièce de la maison.
It is the largest room in the house.
Ce sont les plus belles fleurs du jardin.
Those are the most beautiful flowers in the garden.

3) If the adjective follows the noun, the construction is:

le/la/les + noun + **le/la/les** + **plus/moins** + adjective + **de**

Paul est l'étudiant le plus intelligent de la classe.
Paul is the most intelligent student in the class.
C'est le chapitre le moins difficile du livre.
It is the least difficult chapter in the book.

4) The superlative form of superiority of **bon** is **le meilleur/la meilleure/les meilleurs/ les meilleures:**

Agathe est la meilleure étudiante de la classe.
Agatha is the best student in the class.

The superlative form of **bon marché** is **le/la/les meilleur marché** (invariable):

J'ai acheté la cravate la meilleur marché du magasin.
I bought the cheapest tie in the store.

Exercices (Oralement)

A. Répondez aux questions:

1. Qui est le plus grand étudiant de la classe?
2. Quelle est la voiture la plus chère du monde?
3. Quelle est la plus grande ville du Canada?
4. Qui est l'homme le plus important du pays?
5. Qui est la femme la plus importante du pays?
6. Quelle est l'émission de télévision la plus stupide de toutes?
7. Qui est le meilleur boxeur du monde?
8. Qui est le meilleur acteur du cinéma américain?
9. Quel est ton cours le moins difficile?
10. Comment s'appelle ta meilleure amie? ton meilleur ami?
11. Quel est le sport le moins fatigant?
12. Qui est la personne la plus importante de ta vie?
13. Qui est le politicien le moins intéressant?
14. Quel est le plus haut bâtiment du campus?

B. Faites une phrase avec un superlatif d'après le modèle.

Modèle: le chien — fidèle — tous les animaux
Le chien est le plus fidèle de tous les animaux.

1. la rose — élégant — toutes les fleurs
2. Muhammad Ali — connu — tous les boxeurs.
3. février — froid — tous les mois
4. la bombe atomique — terrifiant — toutes les armes
5. le bonheur — bon — tous les remèdes
6. Gandhi — pacifique — tous les hommes

Le verbe irrégulier voir

Présent de l'indicatif   Participe passé:

je vois	nous voyons	vu
tu vois	vous voyez	
il/elle/on voit	ils/elles voient	

Voir means "to see":

Il porte des lunettes parce qu'il ne voit pas bien.
Nous avons vu Nicole la semaine dernière.
Venez me voir la semaine prochaine.

Exercices (Oralement)

A. Répondez aux questions:

1. Est-ce que tu vois des arbres par la fenêtre?
2. Est-ce que tu vois un médecin régulièrement?
3. Est-ce que vous me voyez parfois à la bibliothèque?
4. Est-ce que vous voyez vos amis à la cafétéria?
5. Est-ce que nous voyons des films dans la classe de français?
6. Est-ce que nous voyons la lune le soir?
7. Est-ce qu'on voit l'ultra-violet?
8. Est-ce que je vois dans l'avenir?
9. Est-ce qu'une sorcière voit dans l'avenir?

B. Répondez aux questions:

1. Quand as-tu vu un film pour la dernière fois?
2. Où peut-on voir des tableaux d'Emily Carr?
3. Est-ce que les amoureux voient la vie en rose?
4. Où est-ce qu'on voit des animaux exotiques?
5. Qu'est-ce qu'on voit dans un musée d'art?
6. Voit-on souvent le premier ministre à la télévision?
7. Est-ce que vous me voyez quelquefois faire du sport?
8. Est-ce que vous m'avez vu(e) arriver à l'université?
9. As-tu déjà vu une girafe?
10. Avons-nous déjà vu dix chapitres du livre?

Le verbe irrégulier *croire*

Présent de l'indicatif

je crois	nous croyons
tu crois	vous croyez
il/elle/on croit	ils/elles croient

Participe passé:

cru

Croire means "to believe":

Tu ne me dis pas la vérité: je ne te crois pas.

It is used with the preposition **en** before a noun which refers to a deity, a person or a thing when it means "to have faith in", "to believe in":

Elle croit en Dieu.
Elle croit en son mari.
Les jeunes croient en l'avenir.

It is used with the preposition à before an abstract noun when it means ''to believe in the reality or validity of something'':

> Je ne crois pas à la parapsychologie.
> Il croit à l'existence de Dieu.
> Il croit à l'amour.

Exercices (Oralement)

A.   Répondez aux questions d'après le modèle.

> *Modèle:* Je te crois. Et lui?
> *Il te croit aussi.*

1. Je la crois. Et toi? Et lui? Et eux?
2. Elle me croit. Et toi? Et lui?
3. Vous me croyez. Et eux? Et elles? Et toi?
4. Nous te croyons. Et lui? Et toi?
5. Ils nous croient? Et elles? Et lui? Et vous?

B.   Répondez aux questions:

1. Est-ce que tu crois les politiciens?
2. Est-ce que tu crois à la théorie de l'évolution?
3. Est-ce que les athées croient en Dieu?
4. Est-ce que tu crois en l'avenir?
5. Est-ce que tu crois au progrès?

Le passé composé des verbes pronominaux

Être is the auxiliary verb used in the formation of the **passé composé** of all pronominal verbs. The past participle of a pronominal verb having a *reflexive* or *reciprocal* meaning agrees in gender and number with the direct object if this object precedes the verb.

1) If the reflexive pronoun is the direct object of the verb, the past participle agrees with the reflexive pronoun.

se laver

je me suis	lavé(e)	nous nous	sommes lavé(e)s
tu t'es	lavé(e)	vous vous	êtes lavé(e)(s)
il s'est	lavé	ils se	sont lavés
elle s'est	lavée	elles se	sont lavées
on s'est	lavé		

2) If the reflexive pronoun is not the direct object of the verb, three situations may occur:

a) The verb has no direct object, hence the past participle does not agree:

> Ils se sont parlé.
> Elles se sont téléphoné.

Note that in these examples the reflexive pronoun is the indirect object of the verb.

b) The verb has a direct object but this object *follows* the verb, hence there is still no agreement of the past participle:

Ils se sont dit des insultes.　　Elle s'est lavé les mains.

In this last sentence **les mains** is the direct object and the reflexive pronoun is considered to be the indirect object.

c) The verb is preceded by a direct object, in which case the past participle agrees with that object:

Est-ce que tu t'es lavé <u>les mains</u>? — Oui, je me <u>les</u> suis <u>lavées</u>.
Les lettres <u>qu'</u>ils se sont <u>écrites</u> sont très belles.

The past participle of a pronominal verb having an *idiomatic meaning* normally agrees with the *subject* of the verb:

<u>Elles</u> se sont bien enten<u>dues</u> ensemble.　　<u>Ils</u> se sont rendus à New York.

Exercices (Oralement)

A. Epelez la terminaison du participe passé:

1. Ils se sont (aimer).
2. Elles se sont (rencontrer).
3. Elle s'est beaucoup (reposer).
4. Il s'est (laver).
5. Elles se sont bien (amuser).
6. Ils se sont (promener).

B. Même exercice:

1. Elle s'est (brosser) les cheveux.
2. Elle s'est (laver) les mains.
3. Ils se sont (dire) des insultes.
4. Elles se sont (écrire).
5. Ils se sont (téléphoner).
6. Elles se sont (parler).

C. Même exercice:

1. Elle s'est (attendre) à un examen difficile.
2. Ils se sont (rendre) au bureau du directeur.
3. Il s'est (mettre) au travail.
4. Elles se sont (mettre) au travail.
5. Ils s'en sont (aller).
6. Elles se sont (servir) d'un ordinateur.

D. Racontez l'histoire d'amour de Paul et de Paulette.

L'année dernière, ils se rencontrent, se regardent, se parlent, se plaisent, se donnent rendez-vous, se téléphonent, s'aiment, se fiancent, se marient, s'achètent une maison, etc.

Quelques autres verbes pronominaux

Here is a list of some additional pronominal verbs:

se baigner (to take a dip/to bathe)　　Je me baigne dans le lac tous les matins.
se brosser (to brush)　　Brossez-vous les dents après les repas.
se cacher (to hide)　　Les perdrix se cachent dans les bois.

s'ennuyer (to be bored)	On s'ennuie quand on est malade.
s'habituer à (to get used to)	Elle s'est habituée à son nouveau travail.
se lever (to get up)	Il s'est levé à cinq heures pour aller à la pêche.
se maquiller (to put on make-up)	Ma femme se maquille: elle se met du rouge à lèvres et du mascara.
se marier (avec) (to marry/to get married)	Il s'est marié avec son amie d'enfance.
se peigner (to comb one's hair)	Après ma douche, je me peigne.
se raser (to shave)	Il se rase avec un rasoir électrique.
se rendre compte de (to realize)	Je me rends compte des erreurs que j'ai faites.

Exercice (Oralement)

Répondez aux questions:

1. Quand tu vas à la mer, est-ce que tu te baignes?
2. Aimes-tu te baigner dans l'eau très froide?
3. Est-ce que tu te peignes les cheveux?
4. Est-ce que les acteurs se maquillent?
5. Est-ce que je me maquille?
6. A quelle heure t'es-tu levé(e) ce matin?
7. Est-ce que je m'habille à la mode?
8. Est-ce que toi et tes amis, vous vous voyez régulièrement?
9. Est-ce que tu vas te marier bientôt?
10. Avec qui vas-tu te marier?
11. Où les enfants se cachent-ils après un film d'épouvante?
12. Est-ce que tu t'ennuies dans la classe de français?
13. Est-ce que les enfants s'ennuient à l'école?
14. Est-ce que tu t'habitues à la vie universitaire?
15. Est-ce qu'on peut s'habituer à tout?

EXERCICES ECRITS

A. Faites des comparaisons avec *plus . . . que, moins . . . que*, et *aussi . . . que*.
Faites l'accord de l'adjectif.

> *Modèle:* la lune — grand — la terre
> *La lune est moins grande que la terre.*

1. le soleil — chaud — la lune
2. les clowns — amusant — les hommes d'affaires
3. les femmes — agressif — les hommes
4. la natation — dangereux — l'alpinisme
5. le train — rapide — l'avion
6. l'eau — nécessaire — la nourriture
7. les banquiers — riche — les secrétaires

B. Répondez aux questions par des phrases complètes:

1. A votre avis, quelle est la meilleure actrice de cinéma?
2. A votre avis, qui est le meilleur boxeur du monde?
3. Quelle est la plus grande université au Canada?
4. Quelle est la voiture la moins chère?
5. Est-ce qu'une voiture est meilleur marché qu'une bicyclette?
6. Quelle est la plus grande planète du système solaire?
7. Est-ce que la France est aussi grande que le Canada?
8. Est-ce que New York est moins grand que Toronto?
9. Quel fruit est plus nourrissant, la banane ou la pêche?

C. Remplacez les tirets par la forme appropriée de *voir* ou de *croire*, au présent:

1. Je ne _____ pas de nuage dans le ciel.
2. Elle ne _____ pas au coup de foudre.
3. Vous _____ vos amis tous les jours.
4. Il _____ que je ne dis pas la vérité.
5. Nous _____ des films à la télévision.
6. _____ -tu qu'il va faire froid ce soir?
7. Les amoureux _____ la vie en rose.
8. _____ -vous à la télépathie?
9. Les myopes _____ mal sans lunettes.

D. Mettez les phrases au passé composé. Attention à l'accord du participe passé.

1. Pierre et Jean se regardent.
2. Elles se mettent au travail.
3. Elle se lève.
4. Brigitte se lave le visage.
5. Ils s'habituent à leur nouvelle vie.
6. Michel se brosse les cheveux.
7. Ils se marient.
8. Elles se téléphonent.
9. Elle se peigne les cheveux.
10. Quelle voiture s'achète-t-il?
11. Mes mains, je me les lave.
12. Elle s'ennuie.
13. Il s'en va.
14. Ils s'en vont.
15. Elles se maquillent.
16. Elles se brossent les dents.

E. Répondez aux questions par des phrases complètes:

1. Avec quoi te rases-tu?
2. A quelle heure t'es-tu levé(e) ce matin?
3. Quand est-ce que tu t'ennuies?
4. Avec qui est-ce qu'on se dispute généralement?
5. Avec qui la reine Elisabeth IIe s'est-elle mariée?
6. Est-ce que tu t'habilles à la mode?
7. Est-ce que vous vous écrivez, tes amis et toi?
8. Est-ce que toutes les femmes se maquillent?

LECTURE

Les jeunes et la vie.

Que veulent les jeunes de la vie? Que pensent-ils des études, du travail, du mariage et des enfants, des relations entre garçons et filles, de l'amour? Quelle est leur attitude au sujet de leur avenir et de leur orientation professionnelle? A ces questions, voilà les réponses qu'ont fournies un groupe d'étudiants du Secondaire 3, 4 et 5.

La vie en général

Ils veulent être heureux. Ils souhaitent que la vie leur apporte la santé et le bonheur pour eux et leur prochain. Ils pensent que la vie a de bons et de mauvais moments et qu'il ne faut s'attendre à rien.

Leur orientation professionnelle

Ils visent des professions d'envergure; ils n'ont pas fini d'étudier pour avoir un bon métier. La profession numéro un est la médecine et les professions paramédicales et en second, les métiers d'avenir (génie, informatique, aéronautique etc.) Un faible pourcentage est attiré par les arts.

L'éducation

Ils trouvent que le système d'éducation est bon en général (79%), excellent quelquefois (7%) ou mauvais (14%). Ils déplorent beaucoup de perte de temps et de cours inutiles.

L'amour

Ils veulent vivre l'amour avec maturité. Ils ont vu l'amour se détruire dans leur famille et leur entourage et ils refusent de vivre cette situation. Il y a aussi la sexualité qui côtoie l'amour alors plusieurs jeunes exigent que l'amour ne soit pas vécu seulement pour la sexualité mais aussi pour les sentiments. 77% désirent l'amour libre, 23% sont contre.

Le mariage et les enfants

Les jeunes gens et les jeunes filles veulent se marier et avoir des enfants. 82% sont en faveur du mariage, 10% sont contre, 6% sont indécis et 2% désirent avoir des enfants sans se marier. Ils dénoncent le divorce de leurs parents.

Les relations entre garçons et filles

Certains adolescents se disent trop gênés lorsqu'ils parlent à un adolescent du sexe opposé. Les relations sont agréables mais le dialogue est difficile. D'autres, cependant, semblent très satisfaits de leurs relations et croient qu'elles sont nécessaires à l'épanouissement de la personnalité.

Les maladies vénériennes

Ce n'est pas un problème majeur pour les étudiants. Ils en concluent qu'il ne faut pas s'alarmer ni s'en inquiéter. 62% craignent ces maladies, 38% pas du tout.

(Extrait et adapté d'un article de L'Education, vol. no. 3 (1987), d'I. Saint-Amand, N. Vachon, et al.)

agréable	pleasant	**bonheur** (m.)	happiness
(s') alarmer	to get alarmed	**cependant**	nevertheless
amour (m.)	love	**conclure**	conclude
apporter	to bring	**contre**	against
avenir (m.)	future	**côtoyer**	to mix with
bon, bonne	good	**dénoncer**	to denounce

déplorer	to deplore	**(s')inquiéter**	to worry
détruire	to destroy	**inutile**	useless
(se) dire	to say to oneself/ to claim	**jeunes gens**	young people
		libre	free
enfant (m.)	child	**maladie** (f.)	disease
entourage (m.)	family circle	**mauvais, aise**	bad
envergure: d'—	important, far-reaching	**médecine** (f.)	medicine
		métier (m.)	trade
épanouissement (m.)	blossoming	**pas du tout**	not at all
étude (f.)	study	**perte** (f.)	loss, waste
eux, elles	them	**plusieurs**	many
faible	slight	**prochain** (m.)	fellow human being
fille (f.)	girl	**santé** (f.)	health
fournir	to furnish, to provide	**satisfait, aite**	satisfied
garçon (m.)	boy	**sembler**	to seem
gêné(e)	shy	**sentiment** (m.)	feeling
génie (m.)	engineering	**vénérien, ienne**	venereal, sexually transmitted
heureux, euse	happy		
indécis, ise	undecided	**viser**	to aim at
informatique (f.)	computer science	**vivre**	to live

Questions

1. Que veulent les jeunes de la vie?
2. Quelles professions préfèrent-ils?
3. Les arts sont-ils populaires?
4. Que déplorent-ils du système d'éducation?
5. Quelle sorte d'amour veulent-ils vivre?
6. Est-ce que le mariage a la faveur des jeunes?
7. Que dénoncent-ils?
8. Que pensent-ils des relations avec le sexe opposé?
9. Quel est le plus grand problème entre eux?
10. S'inquiètent-ils des maladies vénériennes?

SITUATIONS / CONVERSATIONS

1. Racontez vos préparatifs du matin: se lever, s'habiller, se laver, se brosser les dents, se maquiller, etc. Employez le passé composé.

2. Racontez vos activités avec votre ami(e) préféré(e). Employez des expressions comme: se promener, se téléphoner, se rencontrer, se parler, se dire, se disputer, etc. Dites ce que vous faites et ce que vous ne faites pas ensemble.

3. Formez un groupe de 3 ou 4 personnes. Faites des comparaisons entre vous. Employez beaucoup d'adjectifs divers: grand(e), petit(-ite), timide, intellectuel(le), actif (-ive), sportif(-ive), élégant(e), agressif(-ive), etc.

4. Posez-vous des questions les uns aux autres. Employez des superlatifs:

    Qui est le meilleur acteur de cinéma?

Quelle est la plus grande ville du monde?
Quels sont les animaux les plus doux? les plus féroces?
Quel est le moyen de transport le plus pratique? etc.

5. A quoi croyez-vous? A quoi ne croyez-vous pas? Posez-vous ces questions les uns aux autres à propos des thèmes suivants et apportez des arguments:

la télépathie, les soucoupes volantes, les fantômes, les maisons hantées, les extra-terrestres, la vie dans l'univers, la magie, le triangle des Bermudes, les miracles, le progrès de la science, le progrès de l'humanité, la Troisième guerre mondiale, l'intelligence des ordinateurs.

6. Répondez aux questions suivantes selon vos convictions:

Que pensez-vous de vos études? Quelles sont vos ambitions? Que voulez-vous faire dans la vie? Etes-vous satisfait(e) de vos relations avec vos camarades? A qui confiez-vous vos problèmes? Pourquoi étudiez-vous? Quelle est votre attitude au sujet du mariage et des enfants?

COMPOSITIONS

1. Racontez au passé composé vos activités du matin depuis le moment où vous vous êtes levé(e) jusqu'au moment où vous partez de chez vous. Employez, entre autres, des verbes pronominaux.

2. Faites des comparaisons entre vous et vos parents, du point de vue physique et du point de vue psychologique.

3. Donnez votre opinion sur les sujets abordés dans la lecture.

PRONONCIATION

Le son l (/l/)

Répétez d'après le modèle:

1.

lit	loupe	l'oeuf	long	l'espoir	l'aide	lent	lin
lutte	large	l'homme	lézard	l'heure	lime	laine	Luc

2. mal   tulle   bile   boule   molle   pèle   belle   seul   sale

3.

un nouvel étudiant	une nouvelle auto	un nouvel arbre	un nouvel outil
une nouvelle odeur	un nouvel incident	une nouvelle idée	une nouvelle encre

4.

nous cherchons le chien	nous voyons le parc	nous trouvons le pont
nous mangeons le gâteau	nous jouons le jeu	nous finissons le travail
nous prenons le train	nous regardons le film	

5.

je le crois	je le dis	tu le prends	tu le finis
je le vois	je le mange	tu le gardes	tu le prépares

6.

c'est de l'eau	c'est de la monnaie	il y a de la place	il a de l'appétit
c'est de la bière	c'est de la salade	il y a de l'ombre	il a de la chance
		il y a de la lumière	il a de l'ambition

CHAPITRE DOUZE

LE TEMPS DES FETES

Photo par G.T. Harris

INTRODUCTION

Quand vous étiez enfant, alliez-vous chez vos grands-parents à Noël?

Oui, tous les ans nous allions chez nos grands-parents à Noël.

Quel jour était-ce hier?
   Hier, c'était lundi, le 22 décembre.

Où étiez-vous hier matin?
   Nous étions dans notre chambre.
   Nous préparions notre départ.

Il y avait bien un cours hier, n'est-ce pas?
   Oui, il y avait un cours à 8h30, mais il n'y en avait pas dans l'après-midi.

Est-ce qu'on finissait les cours plus tôt auparavant?
   Non, on ne finissait pas avant le 22 décembre.

Qu'est-ce que vous buvez au réveillon?
   Nous buvons du vin et du café mais les enfants boivent du lait.

GRAMMAIRE ET EXERCICES ORAUX

L'imparfait

The **imparfait** is a simple (one-word) past tense.

Formation

The **imparfait** is formed by dropping **-ons** from the **nous** form of the present tense and adding the endings **-ais, -ais, -ait, -ions, -iez, -aient**. All verbs, whether regular or irregular, follow this pattern, except **être**, whose stem in the **imparfait** is **ét-**.

fini	être
je finissais	j'étais
tu finissais	tu étais
il/elle/on finissait	il/elle/on était
nous finissions	nous étions
vous finissiez	vous étiez
ils/elles/finissaient	ils/elles/étaient

Other examples:

chanter (nous <u>chant</u>ons) ⟶ je chantais
attendre (nous <u>attend</u>ons) ⟶ j'attendais
prendre (nous <u>pren</u>ons) ⟶ je prenais
lire (nous <u>lis</u>ons) ⟶ je lisais

With verbs in **-ger**, the letter **e** is inserted between **g** and the endings which begin with **a**:

je man<u>ge</u>ais   *but*   nous man<u>gi</u>ons

With verbs in **-cer**, the **cédille** is used with **c** before the endings which begin with **a**:

ils commen<u>ç</u>aient   *but*   vous commen<u>ci</u>ez

Uses of the *Imparfait*

The **imparfait** is used to express *continuous* past actions or states of affairs and *habitual* past actions.

Continuous Past Actions or States of Affairs

The **imparfait** indicates an action or state of affairs which was continuous or in progress in the past without indicating whether that action or state has ended:

Ce matin, il travaillait.	He was working this morning.
Il pleuvait hier.	It was raining yesterday.

The action and state in the above examples are presented as being in progress. This is often expressed in English by the continuous past, as in the translations above.

Since it expresses continuity, the **imparfait** is used to *describe* situations, persons or things:

Il faisait chaud.	It was warm.
Il y avait du soleil.	It was sunny.
Elle avait l'air intelligente.	She looked intelligent.

Verbs expressing mental states or activities in the past most often appear in the **imparfait**:

Il aimait ses parents.	He loved his parents.
Elle avait peur des inconnus.	She was afraid of strangers.
Je voulais devenir avocat.	I wanted to become a lawyer.

Habitual Past Actions

The **imparfait** may express that a past action occurred on a regular basis or was repeated an unspecified number of times:

Le samedi, il allait au cinéma.	On Saturdays, he would go to the cinema.
Quand j'étais enfant, j'allais à l'église.	When I was a child, I used to go to church.

Exercices (Oralement)

A. Mettez les verbes à l'imparfait.

faire
Je _____ mes devoirs.
Tu _____ du patinage.
Il _____ du ski.
Nous _____ la cuisine.

danser
Je _____ avec mes camarades.
Vous _____ souvent la gigue.
Ils _____ ensemble.
Elle _____ toutes les nuits.

vouloir
Il _____ me téléphoner.
Elles _____ le livre.
Nous _____ le regarder.

pouvoir
Je _____ y aller.
Elles _____ prendre le train.
Vous _____ vous reposer.
Elle _____ commencer à manger.

réfléchir
Je _____ à mes problèmes.
Vous _____ à vos projets.
Elle _____ aux conséquences.
Elles _____ à leur départ.

finir
Nous _____ la soirée chez nos cousins.
Ils _____ leurs devoirs.
Tu _____ de préparer le repas.
Elles _____ leur danse.

aller
Je _____ au concert.
Tu _____ au cinéma.
Il _____ à l'opéra.
Ils _____ au musée.

mettre
Je _____ des biscuits sur la table.
Vous _____ des fruits dans un sac.
Ils _____ leurs vêtements.
Elle _____ son bébé au lit.

attendre

J' _____ mon frère.
Tu _____ le train.
Vous _____ l'avion.
Ils _____ l'autobus.

prendre

Je _____ un taxi.
Nous _____ nos skis.
Elle _____ son temps.
Tu _____ le bateau.

B. Mettez à l'imparfait:

1. C'est dimanche.
2. Il y a de la neige.
3. C'est l'hiver.
4. J'ai mal à la tête.
5. Il est fatigué.
6. Tu as toujours faim.
7. Ils sont heureux.
8. Il y a des gens partout.
9. Nous sommes toujours en retard.
10. Vous n'avez pas l'adresse.
11. Ils ont soif après le repas.
12. Il y a du vin.
13. C'est le Jour de l'An.
14. Tu es joyeuse.
15. Il n'y a pas de bière.
16. C'est une fête religieuse.
17. Il n'a pas d'amis.
18. Ils ont envie d'un cognac.

C. Répondez aux questions:

1. Est-ce qu'il pleuvait ce matin?
2. Est-ce qu'il neigeait?
3. Est-ce qu'il y avait des nuages dans le ciel?
4. Est-ce qu'il faisait froid?
5. Etais-tu à l'université hier?
6. Est-ce qu'il y avait un cours de français?
7. Etudiais-tu à la bibliothèque?
8. Lisais-tu un livre?
9. Allais-tu à l'école quand tu avais quinze ans?
10. Sortais-tu avec des amis?
11. Faisais-tu du sport?
12. Quels livres lisais-tu?
13. Est-ce que tu étudiais le français?
14. Où habitais-tu quand tu avais dix ans?
15. Est-ce que tu aimais l'école?
16. Est-ce que tu regardais la télévision?
17. Est-ce que tu écoutais de la musique?
18. Quel genre de musique écoutais-tu?
19. Est-ce que tu obéissais à tes parents?

D. Répondez selon le modèle en mettant le verbe à l'imparfait.

Modèle: Est-ce que tu vas encore chez tes grands-parents à Noël?
Non, mais autrefois j'allais chez mes grands-parents à Noël.

1. Est-ce qu'on utilise encore des traîneaux pour se déplacer?
2. Est-ce que toute la famille se réunit encore régulièrement?
3. Est-ce que la majorité des gens habitent encore la campagne?
4. Est-ce que vous faites encore des bonhommes de neige en hiver?

5. Est-ce que vos grands-parents patinent encore sur la glace?
6. Est-ce que les femmes passent encore tout leur temps à faire la cuisine?
7. Est-ce que tu manges encore beaucoup de bonbons?
8. Est-ce qu'on se rend encore chez les voisins et les amis le Jour de l'An?

E. Répondez aux questions:

1. Qu'est-ce que tu faisais hier soir?
2. Quel chapitre est-ce que nous étudiions la semaine dernière?
3. Qui était le premier ministre du Canada il y a dix ans?
4. Avec qui sortais-tu quand tu avais quinze ans?
5. Quels films préférais-tu quand tu avais quinze ans?
6. Quel temps faisait-il hier? le mois dernier?
7. Quels vêtements portais-tu hier?

F. Demandez à un(e) autre étudiant(e) s'il/si elle . . .

1. était à l'université hier soir.
2. étudiait le français l'an dernier.
3. écrivait une composition la semaine dernière.
4. avait peur des vampires quand il/elle était enfant.
5. voulait sortir samedi soir.
6. apprenait une autre langue à l'école secondaire.
7. voulait devenir premier ministre quand il/elle avait dix ans.
8. pouvait emprunter la voiture de ses parents quand il/elle avait seize ans.
9. s'ennuyait à l'école secondaire.
10. se promenait avec ses parents.
11. s'entendait bien avec ses frères et soeurs.

La famille

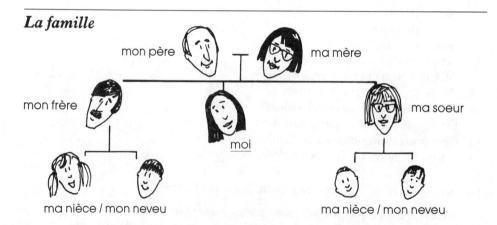

Mon père et ma mère sont **mes parents**.
Mon père est **le mari*** de ma mère.
Ma mère est **la femme*** de mon père.
Mon frère est **le fils** de mes parents.

Ma soeur est **la fille** de mes parents.
Le fils de mon frère / ma soeur est **mon neveu**.
La fille de ma soeur / mon frère est **ma nièce**.

---

* ou: l'ex-mari, l'ex-femme

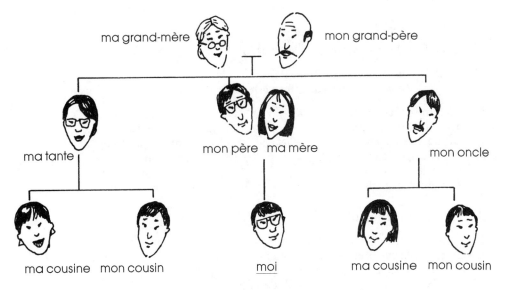

Mon grand-père et ma grand-mère sont **mes grands-parents**.

Le frère de mon père / ma mère est **mon oncle**. Sa soeur est **ma tante**.

Le fils de mon oncle / ma tante est **mon cousin**.

La fille de ma tante / mon oncle est **ma cousine**.

Je suis **le petit-fils / la petite-fille** de mes grands-parents.

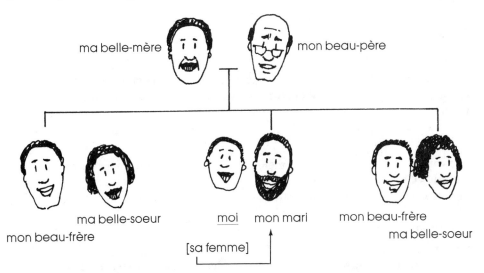

Les parents de mon mari / ma femme sont **mes beaux-parents**.

Les frères et les soeurs de ma femme / mon mari sont **mes beaux-frères** et **mes belles-soeurs**.

Le mari de ma soeur est aussi **mon beau-frère** et la femme de mon frère est aussi **ma belle-soeur**.

Note: Belle-mère and **beau-père** can also mean stepmother and stepfather.

Exercices (Oralement)

A. Complétez les phrases d'après le modèle.

Modèle: Le mari de ma mère. . . .
Le mari de ma mère est mon père.

1. La femme de mon père. . . .
2. La soeur de mon père. . . .
3. Le frère de ma mère. . . .
4. Le fils de ma soeur. . . .
5. La fille de mon frère. . . .
6. Le fils de mon oncle. . . .
7. La fille de mon oncle. . . .
8. Le mari de ma soeur. . . .
9. Le frère de ma femme. . . .
10. Le père de mon mari. . . .
11. La mère de ma femme. . . .
12. La soeur de ma femme. . . .

B. Répondez aux questions:

1. Combien de frères et de soeurs as-tu?
2. Combien de neveux et de nièces as-tu?
3. As-tu des cousins? De qui sont-ils les fils?
4. As-tu des cousines? De qui sont-elles les filles?
5. Où habitent tes grands-parents maternels et paternels?
6. Combien d'enfants tes grands-parents maternels ont-ils?
7. Est-ce que tes frères et soeurs sont mariés?
8. Où habitent tes oncles et tantes?

La nourriture

Les repas *

1) Le déjeuner (breakfast)

un jus de fruit	**du pain** (bread)	**un oeuf** (egg)
un café	**du beurre** (butter)	**du jambon** (ham)
un thé	**de la confiture** (jam)	

2) Le dîner (lunch)

une soupe	**une omelette**	**du fromage** (cheese)
un sandwich	**une quiche**	**un biscuit** (a cookie)
une salade	**un fruit**	**un gâteau** (a cake)

3) Le souper (dinner)

un hors-d'oeuvre	**des pâtes** (f.) (pasta)
une entrée (main course)	**des légumes** (m.) (vegetables)
de la viande (meat)	**un dessert** (dessert)

---

* In France, the names of meals are more usually the following: **le petit-déjeuner** (breakfast), **le déjeuner** (lunch), **le dîner** (dinner).

Les boissons

1) <u>non-alcoolisées</u>:

l'eau (f.) (water)
le chocolat chaud (hot chocolate)
le lait (milk)
la limonade (lemonade)

2) <u>alcoolisées</u>

la bière
un cocktail
une liqueur
le vin

Les aliments

1) <u>Les fruits</u>:

les bleuets (m.) (blueberries)
les cerises (f.) (cherries)
les fraises (f.) (strawberries)
les framboises (f.) (raspberries)

une banane
une pomme
une poire
une pêche

2) <u>Les fruits de mer et les poissons</u>:

une crevette (shrimp)
un homard (lobster)
un crabe

un saumon (salmon)
une truite (trout)
un filet de sole

3) <u>Les légumes</u>:

une carotte
un concombre
un chou (cabbage)

une pomme de terre (potato)
un oignon
une tomate

4) <u>Les pâtes</u>:

des nouilles (f.) (noodles)
des spaghetti

des macaroni
de la lasagne

5) <u>La viande</u>:

de l'agneau (lamb)
du boeuf
de la dinde (turkey)

du poulet (chicken)
du porc
du veau (veal)

Exercices (Oralement)

A.   Répondez aux questions:

1. Qu'est-ce que tu manges généralement au déjeuner?
2. Quel est ton fruit préféré? ton légume favori?
3. Quelle est la viande que tu préfères?
4. Quels ingrédients y a-t-il dans une quiche?
5. Préfères-tu les carottes ou les pommes de terre?

6. En quelle saison les fraises poussent-elles?
7. Quelle différence y a-t-il entre la lasagne et les spaghetti?
8. Aimes-tu le poisson? Quel genre de poisson?
9. Qu'est-ce qu'on mange après les hors-d'oeuvre?
10. Avec quoi fait-on une omelette?
11. Est-ce que tu mets du sucre et du lait dans ton café?

B. De quelle couleur? Répondez selon le modèle.

   Modèle: De quelle couleur sont les bananes?
   Les bananes sont jaunes.

1. De quelle couleur sont les framboises? les pêches? les pommes? les fraises? les pommes de terre? les choux? les concombres? les carottes? les homards?
2. De quelle couleur est le lait? le beurre? le jambon? le café? le sucre?

Le verbe irrégulier *boire*

Présent de l'indicatif

je bois	nous buvons
tu bois	vous buvez
il/elle/on boit	ils/elles/boivent

Participe passé:

bu

Boire means "to drink".

Exercices (Oralement)

A. Remplacez le sujet par les mots entre parenthèses:

1. Pierre boit du jus de tomate. (nous, ils, on, je)
2. Je bois du café. (tu, elles, vous, il)
3. Elles ont bu de la bière. (je, elle, nous, tu)
4. Il buvait du vin. (tu, vous, elles, nous)

B. Répondez aux questions:

1. Est-ce que tu bois du vin avec le dîner?
2. Est-ce que les enfants boivent du cognac?
3. Est-ce que les athlètes doivent boire du lait?
4. Où est-ce que tu bois de la bière?
5. Quand est-ce que tu bois un cocktail?
6. Qu'est-ce que tu bois au déjeuner? au dîner? au souper?
7. Qu'est-ce que tu bois quand il fait chaud? quand il fait froid?
8. Qu'est-ce qu'on boit quand on a un rhume?
9. Quand est-ce qu'on boit une liqueur?

EXERCICES ECRITS

A. Mettez les phrases suivantes à l'imparfait:

1. Nous regardons les légumes.
2. Elle choisit des fruits.
3. Il vend des fruits et des légumes.
4. Je prends un café.
5. Ils écrivent à leurs parents.
6. Tu bois du champagne.
7. Vous voulez aller chez votre grand-père.
8. Mon cousin s'attend à une surprise.
9. Je m'entends bien avec mes beaux-parents.
10. Ma mère adore le homard.
11. Il dort le dimanche matin.
12. Ils se souviennent de l'oncle Robert.
13. Il y a des oeufs pour le déjeuner.
14. Ma soeur attend mon père.
15. Nous mangeons de la dinde tous les jours.
16. Vous vous téléphonez souvent.
17. Tu dois t'ennuyer sans tes frères et soeurs.
18. Elle sert des liqueurs à ses invités.
19. Mon frère commence à travailler.

B. Mettez les verbes entre parenthèses à l'imparfait:

Quand je (être) _____ enfant, mes parents et moi (aller) _____ chez mes grand-parents tous les mois. Nous (partir) _____ à huit heures du matin parce qu'ils (habiter) _____ à 150 kilomètres de Québec. Quand nous (arriver) _____, mes oncles et tantes (se trouver) _____ déjà là avec leurs enfants et ils (finir) _____ leur déjeuner. Je (aimer) _____ mes cousins et mes cousines et nous (jouer) _____ ensemble dans le jardin.

Toute la famille (se mettre) _____ à table à une heure de l'après-midi. Après le repas, l'oncle Jean (prendre) _____ son violon et (faire) _____ de la musique. Nous (commencer) _____ par des chansons, puis tout le monde (danser) _____.

Quand nous (rentrer) _____ le soir, nous (chanter) _____ dans la voiture; mes parents (rester) _____ joyeux et moi, je (avoir) _____ la tête pleine de musique.

C. Le verbe *boire*. Conjuguez:

au présent

1. Je _____ du café.
2. Nous _____ du jus.
3. Ils _____ du thé.

à l'imparfait

4. Je _____ de la limonade.
5. Tu _____ de l'orangeade.
6. Vous _____ du thé glacé.

au passé composé

7. Le bébé _____ du lait.
8. Il _____ du chocolat chaud.
9. Elles _____ de la bière.

D. Complétez les phrases par le nom approprié:

1. La fille de mon oncle est ma _____ .
2. Le fils de ma soeur est mon _____ .
3. Les parents de ma mère sont mes _____ .
4. La nièce de ma mère est ma _____ .
5. Le mari de ma soeur est mon _____ .
6. La mère de mon mari est ma _____ .
7. La mère de ma cousine est ma _____ .

LECTURE

Le temps des fêtes

La période des fêtes de Noël et du Nouvel An s'appelle au Canada "le temps des fêtes". C'est une période de réjouissances et de retrouvailles avec la famille et les amis.

Toutefois, comme le temps des fêtes devient de plus en plus une occasion de consommation et de dépenses, beaucoup de gens déplorent la perte des vieilles traditions et décrivent avec nostalgie la messe de minuit, le réveillon et les fêtes en milieu rural. Autrefois, le temps des fêtes commençait quelques jours avant Noël. Il y avait dans les marchés une activité considérable: les gens achetaient les aliments pour les réveillons et les réceptions de tous genres. Les femmes préparaient les victuailles longtemps à l'avance, en prévision de cette période de visites nombreuses.

Le soir du 24 décembre, on allait dans la forêt couper un sapin que l'on décorait ensuite de boules, de clochettes, de bougies et d'étoiles pendant que les enfants dormaient. Vers onze heures, on partait pour la messe de minuit. On s'y rendait par les petites routes enneigées à travers la campagne dans des traîneaux recouverts de fourrures.

Après la messe, on retrouvait les voisins et les amis sur le perron de l'église pour jaser, puis on rentrait chez soi. La maison était chaude et accueillante et un réveillon substantiel qui mijotait depuis le matin enchantait les membres de la famille. On se régalait de potages, de hors-d'oeuvre, de patés, de dinde dorée, de ragoût de porc, de tourtières, de civets de lapin, accompagnés d'un vin succulent et suivis de gâteaux aux fruits et de la traditionnelle bûche de Noël.

Le premier janvier ramenait les oncles, les tantes, les cousins, les cousines, les neveux, les nièces, les gendres et les brus de la région pour toute la journée. C'était la fête par excellence. Le matin, lorsque toute la famille était rassemblée, l'aîné des enfants s'approchait du père et demandait la bénédiction paternelle. Le père élevait les mains et avec un sourire pour dissimuler son émotion, il bénissait sa postérité. Après ce rite religieux, on servait un dîner frugal suivi de la remise des étrennes aux enfants. C'étaient des bonbons, des fruits, des petites choses qui leur remplissaient le coeur de joie et de tendresse.

Après commençait la ronde des visites à tous les voisins, parents et amis pour souhaiter la "Bonne et heureuse année" et leur serrer la main. On organisait des danses carrées au son du violon et de l'accordéon.

Le temps des fêtes finissait à la Fête des Rois. On donnait un repas où l'on servait un énorme gâteau qui renfermait une fève. Quand un des convives la retrouvait sous la dent, on le proclamait roi ou reine de la fête et on devait se plier à tous ses caprices. De plus il ou elle devait, dans le courant du mois, réunir chez lui ou chez elle, tous les invités pour un autre festin.

Peu à peu, à mesure qu'a progressé l'industrialisation, les rites et les coutumes se sont estompés parce qu'ils ne correspondaient plus aux nouvelles conditions de vie. Hors du milieu rural, ces traditions ne sont plus que folklore, souvenirs et objets de nostalgie.

accordéon (m.)	accordion	**élever**	to raise
accueillant, ante	welcoming	**enneigé(e)**	snow-covered
aîné(e)	the eldest child	**(s') estomper**	to fade away
aliment (m.)	food	**étoile** (f.)	star
à mesure que	as	**étrennes** (f. pl.)	New Year's gifts
(s')approcher de	to come up to	**façon** (f.)	way
autrefois	long ago	**festin** (m.)	feast
bénédiction (f.)	blessing	**fève** (f.)	bean
bénir	to bless	**fourrure** (f.)	fur
bonbon (m.)	candy	**gendre** (m.)	son-in-law
bru (f.)	daughter-in-law	**genre** (m.)	sort, kind
bougie (f.)	candle	**hors de**	outside
boule (f.)	ball	**jaser**	to chat
bûche de Noël (f.)	Yule log	**Jour de l'An** (m.)	New Year's Day
caprice (m.)	whim	**marché** (m.)	market
civet de lapin (m.)	rabbit stew	**messe** (f.)	mass
clochette (f.)	little bell	**mijoter**	to simmer
comme	as, since	**milieu** (m.)	(social) environment
convive (m./f.)	guest	**Noël** (m.)	Christmas
couper	to cut (down)	**nombreux, euses**	numerous
courant: dans le — de	in the course of	**nostalgie** (f.)	nostalgia
coutume (f.)	custom	**pâté** (m.)	pâté, meat pie
danse carrée (f.)	square dance	**période** (f.)	period, time
décorer de	to decorate with	**perron** (m.)	porch
décrire	to describe	**perte** (f.)	loss
dent (f.)	tooth	**petit matin: au —**	at dawn
déplorer	to regret	**peu à peu**	little by little
dissimuler	to hide	**(se) plier à**	to submit to
doré(e)	golden	**plus: de —**	besides
(s') échapper	to escape/to come out	**postérité** (f.)	posterity, children
église (f.)	church	**potage** (f.)	soup

prévision: en — de in anticipation of
proclamer to proclaim
progresser to advance
ragoût (m.) stew
ramener to bring back
rassemblé(e) gathered
réception (f.) reception, party
recouvert(e) covered
(se) régaler to feast on
région (f.) region, area
reine (f.) queen
remise (f.) presentation
remplir to fill
(se) rendre (à) to go (to)
renfermer to contain
retrouvailles (f. pl.) reunion
retrouver to find again; to join (someone)

réunir to bring together
réveillon (m.) midnight supper (on Christmas Eve)
rite (m.) ritual
roi (m.) king
ronde (f.) series
sapin (m.) fir tree
serrer la main to shake hands
son (m.) sound
suivi(e) followed
tourtière (f.) meat pie
traîneau (m.) sleigh
vers about
victuailles (f. pl.) eatables
violon (m.) violin, fiddle

Questions

1. Qu'est-ce qu'on appelle le ''temps des fêtes''?
2. Qu'est-ce que certaines personnes déplorent?
3. Combien de temps durait le temps des fêtes autrefois?
4. Qu'est-ce qu'on faisait le soir de Noël?
5. Comment allait-on à la messe de minuit?
6. Qu'est-ce qu'on faisait après la messe de minuit?
7. De quoi se composait un réveillon traditionnel?
8. Quel rite était particulier au Jour de l'An?
9. Qu'est-ce que les enfants recevaient le Jour de l'An?
10. En quoi consistait la Fête des Rois?

SITUATIONS / CONVERSATIONS

1. Qu'est-ce que vous mangez pour le déjeuner, le dîner et le souper généralement?

2. En quoi consistait un repas typique dans votre famille? (Quelles viandes, quels légumes, quels desserts vos parents servaient-ils généralement?)

3. Quel était votre plat favori quand vous étiez enfant et de quoi était-il composé?

4. Qu'est-ce qu'on mange quand on est végétarien?
   quand on fête un anniversaire?   quand on est malade?
   quand on va pique-niquer?   quand on a le rhume?
   quand on n'a pas d'appétit?   quand on veut maigrir?
   quand on a la fringale?   quand on veut grossir?

5. Nommez un mets typiquement américain; russe; français; belge; allemand; suisse; grec; anglais; canadien; québécois; espagnol; mexicain; chinois; japonais; hawaïen.

6. Composez un menu équilibré pour une journée.

7. Décrivez votre famille. Avez-vous un père, une mère, des grands-parents, des frères, des soeurs, des tantes, des cousins, etc?

8. Vous nous montrez un album de famille et nous posons des questions.
   Exemple: Qui est à côté de toi sur la photo? (C'est ma soeur.) Quel âge a-t-elle? Que fait ton grand-père sur la photo? etc.

9. A qui ressemblez-vous physiquement et intellectuellement?

10. Quel membre de votre famille vous fascinait beaucoup quand vous étiez enfant et pourquoi?

11. Racontez un souvenir d'enfance qui vous est cher.

12. Quels talents artistiques retrouvait-on dans votre famille?

13. Racontez un Noël que vous avez particulièrement aimé et dites pourquoi.

14. Racontez votre Noël de l'an dernier.

15. Comment étiez-vous quand vous étiez enfant? Etiez-vous sensible, délicat, normal, détendu? Obéissiez-vous à vos parents? à vos professeurs? Quels étaient vos loisirs? Quelle sorte d'élève étiez-vous?

16. *Jeu de rôles.* Jouez les rôles du serveur/de la serveuse et du client/de la cliente au restaurant (voir le modèle).

Au restaurant

LE SERVEUR: Voilà le menu, Madame.
LA CLIENTE: Merci.
LE SERVEUR: Etes-vous prête à commander?
LA CLIENTE: Oui, je suis prête. Je prends une soupe, un steak, des pommes de terre et une salade.
LE SERVEUR: Votre steak saignant, médium ou bien cuit?
LA CLIENTE: Saignant.
LE SERVEUR: Pommes de terre au four, en purée ou frites?
LA CLIENTE: Au four.
LE SERVEUR: Vous avez choisi le vin?
LA CLIENTE: Oui, un demi-litre de rouge, s'il vous plaît.
LE SERVEUR: Très bien Madame.

COMPOSITIONS

1. Faites la critique d'un restaurant où vous avez mangé récemment et du plat qu'on vous a servi.

2. Racontez un dîner extraordinaire que vous avez fait.

3. Préparez votre menu pour la semaine prochaine.

4. Lequel de vos parents vous a le plus influencé et comment?

5. Racontez le temps des fêtes lorsque vos parents étaient enfants.

6. Quelles traditions existent encore dans votre famille? Avez-vous l'intention de les conserver?

7. Qu'est-ce qu'une famille pour vous? Est-elle encore nécessaire aujourd'hui? Est-elle en train de disparaître?

8. Racontez vos vacances pendant les fêtes quand vous étiez enfant.

PRONONCIATION

Les sons **eu** fermé et **eu** ouvert (/ø/ — /œ/)

I. *Eu fermé (/ø/)*

The sound /ø/ is a closed vowel. It is associated with the spellings **eu** and **oeu** and only occurs in an open syllable or in a closed syllable ending in /z/.

Répétez:

eux, peu, deux, jeu, bleu, boeufs, oeufs, peut-être, généreux, généreuse, heureux, heureuse, curieux, curieuse, sérieux, sérieuse, précieux, précieuse, furieusement, peureusement, somptueusement, malheureusement

II. *Eu ouvert (/œ/)*

The sound /œ/ is an open vowel. It is associated with the spellings **eu** and **oeu** and only occurs in closed syllables (not ending in /z/).

Répétez:

jeune, seul, aveugle, neuf, peuvent, veulent, neuf, intérieur, extérieur, voyageur, plusieurs, faveur, menteur, neuve, peuple, oeuf, boeuf, feuille, oeuvre.

CHAPITRE TREIZE

LA FAMILLE

Photo par R. Hemingway

INTRODUCTION

Est-ce que ta soeur voulait
devenir avocate?
    Oui, elle voulait devenir avocate,
    mais elle a dû abandonner ses
    études quand mon père est mort.

Est-ce que tu habitais chez
tes parents avant ton mariage?
    Oui, j'y habitais encore quand
    je me suis fiancé(e).

Depuis combien de temps ta cousine
travaillait-elle quand elle est
tombée malade?
    Elle travaillait depuis trois ans
    quand elle est tombée malade.

Est-ce que vous recevez des
nouvelles de votre famille?
    Oui, nous en recevons
    régulièrement.

Est-ce que votre mère a voyagé
souvent?
    Elle a voyagé moins souvent
    que sa soeur.

Est-ce que vos amis jouent
bien au golf?
    Ils jouent bien mais c'est mon
    frère qui joue le mieux.

GRAMMAIRE ET EXERCICES ORAUX

Contrastes entre l'imparfait et le passé composé

When using the **imparfait**, one presents an event in its duration, without indication of beginning or end (for instance, a state of mind free of time limits, or an action repeated an indeterminate number of times). The **passé composé**, on the other hand, presents an event in its completeness, ascribed to a particular moment or to a definite period of time. These contrasts may be best brought out by comparing the two tenses in similar sentences.

PASSÉ COMPOSÉ	**IMPARFAIT**

1) Completed event

    Hier, il a plu à Vancouver.

    It rained yesterday in Vancouver. (The implication is that it stopped raining at some point.)

1) Uncompleted event

    Il pleuvait à Vancouver quand j'ai pris l'avion.

    It was raining in Vancouver when I boarded the plane. (Whether it stopped raining or not is not at issue here.)

2) Single occurrence

    L'an dernier, elle est allée â Montréal.
    Last year she went to Montreal.

2) Repetition or habitual action

    L'an dernier, elle allait souvent à Montréal.
    Last year she used to go to Montreal often.

3) Discontinuous event

    Quand j'ai vu le chien, j'ai eu peur.

    I got scared when I saw the dog. (At that moment, I started being scared.)

3) Continuous event

    Quand j'étais enfant, j'avais peur des chiens.
    When I was a child, I was (continuously) scared of dogs.

Several observations should be added to these comparisons:

1) Completed/uncompleted event

    When using the **passé composé**, one is automatically ascribing a definite time limit to the past event. When using the **imparfait**, on the contrary, one is not concerned whether the event stopped or not, usually because it provides the continuous backdrop, or context, for other events narrated in the **passé composé**:

        Hier, il <u>faisait</u> chaud quand nous sommes <u>partis</u>.
        (The warm weather is the context within which our departure took place.)
        Nous <u>partions</u> quand le téléphone <u>a sonné</u>.
        (In this last sentence, our departure is the background against which the telephone rang.)

On the other hand, one automatically uses the **passé composé** when specifying the duration of a single event (with **pendant**, during, or **longtemps,** for a long time, for instance), its end (**jusqu'à**, until), or its beginning (**à partir de**, from):

> Sa femme <u>a eu</u> mal à la tête <u>pendant</u> trois jours.
> Le mariage <u>a longtemps</u> constitué la norme.
> Ils <u>sont restés</u> mariés <u>jusqu'à</u> l'été dernier.
> Ce couple <u>a habité</u> Hamilton <u>à partir de</u> 1985.

2) Single occurrence/repetition

By contrast with the **passé composé, the imparfait** indicates that an action occured several times or on a repetitive basis during an indeterminate period of time. However, if one specifies the number of times the event occured or mentions a definite period of time, the **passé composé** must be used:

> L'hiver dernier, <u>il a neigé</u> seulement <u>trois fois</u>.
> <u>Entre le mois de décembre et le mois de février</u>, il <u>a</u> souvent <u>neigé</u>.

3) Discontinuity/continuity

Verbs used to describe situations or denoting states of being, states of mind or mental processes are usually in the **imparfait** (in a past context) since their very meaning is associated with continuity. They are used in the passé composé to indicate that a situtation or a state of mind *began* at a particular moment which one usually specifies in the sentence:

> Autrefois, je <u>voulais</u> devenir musicien.

but:

> Le jour où j'ai entendu l'orchestre symphonique de Montréal, j'<u>ai voulu</u> devenir musicien.

Exercices (Oralement)

A. Mettez les verbes au temps du passé qui convient (imparfait ou passé composé). Placez le mot "hier" en début de phrase.

> *Modèle:* Il pleut quand je sors.
> *Hier, il pleuvait quand je suis sorti(e).*

1. Quand il vient, je ne suis pas chez moi.
2. Je mange un rosbif qui est excellent.
3. J'étudie quand tu me téléphones.
4. Je regarde un film qui est intéressant.
5. Il ne sort pas parce qu'il a un examen à préparer.
6. Elle ne dîne pas parce qu'elle est malade.
7. Il ne répond pas au téléphone parce qu'il travaille.
8. Je lis le journal quand tu rentres.

B. Mettez les verbes entre parenthèses à l'imparfait ou au passé composé:

1. Mardi dernier, il (aller) _____ au cinéma.
2. Quand il était étudiant, il (sortir) _____ souvent avec des amis.
3. Le semaine dernière, nous (faire) _____ du ski deux fois.
4. Le mois dernier, il (avoir) _____ un rhume pendant une semaine.
5. Franco (faire) _____ un voyage au Mexique l'été dernier.
6. Giselle (habiter) _____ chez ses grands-parents pendant trois mois.
7. Quand il était adolescent, il (penser) _____ devenir architecte, mais à l'âge de vingt ans, il (choisir) _____ la carrière de journaliste.
8. Il y a cinquante ans, il n'y (avoir) _____ pas d'ordinateurs.
9. Je (vouloir) _____ faire de la boxe mais, quand je (avoir) _____ un accident, je (devoir) _____ abandonner mes projets.
10. Il (écrire) _____ à ses parents toutes les semaines, puis il (se marier) _____ et ses lettres (devenir) _____ moins fréquentes.

C. Mettez les verbes entre parenthèses à l'imparfait ou au passé composé.

Quand Yvette et Marcel (se rencontrer) _____ , ils (avoir) _____ vingt ans. D'abord, ils (sortir) _____ ensemble pendant un an, puis ils (décider) _____ de vivre en concubinage parce qu'ils (vouloir) _____ faire l'expérience du mariage à l'essai.

Yvette et Marcel (être) _____ heureux, ils (ne pas avoir) _____ de difficulté à vivre ensemble et ils (s'entendre) _____ bien. Après deux ans de vie commune, comme ils (désirer) _____ avoir des enfants, ils (choisir) _____ de se marier.

L'imparfait avec *depuis*

To indicate that an action or a state of affairs has been going on in the past until some other event took place, the **imparfait** is used with **depuis** (for/since). The verb describing the other event is in the **passé composé.**

In French, **depuis** is used with the present tense (Chapter 10), whereas "for" and "since" are used with the present perfect in English. Likewise, the **imparfait** is used in French, whereas the pluperfect is used in English.

Exemples:

1) **Elle travaillait depuis trois ans quand elle est tombée malade.**

   She had been working for three years when she became ill.

2) **Elle voyageait depuis le mois de janvier quand elle est tombée malade.**

   She had been travelling since January when she became ill.

Note the questions corresponding to 1 and 2:

1) **Depuis combien de temps travaillait-elle quand elle est tombée malade?**
   How long had she been working when she became ill?

2) **Depuis quand voyageait-elle quand elle est tombée malade?**
   Since when had she been travelling when she became ill?

Exercices (Oralement)

A. Posez la question avec ''depuis quand'' ou ''depuis combien de temps''.

Modèle: Il la connaissait depuis deux ans quand ils se sont mariés.
Depuis combien de temps la connaissait-il quand ils se sont mariés?

1. Nous étions à Winnipeg depuis deux jours quand nous l'avons rencontré(e).
2. Elle était mariée depuis quinze ans quand elle a divorcé.
3. Je t'attendais depuis dix heures moins vingt quand tu es arrivé(e).
4. Il habitait Québec depuis six mois quand il a trouvé du travail.
5. Ils regardaient la télévision depuis cinq heures de l'après-midi quand les parents sont rentrés.

B. Répondez aux questions.

Modèle: Depuis combien de temps attendais-tu quand je suis arrivé(e)? (un quart d'heure)
J'attendais depuis un quart d'heure quand tu es arrivé(e).

1. Depuis combien temps avait-il mal aux dents quand il est allé chez le dentiste? (une semaine).
2. Depuis combien de temps pleuvait-il quand tu es sorti(e)? (20 minutes)
3. Depuis quand faisait-il humide quand il a commencé à pleuvoir? (le matin)
4. Depuis combien de temps dormais-tu quand le téléphone t'a réveillé(e)? (une demi-heure)
5. Depuis combien de temps vivait-elle à Montréal quand elle a dû partir? (un an)
6. Depuis quand était-il étudiant quand il a abandonné ses études? (1982)
7. Depuis combien de temps avais-tu de la fièvre quand tu as décidé de venir à l'hôpital? (deux jours)
8. Depuis quand étaient-ils mariés quand ils ont eu un enfant? (1980)
9. Depuis combien de temps la connaissais-tu quand elle s'est mariée? (deux ans)
10. Depuis combien de temps habitait-elle Ottawa quand tu l'as rencontrée? (trois mois)

Le verbe irrégulier recevoir

Présent de l'indicatif   Participe passé:

je reçois	nous recevons	reçu
tu reçois	vous recevez	
il/elle/on reçoit	ils/elles reçoivent	

Recevoir means "to receive". **Apercevoir** (to catch a glimpse of), **s'apercevoir de** (to realize/to become aware of) and **décevoir** (to disappoint) are conjugated using the same pattern as **recevoir**. Note the **cédille** under **c** before **o** and **u**.

> As-tu reçu ma lettre?
> Quand j'étais enfant, je recevais beaucoup de cadeaux.
> On aperçoit le soleil entre les nuages.
> J'ai aperçu Paul à la bibliothèque.
> Ne décevez pas vos amis.
> La note qu'il a reçue à l'examen le déçoit.
> Il s'est aperçu de son erreur.

Exercices (Oralement)

A. Remplacez le sujet par les mots entre parenthèses:

1. Je reçois plusieurs magazines. (Solange, nous, tu, ils)
2. Elle recevait des invités. (je, nous, tu, mes parents)
3. Nous avons reçu une lettre. (il, je, vous)
4. Il aperçoit le satellite. (nous, tu, je, elles)
5. Vous me décevez. (il, tu, elles)
6. Elle s'aperçoit de ses erreurs. (tu, je, ils, vous)

B. Demandez à un(e) autre étudiant(e) s'il/si elle . . .

1. reçoit souvent des cadeaux.
2. déçoit ses parents.
3. aperçoit le soleil par la fenêtre.
4. reçoit ses amis à Noël.
5. déçoit quelquefois ses amis.
6. aperçoit le professeur à la cafétéria quelquefois.
7. reçoit souvent des lettres d'amour.

C. Répondez aux questions:

1. Qu'est-ce que tu as reçu à Noël?
2. Qu'est-ce qui te déçoit à l'université?
3. Est-ce qu'on aperçoit des satellites la nuit? le jour?
4. Est-ce que tes résultats à l'université te déçoivent?
5. Est-ce que tu reçois souvent des invités?
6. Est-ce que tu t'aperçois vite de tes erreurs?
7. As-tu aperçu des oiseaux rares dans les bois?

Le pronom interrogatif *lequel*

The interrogative pronoun **lequel** is used to distinguish between several persons or things. It corresponds to "which one" or "which ones".

	Singular	*Plural*
Masculine	lequel	lesquels
Feminine	laquelle	lesquelles

Laquelle des robes as-tu choisie?
Lesquels des étudiants étaient absents?

Lequel may be used instead of the interrogative adjective **quel** + noun:

Je lis un roman.
$\left\{\begin{array}{l}\text{— Quel roman?}\\\text{— Lequel?}\end{array}\right.$

J'ai acheté des disques.
$\left\{\begin{array}{l}\text{— Quels disques?}\\\text{— Lesquels?}\end{array}\right.$

Contractions occur when used with **à** or **de**, except for **laquelle**:

à + lequel ⟶ **auquel**   de + lequel ⟶ **duquel**
à + lesquels ⟶ **auxquels**   de + lesquels ⟶ **desquels**
à + lesquelles ⟶ **auxquelles**   de + lesquelles ⟶ **desquelles**

J'ai besoin d'un livre. — Duquel as-tu besoin?
Auxquelles des étudiantes a-t-il parlé?

Exercices (Oralement)

A. Remplacez les mots soulignés par une forme de *lequel*:

1. <u>Quels livres</u> avez-vous lus?
2. <u>Quelle robe</u> vas-tu mettre ce soir?
3. <u>Quelles chemises</u> as-tu achetées?
4. <u>Quel journal</u> lis-tu?
5. <u>A quel concert</u> es-tu allé(e)?

6. <u>De quelle voiture</u> as-tu envie?
7. <u>De quels animaux</u> a-t-il peur?
8. <u>A quelle surprise</u> t'attendais-tu?
9. <u>A quelles organisations</u> as-tu écrit?

B. Posez la question en employant une forme de *lequel*.

Modèle: Je lui ai rendu des livres.
          Lesquels?

1. Il y a <u>des différences</u> entre l'imparfait et le passé composé.
2. <u>Un de mes amis</u> est parti pour la Grèce.
3. J'ai <u>de gros problèmes</u>.
4. Il m'a appris <u>une bonne nouvelle</u>.
5. Elle m'a apporté <u>des journaux</u>.
6. J'ai envie <u>d'une de ces robes</u>.
7. Il en a parlé <u>à quelques amis</u>.
8. J'ai vendu mon tourne-disque <u>à un camarade</u>.
9. J'ai besoin <u>d'un de tes livres</u>.

Les pronoms démonstratifs

	Singular	Plural
Masculine	celui	ceux
Feminine	celle	celles

The demonstrative pronouns refer to persons or things and agree in gender and number with the nouns they stand for. They are never used alone but are followed by:

1) a relative clause:

Quelle robe voulez-vous? — Celle qui est dans la vitrine.
Quels disques as-tu apportés? — Ceux que tu voulais entendre.

2) **de** + noun:

Derrière la maison, il y a ma voiture et celle de mon père.

3) **-ci** or **-là** (this one/that one):

Tu vois ces maisons: j'habite celle-ci et Hélène habite celle-là.

Followed by **-ci** and **-là**, the demonstrative pronouns may mean "the latter" and "the former":

J'ai connu Estelle et David à l'université. Celui-ci est devenu architecte; celle-là est devenue médecin.

Ceci and **cela** (this/that) are also demonstrative pronouns. They are mostly used to refer to facts, ideas or situations. **Ceci** is often used to present some further idea:

Je peux te dire ceci: je ne te comprends pas.

Cela is used to refer to an idea or a fact which has been previously mentioned:

Je lui ai dit que j'étais malade. Cela l'a inquiété.
Il ne veut pas étudier. Je ne comprends pas cela.

In spoken usage, **cela** is replaced by **ça. Ce** usually replaces **cela** or **ça** as the subject of **être**:

Cela devient monotone.　　　　C'est un événement important.
Ça va bien.　　　　　　　　　　C'était une belle journée.

Exercices (Oralement)

A. Remplacez les mots soulignés par le pronom démonstratif approprié:

1. C'est la voiture que nous avons achetée.
2. C'est l'université où j'ai fait mon baccalauréat.
3. Veux-tu le livre que je viens de lire?
4. As-tu vu l'émission que Radio-Canada a présentée?
5. J'ai jeté les vêtements qui étaient usés.
6. Elle a mangé les biscuits qui restaient.
7. Il a mangé son dessert et le dessert de son père.
8. Avez-vous pris votre voiture ou la voiture de vos amis?
9. Il m'a parlé de ses problèmes et des problèmes de ses parents.

B. Répondez selon le modèle.

Modèle: Je vais acheter cette chemise-ci, et toi?
   Moi, je vais acheter celle-là.

1. J'aime ce pantalon-ci, et toi?
2. J'ai envie de ce gâteau-ci, et toi?
3. J'ai apporté ces disques-ci, et toi?
4. Je veux entrer dans ce restaurant-ci, et toi?
5. Je prends cet autobus-ci, et toi?
6. J'ai besoin de ce stylo-ci, et toi?
7. Je vais emporter ce livre-ci, et toi?

Le comparatif et le superlatif de l'adverbe

The comparative and superlative of adverbs are similar to those of the adjectives.

1) Comparative

— superiority: Il nage plus vite que moi.
— inferiority: Il pleut moins souvent ici qu'à Vancouver.
— equality: Paul joue aussi bien au tennis que Pierre.

2) Superlative

— superiority: Marie a travaillé le plus fort.
— inferiority: Celui que est resté le moins longtemps, c'est Léon.

With an adverb, only the masculine singlular form of the definite article **le** is used.

3) Bien

The comparative and superlative of superiority of **bien** (well) are irregular: **mieux** (better) and **le mieux** (the best):

Il écrit mieux que toi.

Suzanne est l'étudiante qui a le mieux réussi.

Exercices (Oralement)

A. Transformez les phrases selon le modèle.

Modèle: Pierre marche vite. (Francine, +)
   Pierre marche plus vite que Francine.

1. Vous avez attendu longtemps. (nous, −)
2. Colette écrit bien. (moi, +)
3. Ma tante parle fort. (eux, =)
4. Tu apprends facilement. (ta soeur, +)
5. Il joue bien aux échecs. (son père, −)
6. Nous sommes arrivés tôt. (eux, +)
7. Philippe joue mal au tennis. (moi, =)

B. Répondez aux questions:

Dans ta famille . . .

1. qui travaille le plus fort?
2. qui dort le plus longtemps?
3. qui regarde la télévision le plus souvent?
4. qui fait le moins bien la vaisselle?
5. qui fait le moins souvent le ménage?

Dans la classe . . .

6. qui est le plus souvent absent?
7. qui est le moins souvent absent?
8. qui parle le plus souvent?
9. qui répond le mieux aux questions?
10. qui écoute le plus attentivement?

EXERCICES ECRITS

A. Mettez les verbes entre parenthèses au temps du passé qui convient (imparfait ou passé composé):

1. Hier, il (faire) soleil quand je (sortir).
2. Je (ne pas être) chez moi quand tu (téléphoner).
3. Quand il (venir), il (ne pas avoir) sa voiture.
4. Dimanche, je (manger) une salade qui (être) délicieuse.
5. Où (être)-vous quand je vous (téléphoner) à cinq heures?
6. La semaine dernière, je (voir) un film qui (être) passionnant.
7. Il (se marier) avec une femme qui (être) très belle.
8. Il (penser) venir nous voir mais il (tomber) malade.
9. Jeudi dernier, je (sortir) avec un camarade que je (ne pas connaître) très bien.
10. Il (neiger) ce matin quand je (prendre) la voiture pour venir à l'université.

B. Répondez aux questions par des phrases complètes:

1. Depuis combien de temps m'attendais-tu quand je suis rentré(e)?
2. Depuis combien de temps neigeait-il quand elle est sortie?
3. Depuis quand la connaissait-il quand ils se sont mariés?
4. Depuis combien de temps étudiait-il le français quand il est allé habiter Montréal?
5. Depuis quand faisait-il soleil quand tu es parti(e)?

C. Mettez les verbes à l'imparfait ou au passé composé:

1. Quand je (faire) mes études, je (lire) plusieurs livres toutes les semaines.
2. Il (avoir) une pneumonie quand il (avoir) dix ans.
3. Tous les jours, je (aller) me promener.
4. Ce jour-là, je (me promener).

5. Il (jouer) souvent aux échecs quand il (être) adolescent.
6. Elle (visiter) deux fois la ville de Québec.
7. Nous (écrire) trois cartes à nos parents pendant les vacances.
8. Elle (détester) les sports, puis elle (rencontrer) Pierre et elle (apprendre) la natation et le tennis.
9. Quand je (être) plus jeune, je (jouer) au baseball tous les samedis.
10. Le mois dernier, l'équipe de hockey (perdre) cinq parties.

D. Employez le verbe qui convient (*apercevoir, s'apercevoir de, décevoir, recevoir*) au présent:

1. Le médecin _____ ses patients dans son bureau.
2. Quand il neige, on ne _____ pas le soleil.
3. Ses mauvaises notes _____ ses parents.
4. Ce soir, ils _____ des invités.
5. Vous _____ enfin des problèmes de votre fils!
6. De ma chambre, je _____ la rivière.
7. Nous _____ ce magazine tous les mois.

E. Remplacez l'adjectif interrogatif et le nom par un pronom interrogatif.

Modèle: Quelle robe as-tu achetée?
   Laquelle as-tu achetée?

1. Quel cours préférez-vous?
2. Quels livres lisez-vous?
3. Quel film regardes-tu?
4. Quelles étudiantes font du ski?
5. Quelle cravate as-tu choisie?
6. A quel cinéma allons-nous?
7. De quelle ville viens-tu?
8. A quelles infirmières as-tu parlé?
9. De quels livres as-tu besoin?

F. Remplacez les mots soulignés par un pronom démonstratif:

1. Le cours de français est-il plus facile que le cours de littérature anglaise?
2. Mon auto et l'auto de ma soeur sont dans le garage.
3. Vos cahiers sont sur le bureau; le cahier de Pierre est dans ma serviette.
4. Racontez-moi vos expériences et les expériences de vos amis.
5. J'ai plusieurs stylos: voulez-vous ce stylo-ci ou ce stylo-là?
6. Laquelle des deux compositions était la plus originale? La composition que Pierre a écrite ou la composition que Jeannine a écrite?

G. Faites des comparaisons selon le modèle.

Modèle: Pierre / rire facilement / Lucie (+)
   Pierre rit plus facilement que Lucie.

1. Ce garçon / nager bien / sa soeur (−)
2. Paul / travailler lentement / Louise (+)
3. Il / lire vite / moi (=)
4. Vous / travailler fort / nous (−)
5. Elle / parler bien / son frère (+)

H. Répondez aux questions selon le modèle.

Modèle: Martin parle fort. (le groupe)
C'est Martin qui parle le plus fort du groupe.

1. Isabelle nage vite. (l'équipe)
2. Grégoire sourit souvent. (les enfants)
3. Henri étudie fort. (la classe)
4. Sylvie joue bien du piano. (la famille)
5. André m'écrit souvent.
   (mes frères et soeurs)

LECTURE

La famille

La famille est une institution qui, dans les pays industrialisés, a beaucoup évolué au cours des dernières décennies. Cette évolution a été particulièrement visible au Québec.

Jusqu'à la "révolution tranquille" des années soixante, les familles nombreuses ont été la règle plutôt que l'exception dans la collectivité canadienne-française. Le clergé catholique et l'idéologie dominante encourageaient les couples à avoir de nombreux enfants, entre autres raisons parce qu'un taux de natalité supérieur à celui des anglophones constituait un moyen de résister à l'assimilation. De nos jours, le taux de natalité au Québec est très bas, si bas que les démographes parlent à nouveau d'assimilation . . .

La baisse du taux de natalité est seulement un aspect de l'évolution de la famille, mais elle permet d'observer non seulement que les couples ont moins d'enfants, mais aussi qu'un certain nombre de couples n'en ont pas du tout, et enfin qu'il y a également maintenant, proportionnellement, moins de gens qui vivent en couple.

En effet, la notion même de couple a changé. Autrefois, le modèle était simple: après une période de liberté très relative, on se fiançait, puis on se mariait pour la vie, "pour le meilleur et pour le pire". Evidemment, les valeurs traditionnelles étaient plus fortes et plus contraignantes: la séparation et le divorce étaient rares et la morale condamnait les relations sexuelles en dehors du mariage. Certains disent aussi que les attentes des gens qui se mariaient étaient moins exigeantes que maintenant et que, par conséquent, ils étaient moins déçus et réussissaient plus facilement à s'entendre et à réaliser une vie commune de longue durée.

Aujourd'hui, les gens continuent à se marier mais le taux des séparations et des divorces est beaucoup plus élevé — même si les divorcés se remarient . . . . Par ailleurs, le couple marié est maintenant un type de couple parmi d'autres: les couples de célibataires qui cohabitent ou qui continuent d'habiter séparément, les couples formés de personnes séparées ou divorcées qui ne veulent pas se remarier, ou un mélange des deux. Et les enfants? Ceux qui viennent d'un foyer unique deviennent plus rares et les enfants de parents divorcés sont obligés de s'adapter, surtout lorsque le parent avec qui ils habitent forme un nouveau couple avec quelqu'un qui a peut-être aussi des enfants.

Un grand nombre de parents divorcés — et surtout des femmes, puisqu'elles conservent généralement la garde des enfants — restent "célibataires" après leur divorce: ce sont les pères et les mères célibataires qui forment avec leurs enfants des familles monoparentales. C'est aussi le cas de femmes qui n'ont jamais été mariées mais qui veulent et qui ont des enfants et qui préfèrent vivre seules avec eux.

Les célibataires sans enfants, les gens qui vivent entièrement seuls, sont en nombre de plus en plus important. Ce phénomène est surtout évident dans les grandes villes: à Montréal comme à Paris, les célibataires forment la moitié des ménages. Mais ils (et elles) non plus ne restent pas célibataires toute leur vie . . . .

La famille, du moins la famille ''nucléaire'' traditionnelle — un homme, une femme, un enfant ou plusieurs — reste le mode de vie de la majorité et le modèle dominant pour la jeune génération, mais pour combien de temps?

attentes (f. pl.)	expectations	**liberté** (f.)	freedom
baisse (f.)	decrease	**(se) marier**	to get married
cas (m.)	case	**mélange** (m.)	mix
célibataire	single	**même**	very (adj.); even (adv.)
clergé (m.)	clergy	**ménage** (m.)	household
collectivité (f.)	community	**mode de vie** (m.)	way of life
condamner	condemn	**moins: du —**	at least
conséquent: par —	consequently	**moins de**	fewer than
conserver	to keep	**moitié** (f.)	half
constituer	to constitute	**monoparentale**	single-parent
contraignant	constraining, compelling	(famille)	family
		morale (f.)	morals
cours: au — de	over, in the course of	**moyen** (m.)	means
décennie (f.)	decade	**nouveau: à —**	again
dehors: en — de	outside	**nucléaire**	nuclear
démographe (m.)	demographer	**parmi**	among
dominant, ante	prevailing	**permettre**	to enable, to make
durée: de longue —	long-lasting		it possible
effet: en —	for; in fact	**(le) pire**	(the) worst
également	also	**réaliser**	to achieve, to realize
élevé(e)	high	**règle** (f.)	rule
entièrement	entirely	**résister à**	to resist
entre	among	**sans**	without
évident, ente	evident, obvious	**séparément**	separately
évidemment	of course	**sexuel (le)**	sexual
évoluer	to evolve	**seul (e)**	alone
exigeant, ante	demanding	**supérieur(e)**	higher
(se) fiancer	to get engaged	**taux** (m.)	rate
foyer (m.)	home	**taux de natalité** (m.)	birth rate
garde des	custody of children	**tranquille**	quiet
enfants (f.)		**valeur** (f.)	value
industrialisé(e)	industrialized	**vie commune** (f.)	shared life
jamais: ne . . . —	never	**ville: grand —** (f.)	city
jours: de nos —	nowadays	**vivre**	to live

Questions

1. Qu'est-ce qui caractérisait les familles canadiennes-françaises avant la révolution tranquille? Quelle étaient les raisons de cette situation?
2. Quel contraste y a-t-il avec la situation actuelle?
3. Pourquoi le taux de natalité est-il bas de nos jours?
4. Quel était le modèle du couple autrefois?
5. Comment peut-on expliquer la ''solidité'' des couples d'autrefois? Etes-vous d'accord avec ces explications?
6. Quels sont les différents types de couples qui existent maintenant?
7. Dans quelle situation se trouvent les enfants de parents divorcés?
8. Qu'est-ce qu'une famille monoparentale?
9. Quel phénomène observe-t-on dans les grandes villes?
10. Pensez-vous également que la famille nucléaire ''reste le modèle dominant'' ou croyez-vous que cette situation a déjà changé?

SITUATIONS / CONVERSATIONS

Vocabulaire utile

l'amitié (friendship)
— **avoir un petit ami** (boyfriend) / **une petite amie** (girlfriend)
— **se rencontrer** (to meet)

les fiançailles (engagement)
— **être fiancé(e) avec** (to be engaged to)
— **se fiancer à** (to get engaged to)

le mariage (marriage)
— **être marié(e)** (to be married)
— **se marier avec** (to get married)
— **être enceinte** (to be pregnant)
— **accoucher d'un bébé** (to give birth to a baby)
— **élever un enfant** (to bring up a child)

les noces (wedding)
— **le mari** (husband) / **la femme** (wife)
— **mariage civil / religieux** (civil/religious ceremony)

le concubinage (common-law)
— **vivre en concubinage** (to live common-law)
— **mon compagnon, ma compagne**

le divorce
— **être divorcé(e)** (to be divorced)
— **un(e) divorcé(e)** (divorced man/woman)
— **la pension alimentaire** (alimony)
— **la garde des enfants** (custody)

le veuvage (widowhood)
— **être veuf / veuve** (to be a widower/widow)

1. D'après vous, la vie de famille est-elle en train de disparaître? Qu'en pensez-vous?

2. Avez-vous l'intention de vous marier et de fonder une famille? Pour quelles raisons? Quels avantages y voyez-vous?

3. Quel genre de vie familiale avez-vous connu? Avez-vous l'intention de conserver le même type de vie? Pourquoi? Qu'allez-vous y changer?

4. Etes-vous pour ou contre: le mariage, la vie commune, la cohabitation sans liens légaux?

5. Comment sera d'après vous la vie familiale en l'an 2000?

6. Quel rôle ont joué vos grands-parents dans votre vie? Comment étaient-ils?

7. Racontez une sortie intéressante que vous avez faite (à la discothèque, au restaurant, au cabaret, au théâtre).

8. Décrivez vos activités de la fin de semaine dernière.

9. Vous rencontrez une amie d'enfance que vous n'avez pas vue depuis longtemps. Posez-lui des questions sur sa vie.

10 Décrivez une activité que vous avez toujours détestée.

COMPOSITIONS

1. Racontez l'histoire de votre vie.(Où êtes-vous né(e)? Où avez-vous vécu? Quelles écoles avez-vous fréquentées? Où avez-vous habité? Comment étiez-vous à l'école? Où avez-vous travaillé? etc.)

2. *Sondage*: Indiquez sur une feuille:
   — votre sujet préféré à l'université;
   —votre loisir favori;
   —votre plus grande ambition;
   — comment vous vous voyez dans 20 ans.
   En comparant les réponses des garçons et celles des filles, vous pourrez noter les ressemblances et les différences et même des remarques concernant les rôles masculins et féminins.

3. Dressez une liste d'activités qui ont été associées à la virilité masculine et une liste d'activités associées à la féminité.

4. Faites une description d'un couple heureux que vous connaissez.

5. Quels sont les plus grands problèmes auxquels doit faire face la famille moderne?

PRONONCIATION

E caduc (/ə/)

The vowel /ə/ is called "unstable" (**caduc**) because it is sometimes pronounced, sometimes silent, and sometimes its pronunciation is optional.

When is unstable **e** silent?

1) At the end of an isolated word or at the end of a rhythmic group:

Regardé.   Tu parlés.   As-tu l'heuré?

One exception: /ə/ is retained in the pronoun **le** after an imperative form:

Regardez-le.   Attendons-le.   Finis-le.

2) Whenever it is preceded by a single pronounced consonant, within a word or within a rhythmic group:

samédi, bouchérie, épicérie, bravément
Il n'y a pas dé vent.   Va chez lé médecin.

When is unstable **e** pronounced?

1) At the beginning of a rhythmic group, when it is preceded by two pronounced consonants:

Prenons un café.

2) Within a word or a rhythmic group, when it is preceded by two pronounced consonants:

mercredi, vendredi, bergerie, justement
Il est sur le toit.
Pierre me fatigue.

When is the pronunciation of /ə/ optional?

At the beginning of a rhythmic group, when it is preceded by a single pronounced consonant:

Reviens!   Je parlé.   Le verré est vidé.

Répétez:

1. il n'a pas dé livre
    il n'a pas dé peigne
    il n'a pas dé veston
    il n'a pas dé voiture

    il n'y a pas dé vent
    il n'y a pas dé cours
    il n'y a pas dé soleil
    il n'y a pas dé professeur

2. j'ai beaucoup dé chance
    j'ai beaucoup dé temps
    j'ai beaucoup dé travail
    j'ai trop dé patience

    j'ai trop dé peine
    j'ai trop dé problèmes
    j'ai un peu dé pain
    j'ai un peu dé vin

3. il vient dé chez lui
    il vient dé Toronto
    il vient dé partir
    il vient dé manger

    va chez lé dentiste
    va chez lé médecin
    va chez lé marchand
    va chez lé coiffeur.

4. passe-moi lé sel
    passe-moi lé pain
    passe-moi lé vin
    passe-moi lé cahier

    donne-lui cé gâteau
    donne-lui cé marteau
    donne-lui cé livre
    donne-lui cé crayon

Donnez l'adverbe correspondant: (brave ——→ bravément)

bête	dernier	gracieux	long
clair	franc	actif	premier
complet	grand	heureux	sincère

CHAPITRE QUATORZE

L'ACADIE

Danseuses acadiennes
Photo avec la permission du Département du Tourisme de la Nouvelle-Ecosse

INTRODUCTION

Où irez-vous pendant les grandes vacances?
  Nous irons dans les Maritimes où nous visiterons les villages de pêcheurs; nous marcherons dans les dunes, nous habiterons un petit chalet sur la plage, nous achèterons des souvenirs. Ah! ce seront des vacances mémorables.

Quand partirez-vous?
  Nous partirons dès que les cours finiront.

Est-ce que je peux t'emprunter ce livre?
  Oui, prends-le, si tu veux.

As-tu téléphoné aux Leblond?
  Non, je n'ai pas eu le temps.
  Téléphone-leur, toi.

Veux-tu un sandwich?
  Oui, apportes-en deux.

Es-tu prête pour aller au cinéma?
  Oui, allons-y.

As-tu besoin de tes clés?
  Oui, rends-les-moi, s'il te plaît.

Est-ce que tu tiens à ce coquillage?
  Oui, j'y tiens beaucoup. Je l'ai acheté quand je vivais en Nouvelle-Écosse.

Voilà la carte routière de la région.
  C'est précisément la carte dont j'ai besoin.

GRAMMAIRE ET EXERCICES ORAUX

Le futur

The future tense of regular verbs is formed by adding to the infinitive the endings **-ai, -as, -a, -ons, -ez, -ont**.

	marcher	**finir**	**répondre**
je	marcherai	finirai	répondrai
tu	marcheras	finiras	répondras
il/elle/on	marchera	finira	répondra
nous	marcherons	finirons	répondrons
vous	marcherez	finirez	répondrez
ils/elles	marcheront	finiront	répondront

The final **e** of infinitives in **-re** is dropped before the endings are added:

attendre ⟶ j'attendrai   vendre ⟶ je vendrai

Regular Verbs in -er with Spelling Changes

The spelling changes occurring in the present tense are retained in the stem of *all* the forms of the future tense (see also pp. 397–399):

acheter: achèterai, achèteras, achètera, achèterons, achèterez, achèteront
jeter: jetterai, jetteras, jettera, jetterons, jetterez, jetteront
payer: paierai, paieras, paiera, paierons, paierez, paieront

However, the **accent aigu** is retained in verbs whose infinitive ends in **é** + consonant + **er**:

espérer: espérerai, espéreras, espérera, espérerons, espérerez, espéreront

Verbs with Irregular Stems in the Future

The endings of the future tense are the same for all verbs. Among irregular verbs, some follow the regular pattern in the formation of the future tense (that is, their infinitive form is used as the future stem), for example, **connaître, dire, dormir, prendre,** etc. Other irregular verbs★ have irregular future stems:

aller	j'irai	**pouvoir**	je pourrai
avoir	j'aurai	**recevoir**	je recevrai
devoir	je devrai	**savoir**	je saurai
être	je serai	**venir**	je viendrai
faire	je ferai	**voir**	je verrai
falloir	il faudra	**vouloir**	je voudrai

★ **Envoyer,** otherwise a regular **-er** verb, has an irregular stem in the future (as in the conditional): j'enverrai.

Exercices (Oralement)

A. Mettez les verbes à l'infinitif à la personne du futur qui est indiquée:

1. je mangerai	parler, réfléchir, répondre, se promener
2. tu finiras	terminer, bâtir, vendre, s'ennuyer
3. elle descendra	marcher, choisir, attendre, se laver
4. nous achèterons	appeler, punir, jeter, se raser
5. vous réussirez	regarder, remplir, payer, se disputer
6. ils rendront	commencer, précéder, obéir, se fatiguer

B. Mettez les verbes au futur selon le modèle.

AUJOURD'HUI
Modèle: Il arrive à l'heure.

DEMAIN
Il arrivera à l'heure.

1. Elle répond au professeur.
2. Tu réfléchis à ce problème.
3. Nous nous disputons.
4. Les enfants obéissent à leur père.
5. Je te rends ton livre.
6. Vous insistez sur ce point.
7. J'écoute une émission culturelle.
8. Hubert réussit au concours.

9. Nous déjeunons à huit heures.
10. Elles s'amusent ensemble.
11. Tu t'entends avec tes amis.
12. Il me vend son veston.
13. Je le rencontre à Moncton.
14. Nous vous donnons un chèque.
15. Tu leur souhaites bon voyage.

C. Répondez aux questions selon le modèle.

Modèle: Je m'en irai. Et toi? Et lui?
Je m'en irai aussi.
Il s'en ira aussi.

1. Edith ira à Winnipeg. Et nous? Et toi?
2. Vous pourrez venir. Et eux? Et lui?
3. Il décevra ses amis. Et vous? Et elles?
4. Nous serons heureux. Et Eric? Et toi?
5. Alfred fera des affaires. Et vous? Et Marie?
6. Elle reviendra demain. Et vous? Et eux?
7. Je saurai la réponse. Et toi? Et vous?
8. Vous boirez du lait. Et elle? Et les enfants?
9. Il écrira au président. Et toi? Et eux?
10. Nous dirons la vérité. Et Lucie? Et tes amis?
11. Vous mettrez un manteau. Et les étudiantes? Et Marc?
12. Il aura besoin d'argent. Et toi? Et elles?

D. Répondez aux questions:

1. Est-ce que tu seras à l'université l'année prochaine?
2. Est-ce que nous serons dans la classe demain?
3. Feras-tu la vaisselle ce soir?
4. Est-ce qu'il pleuvra demain?
5. Est-ce qu'il faudra porter des vêtements chauds demain?

6. Pourras-tu partir en vacances cette année?
7. Pourrons-nous éliminer la pollution?
8. Est-ce que vous voudrez visiter le Québec?
9. Est-ce que tu voudras faire du sport cet été?
10. Recevrez-vous de bonnes notes?
11. Est-ce que vous verrez un film dimanche?
12. Est-ce que je vous verrai demain?
13. Partiras-tu pour San Francisco?
14. Est-ce que tu m'écriras?
15. Sortirons-nous de la classe bientôt?
16. Est-ce qu'il y aura des questions difficiles à l'examen?
17. Aurez-vous besoin de chance pour réaliser vos projets d'avenir?
18. Est-ce qu'il fera beau demain?
19. Est-ce que vous ferez du français l'an prochain?

E. Mettez les verbes au futur:

1. Luc est fatigué.
2. Nous sommes patients.
3. Elle a trente ans.
4. Nous avons faim.
5. Il y a de la neige.
6. Tu fais du tennis.
7. Il fait beau.
8. Elles reviennent.
9. Nous venons te voir.
10. Je reçois une lettre.
11. Il boit un verre.
12. Je vois une pièce de théâtre.
13. Nous pouvons parler.
14. Il faut réussir.
15. Vous voulez manger.
16. Je dois partir.
17. Rose fait la fête.
18. Vous êtes à Edmonton.

F. Demandez à un(e) autre étudiant(e) s'il/si elle . . .

1. ira en vacances en Angleterre.
2. visitera le Québec.
3. deviendra architecte.
4. voudra faire un voyage en train.
5. sera disponible samedi prochain.
6. écrira un livre sur sa vie.
7. réussira à l'examen de français.
8. achètera une nouvelle voiture.
9. fera du ski samedi.
10. terminera ses études.
11. prendra l'avion pour aller à Paris.
12. apprendra à piloter un avion.
13. verra ses parents bientôt.
14. dormira toute la fin de semaine.
15. jettera ses vieux vêtements.
16. empruntera de l'argent à la banque.
17. rendra ses livres à la bibliothèque.
18. remettra une composition au professeur.

G. Demandez à un(e) autre étudiant(e) . . .

1. si les feuilles repousseront au printemps.
2. si nous regarderons un film dans la classe.
3. s'il faudra développer de nouvelles techniques anti-pollution.
4. si vous sortirez ensemble.
5. si les hommes voudront avoir une paix définitive.
6. si les femmes devront faire de nouvelles manifestations.
7. si la médecine fera encore des progrès.
8. si ses parents seront contents de le/la revoir.
9. si les joueurs se reposeront après le match de football.

Le futur avec *quand*, *dès que*, *tant que*

Quand and **lorsque** mean "when".
Dès que and **aussitôt que** mean "as soon as".
Tant que and **aussi longtemps que** mean "as long as".

In the future context, the future tense is used after these conjunctions, whereas in English the present tense is used after the corresponding expressions.

Je le verrai quand il reviendra.
I will see him when he comes back.

Nous lui téléphonerons lorsqu'il sera à Toronto.
We will call him when he is in Toronto.

Nous partirons dès que tu seras prêt(e).
We will leave as soon as you are ready.

Elles m'écriront aussitôt qu'elles arriveront.
They will write to me as soon as they arrive.

Tu devras rester au lit tant que tu auras de la fièvre.
You will have to stay in bed as long as you have a fever.

Aussi longtemps qu'elle n'étudiera pas, elle aura de mauvaises notes.
As long as she does not study, she will get bad grades.

Exercices (Oralement)

A. Répondez aux questions par des phrases complètes.

> *Modèle:* Qu'est-ce que tu mangeras quand tu iras à la cafétéria?
> *Quand j'irai à la cafétéria, je mangerai une salade.*

1. Où iras-tu quand nous sortirons de la classe?
2. Quelle voiture achèteras-tu quand tu seras très riche?
3. Est-ce que nous devrons porter des manteaux tant qu'il fera froid?
4. Est-ce que tu feras du tennis dès qu'il fera beau?
5. Est-ce que vous partirez en vacances aussitôt que les cours finiront?
6. Est-ce qu'il y aura des accidents d'automobile aussi longtemps que les automobiles existeront?
7. Qu'est-ce que tu feras lorsque tu auras beaucoup d'argent?

B. Mettez les phrases au futur:

1. Nous le voyons quand il arrive de Vancouver.
2. Dès qu'il pleut, nous rentrons.
3. Nous pouvons nous promener tant qu'il fait du soleil.
4. Aussi longtemps que son amie n'est pas avec lui, il s'ennuie.
5. Elle devient institutrice dès qu'elle termine ses études.
6. Lorsque vous le rencontrez, vous l'invitez à dîner.
7. Je te rends l'argent aussitôt que je reviens.
8. Il me téléphone dès qu'il rentre chez lui.
9. Je ne te parle pas tant que tu es de mauvaise humeur.
10. Nous pouvons peut-être manger ensemble quand vous en avez le temps.

Quelqu'un / personne — quelque chose / rien

These are indefinite pronouns which are invariable. (Their form never varies. For the purpose of agreement with the past participle of verbs conjugated with **être**, they are considered masculine singular.)

1) **Quelqu'un** (somebody) / **personne** (nobody/not . . . anybody)

> Quelqu'un est entré dans ma chambre.
> Personne n'est venu.
> Il a parlé à quelqu'un.
> Elle ne rencontrera personne.
> J'ai vu quelqu'un à la porte.
> Nous n'avons besoin de personne.

Note that **personne** is used with **ne** which is placed immediately before the verb. When **personne** is the direct object of a verb in the **passé composé** or in the infinitive, it is placed after the past participle or the infinitive:

> Je n'ai vu personne.
> Il ne veut voir personne.

2) **Quelque chose** (something) / **rien** (nothing/not . . . anything)

> Quelque chose est tombé du toit.
> Rien ne l'amuse quand il est préoccupé.
> J'ai entendu quelque chose.
> Tu n'as rien mangé.
> As-tu envie de quelque chose?
> Ils ne m'ont parlé de rien.

Rien is used with **ne** which is placed immediately before the verb. When **rien** is the direct object of a verb in the **passé composé** or in the infinitive, it is placed between the auxiliary verb and the past participle or between the conjugated verb and the infinitive:

> Je n'ai rien vu.
> Il ne veut rien voir.

3) **Quelqu'un, quelque chose, personne, rien + à + infinitif**

> Je m'ennuie: je n'ai rien à faire.
> Est-ce qu'il y a quelque chose à manger?
> Il est seul: il cherche quelqu'un à aimer.
> Je ne connais personne à inviter.

4) **Quelqu'un, quelque chose, personne, rien + de + adjectif**

In this construction, the adjective remains invariable.

> Elle a rencontré quelqu'un de fantastique.
> Y a-t-il quelque chose d'intéressant à la télé?
> Je n'ai rien acheté de cher.
> Je n'ai rencontré personne de sympathique.

Exercices (Oralement)

A. Répondez aux questions affirmativement et négativement d'après les modèles.

> *Modèles:* Qu'est-ce que tu vois?   Qui attends-tu?
> *Je vois quelque chose.*   *J'attends quelqu'un.*
> *Je ne vois rien.*   *Je n'attends personne.*

1. Qu'est-ce que tu fais?
2. Qui regardes-tu?
3. Qui a-t-il rencontré?
4. Qu'est-ce qu'elle veut faire?
5. Qui est arrivé?
6. De quoi parles-tu?
7. De quoi as-tu besoin?
8. A qui penses-tu?

9. Qu'est-ce qu'il y a?
10. Qu'est-ce que tu as lu?
11. Qui espères-tu rencontrer?
12. Qu'est-ce qu'elle a pu faire?
13. Qu'est-ce qui se passe?
14. De qui parles-tu?
15. De quoi as-tu envie?
16. A quoi penses-tu?

B. Répondez négativement:

1. As-tu quelque chose à faire?
2. As-tu mangé quelque chose ce matin?
3. Dois-tu rencontrer quelqu'un?
4. Est-ce que quelqu'un est venu?
5. Connais-tu quelqu'un d'extraordinaire?
6. As-tu quelque chose à me donner?
7. As-tu quelqu'un à me présenter?
8. Ont-ils quelque chose à nous rendre?
9. Est-ce qu'ils ont vu quelque chose d'amusant?
10. Est-ce que vous connaissez quelqu'un de raciste?
11. Est-ce que tu as acheté quelque chose de joli?
12. Est-ce qu'il a quelque chose d'intéressant à dire?
13. Est-ce qu'elle a quelqu'un d'extraordinaire à rencontrer?
14. As-tu quelque chose de bon à manger?
15. As-tu quelqu'un d'important à voir?
16. As-tu quelque chose de nouveau à m'apprendre?

Les pronoms objets et l'impératif

When the verb is in the affirmative imperative, the direct and indirect object pronouns, as well as **y** and **en**, are placed after the verb and are joined to it by a hyphen:

Regarde le professeur.   Regarde-le.
Prends la voiture.   Prends-la.
Parlez à vos amis.   Parlez-leur.
Apportez deux sandwichs.   Apportez-en deux.
Allez au cinéma.   Allez-y.

The direct and indirect pronoun **me** becomes **moi** after the verb:

Regarde-moi.   Parlez-moi.

Before **y** and **en**, the letter **s** (pronounced /z/) is added to the second person singular form of the imperative of **-er** verbs (including **aller**):

Manges-en   Achètes-en.   Vas-y.

When the verb is in the negative imperative, the pronouns precede the verb:

Ne me regarde pas.   Ne leur téléphone pas.
N'en prenez pas.   N'y allez pas.

Exercices (Oralement)

A. Remplacez le nom par un pronom objet:

1. Amène ton ami.
2. Mangeons la tarte.
3. Téléphone à Marcel.
4. Ecrivons à nos amis.
5. Achète du vin.
6. Amenez beaucoup d'amis.
7. Apporte trois tasses.
8. Embrassez vos cousins.
9. Parle à ton ami.
10. Réponds au professeur.
11. Fais la vaisselle.
12. Prends de l'argent.
13. Mange un biscuit.
14. Va dans le jardin.

B. Dites à un(e) autre étudiant(e) de . . .

   Modèle: vous regarder.
       Regarde-moi.

1. vous écouter.
2. vous rencontrer à trois heures.
3. vous parler de ses problèmes.
4. vous attendre.
5. vous prêter de l'argent.
6. vous téléphoner.
7. vous répondre.
8. vous écrire.
9. vous obéir.
10. vous payer un café.

C. Mettez à la forme négative.

   Modèle: Parle-moi.
       Ne me parle pas.

1. Obéis-leur.
2. Ecoutez-les.
3. Téléphone-lui.
4. Allez-y.
5. Appelle-le.
6. Réponds-moi.
7. Prends-en beaucoup.
8. Regarde-moi.
9. Finissez-les.
10. Parlez-leur.
11. Attends-la.
12. Ecoute-les.
13. Apprends-la.
14. Achetons-en.
15. Ecrivez-nous.
16. Manges-en.
17. Vas-y.
18. Apporte-les.
19. Mets-en beaucoup.
20. Cherchez-le.
21. Réponds-y.
22. Admets-le.
23. Répondons-lui.
24. Vendons-le.

Place des pronoms après l'impératif

When two pronouns are used with the affirmative imperative, they both follow the verb and are joined by a hyphen. Direct object pronouns must always precede indirect object pronouns. The order in which pronouns are placed is:

le	+	me*	+	en
la		lui		
les		nous		
		leur		

Rends-nous ce disque.	Rends-le-nous.
Donne-moi la chemise.	Donne-la-moi.
Achète-leur des fleurs.	Achète-leur-en.
Emprunte-lui deux stylos.	Emprunte-lui-en deux.
Lis-leur la lettre.	Lis-la-leur.
Prête-moi un livre.	Prête-m'en un.

When the verb is in the negative imperative, the order of the pronouns before the verb is the same as with all the other forms of the verb (see Chapter 10):

Ne m'en parle pas.	Ne la lui donnons pas.
Ne lui en parle pas.	Ne les leur prête pas.

Exercices (Oralement)

A.   Suivez le modèle. Dites à un(e) autre étudiant(e) de . . .

> *Modèle:* vous prêter <u>son crayon</u>.
> *Prête-le-moi.*

1. vous payer <u>une bière</u>.
2. vous donner <u>le livre</u>.
3. vous emprunter <u>votre moto</u>.
4. vous vendre <u>son ordinateur</u>.
5. vous passer <u>les biscuits</u>.
6. vous prêter <u>deux livres</u>.
7. vous apporter <u>beaucoup de fruits</u>.
8. vous amener <u>ses amis</u>.
9. vous dire <u>la vérité</u>.
10. vous écrire <u>une carte</u>.

B. Suivez le modèle. Dites à d'autres étudiants de . . .

> *Modèle:* nous donner <u>de l'argent</u>.
> *Donnez-nous-en.*

1. nous prêter <u>leurs voitures</u>.
2. nous acheter <u>nos disques</u>.
3. nous vendre <u>leurs livres</u>.
4. nous répéter <u>la phrase</u>.
5. nous parler <u>de leurs projets</u>.
6. nous parler <u>de leur voyage</u>.
7. nous donner <u>du vin</u>.
8. nous servir <u>des sandwichs</u>.

---

* **Me** becomes **moi** when placed in the last position; it becomes **m'** before **en**.

C. Remplacez les noms par des pronoms objets.

> *Modèle:* Donne le crayon à Pierre.
> *Donne-le-lui.*

1. Prêtez de l'argent à vos amis.
2. Vends ton vélo à Sylvie.
3. Passe la serviette à Marc.
4. Donne les clés à tes parents.
5. Parlons de nos difficultés à Gaston.
6. Servez du vin à vos invités.
7. Empruntez un peu d'argent à la banque.
8. Donnez beaucoup de temps à vos amis.

D. Remplacez le nom par un pronom.

> *Modèle:* Ne me dis pas de mensonges.
> *Ne m'en dis pas.*

1. Ne lui donne pas ta bicyclette.
2. Ne leur prête pas ta voiture.
3. Ne la prête pas à Thomas.
4. Emprunte-le à Marie.
5. Donne-leur les gâteaux.
6. Ecris-lui la bonne nouvelle.
7. Ne leur sers pas trop de vin.
8. N'en donne pas trop aux enfants.
9. Prête-nous un livre.

Le verbe irrégulier tenir

Présent de l'indicatif

je tiens	nous tenons
tu tiens	vous tenez
il/elle/on tient	ils/elles tiennent

Participe passé:
tenu

Futur:
je tiendrai

tenir (to hold)
> Il tient un stylo entre ses doigts.
> Elle tenait son bébé dans ses bras.

tenir à (to hold dear/to cherish):
> Je tiens à toi.
> Elle tient à ce cadeau de son père.
> Nous tenons à la vie.

se tenir (to hold oneself/to stay):
> Tiens-toi droit!
> Il se tiendra tranquille.

contenir (to contain):
> Ma serviette contient des livres et des papiers.
> Ce verre contenait du poison.

Exercice (Oralement)

Répondez aux questions:

1. Je tiens un stylo dans ma main. Et toi? Et lui? Et elle?
2. Est-ce que nous tenons à la vie?
3. Est-ce que tu tiens à la vie?
4. Est-ce que les gens en général tiennent à la vie?
5. Est-ce que tu tiens à tes parents?
6. Est-ce que tes parents tiennent à toi?
7. Est-ce que Abélard tenait à Héloïse?

8. Qu'est-ce que ta serviette contient?
9. Est-ce que tu as déjà tenu un bébé dans tes bras?
10. Est-ce que tu te tiens debout dans la classe?

Le verbe irrégulier *vivre*

Présent de l'indicatif		Participe passé:	Futur:
je vis	nous vivons	vécu	je vivrai
tu vis	vous vivez		
il/elle/on vit	ils/elles vivent		

Vivre means "to live"; **survivre** (**à**) means "to survive" and "to outlive":

Ce vieil homme a vécu jusqu'à cent ans.
Il vit à Victoria depuis quinze ans.
Elle est heureuse, elle a de l'argent: elle vit bien.
Il a survécu à son accident.
Joséphine a-t-elle survécu à Napoléon?

Exercice (Oralement)

A. Répondez aux questions:

1. Je vis sur le campus. Et toi? Et lui? Et elle?
2. Est-ce que tu vis en ville ou sur le campus?
3. Est-ce que tu vis ici depuis longtemps?
4. Est-ce que les fleurs vivent toute l'année?
5. Jusqu'à quel âge vivent les femmes en moyenne? Et les hommes?
6. Dans quel pays vivons-nous? Dans quelle ville?
7. As-tu déjà vécu dans un autre pays? Dans une autre ville?
8. En quel siècle a vécu Samuel de Champlain? Abraham Lincoln? Elisabeth Iere?
9. Est-ce que l'humanité survivra à une guerre nucléaire?
10. Les mammouths ont-ils survécu? Et les bisons?
11. Est-ce que l'amour survit au mariage, selon vous?
12. Est-ce qu'on peut survivre sans eau?

Le pronom relatif *dont*

Dont (whose/of which), like **qui, que** and **où**, is a relative pronoun. It stands for the preposition **de** + noun and is used in a relative clause which contains a construction with **de**. This occurs in three cases:

1) The verb in the relative clause requires the preposition **de** (parler de, avoir besoin de):

Tu as un livre. J'ai besoin de ce livre.
⟶ Tu as un livre dont j'ai besoin.

Compare with:

> Tu as un livre. Je ne connais pas ce livre.
> ————→Tu as un livre que je ne connais pas.

2) **Dont** replaces de + noun when **de** links that noun to another noun to indicate possession or connection:

> Je connais un garçon. Le père de ce garçon est maçon.
> ————→ Je connais un garçon dont le père est maçon.

> Je lui donne des fleurs. Elle aime l'odeur de ces fleurs.
> ————→ Je lui donne des fleurs dont elle aime l'odeur.

3) **Dont** also replaces **de** + noun when **de** links that noun to an adjective:

> Il a une moto. Il est fier de cette moto.
> ————→Il a une moto dont il est fier.

Exercices (Oralement)

A. Transformez les phrases selon le modèle.

> *Modèle:* Il a emprunté l'argent. Il avait besoin de cet argent.
> *Il a emprunté l'argent dont il avait besoin.*

1. Elle veut acheter une robe. Elle a envie de cette robe.
2. As-tu vu le film? Je t'ai parlé de ce film
3. C'est un homme. Tout le monde rit de cet homme.
4. Jacques a un piano. Il ne joue pas souvent de ce piano.
5. Je ne connais pas ce professeur. Tu as peur de ce professeur.
6. Il félicite cette étudiante. Les notes de cette étudiante sont excellentes.
7. Je connais cette jeune fille. Tu as rencontré le père de cette jeune fille.
8. Mes cousins ont un chien. Les oreilles de ce chien sont pointues.
9. Elle aime les hommes. Les vêtements de ces hommes sont élégants.
10. Il a rencontré une femme. Il est tombé amoureux de cette femme.
11. C'est une tradition. Les Acadiens sont fiers de cette tradition.
12. Elle a fait des achats. Elle est contente de ces achats.
13. Voilà une théorie. Je suis sûr de cette théorie.
14. Cette jeune fille a un certain charme. Elle n'est pas consciente de ce charme.

B. Remplacez les tirets par *que* ou par *dont:*

1. La femme _____ il aime est anglaise.
2. L'homme _____ elle admire est un ami de son père.
3. Cet homme, _____ j'admire l'intelligence, est un ami de mon père.
4. Je n'ai pas les outils _____ tu as besoin.
5. J'aime bien les disques _____ tu m'as prêtés.
6. Elle déteste le musicien _____ je lui ai parlé.

7. Il fait les choses _____ il aime.
8. Je connais bien le garçon _____ elle est amoureuse.
9. Elle est amoureuse d'un homme _____ je connais.
10. Philippe habite une chambre _____ les fenêtres sont trop petites.
11. J'ai acheté le livre _____ tu m'as recommandé.
12. J'ai acheté une maison _____ le propriétaire était américain.

EXERCICES ECRITS

A. Mettez les verbes au futur:

1. Tu reçois de l'argent.
2. Je vais à la gare.
3. Elles choisissent une carrière.
4. Vous vous ennuyez.
5. Nous payons comptant.
6. Nous appelons nos amis.
7. Vous achetez des gants.
8. Elles t'écrivent.
9. Il s'en rend compte.
10. Tu dis la vérité.
11. Nous voyons un film.
12. Ils sortent avec Pierre.
13. Elles croient à la télépathie.
14. Il s'habitue à sa nouvelle vie.
15. Tu obéis à l'autorité.
16. Nous apprenons le latin.
17. Ils envoient un chèque.
18. Vous attendez longtemps.
19. Laurette jette ses livres.
20. Elle répète ses erreurs.
21. Nous buvons du café.
22. Je prends le train.
23. Mario sait le faire.
24. Il pleut beaucoup.
25. Je veux y aller.
26. Tu comprends mes problèmes.

B. Complétez les phrases avec imagination. Employez le futur:

1. En l'an 2000, nous. . . .
2. Quand j'aurai trente ans, je. . . .
3. Dès qu'il fera soleil, les fleurs. . . .
4. Tant que tu seras malade, tu. . . .
5. Lorsque les cours seront finis, les étudiants. . . .
6. Pendant mes vacances, je. . . .
7. Quand tu viendras me voir, je. . . .
8. Quand j'aurai assez d'argent, je. . . .
9. Aussi longtemps qu'il neigera, nous. . . .
10. Aussitôt que je rentrerai chez moi, je. . . .

C. Donnez la réponse négative:

1. Est-ce que quelqu'un est venu?
2. As-tu acheté quelque chose?
3. Est-ce que quelque chose de grave est arrivé?
4. Fais-tu quelque chose d'intéressant?
5. As-tu rencontré quelqu'un?

6. Est-ce qu'il y avait quelqu'un d'amusant chez Irène?
7. Est-ce qu'elle avait quelque chose à faire?
8. Avez-vous vu quelqu'un dans l'escalier?
9. Ont-ils mangé quelque chose?

D. Dites à quelqu'un de . . .

Modèle: vous comprendre.
Comprends-moi.

1. vous parler.
2. vous apporter un livre.
3. ne pas vous écouter.
4. ne pas vous attendre.

E. Remplacez tous les noms par des pronoms objets:

1. Prête-lui ton livre.
2. Donne-moi ton adresse.
3. Ne lui donne pas trop d'argent.
4. Emprunte-le à ton amie.
5. Ne leur servez pas de vin.
6. Donnez-leur deux dollars.
7. Passe-nous le sucre.
8. Ecris-lui la nouvelle.
9. Dis-le à tes parents.

F. Remplacez tous les noms par des pronoms objets:

1. Donne un biscuit au chien.
2. Passe ton stylo à Hélène.
3. Parle de tes problèmes à ta mère.
4. N'emprunte pas d'argent à tes parents.
5. Vendez vos disques à Henri.
6. Apportons beaucoup de cadeaux aux enfants.
7. Ne sers pas de vodka aux invités.
8. Prête ta bicyclette à ta soeur.

G. Mettez le verbe entre parenthèses au présent:

1. Elle (vivre) à Montréal depuis longtemps.
2. Nous (tenir) à toi.
3. Ils (se tenir) debout dans la classe.
4. Cette bouteille (contenir) de l'eau.
5. Vous (vivre) à Moncton.

H. Remplacez les tirets par le pronom relatif approprié *(qui, que, dont, où)*:

1. Elle ne veut pas me rendre l'argent _____ elle me doit.
2. Elle a acheté la robe _____ elle avait envie.
3. Prends les livres _____ tu as besoin.
4. Je connais la ville _____ tu vis.
5. Il connaît le professeur _____ tu parles.
6. Elle a rencontré l'architecte _____ a dessiné les plans de ma maison.
7. C'est le médecin _____ la fille sort avec Alain.
8. Tu as mangé le gâteau _____ ta mère a préparé.

LECTURE

L'Acadie

Où se trouve l'Acadie? On peut dire que l'Acadie, ce sont ces régions des Maritimes où sont concentrés les Acadiens: à l'Ile-du-Prince-Edouard, en Nouvelle-Ecosse et surtout au Nouveau-Brunswick. Et qui sont les Acadiens? Ce sont les descendants de ces colons français qui se sont établis en Nouvelle-Ecosse, puis qui ont été dispersés par les Anglais au milieu du 18e siècle — déportés en France, en Nouvelle-Angleterre; réfugiés au Québec ou en Louisiane; cachés dans les forêts de l'intérieur — et qui sont revenus finalement chez eux. De la centaine de familles qui se sont à nouveau installées sur les régions côtières des Maritimes descendent la majorité des 330 000 francophones dont la plus grosse partie (230 000) vit au Nouveau-Brunswick.

C'est bien sûr par leur langue mais surtout par leur histoire bien particulière que les Acadiens se définissent. En dépit d'une assimilation progressive, ils maintiennent le sens de leur identité et la vitalité de leurs traditions. On peut visiter des vestiges de cette histoire à Port-Royal, en Nouvelle-Ecosse, où se sont installés les premiers colons; à Louisbourg, sur l'Ile du Cap-Breton, et à Mont-Carmel, où on peut voir le village des pionniers acadiens.

L'Acadie vivante, on la découvre le long des côtes, de la baie de Fundy à la baie des Chaleurs. Les Acadiens ont d'abord été marins et pêcheurs et ils restent des gens dont la vie est profondément influencée par la mer. Les paysages de l'Acadie sont uniques. Il y a d'abord les dunes — des collines de sable qui relient des îles ou qui s'étendent dans la mer. La dune de Bouctouche a plus de 10 kilomètres de long. Il y a aussi les ''barachois'' — sortes de petits fjords sans les montagnes — les pointes et les caps, les baies et les anses, les ports commerciaux et les petits ports de pêche. A l'intérieur, tous les villages sont installés près des nombreuses rivières, voies de communication avec la mer. Et puis les vallées comme celle de Memramcook où on peut voir des ''aboiteaux'' qui sont des digues construites par les Acadiens pour reprendre la terre à la mer.

C'est encore la mer que célèbrent la plupart des festivals: festival du saumon, du homard, des pétoncles, des rameurs, du pêcheur. Les légendes aussi se rattachent à la mer, comme celle du bâteau-fantôme, ainsi que les histoires de trésors cachés dans les sables.

La communauté acadienne a survécu à bien des infortunes et a réussi à maintenir son identité. Les livres d'Antonine Maillet et les chansons d'Edith Butler ont permis aux Canadiens de prendre conscience de l'Acadie. A nous de la redécouvrir!

anse (f.)	cove	**colon** (m.)	settler
baie (f.)	bay	**communauté** (f.)	community
bateau-fantôme	phantom ship	**construit, uite**	built
bien de(s)	many	**côte** (f.)	coast
cap (m.)	cape	**côtier, ière**	coastal
célébrer	to celebrate	**découvrir**	to discover
centaine (f.)	about a hundred	**(se) définir**	to define (oneself)
colline (f.)	hill	**déporté(e)**	deported

descendre de	to be descended from	**pêche** (f.)	fishing
digue (f.)	dike	**pêcheur** (m.)	fisherman
dispersé(e)	dispersed	**permettre**	to enable
dune (f.)	dune	**pétoncle** (m.)	scallop
en dépit de	in spite of	**pionnier** (m.)	pioneer
(s')établir	to settle	**plupart: la — de**	most of
(s')étendre	to stretch	**pointe** (f.)	headland
histoire (f.)	history	**port** (m.)	port
homard (m.)	lobster	**prendre**	to become aware
identité (f.)	identity	**conscience**	
île (f.)	island	**rameur** (m.)	rower
infortune (f.)	misfortune	**(se) rattacher à**	to be connected to
(s')installer	to settle	**relier**	to link
intérieur (m.)	interior	**reprendre (à)**	to take back (from)
légende (f.)	legend, tale	**rivière** (f.)	river
long: le — de	along	**sable** (m.)	sand
maintenir	to maintain, to hold	**sens** (m.)	sense
		sûr: bien —	of course
marin (m.)	sailor	**trésor** (m.)	treasure
mer (f.)	sea	**vallée** (f.)	valley
milieu: au — de	in the middle of	**vestige** (m.)	trace/remains
montagne (f.)	mountain	**vivant, ante**	living
par	by	**voie** (f.)	way
paysage (m.)	landscape		

Questions

1. Où se trouve l'Acadie? Est-ce que c'est un territoire officiellement reconnu?
2. Qui sont les Acadiens? Combien sont-ils dans les Maritimes?
3. Que savez-vous de l'histoire des Acadiens?
4. Qu'est-ce qui caractérise l'Acadie et les Acadiens?
5. Qu'est-ce qu'une dune? et un "barachois"?
6. Pourquoi les Acadiens ont-ils construit des "aboiteaux"?
7. Quels genres de festivals et de légendes y a-t-il en Acadie?
8. Qui sont Antonine Maillet et Edith Butler?
9. D'après vous, quels genres de difficultés les Acadiens ont-ils connus en tant que minorité?

SITUATIONS / CONVERSATIONS

1. Qu'est-ce que vous ferez dès que les cours se termineront? Partirez-vous en vacances? Travaillerez-vous? Où irez-vous? Parlez de vos projets de l'été prochain.
2. Imaginez que vous gagnez beaucoup d'argent à la loterie. Qu'est-ce vous en ferez? Où et comment vivrez-vous? Comment vous occuperez-vous?

3. Vous voulez faire un voyage en Acadie. Vous allez dans une agence de voyages pour demander des renseignements. Un(e) autre étudiant(e) vous informe. Posez des questions et répondez-y (inspirez-vous de la lecture).

4. L'an 2000 approche. . . . Qu'est-ce qui changera d'ici là dans la vie quotidienne? Pensez-vous qu'il y aura des progrès scientifiques et techniques importants? Des bouleversements dans les relations internationales? Des transformations sociales?

5. *A tour de rôle.* Vous êtes dans la politique et vous devez convaincre un petit groupe de gens de voter pour vous. Parlez des changements que vous apporterez, de la façon dont vous résoudrez divers problèmes, des priorités que vous établirez. Les autres étudiants vous posent des questions. Employez le futur pour les questions et pour les réponses.

6. Imaginez qu'il y aura une guerre nucléaire. La vie sera-t-elle encore possible? Qui survivra et/ou qu'est-ce qui survivra? Qu'est-ce qui se passera selon vous?

COMPOSITIONS

1. Vous organisez un voyage dans les Maritimes. Où irez-vous d'abord? Passerez-vous le long des côtes? Prendrez-vous le bateau ou le traversier? Quelles villes visiterez-vous? Quels sites historiques? Qu'est-ce que vous mangerez? etc. Préparez votre composition à l'aide de brochures touristiques et employez le futur.

2. Imaginez votre vie dans dix ans. Employez le futur pour parler de vos activités, de votre situation, de l'endroit où vous vivrez, de vos diverses activités, des gens que vous connaîtrez.

PRONONCIATION

E caduc (suite)

I. *Deux consonnes prononcées* + /ə/

At the beginning of or within a rhythmic group, /ə/ is pronounced when preceded by two pronounced consonants.

Répétez:

1. il le voit   elle le sait
   il le prend   elle le tient
   il le fait   elle le sert
   il le mange   elle le vend
   il le croit   elle le paie

2. pour le professeur   par le train
   pour le médecin   par le chemin
   pour le boucher   par le jardin
   pour le mineur   par le sentier

3. le héros
   le haricot
   le haut
   le hors-d'oeuvre

   le hall
   le hangar
   le hollandais
   le hareng

4. passe le sel
   ferme le livre
   apporte le disque
   donne le cahier

   il me parle
   il me connaît
   il me déteste
   il me cherche

Give the corresponding adverb:

autre	large	simple
correct	manifeste	sensible
fort	pénible	visible

II. *Contraste: e caduc prononcé/non prononcé*

Répétez:

1. je mé lave   / il se lave
   je mé promène   / il se promène
   je mé rase   / il se rase
   tu té laves   / il se lave
   tu té peignes   / elle se peigne
   tu té prépares   / elle se prépare

2. je mé suis caché(e)   / ils se sont cachés
   je mé suis regardé(e)   / elles se sont regardées
   je mé suis maquillé(e) / elles se sont maquillées
   je mé suis marié(e)   / ils se sont mariés

3. fais lé travail   / fais-le
   tiens lé fil   / tiens-le
   prends lé biscuit   / prends-le
   mets lé veston   / mets-le

4. tu lé fais   / il le fait
   tu lé bois   / il le boit
   tu lé connais   / il le connaît
   tu lé vends   / il le vend

CHAPITRE QUINZE

LA LITTÉRATURE CANADIENNE-FRANÇAISE

Emile Nelligan
Photo C-88566, retouchée par Charles Gil, avec la permission des Archives nationales du Canada

INTRODUCTION

Voudrais-tu lire un roman ou
une biographie?
  J'aimerais mieux lire un roman.

Est-ce que tu liras ce recueil
de poèmes?
  Oui, si j'ai le temps, je le lirai.

Quel genre de choses aimerais-tu
écrire?
  Si j'avais du talent, j'écrirais
  des pièces de théâtre.

Est-ce que tu devais lire des
romans à l'école primaire?
  Non, pas à l'école primaire,
  mais j'ai dû en lire à l'école
  secondaire.

Quel auteur québécois nous
conseillez-vous?
  Vous devriez lire Anne Hébert.

Est-ce que c'est ton livre?
  Non, ce n'est pas le mien, il est
  à Sylvie.

Est-ce que cette voiture vous
appartient?
  Non, ce n'est pas la nôtre, c'est
  celle de nos parents.

Quels cours suivez-vous à l'université?
  Nous suivons des cours de littérature française. Pierre et Marc
  suivent des cours de biologie.

GRAMMAIRE ET EXERCICES ORAUX

Le conditionnel présent

The conditional, like the indicative and the imperative, is a mood. It has two tenses: the present and the past.

The present conditional is formed by adding to the future stem of the verb the endings **-ais, -ais, -ait, -ions, -iez, -aient.** (These are also the endings of the **imparfait**.)

Remember that the future stem of most verbs is their infinitive form. Irregular future stems must be memorized.

	marcher	**être (ser-)**	**pouvoir (pourr-)**
je	marcherais	serais	pourrais
tu	marcherais	serais	pourrais
il/elle/on	marcherait	serait	pourrait
nous	marcherions	serions	pourrions
vous	marcheriez	seriez	pourriez
ils/elles	marcheraient	seraient	pourraient

The present conditional is mostly used to express a hypothetical action or event, that is an action or event which would take place under some specific circumstances:

Peu de gens survivraient à une guerre nucléaire.
Few people would survive a nuclear war.
Sans mes livres et mes disques, je m'ennuierais.
I would be bored without my books and records.

It may also be used instead of the present indicative to make a request more polite, especially with the verbs **vouloir** and **pouvoir**, but with other verbs as well:

Pourriez-vous finir ce travail?
Viendrais-tu avec moi au magasin?

Exercices (Oralement)

A. Substituez au sujet les mots entre parenthèses:

1. J'attendrais la fin des cours. (elle, vous, ils)
2. Nous finirions nos études. (tu, il, je)
3. Elle s'habillerait mieux. (vous, tu, nous)
4. Il irait à Montréal. (je, nous, elles)
5. Je ferais du sport. (vous, il, tu)
6. Tu aurais de l'argent. (je, nous, ils)
7. Il voudrait s'en aller. (tu, vous, elles)
8. Vous viendriez me voir. (il, tu, elles)

B.   Les verbes des phrases suivantes sont au futur. Mettez-les au conditionnel présent:

1.   Je voudrai le voir.
2.   J'aurai du travail.
3.   Tu seras ingénieur.
4.   Vous pourrez me téléphoner.
5.   Il faudra y aller.
6.   Ils sauront parler français.
7.   Elle viendra te voir.
8.   Nous verrons des paysages.
9.   Tu jetteras tes vieux livres.
10. Elle appellera le directeur.
11. Il pleuvra.
12. Nous achèterons des vêtements.

C.   Répondez aux questions selon le modèle.

Modèle: Voudrais-tu venir?
   Oui, dans ce cas-là, je viendrais.

1.   Voudrais-tu t'en aller?
2.   Voudrais-tu partir?
3.   Voudrais-tu faire un voyage?
4.   Voudrais-tu le voir?
5.   Voudrais-tu attendre?
6.   Voudrais-tu réfléchir?
7.   Voudrais-tu le recevoir?
8.   Voudrais-tu te promener?
9.   Voudrais-tu en prendre?

D.   Faites une phrase plus polie en employant le conditionnel.

Modèle: Pouvez-vous me donner votre adresse?
   Pourriez-vous me donner votre adresse?

1.   Pouvez-vous me téléphoner demain?
2.   Peux-tu me prêter ta voiture?
3.   Voulez-vous venir avec moi?
4.   Veux-tu me passer ce livre?
5.   Je veux te parler.
6.   Nous voulons vous dire quelque chose.
7.   Je souhaite vous soumettre cette demande.

La phrase conditionnelle

A conditional sentence is made up of two clauses: a **si** (if) clause stating the condition and a main clause stating the result. **Si** becomes **s'** before **il** or **ils.** The **si** clause may come before or after the main clause.

1) When the **si** clause is in the **imparfait**, the main clause is in the *present conditional:*

Si j'avais de l'argent, j'achèterais cette voiture.
If I had money, I would buy this car.

2) When the **si** clause is in the *present indicative*, the main clause is usually in the *future:*

Si j'ai de l'argent, j'achèterai cette voiture.
If I have money, I will buy this car.

The main clause may also be in the *present indicative* or in the imperative:

Si tu es fatigué(e), tu peux aller au lit.
If you are tired, you may go to bed.
Lis un livre si tu t'ennuies.
Read a book if you are bored.

Summary

Si Clause	Main Clause
present indicative	present indicative future imperative
imparfait	present conditional

Exercices (Oralement)

A. Répondez selon le modèle.

> *Modèle:* Quelle langue parlerais-tu si tu étais américain(e)?
> *Si j'étais américain(e), je parlerais anglais.*

Quelle langue parlerais-tu si tu étais chinois(e)? allemand(e)? russe? espagnol(e)? italien(ne)? mexicain(e)? portuguais(e)? brésilien(ne)? belge? japonais(e)? marocain(e)? vietnamien(ne)? suisse?

B. Répondez aux questions selon le modèle.

> *Modèle:* Que ferais-tu si tu avais de l'argent? (manger au restaurant)
> *Si j'avais de l'argent, je mangerais au restaurant.*

1. Que ferais-tu si tu allais en France? (visiter Paris)
2. Que ferais-tu ce soir si tu avais le temps? (aller à un concert)
3. Que ferais-tu si tu étais en vacances? (se reposer au bord de l'eau)
4. Que ferais-tu si tu n'étais pas étudiant(e)? (travailler)
5. Que ferais-tu si tu étais déprimé(e)? (se promener dans la nature)
6. Que ferais-tu si tu avais un talent artistique? (devenir peintre)
7. Que ferais-tu si tu étais riche? (vivre dans un pays chaud)

C. Répondez aux questions par des phrases complètes:

1. Dans quel pays vivrais-tu si tu avais le choix?
2. Où irais-tu en vacances si tu pouvais partir demain?
3. Que ferais-tu si tu avais beaucoup d'argent?
4. Que ferais-tu si tu étais premier ministre du Canada?
5. Que ferais-tu si tu étais célèbre?
6. Que ferais-tu si tu étais politicien(ne)?
7. Quel profession choisirais-tu si tu étais génial(e)?

D. Complétez les phrases avec imagination:

1. Je ferais du ski si. . . .
2. J'étudierais beaucoup si. . . .
3. Je regarderais la télévision si. . . .
4. J'apprendrais le piano si. . . .
5. J'achèterais une Rolls-Royce si. . .
6. Je deviendrais politicien(ne) si. . . .
7. Si j'étais premier ministre, je. . .
8. Si j'étais très fort(e) physiquement, je. . . .
9. Si j'étais le professeur, je. . . .
10. Si je devenais célèbre, je. . . .

E. Répondez selon le modèle.

> *Modèle:* Ne sors pas s'il neige.
>   *S'il neige, je ne sortirai pas.*

1. Mange si tu as faim.
2. Mets un chandail si tu as froid.
3. Va dormir si tu as mal à la tête.
4. Ne fais pas de ski s'il fait trop froid.
5. Ne m'attends pas si je suis en retard.
6. Va voir le professeur si tu ne comprends pas cette leçon.
7. Repose-toi si tu es fatigué(e).
8. Téléphone-moi si tu t'en vas.

F. Complétez les phrases avec imagination:

1. S'il fait beau cette fin de semaine, je. . . .
2. Si j'ai le temps ce soir, je. . . .
3. Si je réussis à tous mes examens, je. . . .
4. Si je n'ai rien à faire cette fin de semaine, je. . . .
5. Si je peux partir en voyage cet été, je. . . .
6. J'aurai de l'argent si. . . .
7. Je ferai du sport cet été si. . . .
8. J'aurai une bonne profession si. . . .
9. Je me marierai si. . . .
10. Je prendrai l'avion si. . . .

Le verbe *devoir (imparfait, passé composé, futur, conditionnel présent)*

The verb **devoir** was presented in the present tense (Chapter 6) when it may express obligation, probability or expectation. When it is used in other tenses and moods, what it expresses may vary:

1) **imparfait**

— obligation:
Quand j'habitais Montréal, je devais prendre le métro tous les matins.
When I lived in Montreal, I had to take the subway every morning.

— probability:

Il devait être huit heures quand je suis rentré(e).
It must have been eight o'clock when I came back.

— expectation:

Je devais lui téléphoner mais j'ai oublié.
I was supposed to call him but I forgot.

2) **passé composé**

— obligation:

Il a dû abandonner ses études après la mort de son père.
He had to give up his studies after his father's death.

— probability:

Il a dû oublier de venir.
He must have forgotten to come.

3) **futur**

— obligation:

Nous devrons partir tôt.
We will have to leave early.

4) **conditionnel présent**

— moral obligation or suggestion:

Je devrais téléphoner à mes grands-parents.
I should call my grandparents.

Tu devrais te reposer.
You ought to rest.

— probability:

Elle devrait arriver bientôt.
She should arrive soon.

Exercices (Oralement)

A. Faites une suggestion selon le modèle.

Modèle: Je suis fatigué(e). (se reposer)
Tu devrais te reposer.

1. J'ai mal à la tête. (prendre une aspirine)
2. J'ai froid. (mettre un chandail)
3. Je suis déprimé(e). (voir des amis)
4. Je ne me sens pas bien. (consulter un médecin)
5. J'ai de mauvaises notes. (étudier plus sérieusement)

B.   Répondez aux questions selon le modèle.

> *Modèle:* Que feras-tu s'il neige? (rester à la maison)
> *S'il neige, je devrai rester à la maison.*

1. Que feras-tu si l'autobus est en retard? (prendre un taxi)
2. Que feras-tu si tu perds ton livre? (en acheter un autre)
3. Que feras-tu si tu as un accident? (appeler la compagnie d'assurances)
4. Que feras-tu si tu perds tes clés? (entrer par la fenêtre)
5. Que feras-tu si tu as mal aux dents? (aller voir le dentiste)

C.   Mettez le verbe *devoir* à l'imparfait ou au passé composé selon le contexte:

1. Je _____ téléphoner à Monique mais j'ai perdu son numéro.
2. Il est minuit et Charles n'est pas rentré. Il _____ avoir un accident.
3. Quand elle vivait chez ses parents, elle _____ faire la vaisselle tous les jours.
4. Je _____ dormir quand tu es rentré hier soir parce que je ne t'ai pas entendu.
5. Après son accident, elle _____ rester trois semaines à l'hôpital.

Les pronoms possessifs

| | Singular | | Plural | |
	Masculine	*Feminine*	*Masculine*	*Feminine*
mine	**le mien**	**la mienne**	**les miens**	**les miennes**
yours	**le tien**	**la tienne**	**les tiens**	**les tiennes**
his/her/its	**le sien**	**la sienne**	**les siens**	**les siennes**
ours	**le nôtre**	**la nôtre**	**les nôtres**	**les nôtres**
yours	**le vôtre**	**la vôtre**	**les vôtres**	**les vôtres**
theirs	**le leur**	**la leur**	**les leurs**	**les leurs**

A possessive pronoun replaces a possessive adjective + noun; it must agree in gender and number with the noun it replaces (what is possessed):

> **Bertrand met sa cravate.** ——▶ **Bertrand met la sienne.**
> Bertrand puts on his tie. ——▶ Bertrand puts on his.
> **Lucie prend son vélo.** ——▶ **Lucie prend le sien.**
> Lucie takes her bicycle. ——▶ Lucie takes hers.

Le nôtre and **le vôtre** are pronounced with a closed o(/o/); the adjectives **notre** and **votre** with an open o (/ɔ/).

The usual contractions occur when à or **de** precede **le** or **les: au mien, aux tiens, aux siennes, du nôtre, du vôtre, des leurs,** etc.

Other constructions used to express possession are **être à** + noun or stress pronoun, and **appartenir à** + noun (or indirect object pronoun + **appartenir**):

Ce livre est à Paulette.   Ce livre appartient à Paulette.
Ce livre est à lui.   Ce livre lui appartient.

In summary, the following structures are all used to express possession:

— **de** + noun: **C'est l'auto de Victor.**
— possessive adjective + noun: **C'est son auto.**
— possessive pronoun: **C'est la sienne.**
— **être** + **à** + noun: **Cette auto est à Victor.**
— **appartenir à** + noun: **Cette auto appartient à Victor.**

Exercices (Oralement)

A. Remplacez l'adjectif possessif + nom par un pronom possessif:

1. mon père	9. ma mère	17. ma cousine	25. mon frère
2. ton cousin	10. ta soeur	18. ta nièce	26. ton neveu
3. ses parents	11. sa parenté	19. son appartement	27. ses voisins
4. sa ville	12. son pays	20. ses amies	28. ses copains
5. notre travail	13. notre maison	21. notre auto	29. notre classe
6. votre autobus	14. votre rue	22. votre logement	30. votre piscine
7. leurs affaires	15. leur politique	23. leurs bagages	31. leur profession
8. leur diplôme	16. leurs enfants	24. leurs filles	32. leur garçon

B. Employez un pronom possessif pour remplacer les mots soulignés:

1. J'ai rencontré ton frère et son frère.
2. Il a joué avec sa cousine et ta cousine.
3. Elle a téléphoné à ses parents et à mes parents.
4. J'ai lu ta lettre et leur lettre.
5. Il a besoin de tes conseils et de nos conseils.
6. J'ai parlé à ses parents et à vos parents.
7. Compare ta composition et sa composition.
8. Apporte tes disques et moi, j'apporterai mes disques.

C. Répondez aux questions selon le modèle:

Modèle: A qui appartient ce vélo? (moi)
Il est à moi.

1. A qui appartient ce style? (Pierre)
2. A qui appartient cette cravate? (lui)
3. A qui appartient cette maison? (nous)
4. A qui appartiennent ces disques? (eux)
5. A qui appartiennent ces papiers? (elles)

D. Répondez aux questions selon le modèle.

> *Modèle:* A qui est cette blouse? (moi)
> *C'est la mienne.*

1. A qui sont ces souliers? (elle)
2. A qui est cette machine à écrire? (lui)
3. A qui est cet ustensile? (nous)
4. A qui est cette guitare? (eux)
5. A qui sont ces disques? (toi)
6. A qui sont ces tasses? (elles)

Le verbe irrégulier *suivre*

Présent de l'indicatif

je suis	nous suivons
tu suis	vous suivez
il/elle/on suit	ils/elles suivent

Participe passé: suivi

Futur: je suivrai

Suivre means

— to follow:
   Nous avons suivi la voiture de Paul.
— to take (a course):
   L'an prochain, je suivrai un cours de chimie.

Poursuivre is conjugated like **suivre** and means ''to pursue'' or ''to carry on (with)'':

   Les policiers ont poursuivi le voleur.
   Je poursuivrai mes études jusqu'au doctorat.

Exercices (Oralement)

A. Substituez au sujet les mots entre parenthèses:

1. Je suis des cours du soir. (tu, nous, vous, ils)
2. Nous suivrons ta voiture. (elles, je, il)
3. Elle suivait un régime. (je, vous, ils)
4. J'ai suivi ses conseils. (il, nous, elles)
5. Il poursuit ses efforts. (je, ils, vous)

B. Répondez aux questions:

1. Quels cours suis-tu en ce moment?
2. Quels cours as-tu suivis l'an dernier?
3. Quels cours suivras-tu l'an prochain?
4. Suis-tu toujours les conseils de tes parents?
5. Est-ce que tu suis un régime?
6. Est-ce que tu suis les événements politiques?
7. Est-ce que tu poursuivras tes études jusqu'au doctorat?

EXERCICES ECRITS

A. Mettez les verbes des phrases suivantes à l'imparfait et au conditionnel présent, selon le cas:

1. Si vous (avoir) le temps, (partir)-vous?
2. Je (mettre) mon manteau s'il (faire) froid.
3. Si tu (être) moins paresseux(-euse), tu (faire) la vaisselle.
4. Si vous (vouloir) travailler, vous (réussir).
5. Nous ne (pouvoir) pas partir en vacances si nous ne (faire) pas d'économies.
6. Qu'est-ce que tu (dire) si je te (demander) de l'argent?
7. Est-ce que tu (venir) avec nous si nous (prendre) la voiture?
8. (Savoir)-tu faire les exercices si tu (apprendre) mieux tes leçons?
9. Si j'(être) marié(e), j'(avoir) des enfants.

B. Mettez les verbes au conditionnel pour faire des phrases plus polies:

1. Peux-tu me prêter ta voiture?
2. Pouvez-vous me rappeler demain?
3. Veux-tu me passer ce livre?
4. Nous voulons vous parler.
5. Qu'est-ce que vous voulez manger?
6. Je souhaite vous transmettre ce rapport.

C. Complétez les phrases avec imagination:

1. Si j'avais beaucoup d'argent, je. . . .
2. Si j'étais en vacances maintenant, je. . . .
3. Si les gens étaient plus intelligents, ils. . . .
4. Je vivrais dans un pays chaud si. . . .
5. Il n'y aurait pas de pollution si. . . .
6. Je serais plus heureux(-euse) si. . . .
7. Si je suis encore à l'université l'an prochain, je. . . .
8. S'il fait beau la fin de semaine prochaine, je. . . .
9. S'il y a un bon film à la télé ce soir, je. . . .
10. Je deviendrai riche si. . . .
11. Tu tomberas malade si. . . .
12. Je poursuivrai mes études si. . . .

D. Répondez aux questions affirmativement selon le modèle. Employez le verbe *devoir* au temps et au mode appropriés.

> *Modèle:* Est-ce que tu travailleras?
> *Oui, je devrai travailler.*

1. Est-ce que tu irais la voir?
2. Est-ce qu'ils travaillaient pendant les vacances?
3. Est-ce qu'elle est rentrée?
4. Est-ce que Marie ira chez le médecin?
5. Est-ce que Guy réussirait à l'examen?
6. Est-ce qu'ils seraient déjà arrivés?
7. Est-ce que vous avez beaucoup étudié?
8. Est-ce que tes parents étaient inquiets?

E.   Remplacez les mots entre parenthèses par un pronom possessif:

1. J'ai dépensé tout mon argent. Mon ami a mis (son argent) à la banque.
2. Voilà ma casquette mais où est (ta casquette)?
3. Le directeur a répondu à la lettre de Jacques mais il n'a pas répondu (à ma lettre).
4. Serge a jeté tous ses vieux journaux mais moi, je n'ai pas jeté (mes vieux journaux).
5. Le bébé a mangé tout son gâteau mais Pierre n'a pas mangé (son gâteau).
6. Il n'a invité que ses amis au mariage, mais elle n'a pas invité (ses amis).
7. Nous reconnaissons nos erreurs si vous reconnaissez (vos erreurs).
8. Je crois que votre fille est plus intelligente que (leur fille).
9. Si vous me rendez mon livre, je vous rendrai (votre livre).
10. Il a donné une réception plus mouvementée que (notre réception).

F.   Employez le verbe *suivre* au temps et au mode appropriés:

1. Cette année, je _____ seulement cinq cours à l'université parce que, l'an dernier, j'en _____ dix.
2. Est-ce que tu _____ un régime si tu deviens trop gros?
3. Quand j'étais enfant, je _____ toujours les conseils de mes parents.
4. Si vous _____ mes conseils, vous réussiriez.
5. Elle le _____ s'il allait travailler au Brésil.
6. _____-moi si tu m'aimes.
7. _____ la rivière et vous arriverez à la ferme.
8. Le verbe _____ normalement le sujet.
9. Dans un musée, les visiteurs _____ le guide.

LECTURE

C'est au milieu du 19e siècle que la première génération d'écrivains canadiens-français s'est manifestée. Entre 1845 et 1848, François-Xavier Garneau a publié les trois volumes de son *Histoire du Canada* qui a été jusqu'à la fin du siècle une source d'inspiration pour les écrivains. Les premiers poètes — Octave Crémazie, Louis Fréchette, Nérée Beauchemin — de même que les premiers romanciers — Philippe-Aubert de Gaspé (*Les Anciens Canadiens*, 1863) et Laure Conan — mettaient leurs oeuvres au service de valeurs patriotiques et religieuses. Ils ont ainsi créé une tradition littéraire qui s'est perpétuée jusqu'à la Deuxième guerre mondiale.

Au cours de cette période, les oeuvres qui présentent le plus d'intérêt sont celles qui se situent en dehors de cette tradition. En poésie, Emile Nelligan — qui a écrit entre 1896 (il avait alors 17 ans) et 1899, année où il a sombré dans la folie — a produit une oeuvre qui, pour la première fois, était pleinement contemporaine de la modernité intellectuelle et littéraire française de son époque. Il a été le premier poète moderne et original du Canada français.

Alors que la majorité des romans écrits jusqu'en 1940 faisaient l'éloge du monde rural et des vertus traditionnelles, deux écrivains — Albert Laberge d'abord avec *La*

Scouine, puis Ringuet avec *Trente Arpents* — ont osé montrer dans une perspective naturaliste les réalités et les misères de la vie paysanne.

La Deuxième guerre mondiale a marqué la fin d'une époque où la littérature pouvait être l'expression de la nostalgie du passé et d'un traditionalisme centré sur une société rurale. L'exode des paysans vers les villes a transformé la collectivité canadienne-française et a engendré un bouleversement des comportements et des attitudes. *Bonheur d'occasion* (1945), de Gabrielle Roy, annonce une nouvelle période où les romanciers vont s'intéresser à ces changements sociaux, examiner la réalité industrielle et les milieux ouvriers. Des écrivains comme Yves Thériault, André Langevin et Roger Lemelin présentent une vision critique de leur société. C'est aussi l'époque où apparaissent des poètes importants: Saint-Denys Garneau, dès 1935, puis Alain Grandbois, Rina Lasnier et Anne Hébert dans les années quarante. Ces poètes créent des oeuvres puissantes et originales qui vont servir d'exemple à la jeune génération.

La révolution tranquille a succédé au régime Duplessis au début des années soixante: c'est alors que la société québécoise accède finalement au libéralisme. En littérature, on assiste à une véritable explosion qui exprime à la fois une libération et une révolte contre toutes les oppressions passées et présentes. Les romans traduisent une révolution des attitudes et un rejet des anciennes conventions: *Prochain épisode* (1965) d'Hubert Aquin, *L'Avalée des avalés* (1966) de Réjean Ducharme, *Une saison dans la vie d'Emmanuel* (1965) de Marie-Claire Blais, *Le couteau sur la table* (1965) et *Salut Galarneau!* (1967) de Jacques Godbout, *Le libraire* (1960) et *L'incubation* (1965) de Gérard Bessette. Les poètes sont au premier rang de cette lutte pour l'émancipation: Fernand Ouellette, Paul-Marie Lapointe, Jean-Guy Pilon et tant d'autres renouvellent les thèmes et les formes d'une poésie où la ferveur indépendantiste s'exprime parfois avec vigueur, comme chez Gaston Miron ou Yves Préfontaine. Le théâtre qui, depuis les années quarante, avec Gratien Gélinas, puis Marcel Dubé, suivait une orientation psychologique, connaît, lui aussi, des bouleversements: *Les belles-soeurs* de Michel Tremblay, pièce où les personnages s'expriment dans le parler populaire de Montréal, fait scandale en 1968.

Les années soixante-dix sont celles de l'émergence des voix de femmes et d'autres minorités qui se mettent à écrire et à publier et qui font ainsi apparaître de nouvelles perspectives sur l'écriture et sur la vie. C'est aussi une période d'expérimentation et de formalisme qui s'accorde avec les préoccupations d'un certain courant intellectuel français et américain; celui-ci va aboutir au ''post-modernisme'' des années quatre-vingts. Désormais, la littérature québécoise retrouve et partage les divers mouvements intellectuels qui émergent aussi bien en Europe qu'en Amérique du Nord.

aboutir à	to lead to	**apparaître**	to appear
accéder à	to come to	**assister à**	to witness
(s')accorder avec	to fit in with	**attitude** (f.)	attitude
ainsi	this way, thus	**bouleversement** (m.)	upheaval
alors	then	**bouleverser**	to turn upside down
alors que	whereas	**changement** (m.)	change
ancien, ienne	old	**comportement** (m.)	behavior
annoncer	to herald	**connaître**	to experience

contemporain	contemporary	**oser**	to dare
courant (m.)	trend	**ouvrier, ière**	working-class
créer	to create	**parfois**	sometimes
critique	critical	**parler** (m.)	speech
dès	as early as, starting with	**partager**	to share
		passé (m.)	past
désormais	henceforth	**paysan, anne**	peasant
divers	various	**(se) perpétuer**	to endure
écriture (f.)	writing	**personnage** (m.)	character
écrivain (m.)	writer	**pièce** (f.)	play (theatre)
éloge: faire l'— de	to praise	**poésie** (f.)	poetry
émerger	to emerge, to come out	**poète** (m.)	poet
		populaire	working-class
émergence (f.)	surfacing	**produire**	to create, to produce
engendrer	to generate	**publier**	to publish
époque (f.)	era, time	**puis**	then
exode (m.)	exodus	**puissant, ante**	powerful
exprimer	to express	**rang: être au premier —**	to be at the forefront
ferveur (f.)	fervor	**réalité** (f.)	reality
fois: à la —	at the same time	**rejet** (m.)	rejection
folie (f.)	madness	**renouveler**	to renew
forme (f.)	form	**retrouver**	to join
guerre (f.)	war	**roman** (m.)	novel
industriel(le)	industrial	**romancier** (m.)	novelist
intérêt (m.)	interest	**rural(e)**	rural
jusque	until	**tant de**	so many, so much
littéraire	literary	**siècle** (m.)	century
lutte (f.)	struggle	**(se) situer**	to be situated
(se) manifester	to appear	**scandale: faire —**	to create a scandal
marquer	to mark	**sombrer dans la folie**	to become insane
même: de — que	as well as		
misère (f.)	wretchedness, poverty	**succéder à**	to succeed, to follow
modernité (f.)	modernity	**thème** (m.)	theme
monde (m.)	world, milieu	**traduire**	to convey, to express
mondial(e) (guerre —)	world (world war)	**valeur** (f.)	value
naturaliste	naturalistic	**véritable**	true, real
oeuvre (f.)	work	**volume** (m.)	volume, book

Questions

1. Quand les premiers écrivains ont-ils commencé à publier?
2. Qu'est-ce qui caractérisait les oeuvres des premiers romanciers et poètes?
3. Qui ont été les écrivains les plus intéressants avant la Deuxième guerre mondiale?
4. Qui était Emile Nelligan? Pourquoi est-il remarquable?
5. Quelle transformation est intervenue dans la société canadienne-française à l'époque de la Deuxième guerre mondiale?

6. A quoi se sont intéressés les romanciers de cette époque?
7. Quel changement de société est intervenu au début des années soixante?
8. Quelle influence ce changement a-t-il eu sur la littérature?
9. Qu'est-ce que la poésie de cette époque exprimait?
10. Pourquoi la pièce de Michel Tremblay a-t-elle fait scandale?
11. Vers quoi s'est orientée la littérature des années soixante-dix et quatre-vingts?

SITUATIONS / CONVERSATIONS

1. Que feriez-vous si. . . .
   — il pleuvait toute la fin de semaine?
   — il y avait une tempête de neige?
   — vous étiez malade?
   — vous perdiez votre porte-monnaie?
   — vous ratiez l'examen?
   — votre auto était en panne?
   — votre téléphone ne marchait pas?
   — votre ami(e) vous insultait?
   — vous receviez une lettre mystérieuse?
   — vous étiez toujours fatigué(e)?
   — vous rencontriez votre amoureux(euse) avec quelqu'un d'autre?
   — vous vouliez devenir comédien(ne)? acteur/actrice? architecte? missionnaire?

2. Nommez cinq choses que vous devriez faire . . .
   — aujourd'hui;
   — demain;
   — la semaine prochaine;
   — tous les jours.

3. Où aimeriez-vous vivre, à la ville ou à la campagne? Expliquez votre choix.

4. Vous arrive-t-il quelquefois d'être déprimé? Qu'est-ce qui en est la cause? Que faites-vous pour vous changer les idées?

5. Racontez une activité que vous aimeriez faire si vous en aviez les moyens.

6. Faites une liste d'objets que vous voudriez acheter.
   Exemple: Je voudrais acheter un tourne-disque; j'aimerais aussi acheter des vêtements; etc.

7. Dites à qui vous aimeriez le plus ressembler et pourquoi.
   Exemple: J'aimerais ressembler à Brian Mulroney parce que je voyagerais beaucoup, parce que j'aurais une influence politique, etc.

8. Quel genre de littérature préférez-vous? Parlez de votre roman ou de votre pièce de théâtre préférée. Quelle en est l'intrigue? Qui sont les personnages? Quel genre de milieu social l'auteur décrit-il? etc.

COMPOSITIONS

1. Si vous gagniez un million à la loterie demain, que feriez-vous?

2. Certaines personnes disent que la seule solution aux problèmes de notre société serait le retour à une vie simple et naturelle. Imaginez en quoi consisterait cette vie simple et quels en seraient les avantages et les inconvénients.

3. Avez-vous un poète ou un romancier favori? Parlez de ses oeuvres et dites pourquoi vous les aimez.

PRONONCIATION

I. *Le son s(/s/)*

The sound /s/ is associated with the following letters:

1) **s**: savant, danser, autobus

2) **ss**: masse, brosser

3) **c** or **sc** before vowels other than **a, o** and **u**: cirer, cinq, cendre, ce, cette, céder, ceux, science, scène, scie

4) **ç**: before **a, o** and **u**: façade, maçon, déçu

5) **t** in the endings **-tie, -tiel, -tier, -tial, -tiaux, -tieux, -tion**: démocratie, confidentiel, initier, partial, impartiaux, ambitieux, nation

II. *Contraste /s/-/z/*

1) The sound /z/ is associated with:
   a) the letter **z**: zone, bronze, douze
   b) the letter **s** between two oral vowels and between an oral vowel and a silent **e**.

   Répétez:

base	heureuse	loisir	désert
rose	église	saisir	cuisine
chose	refuse	raison	jalousie
mise	avise	présent	télévision
muse	arrose	viser	fusil

2) the letter **s** is pronounced /s/ when it is placed at the beginning of a word, after a nasal vowel and before or after a consonant.

   Répétez:

sa	se	chanson	consoler	ustensile
si	sous	insister	vaste	université
son	anse	insuffisant	disque	bourse

3) Contrast /s/-/z/

   Répétez:

   1. basse / base   rossée / rosée   lisse / lise   embrasser / embraser   douce / douze
      casse / case   crisse / crise   racé / rasé   chausse / chose   visser / visée

   2. elles s'attendent / elles entendent   ils sont / ils ont
      ils s'oublieront / ils oublieront   elles sont / elles ont
      elles s'écoutaient / elles écoutaient   ils s'aident / ils aident
      ils s'accompagnent / ils accompagnent   ils s'aiment / ils aiment
      elles s'offriront / elles offriront   ils s'usent / ils usent

CHAPITRE SEIZE

LE FRANÇAIS HORS QUEBEC

Centre-ville de Saint-Pierre
Photo par Pam Bruce

INTRODUCTION

Venez-vous souvent au centre-ville?

Non, nous habitons à la périphérie de la ville, c'est pourquoi nous venons rarement au centre-ville.

Pourtant, c'est facile: d'abord, vous prenez un autobus, puis le métro, et vous êtes arrivés.

Néanmoins, cela prend du temps!

Tes parents auraient-ils aimé suivre un programme d'immersion en français?
   Oui, si des classes d'immersion avaient été disponibles quand ils étaient à l'école primaire, ils y seraient allés.

Est-ce que chaque province est officiellement bilingue?
   Non, aucune province n'est bilingue à l'exception du Nouveau-Brunswick.

Quand Barbara s'est-elle mise à apprendre le français?
   Elle a décidé d'apprendre le français quand elle est tombée amoureuse d'un Franco-Manitobain.

Est-ce que son ami l'aide à devenir bilingue?
   Bien sûr! Il ne cesse pas de lui donner des leçons particulières.

GRAMMAIRE ET EXERCICES ORAUX

Le conditionnel passé

The past conditional is a compound tense. It is formed by using the present conditional of the auxiliary verb (**avoir** or **être**) and the past participle of a verb.

penser

j'aurais pensé	nous aurions pensé
tu aurais pensé	vous auriez pensé
il/elle/on aurait pensé	ils/elles auraient pensé

aller

je serais allé(e)	nous serions allé(e)s
tu serais allé(e)	vous seriez allé(e)(s)
il/on serait allé	ils seraient allés
elle serait allée	elles seraient allées

se promener

je me serais promené(e)	nous nous serions promené(e)s
tu te serais promené(e)	vous vous seriez promené(e)(s)
il/on se serait promené	ils se seraient promenés
elle se serait promenée	elles se seraient promenées

The past conditional expresses an action or event which *would have* taken place in the past under some appropriate set of circumstances:

Dans ce cas-là, je ne serais pas venu(e).
In that case, I would not have come.

Sans ce médecin, il serait mort.
Without that doctor, he would have been dead.

Whereas the present conditional expresses a possibility in the present or the future and may be used to indicate a wish, the past conditional expresses a possibility that no longer exists and may be used to express regret. Compare:

J'aimerais aller au Mexique.
I would like to go to Mexico.

J'aurais aimé aller au Mexique.
I would have liked to go to Mexico.

Exercices (Oralement)

A. Répondez selon le modèle.

Modèle: Il a suivi ce cours difficile. (moi)
Moi, je ne l'aurais pas suivi.

1. Nous avons réussi à l'examen. (eux)
2. Elle a attendu toute la soirée. (lui)
3. J'ai jeté mes vieux livres. (nous)

4. Il lui a prêté de l'argent. (moi)
5. Elles sont sorties dans la tempête. (nous)
6. Papa est monté sur le toit. (moi)
7. Ils sont allés en Alaska. (toi)
8. Josette est revenue de Floride. (lui)
9. Il s'est baigné dans un lac pollué. (nous)
10. Elle s'est inquiétée parce que son mari était en retard. (moi)
11. Ils se sont bien entendus avec Jean. (nous)

B. Répondez selon le modèle.

> *Modèle:* As-tu parlé au professeur? (devoir)
> *Non, mais j'aurais dû lui parler.*

1. As-tu vu ce film? (aimer)
2. As-tu suivi ce cours? (devoir)
3. As-tu rencontré Jean quand il était ici? (vouloir)
4. Es-tu allé(e) au Québec? (pouvoir)
5. Est-ce que tu t'es reposé(e)? (devoir)
6. As-tu connu ton grand-père paternel? (vouloir)

C. Demandez à un(e) autre étudiant(e) s'il/si elle . . .

1. aurait voulu voyager en Europe
2. aurait aimé devenir une célébrité.
3. se serait baigné(e) dans un lac pollué.
4. serait monté(e) au sommet de l'Everest.
5. serait allé(e) dans l'espace comme les astronautes.
6. aurait dû suivre plus souvent les conseils de ses parents.
7. aurait pu devenir chanteur(-euse) de rock.
8. aurait préféré naître dans un autre pays.

Le plus-que-parfait

The **plus-que-parfait** (pluperfect) is a compound tense in the indicative mood. It is formed using the **imparfait** of the auxiliary verb (**avoir** or **être**) and the past participle of the verb:

Il était arrivé en retard.	**J'avais déjà mangé.**
He had arrived late.	I had already eaten.

The pluperfect is used to indicate that a past action or event occurred before another past event, or in the remote past. (This aspect will be detailed in Chapter 21.) It is also used in **si** clauses in conditional sentences when the past conditional is used in the main clause.

attendre

j'avais attendu	nous avions attendu
tu avais attendu	vous aviez attendu
il/elle/on avait attendu	ils/elles avaient attendu

venir

j'étais venu(e)	nous étions venu(e)s
tu étais venu(e)	vous étiez venu(e)(s)
il/on était venu	ils étaient venus
elle était venue	elles étaient venues

se reposer

je m'étais reposé(e)	nous nous étions reposé(e)s
tu t'étais reposé(e)	vous vous étiez reposé(e)(s)
il/on s'était reposé	ils s'étaient reposés
elle s'était reposée	elles s'étaient reposées

Exercices (Oralement)

A. Mettez les verbes au plus-que-parfait:

1. J'ai déjà lu sa lettre.
2. Il est rentré avant la tempête.
3. Nous avons déjà mangé.
4. Elles se sont promenées avant la nuit.
5. Il a déjà fini son travail.
6. Tu es parti(e) trop tôt.
7. Ils n'ont pas répondu à ma lettre.
8. Vous vous êtes assez reposés.

B. Répondez selon le modèle.

Modèle: Tu n'as pas voulu manger.
       J'avais déjà mangé.

1. Tu n'as pas voulu te reposer.
2. Il n'a pas voulu aller au zoo.
3. Elle n'a pas voulu voir ce film.
4. Ils n'ont pas voulu se promener.
5. Tu n'as pas voulu prendre un café.
6. Elles n'ont pas voulu suivre ce cours.
7. Il n'a pas voulu se baigner avec nous.
8. Il n'a pas voulu dormir.

La phrase conditionnelle au passé

When a conditional sentence refers to the past, the **plus-que-parfait** is used in the **si** (if) clause and the past conditional in the main (result) clause:

S'il avait plu, nous ne serions pas sortis.
If it had rained, we would not have gone out.

Il aurait déjà répondu s'il avait reçu la lettre.
He would have answered already if he had received the letter.

The conditional sentence may be formed using the following patterns:

Si Clause	Main Clause
present indicative	present indicative future imperative
imparfait	present conditional
plus-que-parfait	past conditional

Exercices (Oralement)

A. Mettez les phrases au passé selon le modèle.

> *Modèle:* S'il neigeait, je ferais du ski.
> *S'il avait neigé, j'aurais fait du ski.*

1. S'il faisait mauvais, je ne sortirais pas.
2. Si je le voyais, je lui parlerais.
3. Si nous n'avions pas de travail, nous irions au cinéma.
4. Il te prêterait ses disques si tu en avais besoin.
5. Il t'écouterait si tu voulais lui expliquer tes problèmes.
6. Si vous veniez plus tôt, nous aurions le temps de prendre un verre ensemble.
7. Il me téléphonerait s'il voulait me voir.
8. Tu aurais l'air ridicule si tu mettais ce chapeau.
9. Si mon chien était malade, je l'emmènerais chez le vétérinaire.

B. Complétez les phrases avec imagination:

1. Si j'avais eu mal à tête, je. . . .
2. Si j'étais devenu(e) millionnaire, je. . . .
3. Si j'avais économisé de l'argent, je. . . .
4. Si j'avais eu du talent, je. . . .
5. Si j'étais né(e) en Afrique, je. . . .
6. Si je n'étais pas entré(e) à l'université, je. . . .
7. Je serais devenu(e) un(e) athlète si. . . .
8. J'aurais eu peur si. . . .
9. J'aurais fait des études de médecine si. . . .
10. J'aurais eu froid l'hiver dernier si. . . .

Les adjectifs indéfinis *chaque* et *aucun*

Chaque et **aucun** are indefinite adjectives (like **tout, quelques** and **plusieurs**).

1) **Chaque** means "each" and is variable:

Chaque jour, il va nager.	Each day, he goes swimming.
Chaque personne est différente.	Each person is different.

Note the expression **chaque fois que** (each time that/whenever):
Chaque fois qu'il boit, il est malade.
Each time he drinks, he is sick.

2) **Aucun** means "not one". It agrees in gender with the noun modified: its feminine form is **aucune. Aucun(e)** is always used with **ne** which precedes the verb:

Aucun étudiant n'est venu.	Not one student came.
Il n'a aucun ami.	He does not have a single friend.
Je ne joue d'aucun instrument.	I do not play a single instrument.

Exercices (Oralement)

A. Répondez aux questions:

1. Qu'est-ce que tu fais chaque matin? chaque soir?
2. Qu'est-ce que tu manges chaque jour?
3. Est-ce que tu vas au cinéma chaque semaine?
4. Est-ce que tu viens à l'université chaque jour?
5. Connais-tu chaque personne dans la classe?
6. Selon toi, est-ce que chaque individu est différent?

B. Complétez les phrases avec imagination:

1. Chaque fois que je vais en voyage. . . .
2. Chaque fois que j'ai mal à la tête. . . .
3. Chaque fois que je réussis à un examen. . . .
4. Chaque fois que je tombe amoureux(-euse). . . .
5. Je fais du ski chaque fois que. . . .
6. Je mets un imperméable chaque fois que. . . .
7. Je porte des vêtements conventionnels chaque fois que. . . .
8. Je perds la tête chaque fois que. . . .

C. Répondez selon le modèle en employant *aucun . . . ne* ou *ne . . . aucun.*

> ***Modèle:*** Quel film as-tu regardé hier soir?
> *Je n'ai regardé aucun film.*

1. As-tu reçu des lettres?
2. Connais-tu un avocat?
3. As-tu répondu aux questions?
4. Quelles étudiantes étaient absentes hier?
5. Tous les étudiants ont-ils réussi?
6. Aperçois-tu cet avion dans le ciel?
7. As-tu acheté plusieurs livres?
8. Quel animal peut parler?
9. Veux-tu un conseil?

D. Dites le contraire selon le modèle.

> ***Modèle:*** Tu as fait une erreur.
> *Ce n'est pas vrai. Je n'ai fait aucune erreur.*

1. Ce politicien a dit un mensonge.
2. Tous les chiens sont dangereux.
3. Ce cours a déçu plusieurs étudiants.
4. Il y a des vampires en Transylvanie.
5. Beaucoup d'avocats sont malhonnêtes.
6. Ce chef du syndicat a quelques
    ennemis.

Verbes suivis de à ou de + infinitif

A number of verbs require no preposition when followed by an infinitive. Other verbs require the prepositions **à** or **de**.

Verbs Requiring de Before an Infinitive:

accepter de (to accept)	Il a accepté de nous accompagner.
cesser de (to stop)	J'ai cessé de fumer il y a un an.
décider de (to decide)	Nous avons décidé de partir plus tôt.
demander à quelqu'un de (to ask)	Il me demande de revenir demain.
dire à quelqu'un de (to tell)	Elle lui a dit de vous avertir.
essayer de (to try)	Ils essaient de parler français.
finir de (to finish)	Il finit de travailler à trois heures.
permettre à quelqu'un de (to allow)	Son père leur permet de sortir.
promettre à quelqu'un de (to promise)	J'ai promis à ma mère de rentrer tôt.
oublier de (to forget)	J'ai oublié de fermer la porte.
regretter de (to regret)	Je regrette d'être en retard.
refuser de (to refuse)	Il refuse de m'accompagner.

Verbs Requiring à Before an Infinitive:

apprendre à (to learn)	Nous apprenons à parler français.
aider quelqu'un à (to help)	Mon ami m'aide à faire les exercices.
commencer à (to begin)	Il commence à comprendre l'anglais.
continuer à (to continue)	Continuez à faire des progrès.
hésiter à (to hesitate)	Elle n'a pas hésité à partir en Afrique.
inviter quelqu'un à (to invite)	Nous les avons invités à diner chez nous.
se mettre à (to start)	Elle s'est mise à étudier l'astronomie.
réussir à (to succeed)	J'ai réussi à réparer ma voiture.

Exercices (Oralement)

A.   Répondez selon le modèle. Employez le passé composé dans la réponse.

   Modèle: Est-ce qu'il va venir? (non, refuser)
       Non, il a refusé de venir.

1. Est-ce que tu joues de la guitare? (oui, apprendre)
2. Est-ce qu'ils travaillent? (non, finir)
3. Est-ce qu'elle fait du ski? (oui, se mettre)
4. Est-ce que tu fumes? (non, cesser)
5. Est-ce qu'il fait des progrès? (oui, commencer)
6. Est-ce qu'elles vont rentrer tôt? (oui, promettre)
7. Est-ce qu'il a de bonnes notes? (oui, réussir)
8. Est-ce que tu apportes le dessert? (non, oublier)
9. Est-ce que tu fais la cuisine? (oui, essayer)
10. Est-ce que vous partez en voyage? (oui, décider)

B. Répondez selon le modèle. Employez *je* et le passé composé dans la réponse.

> *Modèle:* Est-ce que Jean va téléphoner? (dire)
> *Oui, je lui ai dit de téléphoner.*

1. Est-ce que ton petit frère écoute tes disques? (permettre)
2. Est-ce que ta soeur apprend le piano? (aider)
3. Est-ce que Simon et Chantal vont venir dîner? (inviter)
4. Est-ce que tes parents te donnent des conseils? (demander)
5. Est-ce que tes amis vont t'attendre? (dire)

C. Répondez aux questions par des phrases complètes:

1. As-tu commencé à apprendre le français?
2. Vas-tu continuer à apprendre le français?
3. Est-ce que tu regrettes d'être à l'université?
4. Est-ce que tu essaies d'avoir de bonnes notes?
5. Est-ce que tu réussis à faire la cuisine?
6. Est-ce que tu continues à voir tes camarades de l'école secondaire?
7. Quand as-tu décidé d'entrer à l'université?
8. Qu'est-ce que tu oublies souvent de faire?
9. Quels sports continues-tu à pratiquer?
10. Est-ce que tu aides ta mère à faire le ménage?
11. Est-ce que quelqu'un t'aide à écrire tes compositions en français?
12. Qui invites-tu à dîner généralement?
13. A qui demandes-tu de sortir avec toi?
14. Qu'est-ce que tu as promis de faire à tes parents?
15. Qu'est-ce que tes parents ne te permettent pas de faire?
16. A qui permets-tu d'entrer dans ta chambre?
17. Est-ce que tu t'es mis(e) à étudier de nouvelles matières à l'université?
18. Quel genre d'études as-tu décidé de poursuivre?
19. Qu'est-ce que tu as cessé de faire depuis ton entrée à l'université?

Expressions d'enchaînement logique

When speaking or writing, one tries to order events and ideas into logical sequences. A number of words and expressions are used in making explicit connections between clauses and sentences to achieve that purpose. Here are a few common ones:

1) Chronological Sequence:

> **d'abord** (first) **ensuite/puis** (then/next) **enfin** (finally)
> D'abord, il s'est levé, puis il s'est lavé et habillé.
> Ensuite, il est sorti et il est allé prendre l'autobus.
> Enfin, il est arrivé au bureau.

2) <u>Logical Consequences</u>:

ainsi (thus/this way)   **donc** (thus/hence)
par conséquent (therefore/consequently)
c'est pourquoi (that is why)

Il étudiait très fort. <u>Ainsi</u>, il a réussi brillamment.

On ne peut pas changer cette situation. Il faut <u>donc</u> l'accepter.

Tu n'étudies pas, tu ne vas pas aux cours et tu n'aimes pas l'université. <u>Par consé-quent</u> tes résultats sont très mauvais.

J'étais malade; <u>c'est pourquoi</u> je n'ai pas pu venir au rendez-vous.

3) <u>Opposition</u>:

mais (but)   **cependant/pourtant** (however/yet)   **néanmoins** (nevertheless)

Il l'aime, <u>mais</u> elle, elle ne l'aime pas.

Elle est intelligente, jolie, sportive, et <u>pourtant</u> elle est timide.

Vous avez probablement raison, <u>cependant</u> je ne partage pas votre avis.

Ce n'est pas un travail très agréable; il faut <u>néanmoins</u> le faire.

Exercices (Oralement)

A.   Répondez selon le modèle.

> *Modèle:* Es-tu parti(e) tout de suite? (manger)
> *Non, d'abord j'ai mangé, ensuite je suis parti(e).*

1. Avez-vous mangé tout de suite? (prendre un cocktail)
2. Est-il allé à Toronto tout de suite? (s'arrêter à Montréal)
3. A-t-elle répondu tout de suite? (réfléchir)
4. As-tu accepté tout de suite? (hésiter)
5. As-tu appelé le médecin tout de suite? (prendre une aspirine)

B.   Employez *c'est pourquoi* ou *pourtant* au début de la seconde phrase, selon le cas:

1. Elle travaille trop. Elle est fatiguée.
2. Cet exercice est facile. Jean ne sait pas le faire.
3. Il ne fait pas assez de sport. Il n'est pas en forme.
4. Il a un emploi intéressant. Il n'est pas satisfait.

C.   Employez *cependant* ou *donc* au début de la seconde phrase, selon le cas:

1. Elle ne veut pas se marier. Elle veut avoir des enfants.
2. Il veut devenir politicien. Il a de l'ambition.
3. C'est un homme intelligent. Il a de graves défauts.
4. Socrate est un homme. Socrate est mortel.

EXERCICES ECRITS

A. Mettez le verbe au conditionnel passé (attention à l'accord du participe passé):

1. Tu (réussir) à ton examen.
2. Il (prendre) l'avion pour New York.
3. Nous (se promener) dans les bois.
4. Vous (faire) du ski de fond.
5. Ils (préférer) partir plus tôt.
6. Je (ne pas savoir) répondre à cette question.
7. Elles (revenir) en train.
8. Tu (avoir) froid sans ce manteau.
9. Je (ne pas être) heureux(-euse) dans cette ville.
10. Elles (se rencontrer) pour en parler.
11. Suzanne (s'habituer) à ce type de travail.
12. Ils (se rendre) à Montréal tout de suite.

B. Changez les temps des verbes: mettez-les au plus-que-parfait et au conditionnel passé, selon le cas:

1. Si j'étais paresseux(-euse), je ne réussirais pas.
2. Je voyagerais plus souvent si j'avais beaucoup d'argent.
3. S'il pleuvait, je prendrais ma voiture.
4. Si je savais la réponse, je ne te la demanderais pas.
5. Je prendrais un café si je n'étais pas en retard.
6. Personne ne l'écouterait s'il n'était pas le directeur.
7. Si Simone devenait actrice, elle aurait du succès.
8. Tu t'ennuierais si tu restais chez toi.

C. Transformez les phrases selon le modèle (une phrase avec *chaque*, une phrase avec *aucun(e)*).

> ***Modèle:*** Je connais quelques étudiants dans la classe.
> *Je connais chaque étudiant dans la classe.*
> *Je ne connais aucun étudiant dans la classe.*

1. Il a répondu à quelques questions.
2. Quelques rêves sont intéressants
3. Quelques appartements ont deux salles de bain.
4. Elle a réussi à quelques examens.

D. Complétez les phrases avec imagination:

1. Pour être heureux, il faut d'abord. . . .
2. Il fait beaucoup de sport, c'est pourquoi. . . .
3. J'ai mis un gros chandail et un manteau, ainsi. . . .
4. Tu devrais d'abord terminer tes études, ensuite. . . .

5. Je n'aime pas manger des épinards, et pourtant. . . .
6. Les cours finissent la semaine prochaine; enfin. . . .
7. Je n'ai pas assez d'argent pour avoir une voiture, pas conséquent. . . .
8. Ce musicien n'a pas un talent extraordinaire, néanmoins. . . .

E. Remplacez le tirets par les prépositions *à* ou *de*:

1. Il m'a demandé _____ lui écrire souvent.
2. Je continue _____ suivre des cours d'espagnol.
3. Elle a refusé _____ sortir avec lui.
4. Il n'aurait pas réussi _____ faire ce travail sans toi.
5. Essayez _____ ne pas fumer.
6. N'oubliez pas _____ apporter vos disques.
7. Il n'a pas commencé _____ écrire sa composition.
8. N'hésite pas _____ me téléphoner.
9. Mon père ne me permettra pas _____ prendre la voiture.
10. Tu devrais cesser _____ perdre ton temps.
11. Nous les inviterons _____ prendre un café.

LECTURE

Le français hors Québec

Les Canadiens de langue maternelle française qui vivent à l'extérieur du Québec sont près d'un million — 330 000 Acadiens dans les Maritimes, plus de 470 000 Franco-Ontariens et environ 180 000 dans l'Ouest: Franco-Manitobains, Fransaskois, Franco-Albertains et Franco-Colombiens. Parmi ces ''francophones hors Québec'', certains sont des Québécois d'origine qui se sont installés dans d'autres provinces il y a relativement peu de temps, mais bon nombre d'entre eux forment des collectivités culturellement distinctes. On pense naturellement aux Acadiens, mais les Franco-Ontariens et les Franco-Manitobains peuvent également revendiquer une identité distincte.

Ces minorités n'ont pas toujours eu la vie facile et elles ont dû lutter pour défendre leurs droits et résister à l'assimilation. Cependant, d'importants changements sont intervenus, en particulier au cours des années soixante-dix et quatre-vingts. C'est ainsi par exemple que le Nouveau-Brunswick est devenu une province officiellement bilingue, qu'en 1983 la Cour Suprême du Canada a validé les deux langues officielles à la législature du Manitoba, et qu'en 1986 l'Ontario a adopté la Loi de 1986 sur les services en français qui garantit le droit des francophones de l'Ontario à bénéficier de tous les services gouvernementaux dans leur langue maternelle.

Ces mesures d'ordre juridique et gouvernemental marquent des progrès considérables et stimulent chez de nombreux Canadiens la vision d'un Canada bilingue. A cet égard, rien n'est plus encourageant que le phénomène des classes d'immersion: de

40 000 élèves qui participaient aux programmes d'immersion à la fin des années soixante, on est passé à 200 000 à la fin des années quatre-vingts et on prévoit qu'il y en aura un demi-million dans les années quatre-vingt-dix. Ces programmes étaient à l'origine un initiative du gouvernement fédéral mais ce sont les parents d'élèves, regroupés dans l'organisme *Canadian Parents for French*, qui ont été les véritables facteurs de la popularité et de l'expansion de ces programmes. Les parents anglophones veillent ainsi naturellement à l'avenir économique de leurs enfants, car le bilinguisme permet d'obtenir des emplois souvent plus rémunérateurs, mais ces considérations économiques s'associent à un intérêt authentique pour la culture francophone.

Il faut aussi noter chez les francophones hors Québec un nouveau dynamisme économique, tout particulièrement en Ontario et au Nouveau-Brunswick. Ce redressement donne lieu à la création d'entreprises et à des regroupements de gens d'affaires. Les établissements universitaires bilingues de l'Ontario (Université d'Ottawa, Université Laurentienne de Sudbury, Collège universitaire de Hearst), comme l'université unilingue francaise de Moncton au Nouveau-Brunswick, participent à ce renouveau en formant de jeunes entrepreneurs francophones. La vie culturelle des communautés francophones, qui dépend directement et indirectement de leur situation économique, prend ainsi elle aussi un nouvel essor.

adopter	to adopt	**mesure** (f.)	measure, step
affaires (f.pl.)	business	**noter**	to observe
(s')associer à	to join in with	**obtenir**	to obtain, to get
authentique	genuine	**ordre: d' —**	of a kind
bénéficier de	to benefit from	**organisme** (m.)	organization
bilingue	bilingual	**origine: à l' —**	originally
dépendre de	to depend on	**d' —**	by birth
dynamisme (m.)	drive	**parmi**	among
économique	economic	**phénomène** (f.)	phenomenon
égard: à cet —	in this respect	**popularité** (f.)	popularity
entreprise (f.)	business, firm	**près de**	close to
établissement (m.)	institution	**prévoir**	to anticipate
essor (m.)	progress, development	**progrès** (m.)	progress, improvement
extérieur: à l' — de	outside	**redressement** (m.)	recovery
facteur (m.)	factor	**regroupement** (m.)	grouping, association
former	to train	**rémunérateur, trice**	paying, profitable
garantir	to safeguard, to guarantee	**renouveau** (m.)	revival
		résister à	to resist
hors	outside	**revendiquer**	to assert, to claim
immersion (f.)	immersion	**stimuler**	to stimulate, to rouse
langue (f.)	language, tongue	**unilingue**	unilingual
lieu: donner — à	to give rise to	**valider**	to validate
maternelle: langue —	first language	**veiller à**	to look after

Pourcentage de population ayant Le français comme langue maternelle, par province, 1986

Canada

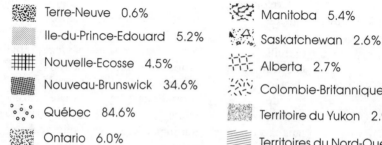

Terre-Neuve 0.6%	
Ile-du-Prince-Edouard 5.2%	
Nouvelle-Ecosse 4.5%	
Nouveau-Brunswick 34.6%	
Québec 84.6%	
Ontario 6.0%	

Manitoba 5.4%

Saskatchewan 2.6%

Alberta 2.7%

Colombie-Britannique 1.9%

Territoire du Yukon 2.9%

Territoires du Nord-Ouest 3.0%

Source: d'après *Langue: Partie un — Le pays*, Statistique Canada 93–102 (Recensement de 1986)

Pourcentage de population parlant français à la maison, par région, 1980

Les Etats-Unis

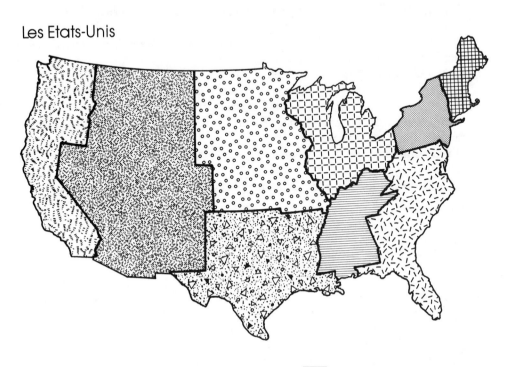

Nouvelle-Angleterre	3.33%
Milieu de la côte est	0.63%
Centre du nord-est	0.30%
Centre du nord-ouest	0.23%
Sud de la côte est	0.54%

Centre du sud-est	0.27%
Centre du sud-ouest	1.36%
Rocheuses	0.34%
Côte pacifique	0.44%

Les dix premiers états:

Maine	8.38%	Massachusetts	2.36%
New Hampshire	6.72%	Connecticut	1.92%
Louisiane	6.27%	New York	0.94%
Rhode Island	4.28%	Floride	0.74%
Vermont	3.98%	Maryland	0.62%

Source: d'après *1980 Census of Population, General Social and Economic Characteristics, United States Summary*, U.S. Bureau of the Census PC80-1-C1

Questions

1. Qui est-ce qu'on appelle les "francophones hors Québec"?
2. Où vivent les Fransaskois?
3. Quels groupes de francophones hors Québec ont une identité distincte des Québécois?
4. Quels changements sont intervenus dans la situation du français en Ontario? au Manitoba? au Nouveau-Brunswick?
5. Quel effet ces changements ont-ils eu?
6. Quelle a été l'augmentation du nombre d'élèves dans les classes d'immersion?
7. Qui a été responsable de l'expansion des programmes d'immersion?
8. Pourquoi les parents anglophones veulent-ils que leurs enfants participent aux programmes d'immersion?
9. Où y a-t-il un redressement économique? Quelles sont les diverses conséquences de celui-ci?
10. Quel rôle jouent les universités de l'Ontario et celle de Moncton? Qu'est-ce qui les caractérise?

SITUATIONS / CONVERSATIONS

1. Nommez
   — une chose que vous n'auriez pas dû faire;
   — une chose que vous n'auriez pas dû dire;
   — une injustice qui n'aurait pas dû exister;
   — un voyage que vous n'auriez pas dû entreprendre;
   — un personnage qui n'aurait pas dû être au pouvoir;
   — un instrument duquel vous auriez aimé jouer;
   — un film que vous auriez voulu voir;
   — un pays que vous auriez voulu visiter;
   — un monument que vous auriez voulu voir.

2. Vous avez eu dans votre passé des désirs secrets qui ne se sont pas réalisés. Quels sont-ils?
   Exemple: J'aurais souhaité aller en Grèce passer des vacances, mais. . . .

3. Avez-vous déjà commis des erreurs? Lesquelles n'auriez-vous jamais dû commettre?
   Exemple: Je n'aurais jamais dû acheter cette bicyclette d'occasion qui ne fonctionnait pas. . . .

4. Quels hommes ou femmes célèbres auriez-vous aimé connaître?

5. Racontez un incident qui vous est arrivé et que vous auriez pu éviter.

6. Quelles qualités auriez-vous aimé posséder? Quels défauts vous auraient été utiles dans la vie?

7. Si vous aviez eu le pouvoir magique de changer quelque chose de votre passé, qu'auriez-vous changé?

8. Quels sont à votre avis les avantages des programmes d'immersion? Y a-t-il des désavantages?

9. Le "fait français" est-il maintenant une réalité mieux connue et mieux acceptée dans le Canada anglais en général? dans votre province? dans votre milieu?

10. Toutes les provinces canadiennes devraient-elles être officiellement bilingues?

COMPOSITIONS

1. Si vous aviez vécu au 19e siècle, comment aurait été votre vie? Racontez.

2. Si on vous avait donné l'occasion de passer une journée avec l'homme ou la femme qui vous plaît le plus, qui auriez-vous choisi, et qu'auriez-vous fait?

PRONONCIATION

Les semi-voyelles **oué** et **ué** (/w/ - /ɥ/)

I. *Le son oué (/w/)*

The semi-vowel /w/ always precedes a vowel sound and is written **ou**:

oui, bouée, louer, avouer

The letter sequences **oi** and **oy** are pronounced /wa/:

roi, toi, soi, soyons, endroit, voyage

The sequence **oin** is pronounced /wɛ̃/:

soin, lointain, foin, moindre

II. *Le son ué (/ɥ/)*

The semi-vowel /ɥ/ always precedes a vowel sound and is written **u**:

buis, fui, muer, ruée, nuage, ruelle

Répétez:

bu / buée	lu / lui
su / suer	pu / puis
rue / ruer	fu / fui
mu / muer	nu / nuit

III. *Contraste* /w/-/ɥ/

Répétez:

1. bouée / buée   nouée / nuée
   enfouir / enfuir   oui / huit
   louis / lui   rouée / ruée

2. Louez-lui celui-ci.
   Puisque Louis conduit la nuit.

CHAPITRE DIX-SEPT

LES RESSOURCES NATURELLES ET ENERGETIQUES

Câbles électriques — une partie du grand réseau de Hydro-Québec

Photo avec la permission de Hydro-Québec

INTRODUCTION

Quand va-t-on utiliser davantage l'énergie solaire?
> Dès qu'on aura trouvé des moyens plus économiques de l'utiliser.

Est-ce qu'il est encore possible de découvrir du pétrole?
> Oui, on en découvre encore.

Pourrais-tu me téléphoner quand tu rentreras chez toi?
> Oui, je te téléphonerai en arrivant.

Comment as-tu appris cette nouvelle?
> Je l'ai apprise en lisant le journal.

As-tu visité la Baie James?
> Non, je n'y suis jamais allé(e).

Et toi, Paul?
> Non, moi non plus.

Est-ce que vous chauffez votre maison au bois ou au gaz naturel?
> Nous ne chauffons ni au bois ni au gaz naturel; nous utilisons le chauffage électrique.

Combien d'industries y a-t-il dans cette région?
> Je n'en connais qu'une: l'industrie du bois.

Seulement une industrie?
> Oui, parce qu'il n'y a que des forêts dans cette région.

GRAMMAIRE ET EXERCICES ORAUX

Le futur antérieur

The **futur antérieur** (future perfect) is a compound tense which consists of the future tense of the auxiliary verb (**avoir** or **être**) and the past participle of the verb.

finir

j'aurai fini	nous aurons fini
tu auras fini	vous aurez fini
il/elle/on aura fini	ils/elles auront fini

devenir

je serai devenu(e)	nous serons devenu(e)s
tu seras devenu(e)	vous serez devenu(e)(s)
il/on sera devenu	ils seront devenus
elle sera devenue	elles seront devenues

se laver

je me serai lavé(e)	nous nous serons lavé(e)s
tu te seras lavé(e)	vous vous serez lavé(e)(s)
il/on se sera lavé	ils se seront lavés
elle se sera lavée	elles se seront lavées

The future perfect indicates that a future action will have occurred before some other future action or some future moment.

J'aurai fini de préparer le repas quand les invités arriveront.
I will have finished preparing the meal when the guests arrive.

Lorsque tu seras arrivé(e) chez toi, tu me téléphoneras.
When you have arrived at home, you will call me.

Mardi prochain, nous aurons déjà quitté Montréal.
Next Tuesday, we will already have left Montreal.

J'aurai terminé mon travail avant cinq heures.
I will have finished my work before five o'clock.

Note that the future perfect, like the future tense, is used after **quand, lorsque, dès que, aussitôt que, tant que**, whereas the present perfect is used in English after the corresponding conjunctions:

Dès que nous aurons mangé, nous partirons.
As soon as we have eaten, we will leave.

Il ne se reposera pas tant qu'il n'aura pas terminé.
He will not rest as long as he has not finished.

If the time lapse between both actions is minimal, the future tense rather than the future perfect is used after **dès que** and **aussitôt que**:

> **Il me téléphonera dès qu'il arrivera**.
> He will call me as soon as he arrives.

Exercices (Oralement)

A. Répétez les phrases en employant les sujets entre parenthèses:

1. Nous (Marcel, mes parents, je) serons allés à l'usine.
2. Tu (il, vous, les étudiantes) auras appris le français.
3. Elle (nous, je, mes amis) se sera promenée près de la rivière.
4. Je (tu, vous, Albert) serai parti à cinq heures.
5. Vous (elle, je, nous) aurez fait des recherches.
6. Ils (tu, Karine, vous) se seront mariés.

B. Mettez les verbes entre parenthèses au futur antérieur:

1. Ils (partir) en vacances quand nous reviendrons.
2. Je viendrai vous voir quand je (revenir).
3. Nous irons au cinéma dès que nous (manger).
4. Elle ne voudra pas sortir tant qu'il (ne pas cesser) de pleuvoir.
5. L'an prochain, il (recevoir) son diplôme.
6. Dans un an, nous (quitter) cette ville.
7. J'espère que tu (faire) tes bagages quand ce sera l'heure de partir.
8. Dans dix ans, la pollution (augmenter).
9. Lorsqu'il (acheter) une voiture, il aura des dettes.
10. Tu me parleras de ce livre lorsque tu le (lire).

C. Transformez les phrases d'après le modèle.

> *Modèle:* Il apprendra le français, ensuite il ira au Québec. (quand)
> *Il ira au Québec quand il aura appris le français.*

1. Je rencontrerai l'homme idéal, ensuite je me marierai. (lorsque)
2. J'écrirai cette lettre, ensuite nous irons nous promener. (aussitôt que)
3. Elle prendra un bain, ensuite elle préparera le repas. (quand)
4. Nous finirons notre partie d'échecs, ensuite je partirai. (dès que)
5. Il réalisera ses ambitions, ensuite il sera content. (lorsque)
6. Tu gagneras assez d'argent, ensuite tu achèteras une auto. (dès que)

D. Complétez les phrases suivantes. Employez le futur antérieur:

1. Je te téléphonerai dès que. . . .
2. Nous partirions en vacances aussitôt que. . . .
3. Jules prendra une décision dès que. . . .
4. Je ne partirai pas tant que. . . .
5. Vous viendrez me voir quand. . . .
6. Tu me rendras mes disques lorsque. . . .

Les verbes irréguliers <u>ouvrir</u>, <u>offrir</u>, <u>souffrir</u>

Ouvrir means "to open" and is conjugated like regular **-er** verbs in the present indicative and the imperative.

Présent de l'indicatif	Impératif (2ᵉ personne):	Participe passé:	Futur:
j'ouvre	ouvre	ouvert	j'ouvrirai
tu ouvres			
il/elle/on ouvre			
nous ouvrons			
vous ouvrez			
ils/elles ouvrent			

Offrir (to offer/to present someone with something) and **souffrir** (to suffer) are conjugated in the same way, and so are **couvrir** (to cover) and **découvrir** (to discover).

> Il fait chaud: <u>ouvre</u> la fenêtre!
> Elle <u>a couvert</u> le pot de crème d'un papier d'aluminium.
> Le ciel <u>se couvrait</u> de nuages.
> Nous <u>découvrirons</u> la solution du problème.
> Il <u>offrait</u> des fleurs à toutes les femmes.
> Cet homme a eu la jambe cassée: il <u>souffre</u> beaucoup.

Exercices (Oralement)

A. Répondez aux questions:

1. Quand il fait chaud, j'ouvre la fenêtre de ma chambre. Et toi? Et vous?
2. J'ai ouvert le livre de français. Et elle? Et eux? Et vous?
3. Elle offre du café à ses invités. Et toi? Et tes parents?
4. Vous découvrirez un trésor. Et moi? Et lui? Et elles?
5. Je me couvre chaudement quand il fait froid. Et toi? Et lui? Et nous?

B. Répondez aux questions par des phrases complètes:

1. Est-ce qu'il y a beaucoup de gens qui souffrent dans un hôpital?
2. Est-ce que tu souffres d'allergies?
3. Qui a découvert l'Amérique?
4. Est-ce qu'on découvrira un remède contre le cancer?
5. Est-ce que tu as ouvert un compte à la banque?
6. Avec quoi ouvre-t-on une bouteille de vin?
7. Est-ce que le ciel se couvre de nuages quand il va pleuvoir?
8. A quelle page as-tu ouvert ton livre de français?
9. Est-ce que les policiers découvrent toujours l'auteur d'un crime?
10. A qui offres-tu des fleurs?
11. Est-ce qu'il ferait froid dans la classe si nous ouvrions les fenêtres?
12. Qu'est-ce que tu offriras à ta mère pour sa fête?

Le participe présent

The present participle is formed by adding **-ant** to the stem of the first person plural form of the present indicative.

Infinitive	Present Tense (1st Person Plural)	Present Participle
appeler	nous appelons	appelant
choisir	nous choisissons	choisissant
attendre	nous attendons	attendant
aller	nous allons	allant
faire	nous faisons	faisant

Only three verbs do not conform to this pattern:

être ⟶ étant   **avoir** ⟶ ayant   **savoir** ⟶ sachant

The present participle is most often used after the preposition **en** to indicate:

1) the means by which an end is achieved or the manner in which the action of the main verb is performed (**manière**):

   Elle a appris à chanter en imitant sa mère.
   She learned to sing by imitating her mother.

2) the moment when the action described by the main verb occurs (**moment**):

   En voyant le chien, elle a eu peur.
   Upon seeing the dog (the moment she saw the dog), she got scared.

3) the background action during the performance of which the action described by the main verb occurs (simultanéité):

   Il chante en prenant une douche.
   He sings while taking a shower.

Note that in the negative, **ne** precedes the present participle and **pas** (or any other negative word) follows it:

   En ne respectant pas la nature, on provoque des catastrophes.
   An object pronoun is placed directly before the present participle:
   Le gouvernement a aidé ces petites compagnies en leur donnant des subventions.

The present participle without **en** is most often used in writing and usually indicates a causal connection:

   Ne connaissant personne dans cette ville, il s'ennuyait.
   As he did not know anybody. . . .
   Etant très occupé(e), je n'ai pas pu prendre de vacances.
   Since I was very busy. . . .

Exercices (Oralement)

A. *En + participe présent (manière)*. Transformez la question et la réponse en une seule phrase d'après le modèle.

> **Modèle:** Comment a-t-il attrapé un rhume? Il est sorti sous la pluie.
> *Il a attrapé un rhume en sortant sous la pluie.*

1. Comment a-t-elle trouvé un emploi? Elle a écrit à toutes les compagnies.
2. Comment a-t-elle insulté Pierre? Elle ne l'a pas invité à sa fête.
3. Comment a-t-il payé ses études? Il a travaillé tous les étés.
4. Comment a-t-il appris le violon? Il a suivi des cours.
5. Comment réussirez-vous? Vous travaillerez fort.
6. Comment restait-elle en forme? Elle faisait de l'exercice.
7. Comment s'est-il ruiné? Il a joué au poker.
8. Comment est-ce que j'ai eu ton adresse? J'ai téléphoné à ton oncle.

B. Répondez aux questions d'après le modèle.

> **Modèle:** Comment conserve-t-on la nourriture? (la réfrigérer)
> *On conserve la nourriture en la réfrigérant.*

1. Comment as-tu découvert la solution? (utiliser un ordinateur)
2. Comment achèteras-tu cette voiture? (emprunter de l'argent)
3. Comment arriverons-nous à l'heure? (se dépêcher)
4. Comment fais-tu cette sauce superbe? (ajouter du cognac)
5. Comment est-il devenu si musclé? (faire de la gymnastique)
6. Comment êtes-vous entrés? (passer par la fenêtre)
7. Comment peut-on faire quelque chose d'utile? (aider les vieillards)
8. Comment as-tu réussi à dormir? (prendre un somnifère)

C. *En + participe présent (moment)*. Transformez les phrases d'après le modèle.

> **Modèle:** Tu m'écriras quand tu arriveras là-bas.
> *Tu m'écriras en arrivant là bas.*

1. Il a mangé quand il est rentré.
2. Il est mort quand il est arrivé à l'hôpital.
3. Il a tourné la tête quand il m'a vu.
4. Le chien s'est caché quand il nous a entendu.
5. Il a appelé les pompiers quand il a aperçu la fumée.
6. Elle est tombée amoureuse de lui quand elle l'a vu.

D. *Transformez les phrases d'après le modèle.*

> **Modèle:** Il est parti. Il a oublié ses clés.
> *Il a oublié ses clés en partant.*

1. Il est entré. Il ne m'a pas salué.
2. Je l'ai vue. Je l'ai reconnue tout de suite.
3. Il m'a vu. Il a souri.

4. Elle a quitté Toronto. Elle a eu de la peine.
5. Il a trouvé un emploi. Il a été fou de joie.
6. Je l'ai aperçu. J'ai été surpris de son apparence.

E. *En + participe présent (simultanéité).* Transformez les phrases d'après le modèle.

Modèle: Il s'est cassé la jambe pendant qu'il faisait du ski.
Il s'est cassé la jambe en faisant du ski.

1. Ne parle pas pendant que tu manges.
2. Elle chante pendant qu'elle fait la cuisine.
3. Marcel a mangé de la crème glacée pendant qu'il regardait la télé.
4. Nous écoutons des disques pendant que nous faisons nos devoirs.
5. Violette fume pendant qu'elle travaille.
6. J'ai attrapé mal à la tête pendant que je l'écoutais.
7. Le vieillard est tombé pendant qu'il traversait la rue.
8. Nous avons découvert ce restaurant pendant que nous nous promenions.

F. Transformez les phrases d'après le modèle.

Modèle: Il parlait. Il a mentionné ton nom.
Il a mentionné ton nom en parlant.

1. J'irai au magasin. Je t'achèterai le journal.
2. Nous voyagions aux Etats-Unis. Nous avons vu des centrales nucléaires.
3. Je lisais le journal. J'ai vu une photo de ton père.
4. Le mineur descendait dans la mine. Il a eu un accident.
5. Il parlait avec des amis. Il a appris la nouvelle.
6. Elle fait la vaisselle. Elle fait beaucoup de bruit.
7. Je rentrais chez moi à pied. Je n'ai vu personne.
8. Ils écoutaient de la musique. Ils dansaient.
9. Renée voyageait. Elle l'a rencontré.

La négation

Adverbs

1) **ne . . . jamais** (never)	≠	**parfois, quelquefois** (sometimes), **une fois** (once), **toujours** (always), **souvent** (often)
Je n'ai jamais vu de lion.		J'ai vu un lion une fois.
2) **ne . . . pas encore** (not yet)	≠	**déjà** (already)
Il n'a pas encore de voiture.		Il a déjà une voiture.
3) **ne . . . pas non plus** (neither)	≠	**aussi** (also/too)
Je n'irai pas au cinéma non plus.		J'irai au cinéma aussi.

4) **ne . . . plus** (no more/no longer) ≠ **encore** (still)
Nous <u>ne</u> te verrons <u>plus</u>. Nous te verrons <u>encore</u>.
Il <u>ne</u> boit <u>plus</u> d'alcool. Il boit <u>encore</u> de l'alcool.

5) **ne . . . nulle part** (nowhere) ≠ **quelque part** (somewhere), **partout** (everywhere)

Il <u>ne</u> veut aller <u>nulle part</u>. Il veut aller <u>quelque part</u>.
On <u>n'</u>en trouve <u>nulle part</u>. On en trouve <u>partout</u>.

Note: 1) After these negative expressions, just as after **ne . . . pas**, the forms of the indefinite and partitive articles all become **de**.

2) With **ne . . . non plus** stress pronouns are frequently used:
<u>Moi</u> non plus, je ne suis pas fatigué(e).
Ils ne sont pas venus, <u>eux</u> non plus.

The Conjunction Ni

Ni means the opposite of **et** and **ou** and is most often used in the structure **ne** + verb + **ni . . . ni** to connect two expressions having the same grammatical function, that is, two direct or indirect objects, two predicate adjectives, etc.

Je <u>ne</u> suis <u>ni</u> malade, <u>ni</u> fatigué(e).
Il <u>n'</u>est allé <u>ni</u> à Montréal <u>ni</u> à Québec.
Je <u>n'</u>ai apporté <u>ni</u> mon manteau <u>ni</u> mes gants.
Elle <u>n'</u>a parlé <u>ni</u> au professeur <u>ni</u> aux autres étudiants.

After **ni . . . ni,** no indefinite or partitive article is used. Compare the following sentences:

Il mange <u>des</u> fruits et <u>des</u> légumes. As-tu <u>un</u> frère et <u>une</u> soeur?
Il ne mange <u>ni</u> fruits <u>ni</u> légumes. Je n'ai <u>ni</u> frère <u>ni</u> soeur.

Elle boit <u>du</u> vin et <u>de la</u> bière.
Elle ne boit <u>ni</u> vin <u>ni</u> bière.

Exercices (Oralement)

A. Dites le contraire des phrases suivantes:

1. Je suis déjà allé(e) en Chine.
2. J'ai déjà mangé du caviar.
3. Il veut aller quelque part.
4. Nous voyagerons partout.
5. Il y avait des policiers partout.
6. J'ai aperçu tes clés quelque part.
7. Jean-Paul et Simone sortent souvent ensemble.
8. Elle m'a quelquefois offert des fleurs de son jardin.
9. Je le vois toujours à la bibliothèque.
10. Vous écoutez souvent du jazz.

11. Il a encore essayé de la rencontrer.
12. Tu feras encore des erreurs.
13. Toi aussi, tu es sportif (-ive).
14. Je prendrai un café aussi.
15. Charles est actif et dynamique.
16. Nous irons en Italie et en France.
17. Elle l'a dit à Pierre et à Suzanne.
18. Elle a acheté une jupe et une robe.
19. Il a du courage et de l'ambition.
20. Je veux cette chemise et ce pantalon.
21. Mes beaux-parents aiment le cinéma et le théâtre.

B. Répondez aux questions négativement. Remplacez les noms par des pronoms.

> *Modèle:* As-tu souvent vu des clowns?
> *Je n'en ai jamais vu.*

1. As-tu déjà fait de l'alpinisme?
2. Fumes-tu encore des cigares?
3. Est-ce que tu as déjà parlé au professeur?
4. Je n'ai pas vu ce film. Et toi?
5. As-tu déjà pris ta décision?
6. Est-ce que tu visites souvent les musées?
7. Est-ce que nous mentons parfois?
8. As-tu déjà essayé de faire de la planche à voile?
9. Est-ce que tu dois encore écrire une composition?
10. Est-ce qu'il y a un restaurant quelque part près d'ici?
11. Il n'y a pas de discothèque en ville, mais est-ce qu'il y a un cinéma?
12. Faites-vous encore du ski?
13. As-tu déjà mangé du homard quelque part?
14. Est-ce que tu vas encore à l'université?

Ne . . . que (la restriction)

Ne . . . que has the same meaning as **seulement** (only). **Ne** is placed before the verb and **que** before the expression which is modified by the restriction:

Il a seulement seize ans.	Il n'a que seize ans.
Elle est ici depuis seulement six mois.	Elle n'est ici que depuis six mois.
J'achète seulement les disques bon marché.	Je n'achète que les disques bon marché.

Ne . . . que is not a negative but a restrictive expression. Therefore, the indefinite and definite articles do not change to **de** when they follow **ne . . . que**:

Nous n'avons mangé que des fruits.
Elle n'a regardé qu'un film.

Exercices (Oralement)

A. Substituez *ne . . . que* à *seulement:*

1. Il fait seulement de la chimie.
2. Je le reverrai seulement s'il devient plus aimable.
3. Cette bouteille contient seulement un demi-litre.
4. Je te téléphonerai seulement quand je serai revenu.
5. Il y a seulement des mines dans cette région.
6. Je l'ai invité seulement parce que c'est ton ami.
7. Ouvre seulement une fenêtre.
8. Elle dort seulement cinq heures par nuit.
9. Cet arbre a seulement dix mètres de haut.
10. Cette voiture coûte seulement mille dollars.
11. Il est seulement dix heures du soir.

B. Répondez aux questions d'après le modèle.

> *Modèle:* Combien as-tu de disques?
> *Je n'en ai que dix.*

1. Combien as-tu de livres dans ta serviette?
2. Combien de mains as-tu?
3. Combien de langues parles-tu?
4. Combien d'étudiants y a-t-il dans la classe?
5. Combien de bicyclettes as-tu?
6. Combien de jours y a-t-il en février?
7. Combien de langues officielles y a -t-il Canada?
8. Combien de temps reste-t-il avant la fin de la classe?
9. Combien de semaines reste-t-il avant la fin des cours?
10. Depuis combien de mois étudies-tu le français?

EXERCICES ECRITS

A. Mettez les verbes entre parenthèses au futur antérieur:

1. J'espère que nous nous reverrons quand tu (revenir) de vacances.
2. Nous pourrons partir dès que je le (voir).
3. Je donnerai au chien la nourriture que nous (ne pas manger).
4. Je suis sûr(e) que tu la trouveras sympathique quand tu la (rencontrer).
5. Rends-moi ce livre aussitôt que tu le (lire).

B. Mettez les verbes entre parenthèses au présent de l'indicatif:

1. Henri (offrir) une cravate à son père.
2. Est-ce que vous (souffrir) beaucoup?
3. La pluie entre dans la pièce quand on (ouvrir) la fenêtre.
4. Elle (se couvrir) le visage de maquillage.
5. Nous (découvrir) de nouvelles choses.

C. Transformez les phrases d'après le modèle.

Modèle: Il est tombé. (monter l'escalier)
Il est tombé en montant l'escalier.

1. On développe ses muscles. (faire de la natation)
2. Chantal a souri. (me regarder)
3. Je l'ai aperçu. (entrer dans la classe)
4. Nous mangeons. (regarder le match de hockey)
5. Frédéric est devenu riche. (vendre des maisons)
6. J'ai appris la nouvelle. (lire le journal)
7. Tu as trouvé ce portefeuille. (te promener)
8. Madeleine a trouvé un emploi. (rentrer de voyage)

D. Répondez aux questions par des phrases complètes. Employez *en* + *participe présent.*

Modèle: Comment as-tu appris le violon?
J'ai appris le violon en prenant des leçons.

1. Comment attrape-t-on un rhume?
2. Comment restes-tu en forme?
3. Comment les enfants apprennent-ils à parler?
4. Comment réussit-on à ses examens?
5. Comment apprend-on les nouvelles récentes?

E. Donnez le contraire des phrases suivantes:

1. Je veux voyager partout.
2. Fernande a encore mal à la tête.
3. J'écoute parfois la radio.
4. Ils sont déjà rentrés du cinéma.
5. Louis a aussi acheté une chemise.
6. Elle est intelligente et ambitieuse.
7. Nous mangeons des fruits et des légumes.
8. Il a apporté son livre et ses notes de classe.
9. Je vais encore quelquefois à la discothèque.

F. Substituez *ne . . . que* à *seulement:*

1. Je te parlerai seulement quand tu seras plus raisonnable.
2. Elle veut seulement un sandwich.
3. Les Desjardins ont seulement deux enfants.
4. On peut ouvrir seulement une fenêtre.
5. Il y a des fleurs seulement devant la maison.
6. Nous nous reverrons seulement dans deux mois.
7. J'ai lu ce livre seulement parce que tu me l'as recommandé.
8. Il va suivre seulement trois cours.

LECTURE

Les ressources naturelles et énergétiques

La question des ressources énergétiques est maintenant un problème important. La diminution des réserves de pétrole et les dangers de l'énergie atomique poussent beaucoup de pays à investir dans la recherche pour développer de nouvelles technologies. Au Canada, les investissements dans ce domaine restent comparativement minimes, et pourtant nous sommes les plus gros consommateurs d'énergie du monde.

Au Québec, on a consacré beaucoup d'efforts à développer l'hydro-électricité: les gigantesques complexes du nord du Québec, celui de la baie James en particulier, joueront un rôle essentiel dans le développement de la province, en la protégeant des hausses de prix qui frappent les divers combustibles. Il est vrai que 30% des besoins énergétiques viennent des transports et donc, on continuera à avoir besoin de pétrole, mais la consommation d'électricité pourra s'étendre dans les 70% qui restent. Ces projets considérables portent fruit et représentent un investissement sûr, car l'électricité est une énergie renouvelable. De plus, dès le début de ces projets, on a pris beaucoup de précautions pour ne pas endommager le milieu naturel, ce qui n'est pas le cas pour bien d'autres types d'exploitation.

Le second atout du Québec, ce sont ses forêts: l'industrie forestière est responsable de 20% des exportations; il existe 100 000 emplois directs dans cette industrie et 200 000 autres emplois en dépendent (transport, équipement, services gouvernementaux). Les 1200 usines qui existent dans le secteur industriel du bois ont une influence économique décentralisée et stabilisatrice. Toutefois, cette situation n'est pas sans problèmes. En effet, la concurrence mondiale menace l'industrie québécoise dont les prix sont trop élevés. De plus, si le bois est une ressource renouvelable, il faut cependant la gérer rationnellement. Il est nécessaire de reboiser les forêts: au Québec, où c'est le gouvernement qui est responsable du reboisement, celui-ci est bien inférieur à ce qu'il devrait être, et les compagnies privées devraient réinvestir dans un effort de reboisement; sinon, il y aura une pénurie.

L'industrie minière est également un pilier de l'économie québécoise: les minerais et les métaux comptent pour 20% de la balance commerciale. A ce sujet, il faut malheureusement parler du problème de la pollution et surtout des pluies acides. Les industries américaines sont responsables d'une grande partie des pluies acides, mais 15% de celles-ci, au Québec, sont causées par les usines de transformation de produits miniers qui y sont installées. La région de l'Abitibi en particulier est victime des pluies acides: ses lacs meurent, l'eau potable est contaminée, les forets sont défoliées. Les dangers pour la santé humaine s'aggravent. On ne peut pas seulement accuser le gouvernement; il faudrait aussi que les pollueurs acceptent leur part de responsabilité.

(s')aggraver	to worsen	**concurrence** (f.)	competition
atout (m.)	asset	**consacrer**	to devote
balance commerciale (f.)	trade balance	**consommation** (f.)	consumption
combustible (m.)	fuel	**consommateur** (m.)	consumer
compagnie (f.)	company	**début** (m.)	beginning
compter pour	to account for	**défolié(e)**	defoliated

déverser	to dump	**mourir**	to die
diminution (f.)	decrease	**part** (f.)	part, share
domaine (m.)	area	**partie** (f.)	part
également	also	**partout**	everywhere
électricité (f.)	electricity	**pénurie** (f.)	shortage
endommager	to damage	**pétrole** (m.)	oil
énergie (f.)	energy	**pilier** (m.)	pillar
énergétique	energy (adj.)	**pluies acides** (f.pl.)	acid rain
(s') étendre	to spread	**plus: de —**	moreover
exportation (f.)	export	**pollueur** (m.)	polluter
frapper	to hit, to affect	**porter fruit**	to bear fruit
gérer	to manage	**pousser à**	to impel
gigantesque	gigantic	**protéger**	to protect
hausse (f.)	increase	**provoquer**	to cause
industrie (f.)	industry	**reboiser**	to reforest
investir	to invest	**renouvelable**	renewable
lac (m.)	lake	**ressource** (f.)	resource
menacer	to threaten	**sinon**	if not, or else
métal (m.)	metal	**stabilisateur, trice**	stabilizing
minerai (m.)	ore	**sujet** (m.)	topic
minier, ière	mining	**sûr(e)**	safe
minime	minimal	**toutefois**	yet, however

Questions

1. Qu'est-ce que beaucoup de pays font et pourquoi?
2. Où se trouve le principal complexe hydro-électrique au Québec?
3. Quels sont les avantages de l'hydro-électricité?
4. Pourquoi aura-t-on encore besoin de pétrole?
5. Quelle est l'importance de l'industrie forestière? Quel type d'influence exerce-t-elle sur l'économie?
6. Quels sont les problèmes de l'industrie forestière québécoise?
7. Qu'est-ce qu'il faut faire pour éviter la pénurie de bois?
8. Qui est responsable des pluies acides?
9. Quelles sont les conséquences des pluies acides?

SITUATIONS / CONVERSATIONS

1. Faites des questions et répondez-y d'après le modèle suivant.

   Modèle: Quelle est la première chose que tu fais en te levant le matin?
   En me levant le matin, j'écoute la radio / je me prépare un café / je me lave / je lis le journal.

Quelle est la première chose que tu fais en rentrant chez toi le soir?
Quelle est la première chose que tu fais en arrivant en classe? en entrant
dans une discothèque? etc.

2. Posez des questions et répondez-y en employant **en + participe présent** pour
exprimer la manière.

   Modèles: Comment est-ce qu'on devient cultivé?
   On devient cultivé en lisant beaucoup.
   Comment est-ce qu'on fait la vaisselle?
   On fait la vaisselle en lavant les ustensiles avec de l'eau chaude et du savon.
   Comment est-ce qu'on va en Afrique?
   On va en Afrique en prenant le bateau ou l'avion.

3. Posez des questions qui demandent des réponses négatives.

   Modèles: Est-ce que tu es <u>déjà</u> allé(e) au Tibet?
   Non, je ne suis jamais allé(e) au Tibet.
   Est-ce que tu as <u>déjà</u> une profession?
   Non, je n'ai pas encore de profession.
   Est-ce que tu apportes ton ordinateur <u>partout</u>?
   Non, je ne l'apporte nulle part.

4. Posez des questions et répondez-y en employant le futur antérieur.

   Modèle: Qu'est-ce que tu feras quand tu auras fini tes études?
   Quand j'aurai fini mes études, je ferai un voyage autour du monde.
   Voudras-tu avoir des enfants après que tu te seras marié(e)? etc.

5. Quels sont les problèmes de pollution qui existent dans la région où vous vivez?
Quelles en sont les causes? Quelles seraient des solutions possibles?

6. Etes-vous pour ou contre l'exploitation de l'énergie nucléaire? Justifiez votre opinion.

7. Est-il important de faire tous les efforts possibles pour protéger toutes les espèces
d'animaux en voie de disparition, même si, pour cela, il faut supprimer des projets
technologiques importants? A la limite, est-ce que les intérêts humains justifient la
disparition d'un bon nombre d'espèces animales?

8. On prévoit pour le 21ᵉ siècle une pénurie de beaucoup de ressources naturelles et un
manque de nourriture pour une population de plus en plus considérable. Que va-t-
il se passer, selon vous? Vers quoi les efforts humains devraient-ils être orientés
pour faire face à ces problèmes?

9. Qu'aurez-vous accompli d'ici 20 ans?

   Exemples: J'aurai fini mes études en sciences.
   J'aurai travaillé pour le gouvernement.
   etc.

COMPOSITIONS

1. Avez-vous une vision optimiste ou pessimiste de l'avenir? Réussira-t-on à trouver des solutions aux problèmes de pollution et de diminution de ressources naturelles? Quels genres de nouvelles technologies envisagez-vous?

2. Est-ce que l'avenir de l'humanité dépendra de la recherche spatiale?

3. La pénurie de ressources naturelles et énergetiques ainsi que la pénurie de nourriture vont-elles créer des conflits internationaux? Les guerres seront-elles inévitables ou est-ce que les nations vont s'orienter vers une meilleure répartition des ressources et une entraide?

4. Vous prenez de bonnes résolutions à l'occasion du Nouvel An: Qu'est-ce que vous allez faire que vous n'avez pas encore fait? Qu'est-ce que vous ne ferez plus? Qu'est-ce que vous ne ferez jamais? Employez beaucoup de négations diverses.

PRONONCIATION

La semi-voyelle /j/ (le yod)
The semi-vowel /j/ is written **i** or **y** in the following sequences of letters:

I.   *I or y + pronounced vowel*

Répétez:

il y a	rayer	fier	mieux	confiant	rayon	mien
spécial	métier	miel	vieux	amiante	inspiration	viens
yaourt	parliez	pluriel	cieux	expérience	condition	maintien
immédiat	inquiet	assiette	sérieux	viande	omission	bientôt
racial	ennuyé	mièvre	dieu			

II.   *Vowel + il or ille*

Répétez:

ail	soleil	feuille	fouille
maille	oreille	oeil	houille
travail	veille	seuil	rouille
caillé	conseil	cueille	nouille
ailleurs	treille	deuil	douille

III.   *The combination of sounds /ij/*

The following sequences of letters are associated with /ij/:

1) consonant + **r** or **l** + vowel:
   crier, trier, sablier, plier, plia, plions

2) consonant + **ill** or **ille** + vowel:
   griller, grillon, briller, famille, fille

CHAPITRE DIX-HUIT

LES CAJUNS DE LA LOUISIANE

La musique cajun

Photo avec la permission de The Lafayette Convention and Visitors Commission

INTRODUCTION

Je voudrais savoir ce que vous aimeriez le mieux, ce qui vous ferait plaisir et ce dont vous avez envie?

Ce que j'aimerais le mieux, ce serait de manger un gumbo; ce qui me ferait plaisir, ce serait de dîner avec vous; ce dont j'ai envie, c'est de participer au Mardi-Gras.

Que voulez-vous que je vous raconte?
Nous souhaitons que vous nous racontiez l'histoire des Cajuns.

Est-il nécessaire que nous parlions français pour habiter en Louisiane?
Il n'est pas absolument nécessaire que vous le parliez couramment mais les Cajuns seraient heureux que vous le compreniez.

Etes-vous sûr(e) qu'on trouve des restaurants créoles à Lafayette?
Je ne suis pas sûr(e) qu'on en trouve, il faut que vous consultiez le bottin téléphonique.

Est-ce que les Cajuns doivent se battre pour conserver leur langue?
Oui, ils doivent continuer à se battre pour la conserver.

Connaissez-vous les bayous?
Oui, ce sont des rivières le long desquelles les Cajuns ont établi des fermes.

La pêche dans les bayous est-elle difficile?
Elle n'est pas difficile mais c'est une activité pour laquelle il faut beaucoup de patience.

GRAMMAIRE ET EXERCICES ORAUX

Le subjonctif présent

The indicative mood is used by the speaker to report events factually. The subjective mood is used in subordinate clauses to relate an event which follows from a certain attitude or proviso. Specific instances in which the subjunctive forms are used will be detailed in this and the following chapter.

The Present Subjunctive of Regular Verbs

The present subjunctive of regular verbs is formed by dropping **-ent** from the third person plural form of the present indicative and adding to that stem the subjunctive endings which are: **-e, -es, -e, -ions, -iez, -ent.**

	regarder	finir	vendre
je	regarde	finisse	vende
tu	regardes	finisses	vendes
il/elle/on	regarde	finisse	vende
nous	regardions	finissions	vendions
vous	regardiez	finissiez	vendiez
ils/elles	regardent	finissent	vendent

Regular **er** verbs with spelling changes in their stems in the present indicative retain these changes in the present subjunctive:

acheter: j'achète / nous achetions
espérer: j'espère / nous espérions
appeler: j'appelle / nous appelions
jeter: je jette / nous jetions
payer: je paie / nous payions

The present subjunctive expresses a *present* or *future* event.

Use of the Subjunctive After Certain Verbs and Verbal Expressions

The subjunctive is used in subordinate clauses introduced by the conjunction **que** when the verb or verbal expression in the main clause expresses:

1) an emotion or a feeling:

aimer	J'aimerais que vous restiez ici.
avoir peur	Elle a peur qu'ils ne lui obéissent plus.
être content	Je suis content(e) que tu réussisses.
être désolé	Elle est désolée que je ne m'entende pas avec son ami.
être heureux	Elle est heureuse que nous travaillions.
être triste	Il est triste que tu ne répondes pas à ses lettres.
être surpris	Elle est surprise que nous ne fumions plus.
regretter	Nous regrettons que vous abandonniez la ferme.

2) a wish, a desire or a demand:

désirer	Elle désire que tu lui répondes.
exiger	Il exige que je lui rende son argent.
souhaiter	Je souhaite que vous lui parliez.
préférer	Je préfère que tu ne m'attendes pas.
vouloir	Ils veulent que nous chantions.

3) a doubt:

douter	Je doute qu'il finisse son travail à temps.

4) an opinion: verbs like **croire, être sûr, penser, supposer** etc., when used in the negative and the interrogative, imply doubt and are generally followed by the subjunctive.★ However, when they are used in the affirmative, no doubt is implied and they are followed by the indicative. Compare the following sentences:

croire	Il croit que nous chantons bien.
	Il ne croit pas que nous chantions bien.
	Croit-il que nous chantions bien?
penser	Elle pense que nous l'attendons
	Elle ne pense pas que nous l'attendions.
	Pense-t-elle que nous l'attendions?
être sûr	Tu es sûr(e) qu'il obéit à ses parents.
	Tu n'es pas sûr(e) qu'il obéisse à ses parents.
	Es-tu sûr(e) qu'il obéisse à ses parents?
être certain	Elle est certaine que nous travaillons bien.
	Elle n'est pas certaine que nous travaillions bien.
	Est-elle certaine que nous travaillions bien?

Subjunctive Versus Infinitive

When the subject of the subordinate clause refers to the same person or thing as the subject of the main clause, avoid using the structure **que** + subjunctive. Instead, put the subordinate verb in the infinitive:

Nous préférons attendre.
(Rather than: Nous préférons que nous attendions.)
Je veux le rencontrer.
(Rather than: Je veux que je le rencontre.)
Je regrette de ne pas réussir.
(Rather than: Je regrette que je ne réussisse pas.)
Tu as peur d'oublier.
(Rather than: Tu as peur que tu oublies.)

★ When these verbs are used in a question about some *future* event, generally the future tense or the present conditional is used in the subordinate clause rather than the subjunctive:
Pensez-vous qu'elle rentrera?   Avez-vous cru que nous réussirions?

As in the last two examples, remember to insert a preposition before the infinitive if required after the conjugated verb.

Exercices (Oralement)

A. Répondez affirmativement:

1. Veux-tu que je chante?
2. Veux-tu que Martine chante?
3. Veux-tu que nous chantions?
4. Veux-tu que les autres étudiants chantent?
5. Est-ce que tu préfères que nous parlions?
6. Préfères-tu que je parle?
7. Es-tu content(e) que le cours finisse?
8. Es-tu content(e) que tous tes cours finissent?
9. As-tu peur que nous finissions en retard?
10. Est-ce que je veux que vous finissiez la composition?
11. Est-ce que j'exige que vous me répondiez en français?
12. Est-ce que je veux que tu me répondes?
13. Est-ce que tu veux que je réponde à tes questions?
14. Es-tu surpris(e) que nous t'attendions?
15. Es-tu content(e) que je t'attende?
16. Est-ce que je désire que vous réussissiez à votre examen?
17. Est-ce que je souhaite que tu réussisses à ton examen?
18. Veux-tu que je te rende ton livre?
19. Exiges-tu que tes amis te rendent ton argent?
20. Veux-tu que nous jouions aux échecs?
21. Veux-tu que nous nous téléphonions?
22. Est-ce que tu regrettes que nous nous séparions?
23. As-tu peur que je te pose une question?
24. As-tu peur que nous te posions une question?
25. As-tu peur que les policiers te posent des questions?
26. Veux-tu que je te vende ma bicyclette?

B. Répondez négativement:

1. Penses-tu que nous travaillions bien ensemble?
2. Penses-tu que nous nous entendions bien?
3. Penses-tu que le cours finisse trop tard?
4. Penses-tu qu'on vende trop d'ordinateurs?
5. Crois-tu que nous chantions bien?
6. Crois-tu que nous réussissions à communiquer?
7. Es-tu sûr(e) que ton ami(e) t'attende?
8. Es-tu certain(e) que nous parlions de la même personne?

C.   Répondez aux questions affirmativement ou négativement:

1. Veux-tu que je te réponde?
2. Veux-tu que nous parlions de politique?
3. Veux-tu que je te vende ma voiture?
4. Veux-tu que nous jouions aux dominos?
5. As-tu peur que je te punisse?
6. Est-ce que vous souhaitez que nous dînions ensemble?
7. Est-ce que vous regrettez que l'hiver finisse?
8. Est-ce que j'exige que vous m'écoutiez?
9. Est-ce que j'exige que vous me répondiez?
10. Tes parents souhaitent-ils que tu réussisses?

D.   Répondez aux questions en employant ''Je pense que'' + indicatif ou ''Je ne pense pas que'' + subjonctif.

   Modèle: Est-ce que je donne trop de bonnes notes?
      Je ne pense pas que vous donniez trop de bonnes notes.

1. Est-ce que la plupart des gens mangent du caviar tous les jours?
2. Est-ce qu'il vend des voitures?
3. Est-ce qu'ils parlent français en classe?
4. Est-ce qu'on punit suffisamment les criminels?
5. Est-ce que nous parlons trop en classe?
6. Est-ce que nous achetons trop de gadgets?
7. Est-ce que j'agis de manière tyrannique?
8. Est-ce que nous perdons notre temps en classe?
9. Est-ce que le professeur attend les étudiants en retard?

E.   Demandez à un(e) autre étudiant(e) . . .

   Modèle: de vous répondre.
      Je veux que tu me répondes.

1. de vous obéir.
2. de réfléchir.
3. de choisir un de vos disques.
4. de vous vendre sa bicyclette.
5. de vous attendre.
6. de vous prêter une cravate.
7. de vous rendre votre stylo.
8. de descendre de la voiture.
9. de finir son dessert.
10. de réussir au concours.

F.   Faites des phrases d'après le modèle.

   Modèle: heureux — vous étudiez le français
      Je suis heureux(-euse) que vous étudiiez le français.

1. désolé — vous mangez mal à la cafétéria
2. surpris — vous arrivez à l'heure
3. content — vous m'attendez
4. heureux — vous vous entendez bien
5. furieux — il ne répond pas à ma lettre
6. étonné — elle rougit si facilement
7. touché — vous me donnez ce cadeau
8. triste — tu agis de cette manière

G. Faites des phrases avec ''je doute'' d'après le modèle.

> *Modèle:* Il me rendra mon livre.
> *Je doute qu'il me rende mon livre.*

1. Nous arriverons à l'heure.
2. Tu réagiras bien.
3. Elle vendra ses livres.
4. Nous nous habituerons à cette nouvelle vie.

5. Il punit ses enfants.
6. Vous vous rendez bien compte de la difficulté.
7. Nous le retrouverons.

Emploi du subjonctif après des expressions impersonnelles

The subjunctive is also used in subordinate clauses introduced by **que** after impersonal expressions such as:

il (ne) faut (pas)	Il faut que je réfléchisse.
il (n')est (pas) nécessaire	Il n'est pas nécessaire que vous restiez.
il (n')est (pas) important	Il est important que vous m'écoutiez.
il (n')est (pas) bon	Il n'est pas bon que vous attendiez.
il est utile/inutile	Il est inutile que nous en parlions.
il est souhaitable	Il est souhaitable qu'il réponde.
il est regrettable	Il est regrettable qu'elle ne finisse pas son travail.
il (n')est (pas) possible	Il est possible que je vende ma voiture.
il (n')est (pas) impossible	Il n'est pas impossible que nous réussissions.
il est peu probable	Il est peu probable qu'elle obéisse.
il semble	Il semble qu'elle ne réfléchisse pas assez.

However, after impersonal expressions expressing certainty or probability, the indicative mood is used:

il est probable	Il est probable qu'il neigera.
il est sûr/certain	Il est certain qu'il réussira.
il est clair/évident	Il est évident qu'elle perd son temps.
il est vrai	Il est vrai que nous mangeons trop.

Exercices (Oralement)

A. Faites des phrases d'après le modèle.

> *Modèle:* Il faut — nous préparons le repas.
> *Il faut que nous préparions le repas.*

1. Il est bon — vous vous amusez.
2. Il faut — nous nous rencontrons.
3. Il n'est pas nécessaire — vous me téléphonez.
4. Il est important — tu réussis à ce concours.
5. Il est souhaitable — vous arrivez à l'heure.
6. Il est regrettable — tu réagis violemment.

7. Il est inutile — nous prolongeons la réunion.
8. Il est possible — le film finira à dix heures.
9. Il n'est pas impossible — il neigera demain.
10. Il est peu probable — nous terminerons notre travail à temps.
11. Il semble — le gouvernement agit trop tard.

B.   Répondez aux questions.

1. Est-ce qu'il faut que nous rendions nos livres à la bibliothèque?
2. Est-ce qu'il est important que tu réussisses à tes examens?
3. Est-il utile que nous corrigions ensemble les exercices écrits?
4. Est-il souhaitable que vous parliez français?
5. Est-ce qu'il est possible que nous maîtrisions un jour l'énergie solaire?
6. A quelle heure faut-il que nous quittions la classe?
7. A qui faut-il que tu obéisses?
8. Pourquoi faut-il que tu réussisses à tes examens?
9. Pourquoi est-il utile que vous parliez français?

C.   Mettez le verbe entre parenthèses au subjonctif présent ou à l'indicatif présent ou futur, selon le cas:

1. Il est possible que nous (rentrer) à minuit.
2. Il est peu probable que je (vendre) mon ordinateur.
3. Il est probable qu'elle (arriver) demain.
4. Il n'est pas impossible que je (réussir) à rencontrer le premier ministre.
5. Il est peu probable qu'elle (choisir) de devenir médecin.
6. Il est sûr que cette équipe (gagner) le match de dimanche.
7. Il semble que Serge (réagir) moins bien que Nicole.
8. Il est impossible que tu (ne pas réussir).
9. Il est clair que nous (ne pas s'étendre).
10. Il est peu probable que nous (rentrer) avant le semaine prochaine.
11. Il est évident que vous (ne pas aimer) ces gens.

Les pronoms relatifs *ce qui, ce que, ce dont*

Ce qui, ce que (what/that/which) and **ce dont** are relative pronouns without antecedents: they refer to ideas which have not been expressed or which are expressed later in the sentence.

1) **Ce qui**: subject

> **Je ne comprends pas ce qui t'inquiète.**
> I do not understand what worries you.

Ce qui, in this example, has no antecedent.

> **Ce qui l'intéresse, c'est de faire du sport.**
> What interests him is to take part in sports.

Here, **ce qui** stands for (anticipates) the idea ''faire du sport''.

2) **Ce que**: direct object

> **Je veux savoir ce que tu as trouvé.**
> I want to know what you found.
>
> **Ce qu'il veut, c'est d'aller au Mexique.**
> What he wants is to go to Mexico.

3) **Ce dont**: object of a verb requiring the preposition **de**

> **Je ne sais pas ce dont il a besoin.** (avoir besoin <u>de</u>)
> I do not know what he needs.
>
> **Ce dont il a peur, c'est de ne pas trouver d'emploi.**
> What he is afraid of, is not finding a job.

Exercices (Oralement)

A. Transformez les phrases d'après le modèle. Employez ''Je ne comprends pas'' et *ce qui, ce que* ou *ce dont.*

> *Modèle:* Elle a besoin de quelque chose.
> *Je ne comprends pas ce dont elle a besoin.*

1. Violette parle de quelque chose.
2. Quelque chose s'est passé.
3. Ils ont dit quelque chose.
4. Il me demande quelque chose.
5. Tu as peur de quelque chose.
6. Quelque chose le préoccupe.
7. Vous faites quelque chose.
8. Nous devons préparer quelque chose.
9. Ils rient de quelque chose.
10. Quelque chose le terrorise.
11. Christophe veut faire quelque chose.

B. Répondez aux questions d'après le modèle. Employez ''Je me demande'' et *ce qui, ce que,* ou *ce dont.*

> *Modèle:* Qu'est-ce qui provoque les crises économiques?
> *Je me demande ce qui provoque les crises économiques.*

1. Qu'est-ce qu'il a acheté?
2. Qu'est-ce que ça signifie?
3. Qu'est-ce qui l'amuse?
4. De quoi a-t-elle envie?
5. Qu'est-ce qui lui donne mal à la tête?
6. Qu'est-ce qu'ils ont fait?
7. De quoi discutent-ils?
8. Qu'est-ce qui l'irrite?
9. Qu'est-ce qu'il y a dans cette boîte?

Le verbe irrégulier *battre*

Présent de l'indicatif		Participe passé:	Futur:
je bats	nous battons	battu	je battrai
tu bats	vous battez		
il/elle/on bat	ils/elles battent		

Battre means "to beat", "to beat up" or "to defeat":

> Il bat son chien quand il est en colère.
> Pour ce genre d'omelette, il faut battre les oeufs.
> J'ai battu mon frère aux échecs.

Se battre (avec/contre) means "to fight (with/against)":

> Les deux boxeurs se sont bien battus.
> Mon fils s'est battu avec le vôtre à l'école.

Combattre also means "to fight" but it is a transitive verb (it can take a direct object):

> Pendant la guerre, il a combattu les Allemands.
> Il faut combattre la tyrannie.

Abattre means "to fell":

> Ils abattront tous les arbres qui sont sur cette colline.

Exercices (Oralement)

A.   Répondez aux questions:

1. Je ne bats pas mon chien. Et toi?
2. Est-ce que les professeurs battent leurs étudiants?
3. As-tu déjà battu un record sportif?
4. Est-ce que je vous battrai si vous ne réussissez pas à l'examen?
5. Est-ce qu'on bat des blancs d'oeufs pour faire de la meringue?
6. Est-ce que tu bats les oeufs pour faire une omelette?
7. Est-ce que tu me battrais si nous jouions aux échecs?
8. Est-ce que les gangsters se battent entre eux?
9. Est-ce que nous nous battons dans la classe?
10. Est-ce que les Américains se sont déjà battus contre les Japonais?
11. Contre qui les Canadiens se sont-il battus pendant la Deuxième guerre mondiale?
12. Est-ce que tu te bats contre l'injustice?
13. Avec quels médicaments est-ce qu'on combat une infection?
14. Est-ce qu'on abat beaucoup d'arbres au Canada?
15. As-tu déjà abattu un arbre?

B.   Demandez à un(e) autre étudiant(e) . . .

1. s'il/si elle bat les animaux.
2. si les instituteurs battaient les écoliers autrefois.
3. s'il/si elle bat tous ses amis aux échecs.
4. s'il/si elle se bat avec ses frères et soeurs.
5. s'il/si elle aime regarder des boxeurs se battre.
6. s'il/si elle se bat contre la pollution/contre les armements nucléaires.

Les pronoms relatifs précédés d'une préposition

The relative pronouns used as objects of prepositions other than **de** are:

1) **Qui** if the antecedent is a person:

Je connais cet étudiant. Paul est assis <u>à côté de cet étudiant</u>.

⟶ **Je connais l'étudiant <u>à côté de qui</u> Paul est assis.**
I know the student beside whom Paul is sitting.

J'ai rencontré la jeune femme <u>avec qui</u> tu es sorti.
I met the young lady with whom you went out.

Voilà les infirmières <u>à qui</u> j'ai parlé.
Here are the nurses to whom I spoke.

2) **Lequel (laquelle, lesquels, lesquelles)** if the antecedent is a thing:⋆

C'est le restaurant. Nous nous sommes rencontrés <u>près de ce restaurant</u>.

⟶ **C'est le restaurant <u>près duquel</u> nous nous sommes rencontrés.**
This is the restaurant near which we met.

Elle m'a parlé du projet <u>auquel</u> elle travaillait.
She told me about the project on which she was working.

C'est la moto avec <u>laquelle</u> je suis allé(e) en Floride.
This is the motorcycle on which I went to Florida.

3) **Quoi** if the antecedent is an idea or if there is no antecedent:

Je ne sais pas <u>à quoi</u> il pense. (no antecedent)
I do not know what he is thinking about.

Mon oncle connaissait le directeur, <u>grâce à quoi</u> j'ai obtenu un emploi.
My uncle knew the director, thanks to which I got a job.
(**Quoi** refers to the fact: ''mon oncle connaissait le directeur''.)

Note that in French the preposition precedes the relative pronoun, which must always be mentioned, whereas in English the preposition is often placed at the end of the relative clause and the relative pronoun is frequently omitted.

Exercices (Oralement)

A. Transformez les phrases d'après le modèle.

Modèle: Je n'ai pas revu cet homme. J'ai prêté de l'argent <u>à cet homme</u>.
Je n'ai pas revu cet homme à qui j'ai prêté de l'argent.

1. Elle n'aime pas ces gens. Elle doit travailler avec ces gens.
2. Regarde le garçon. Sylvie est assise à côté de ce garçon.
3. Je dois rencontrer un client. Je vais vendre une maison à ce client.

⋆ The forms of **lequel** may also be used when the antecedent is a person. However, it is recommended for practice at this stage to use **qui** to refer to persons and the forms of **lequel** to refer to things.

4. Voici le professeur. J'ai préparé un travail pour ce professeur.
5. Connais-tu cette femme? Henri joue au tennis avec cette femme.
6. C'est l'architecte. J'ai parlé à cet architecte.

B. Même exercice.

Modèle: C'est la rivière. Nous allons nous promener le long de cette rivière.
C'est la rivière le long de laquelle nous allons nous promener.

1. Voici le parc. J'habite en face de ce parc.
2. Je ne connais pas le jeu. Vous voulez jouer à ce jeu.
3. Ce sont les outils. Je travaille avec ces outils.
4. C'est un problème. J'ai beaucoup réfléchi à ce problème.
5. Raconte-moi la discussion. Tu as participé à cette discussion.

C. Faites des phrases d'après le modèle. Employez ''Je ne sais pas'' + *préposition* + *quoi.*

Modèle: Tu t'attendais à quelque chose.
Je ne sais pas à quoi tu t'attendais.

1. Elle pense à quelque chose.
2. Je vais laver la vaisselle avec quelque chose.
3. Les enfants jouent à quelque chose.
4. Ils se battent contre quelque chose.
5. Je vais commencer par quelque chose.

EXERCICES ECRITS

A. Transformez les phrases d'après le modèle.

Modèle: Il souhaite. Tu l'(attendre).
Il souhaite que tu l'attendes.

1. Je regrette. Vous (ne pas aimer) ce gâteau.
2. M. Rédillon doute. Nous (réussir).
3. Nous avons peur. Il (ne pas finir) ses études.
4. Elle veut. Tu lui (vendre) ta bicyclette.
5. Je suis désolé(e). Vous (ne pas trouver) de solution.
6. Yoko est étonnée. Nous (parler) japonais.
7. Vous exigez. Il vous (rendre) votre argent.
8. Tu préfères. Nous (jouer) au tennis.
9. Je ne suis pas très content(e). Mon chien (ne pas obéir).
10. Ses parents sont tristes. Elle (agir) sans réfléchir.

B. Mettez les verbes entre parenthèses au présent de l'indicatif ou au présent du subjonctif, selon le cas:

1. Elle est sûre que tu l'(attendre).
2. Croyez-vous qu'il (répondre) correctement?
3. Mon beau-frère pense que nous (parler) de lui.

4. Je ne crois pas que vous (vous amuser) beaucoup.
5. Elle n'est pas certaine que nous (chanter) bien.

C. Transformez les phrases d'après le modèle.

>   *Modèle:* Il est souhaitable. Nous (attendre) quelques jours.
>   *Il est souhaitable que nous attendions quelques jours.*

1. Il est important. Nous nous (rencontrer).
2. Il serait utile. Vous (arriver) à l'avance.
3. Il n'est pas impossible. Nous le (trouver) à la bibliothèque.
4. Il faut. Tu (réfléchir) longtemps.
5. Il est évident. Tu (réagir) mal.
6. Il est peu probable. Il (vendre) sa maison.
7. Il est regrettable. Vous (ne pas aimer) l'opéra.
8. Il est probable. Elle m'(attendre).
9. Il est possible. Elle (vendre) sa voiture.

D. Mettez les verbes entre parenthèses au présent de l'indicatif:

1. On (abattre) trop d'arbres.
2. Nous (se battre) contre l'injustice.
3. Les pompiers (combattre) l'incendie.
4. Je (ne pas battre) mon chien.
5. Elle (battre) ses amies aux cartes.

E. Remplacez les tirets par *ce qui, ce que* ou *ce dont:*

1. Je voudrais bien savoir _____ tu as envie.
2. L'étudiant ne comprend pas _____ est écrit au tableau.
3. Dites-moi _____ vous avez besoin.
4. Savez-vous _____ il faut faire?
5. _____ l'inquiète, c'est d'avoir oublié ses livres chez elle.
6. Fais _____ tu veux.

F. Remplacez les tirets par le pronom relatif approprié. N'oubliez pas la contraction (*auquel, duquel,* etc.):

1. Il habite une maison derrière _____ il y a un parc.
2. Je ne sais pas avec _____ je vais réparer cet appareil.
3. Il veut que nous rencontrions la jeune femme avec _____ il va se marier.
4. La course à pied est un sport pour _____ il faut beaucoup d'entraînement.
5. C'est une discussion à _____ je refuse de participer.
6. L'homme devant _____ Hélène est assise travaille avec mon père.
7. Ce sont des questions à _____ je n'ai pas beaucoup réfléchi.
8. Il regardait les gens en face de _____ il était assis.
9. Le lac près de _____ j'habite est très grand.
10. Dis-moi contre _____ tu te bats.

LECTURE

Les Cajuns de la Louisiane

Parmi tous les Acadiens qui avaient été expulsés par les Anglais au 18ᵉ siècle, un certain nombre ont voyagé jusqu'au Sud de la Louisiane. Ils savaient qu'on parlait français à La Nouvelle-Orléans où étaient établis des Créoles, descendants des premiers colons français. Les Acadiens, venus d'un milieu rural, ont cherché des terres pour s'installer; ainsi ils ont remonté les ''bayous'' (rivières) du delta du Mississippi et ont peuplé le Sud-Ouest de la Louisiane. Ils ont établi des fermes le long de ces bayous qui, quand il n'y avait pas encore de routes, servaient de voies de communication.

En Acadie, c'est la mer qui avait façonné le mode de vie des Acadiens; en Louisiane, ce sont les bayous, les lacs et les marais. En effet, la pêche a été pour les Cajuns un moyen de subsistance important, en particulier la pêche aux crevettes et aux écrevisses. Le Festival des Ecrevisses de Breaux Bridge continue à honorer ce délicieux crustacé qui est un des ingrédients de la cuisine si renommée de la Louisiane. Le paysage de ces marais et bayous est mystérieux et magique; les grands arbres auxquels pend la tillandsie se reflètent dans l'eau et prennent des formes hallucinantes à l'aube et au crépuscule. On comprend pourquoi les croyances magiques se sont longtemps perpétuées: il existe encore des ''traitiers'' ou guérisseurs qui se transmettent leur savoir d'une génération à l'autre. En hiver, les trappeurs capturent des visons, des rats musqués, des ratons laveurs et surtout des ragondins: c'est de Louisiane que viennent la plupart des fourrures d'animaux sauvages aux Etats-Unis.

D'abord la culture de la canne à sucre, ensuite l'exploitation pétrolière ont modifié l'économie et l'écologie du ''triangle français'' de la Louisiane et ont ainsi contribué à transformer le mode de vie rural traditionnel. Les Cajuns ont pourtant conservé leur identité ethnique. Ils sont environ 600 000 francophones, dont 160 000 continuent à parler français, un français un peu particulier, souvent mélangé d'anglais, mais qui est fonctionnel et dont les Cajuns sont fiers. Grâce aux efforts du Codofil (Comité pour l'enseignement du français en Louisiane), on a recommencé depuis les années soixante-dix à enseigner le français dans les écoles de la première à la dernière année.

En plus de leur langue, les Cajuns ont conservé leur musique dans laquelle l'accordéon est l'instrument essentiel, leur cuisine bien particulière — les gumbos et jambalayas épicés — ainsi que leurs coutumes communautaires: le ''fais do-do''★ du samedi soir, quand les gens se retrouvent pour danser pendant que les enfants dorment, et surtout le Mardi Gras annuel. C'est un Mardi Gras bien différent de celui de La Nouvelle-Orléans: une troupe de cavaliers masqués et déguisés parcourt la communauté pour recueillir des ingrédients — du riz, des saucisses, du poulet — pour l'énorme gumbo de l'après-midi qui réunit toutes les familles et qui est suivi d'un grand ''fais do-do''. Les jeux de hasard tiennent une place importante: les Cajuns aiment miser sur les courses de chevaux, d'écrevisses, de pirogues et sur les combats de coqs.

Comme en Acadie, on assiste à une renaissance chez les Cajuns de la Louisiane. Le folklore peut bien disparaître, mais il est important que les gens conservent leur esprit communautaire et continuent à être fiers de leur héritage: c'est la garantie de la diversité culturelle.

★ ''Faire do-do'' is a childish expression for ''dormir''. Here, the expression refers to an adults' party while the children are sleeping.

aube (f.)	dawn	**paysage** (m.)	landscape
canne à sucre (f.)	sugar cane	**pêche** (f.)	fishing
cavalier (m.)	horseman	**pendre**	to hang
colon (m.)	settler, colonist	**pétrolier, ière**	oil (adj.)
combat de coqs (m.)	cockfight	**peupler**	to populate
communautaire (adj.)	community	**pirogue** (f.)	canoe
contribuer à	to help to	**ragondin** (m.)	coypu†
course de chevaux (f.)	horse race	**rat musqué** (m.)	muskrat
coutume (f.)	custom	**raton laveur** (m.)	racoon
crépuscule (m.)	twilight	**recueillir**	to collect
croyance (f.)	belief	**(se) refléter**	to be reflected
crustacé (m.)	shellfish	**remonter**	to go upstream
culture (f.)	cultivation	**renommé(e)**	famous, renowned
déguisé(e)	disguised	**renaissance** (f.)	revival, renaissance
disparaître	to disappear	**(se) retrouver**	to gather, to meet
écrevisse (f.)	crayfish	**réunir**	to bring together
épicé(e)	spicy/hot	**riz** (m.)	rice
expulser	to deport	**saucisse** (f.)	sausage
façonner	to shape	**sauvage**	wild
fourrure (f.)	fur	**savoir** (m.)	knowledge
guérisseur (m.)	healer	**terre** (f.)	land
hasard (m.)	chance	**tillandsie** (f.)	Spanish moss
magique	magical	**transmettre**	to hand down,
marais (m.)	swamp		to pass on
masqué(e)	masked	**trappeur** (m.)	trapper
mélange(e)	mixed	**troupe** (f.)	band
miser	to bet	**vison** (m.)	mink
mode de vie (m.)	way of life	**voie** (f.)	way
parcourir	to scour		

Questions

1. Quelles sont les origines des Cajuns? D'où vient le mot ''Cajun'', pensez-vous?
2. Pourquoi certains des Acadiens sont-ils allés en Louisiane? Qui étaient les Créoles?
3. Où se sont installés les Acadiens?
4. De quelle façon l'eau a-t-elle façonné le mode de vie des Cajuns?
5. Qui sont les ''traitiers''? Connaissez-vous certaines pratiques des guérisseurs?
6. Quels sont les animaux à fourrure que les trappeurs capturent? Dans quel habitat vivent ces animaux?
7. Quels ont été les facteurs importants de transformation?
8. Quelle est la situation en ce qui concerne la langue française?
9. Quels aspects de leurs traditions les Cajuns ont-ils conservés?
10. Comment se passe le Mardi Gras?
11. Quels sont les jeux de hasard que les Cajuns aiment?
12. Qu'est-ce qui est plus important que le folklore?

---

† An aquatic rodent similar to the beaver.

SITUATIONS / CONVERSATIONS

1. Est-il important que les minorités linguistiques conservent leur langue maternelle et leur héritage culturel? Qu'est-ce que la diversité peut apporter à une société? Faut-il encourager l'enseignement des langues maternelles aux minorités?

2. Vous organisez une petite fête avec quelques camarades. Chacun de vous exprime ce qu'il veut faire. Employez "Je (ne) veux (pas) que nous" + *subjonctif*.
   Exemple: Je veux que nous mangions de la pizza.
       Moi, je veux que nous dansions.
       Moi, je veux que nous jouions de la musique.
       Je veux que nous invitions le professeur. etc.

3. A tour de rôle, vous êtes un grand-père ou une grand-mère qui donne des conseils à ses petits-enfants. Employez "Il (ne) faut (pas) que vous" + *subjonctif*.
   Exemple: Il faut que vous travailliez à l'école.
       Il faut que vous obéissiez à vos parents.
       Il ne faut pas que vous preniez de drogue. etc.

4. Posez des questions et répondez-y d'après le modèle.
   Exemple: Comment s'appelle le garçon à côté de qui tu es assis(e)?
       Le garçon à côté de qui je suis assis(e) s'appelle Jean.
       Comment s'appelle l'étudiant(e) derrière qui tu es assis(e)? etc.

5. A part la France, le Canada et certaines régions de Etats-Unis, connaissez-vous d'autres pays où on parle couramment français? Chacun de vous devra recueillir des renseignements sur un pays particulier et parler du statut et de l'usage du français dans ce pays.

COMPOSITIONS

1. Racontez un voyage dans le Sud des Etats-Unis.

2. Ecrivez une lettre à un(e) ami(e) qui va commencer ses études à l'université. Donnez-lui des conseils. Employez des expressions suivies du subjonctif.

3. Pensez-vous que la cuisine soit un aspect important d'une culture? de la vie en général? Quelles sont vos préférences culinaires?

PRONONCIATION

I.   Ch: *le son* / ʃ / *et le son* / k /
Most of the time, the letters **ch** are pronounced / ʃ /.

Répétez:

chat	cher	chose	marche
charmant	achète	chocolat	mèche
chameau	chemise	chou	poche

champ	chimique	chute	bouche
chanter	chipie	fourchu	huche

In a few words borrowed from other languages, **ch** is pronounced /k/.

Répétez:

chaos, chianti, choeur, choléra

archaïsme, archange, archéologie, lichen, orchestre, orchidée, psychanalyse, psychologie, psychiatrie, écho

II.   *Gn: le son* / ɲ /

Répétez:

agneau	campagne	digne	cognac
montagnard	Espagne	signal	Pologne
compagnie	Allemagne	consigne	Gascogne

III.   *Th: le son* / t /

Répétez:

thé	sympathique	gothique
théâtre	mathématiques	pathétique
théorie	bibliothèque	luth
théologie	athéisme	vermouth

CHAPITRE DIX-NEUF

LES AUTOCHTONES

Un chasseur inuit écorche un loup qu'il vient de tuer, sous les yeux de sa femme et de son fils

Photo par Fred Bruemmer

INTRODUCTION

Il faudrait que tu ailles voir la collection d'art autochtone du musée.

Il est possible que je puisse y aller demain pourvu que j'ale le temps.

Je suis contente que tu veuilles la voir: elle est vraiment remarquable.

J'en suis sûre. Bien que je connaisse encore peu l'art autochtone, j'ai envie d'en apprendre davantage.

Moi aussi. Il serait bon que je lise quelques livres sur ce sujet.

Je veux que tu voies le livre que j'ai chez moi: il contient d'excellentes reproductions.

Qui a organisé l'exposition de sculptures inuites dont tu m'as parlé?
    Elle a été organisée par le propriétaire de la galerie d'art.

Est-ce que ces sculptures se vendent bien?
    Très bien: la plupart ont déjà été vendues.

Est-ce qu'on t'a donné le catalogue des oeuvres exposées?
    Oui, il m'a été donné par la réceptionniste.

Est-ce que je peux le regarder?
    Oui, assieds-toi à côté de moi. Nous pourrons le regarder ensemble.

GRAMMAIRE ET EXERCICES ORAUX

Le subjonctif des verbes irréguliers

1) Many irregular verbs have regular forms in the present subjunctive: **connaître, dire, dormir, écrire, lire, mentir, mettre, partir, sentir, servir,** etc. For example:

connaître: connaisse, connaisses, connaisse, connaissions, connaissiez, connaissent

lire: lise, lises, lise, lisions, lisiez, lisent

2) **Etre** and **avoir** have irregular stems and they are also the only verbs which have irregular subjunctive endings:

avoir: aie, aies, ait, ayons, ayez, aient

être: sois, sois, soit, soyons, soyez, soient

3) **Faire, pouvoir** and **savoir** have an irregular stem:

faire: fasse, fasses, fasse, fassions, fassiez, fassent

pouvoir: puisse, puisses, puisse, puissions, puissiez, puissent

savoir: sache, saches, sache, sachions, sachiez, sachent

The subjunctive forms of **falloir** and **pleuvoir** are **il faille** and **il pleuve**.

4) **Aller** and **vouloir** have two irregular stems:

aller: j'aille, tu ailles, il/elle/on aille, ils/elles/aillent
nous allions, vous alliez

vouloir: je veuille, tu veuilles, il/elle/on veuille, ils/elles veuillent
nous voulions, vous vouliez

5) Some irregular verbs have regular subjunctive stems in the **je, tu, il/elle/on** and **ils/elles** forms. The subjunctive stem for the **nous** and **vous** forms is the same as in the present indicative:

boire: boive, boives, boive, boivent
buvions, buviez

devoir: doive, doives, doive, doivent
devions, deviez

prendre: prenne, prennes, prenne, prennent
prenions, preniez

recevoir: reçoive, reçoives, reçoive, reçoivent
recevions, receviez

tenir: tienne, tiennes, tienne, tiennent
tenions, teniez

venir: vienne, viennes, vienne, viennent
venions, veniez

voir: voie, voies, voie, voient
voyions, voyiez

Exercices (Oralement)

A. Changez le sujet du deuxième verbe:

1. Je suis content(e) qu'il ait de bonnes notes. (tu, nous, elles, vous)
2. Il faut que je sois à l'heure. (tu, nous, Suzanne, vous)
3. Il est possible que nous allions à Montréal. (je, vous, tu, Marcel)
4. Je suis heureux(-euse) que tu veuilles venir. (vous, Pierre, ils)
5. Il est peu probable qu'il fasse des progrès. (nous, tu, vous, elles)
6. Il est bon que tu saches la vérité. (elle, vous, mes amis)

B. Répondez selon le modèle.

> **Modèle:** Est-ce que Daniel a raison?
>   *Je ne crois pas qu'il ait raison.*

1. Est-ce qu'Hélène est malade?
2. Est-ce que tes parents ont tort?
3. Est-ce que Sylvain fait des progrès?
4. Est-ce que les gorilles peuvent parler?
5. Est-ce que Huguette veut partir?
6. Est-ce qu'il pleut beaucoup à Miami?
7. Est-ce que ton cousin va à l'université?
8. Est-ce que les hommes veulent faire la guerre?
9. Est-ce qu'il faut dormir douze heures?
10. Est-ce que tes amis savent faire du ski?
11. Est-ce que beaucoup d'étudiants sont absents?

C. Répondez selon le modèle.

> **Modèle:** Est-ce que vous serez en retard?
>   *Il est possible que nous soyons en retard.*

1. Est-ce que vous aurez faim?
2. Est-ce que vous pourrez rencontrer le directeur?
3. Est-ce que vous ferez de la voile?
4. Est-ce que vous voudrez dîner au restaurant?
5. Est-ce que vous irez jusqu'à Vancouver en train?
6. Est-ce que vous saurez répondre aux questions?

D. Changez le sujet du deuxième verbe:

1. Je suis surpris(e) que tu boives de l'alcool. (elle, nous, ces adolescents)
2. Je doute qu'il comprenne le problème. (tu, vous, elles)
3. Il est peu probable que je doive partir. (Pierre, nous, mes parents)
4. Je suis heureux(-euse) que tu reçoives de bonnes notes. (Nathalie, vous, les étudiants)
5. Je voudrais qu'il voie ce film. (tu, vous, mes amis)
6. Il est souhaitable que tu viennes demain. (vous, Gaston, ils)

E. Répondez aux questions selon le modèle.

Modèle: Est-ce qu'il boit du thé?
Je doute qu'il boive du thé.

1. Est-ce qu'Hélène doit suivre un régime?
2. Est-ce que nous te devons de l'argent?
3. Est-ce que Paul vient au cours aujourd'hui?
4. Est-ce que ton frère comprend le chinois?
5. Est-ce que vous venez ce soir?
6. Est-ce que tes parents reçoivent des invités ce soir?

F. Répondez selon le modèle.

Modèle: Est-ce que tes parents viendront?
Il est peu probable qu'ils viennent.

1. Est-ce que nous boirons du champagne?
2. Est-ce que tu apprendras le japonais?
3. Est-ce que vous viendrez à la réception?
4. Est-ce que vous recevrez des amis demain?
5. Est-ce que tu recevras une bonne note?
6. Est-ce que tu décevras tes parents?
7. Est-ce que tu prendras le train?
8. Est-ce que tu verras ce film?
9. Est-ce qu'il viendra au cours demain?
10. Est-ce que vous prendrez une décision tout de suite?
11. Est-ce que tu devras suivre un régime?
12. Est-ce que nous devrons revenir?

G. Répondez selon le modèle.

Modèle: Est-ce que nous devons lire ce livre?
Oui, il faut que vous lisiez ce livre.

1. Est-ce que nous devons écrire une autre composition?
2. Est-ce que je dois écrire au directeur?
3. Est-ce que je dois lire cet article?
4. Est-ce que vous devez partir?
5. Est-ce que tu dois partir?
6. Est-ce que je dois mettre un chandail?
7. Est-ce que nous devons lui dire la vérité?
8. Est-ce que tu dois soumettre une autre demande?
9. Est-ce que les enfants doivent dormir huit heures par nuit?
10. Est-ce que je dois servir du café aux invités?
11. Est-ce que je dois mentir dans ces circonstances?

La voix passive

The Passive Voice

A sentence in the passive voice is one in which the subject is acted upon ("Mary is congratulated by her friends.") whereas in a sentence in the active voice, the subject performs the action ("Her friends congratulate Mary.").

The French passive construction is similar to the English one to the extent that **être** followed by the past participle of the verb is substituted for the active form of the verb:

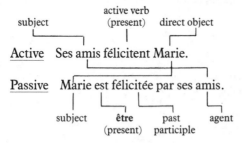

Note the changes which occur in this transformation:

1) the subject in the active construction becomes the agent in the passive, preceded by the preposition **par**;
2) the direct object in the active construction becomes the subject in the passive;
3) the tense of the verb in the active construction is the same as the tense of the auxiliary verb **être** in the passive;
4) the verb in the active construction becomes a past participle which agrees in gender and number with the subject in the passive.

With verbs indicating a feeling or a state more than an action, such as **accompagner, aimer, couvrir, précéder, respecter, suivre**, the agent is preceded by the preposition **de**:

> Il est aimé _de_ ses amis.
> Elle était respectée _de_ ses étudiants.
> Ce nom est précédé _d'_une préposition.

Sometimes the agent is not expressed:

> La vaisselle n'a pas été faite.
> Cet enfant sera puni.

Alternatives to the Passive Voice

1) It must be emphasized that, in French, only the *direct object* of the verb in the active voice may become the subject of the verb in the passive voice. By contrast, in English it is possible to use as the subject of the passive sentence what would be the *indirect object* of the verb in the active voice. For instance, we may find in English a sentence such as:

> Paul was given a book by Edith.

The corresponding sentence in the active voice is:

> Edith gave <u>Paul</u> a book.

In the latter sentence, "Paul" is the *indirect object* of the verb, a fact which may be made more apparent by using the equivalent prepositional phrase:

> Edith gave a book <u>to Paul</u>.

In French, the indirect object of the verb in the active voice *cannot* become the subject of the verb in the passive voice. Hence, it would be impossible to create a sentence such as:

> Paul a été donné un livre par Edith.

2) The restriction just mentioned is one of the reasons why the use of the passive voice is more frequent in English than in French. Of course, it would be possible (referring to the above example) to use the following sentence in the passive voice:

> Un livre a été donné à Paul par Edith.

Such a sentence, however, would sound as awkward in French as its equivalent in English ("A book was given to Paul by Edith"). The tendency in French is to use instead the corresponding sentence in the active voice:

> Edith a donné un livre à Paul.

Now, many sentences are created in English using the same pattern as "Paul was given a book" without mentioning the agent:

> He was given a present.
> Julian was told a lie.

The corresponding sentences in French use the active voice with the indefinite subject pronoun **on** as a subject:

> On lui a donné un cadeau.
> On a dit un mensonge à Julien.

3) When the verb expresses a general or habitual fact, the pronominal form of the verb may be substituted for **on** + active voice:

French is spoken in Quebec. { **On parle français au Québec.**
{ **Le français se parle au Québec.**

Exercices (Oralement)

A. Mettez les phrases suivantes au passif selon le modèle.

Modèle: Mes parents m'ont puni.
> *J'ai été puni par mes parents.*

1. Un grand philosophe a écrit ce livre.
2. Henry Moore a exécuté cette sculpture.
3. Boris te battra au tennis.
4. L'orage a abattu plusieurs arbres.

5. Les étudiants n'ont pas compris cet exercice.
6. Le comité prendra une décision.
7. Mes grands-parents m'ont offert ce cadeau.

B. Mettez les phrases suivantes à l'actif selon le modèle.

Modèle: Ce disque m'a été donné par Michel.
Michel m'a donné ce disque.

1. Les clés ont été oubliées par Martine.
2. Ces livres lui ont été prêtés par ses amis.
3. Mes vêtements sont choisis par ma mère.
4. Cet article a été écrit par mon amie.
5. La voiture nous sera prêtée par mon voisin.
6. Ma radio est réparée par mes parents.
7. Elle était attendue par son ami.

C. Mettez les phrases au passif en employant la préposition **de**.

Modèle: Les étudiants aiment ce professeur.
Ce professeur est aimé des étudiants.

1. Une réception suivra le concert.
2. Ses collègues la respectent.
3. Son ami accompagnait Anne.
4. Des nuages couvraient le ciel.
5. Une discussion a précédé le vote.

D. Mettez les phrases suivantes à l'actif selon le modèle.

Modèle: Cette vieille maison va être démolie.
On va démolir cette vieille maison.

1. Du pétrole a été découvert dans cette région.
2. Nous avions été invités à la réception.
3. Cette voiture leur a été offerte pour leur mariage.
4. Une réponse vous sera donnée la semaine prochaine.
5. Aucune solution n'a été trouvée.
6. Rien ne lui a été dit.

E. Transformez les phrases suivantes selon le modèle.

Modèle: Le vin blanc est servi avec le poisson.
Le vin blanc se sert avec le poisson.

1. Ces fruits sont vendus dans les magasins de produits exotiques.
2. Cet appareil peut être acheté dans tous les bons magasins.
3. Le français est appris facilement.
4. Le caviar est mangé froid.
5. Cette construction n'est pas employée en français.

F. Transformez les phrases selon le modèle.

Modèle: On n'apprend pas le chinois en un mois.
Le chinois ne s'apprend pas en un mois.

1. On ne dit pas cela.
2. On comprend facilement son erreur.
3. On parle aussi français en Louisiane.
4. On sert les escargots avec du beurre à l'ail.
5. On peut apercevoir l'université d'ici.
6. On met la viande au réfrigérateur.
7. On oublie difficilement une déception.

Le verbe irrégulier s'asseoir

Présent de l'indicatif	Participe passé:	Futur:
je m'assieds	assis	je m'assiérai
tu t'assieds		
il/elle/on s'assied	The present subjunctive is regular.	
nous nous asseyons		
vous vous asseyez		
ils/elles s'asseyent		

S'asseoir means ''to sit down'' and must not be confused with **être assis** (to sit/to be sitting):
Je m'assieds sur une chaise. / Je suis assis(e) sur une chaise.
I sit down on a chair. / I am sitting on a chair.

Exercices (Oralement)

A. Remplacez le sujet par les mots entre parenthèses:

1. Je m'assieds sur le lit. (tu, elle, nous, les enfants)
2. Il s'est assis dans un fauteuil. (je, tu, Marie)
3. Nous nous assiérons par terre. (tu, Paul, vous, elles)
4. Il faut que tu t'asseyes. (je, nous, ils, vous)

B. Répondez aux questions:

1. Préfères-tu t'asseoir sur une chaise ou dans un fauteuil?
2. Où t'assieds-tu généralement quand tu lis?
3. Est-ce que tu t'assieds souvent par terre? Quand?
4. Si tu voyageais en avion, t'assiérais-tu dans la section fumeurs ou non-fumeurs?
5. Est-ce que tu t'es déjà assis(e) dans le siège d'un pilote d'avion?
6. Est-ce que tu t'asseyais sur les genoux de ton père quand tu étais enfant?
7. Est-ce qu'il faut que tu t'asseyes pour étudier?

EXERCICES ECRITS

A. Transformez les phrases selon le modèle.

> *Modèle:* Il fait beau. (je suis content(e))
> *Je suis content(e) qu'il fasse beau.*

1. Il pleut. (je regrette)
2. Le directeur peut vous recevoir. (je ne pense pas)
3. Elle a tort. (il est possible)
4. Tu viens à la réception. (je veux)
5. Elles sont à la bibliothèque. (il est peu probable)
6. Vous allez consulter un médecin. (il serait utile)
7. Vous savez ce qu'il faut faire. (il est bon)
8. Il faut faire tous les exercices. (je ne crois pas)
9. Nous sommes déjà en retard. (j'ai peur)
10. Vous voulez déjà partir. (je suis triste)
11. Tu ne vas pas à la bibliothèque. (je suis surpris(e))

B. Remplacez le verbe *devoir* par l'expression ''Il faut que'' + subjonctif.

> *Modèle:* Tu dois partir.
> *Il faut que tu partes.*

1. Tu dois dormir.
2. Je dois écrire à mes parents.
3. Les enfants doivent boire du lait.
4. Nous devons revenir demain.
5. Tu dois retenir cette leçon.
6. Vous devez lire ce livre.
7. Je dois mettre la table.
8. Ils doivent dire la vérité.
9. Tu dois me comprendre.
10. Il doit apprendre l'espagnol.

C. Mettez les phrases suivantes au passif:

1. Le chien a ouvert la porte.
2. Notre équipe a gagné la partie.
3. On n'utilise plus ces appareils.
4. Mes parents m'accompagnaient.
5. Une équipe de spécialistes a inventé un nouvel ordinateur.
6. On punira les criminels.
7. La tornade a démoli la maison.
8. On n'oubliera jamais cet événement.
9. On n'a pas encore terminé cette autoroute.
10. Personne ne l'a compris.
11. Tout le monde respecte son génie.

D. Mettez les phrases suivantes à l'actif:

1. La nouvelle a été communiquée à Paul.
2. Cet article a été écrit par une féministe.
3. Elle est aimée de tous ses camarades.

4. Une récompense lui a été offerte.
5. Les criminels ne sont pas assez punis.
6. La conférence sera suivie d'une discussion.
7. Ces disques m'ont été prêtés par des amis.
8. Ces documents ont été perdus.

E. Employez le verbe *s'asseoir* au temps et au mode appropriés:

1. Hier, nous _____ à côté des Duval au cinéma.
2. Pourquoi _____ -tu toujours à côté de la fenêtre?
3. Pierre, _____ près de Louise; Jean et Charlotte _____ à côté de moi.
4. Quand il était enfant, il _____ toujours par terre.
5. Où voulez-vous que je _____ ?
6. Je _____ où je voudrai!

LECTURE

Les autochtones du Canada

Au Canada, les autochtones — les premiers habitants du pays — forment deux groupes: les Inuit et les Amérindiens.

Les Inuit vivent dans la toundra et ne sont que 19 000 sur un territoire de 10 000 kilomètres d'est en ouest et de 3000 du nord au sud. Ces nomades sont maintenant sédentarisés: les politiques gouvernementales ont visé à les installer dans des villages où ils peuvent recevoir des services sociaux, d'éducation et de santé. Depuis le lancement du satellite Anik, le téléphone, la radio et la télévision sont entrés dans leur existence quotidienne. Leurs conditions de vie ont considérablement changé par rapport à celles que décrivaient Farley Mowat dans *People of the Deer* ou Yves Thériault dans certains de ses romans comme *Agaguk*. Bien que les Inuit continuent à trapper, à chasser le phoque et le caribou, à pêcher la morue et le saumon, de plus en plus les jeunes travaillent hors de leur milieu traditionnel, en particulier pour les compagnies pétrolières. Ces transformations entraînent une perte progressive des traditions et des coutumes ancestrales, même si les productions artistiques des Inuit continuent de témoigner de la vitalité de leur culture.

Une évolution analogue a été imposée aux Amérindiens qui vivent un peu plus au sud, dans la taïga, et qui continuent à chasser et à pêcher sur les territoires qu'ils possèdent ou qui leur sont réservés. Ceux-ci ne sont plus qu'une minorité cependant parmi les 300 000 Amérindiens répartis dans plus de 2200 réserves à travers le pays et dont la plupart ont un mode de vie identique à celui de la culture dominante.

Toutefois les Indiens du Canada, comme ceux des Etats-Unis, se sont mis à réagir contre cette assimilation: au début des années soixante-dix, ils ont décidé de prendre l'initiative de leur éducation et ont ouvert des écoles dans les réserves pour apprendre à leurs enfants la culture, la langue et les coutumes de leurs tribus respectives. Les Inuit aussi tentent, à travers l'enseignement de la langue inuit et des réalités culturelles, de sauvegarder leur identité et leur culture. Inuit ou Indiens, les autochtones ont pris conscience de leurs droits et luttent pour les défendre en réclamant leur autonomie politique, économique et sociale. C'est ainsi qu'ils sont parvenus, au Québec, en 1975, à conclure la convention de la baie James qui reconnaît aux Cris et aux Inuit des droits d'occupation et d'usage d'une partie du territoire et prévoit des compensations financières.

Luttant pout obtenir la pleine reconnaissance de leurs droits, pour retrouver leur autonomie, pour préserver leurs moyens traditionnels de subsistance et leur mode de vie, les autochtones défendent en meme temps, face aux compagnies forestières de la côte ouest ou pétrolières du Nord, l'environnement et les valeurs qui y sont associées.

analogue	similar	**politique** (f.)	policy
autochtone (m.)	native	**prévoir**	to provide for
chasser	to hunt	**quotidien, ienne**	daily
conclure	to conclude	**rapport: par — à**	in comparison with
conscience:	to become aware of	**réclamer**	to demand
prendre — de		**reconnaître**	to recognize
convention (f.)	agreement	**reconnaissance** (f.)	recognition,
droit (m.)	right		acknowledgment
face à	confronted with	**répartir**	to scatter, to distribute
financier, ière	financial	**réserve** (f.)	reserve
former	to make up	**saumon** (m.)	salmon
habitant (m.)	inhabitant	**sauvegarder**	to safeguard
identique	identical	**sédentariser**	to settle
lancement (m.)	launching	**témoigner de**	to bear witness to
morue (f.)	cod	**territoire** (m.)	territory
nomade (m.)	nomad	**travers: à —**	across; through
parvenir à	to manage to	**tribu** (f.)	tribe
perte (f.)	loss	**usage** (m.)	use
plus: de — en plus	more and more	**viser à**	to aim to

Questions

1. Qui appelle-t-on les autochtones?
2. Qu'est-ce que la situation géographique des Inuit a d'extraordinaire?
3. Où vivent maintenant les Inuit et pourquoi?
4. Qu'est-ce qui a changé et par rapport à quoi?
5. Qui sont Farley Mowat et Yves Thériault?
6. Qu'est-ce que les Inuit continuent à faire? Qu'est-ce qui change chez les jeunes?
7. Quelles sont les conséquences de tous ces changements?
8. Où et comment les Amérindiens vivent-ils?
9. Qu'est-ce que les Indiens ont voulu faire dans les années soixante?
10. De quoi les autochtones sont-ils devenus conscients?
11. Qu'est-ce que les autochtones réclament?
12. Qu'est-ce que les autochtones de la baie James ont obtenu?
13. Qu'est-ce que les autochtones défendent dans leurs luttes?

SITUATIONS / CONVERSATIONS

1. Que faut-il que vous fassiez aujourd'hui? (ce soir? demain? la semaine prochaine? l'année prochaine?)

2. Vous préparez une soirée pour vos amis. Ecrivez ce qu'il faut que vous fassiez avant.

   Il faut que je nettoie l'appartement.

   Il faut que j'achète. . . .

   Etc.

3. Vous partez en voyage. Vous organisez une excursion en ski. Vous faites un travail de recherche sur les minorités. Que faut-il que vous fassiez pour que votre voyage, votre excursion ou votre travail de recherche soient réussis?

4. Que faut-il que vous fassiez pour réussir votre vie? Quels objectifs faut-il que vous atteigniez?

5. Y a-t-il des autochtones dans votre province? Parlez-nous de leur origine, de leur culture, de leur vie. Croyez-vous qu'ils aient raison de préserver leur culture?

6. Notre société se veut plus consciente de son écologie. Quel enseignement pourrait nous fournir les autochtones?

7. Comment réagissez-vous à des injustices contre les autochtones?

8. Pourquoi, d'après-vous, les gouvernements s'intéressent-ils aux droits des autochtones?

9. Comment voulez-vous que l'homme ou la femme de votre vie soit?

   Exemple: Il faut qu'il/elle soit intelligent(e), qu'il/elle ait une profession, etc.

COMPOSITIONS

1. On déplore les manifestations racistes à l'endroit des minorités. Croyez-vous que le racisme existe vraiment dans ce pays? A quoi l'attribuez-vous?

2. Préparez un plaidoyer en faveur des droits des autochtones.

3. S'il fallait que vous convainquiez un groupe minoritaire des bienfaits de votre civilisation, quels arguments apporteriez-vous?

PRONONCIATION

I. *Le son p (/ p /)*

Répétez d'après le modèle:

pas	pis	pot	pou	père
patron	piston	pore	poule	appeler
partir	pire	reporter	poudre	répète
repasser	empire	rapport	repousser	pelle

pan	pont	pain	tape	loupe
penser	pondre	pincer	carpe	lampe
pendre	répondre	repeindre	type	trompe
soupente	lapon	lapin	taupe	pulpe

II.   Le son t(/ t /)

Répétez d'après le modèle:

ta	tôt	tout	thé	tic
étape	râteau	atout	amputé	timon
tableau	couteau	bistouri	haute	Attila
attaque	torride	retour	téléphone	otite

tant	ton	tain	patte	rote
tendre	tondre	teindre	rate	arête
attendre	laiton	atteindre	route	pente
honteux	chaton	lutin	rut	pinte

III.   Le son k (/ k /)

carotte	cour	cultiver	qui	coma
cabane	couler	culot	quitte	cobra
écart	écouler	acculer	équilibre	école
escale	découper	recul	requis	accoler

conte	quand	sac	suc	brique
compter	cancan	bec	donc	moque
décompte	décanter	choc	banque	musc
acompte	encan	bouc	cinq	tchèque

CHAPITRE VINGT

L'ÉCONOMIE ET L'EMPLOI

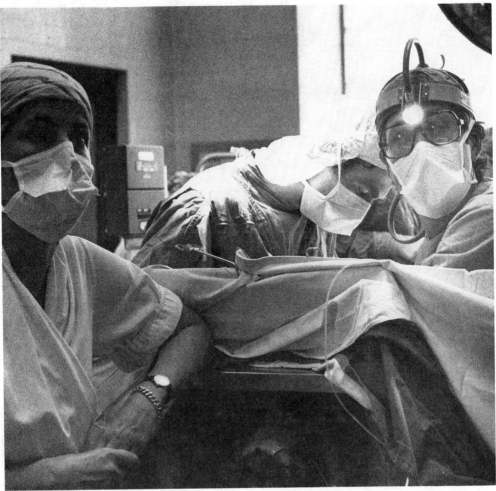

Photo avec la permission de Toronto General Hospital, Archives & Historical Committee

INTRODUCTION

Pensez-vous pouvoir trouver un emploi après vos études?

Oui, bien que les emplois soient plus rares de nos jours, il existe encore des débouchés.

Est-il avantageux d'avoir des diplômes?

Bien sûr! A condition que vous fassiez des études qui vous donnent une formation solide et diversifiée.

Est-ce que je devrais étudier l'informatique pour avoir de meilleures chances d'emploi?
   Ce n'est pas indispensable: on peut encore faire bien des choses sans connaître l'informatique.

Est-ce que le professeur fait travailler les étudiants?
   Oui, il les fait travailler fort.

Qu'est-ce qu'il leur fait faire?
   Il leur fait lire des livres et écrire des compositions.

Est-ce que tu conduis souvent?
   Non, je n'ai pas de voiture mais mes parents me conduisent à l'université le matin en allant au travail.

Est-ce que tous les médecins trouvent du travail?
   Oui, ils en trouvent tous.

Et les avocats?
   Non, quelques-uns d'entre eux doivent changer de profession.

Est-ce que tous tes amis veulent aussi devenir ingénieurs?
   Non, aucun ne veut devenir ingénieur: chacun d'eux fait des études différentes des miennes.

GRAMMAIRE ET EXERCICES ORAUX

Le subjonctif après certaines conjonctions

The subjunctive must be used in clauses introduced by the following conjunctions:

pour que / afin que	so that	à moins que	unless
bien que / quoique	although	sans que	without
pourvu que / à condition que	provided that	avant que	before
		jusqu'à ce que	until

Exemples:

Je lui ai prêté mon manteau pour qu'elle n'ait pas froid.
Bien qu'il soit malade, il vient en classe.
Je te prêterai de l'argent à condition que tu me le rendes.
Nous irons faire du ski à moins qu'il fasse trop froid.
Il ne veut pas partir sans que tu lui parles.
Elle est arrivée juste avant que nous partions.
Il persistera jusqu'à ce qu'il réussisse.

Exercices (Oralement)

A. Employez *pour que* ou *afin que*.

Modèle: Je ferai la vaisselle. Ainsi, tu pourras te reposer.
   Je ferai la vaisselle pour que/afin que tu puisses te reposer.

1. Cet enfant étudie fort. Ainsi, ses parents seront fiers de lui.
2. Je t'écrirai souvent. Ainsi, tu ne m'oublieras pas.
3. J'ai prêté ma guitare à mon frère. Ainsi, il apprendra à en jouer.
4. Laissons-lui une note. Ainsi, il saura où nous sommes partis.
5. Soignez bien votre chien. Ainsi, il vivra longtemps.

B. Employez *bien que* ou *quoique*.

Modèle: Je suis heureux(-euse); pourtant je ne suis pas riche.
   Je suis heureux(-euse) bien que/quoique je ne sois pas riche.

1. J'aime ce professeur; pourtant elle est autoritaire.
2. Je ne suis pas fatigué(e); pourtant il est deux heures du matin.
3. J'aime la musique; pourtant je ne sais pas jouer d'un instrument.
4. Elle ne trouve pas d'emploi; pourtant elle est très qualifiée.
5. Je le trouve sympathique; pourtant je ne le connais pas très bien.

C. Employez *à condition que* ou *pourvu que*.

> ***Modèle***: Je t'attendrai si tu ne viens pas trop tard.
> *Je t'attendrai pourvu que/à condition que tu ne viennes pas trop tard.*

1. Nous dînerons ensemble si je ne suis pas trop occupé(e).
2. Je laverai la vaisselle si tu fais les lits.
3. Je me calmerai si tu t'en vas.
4. Elle se mariera avec lui s'il finit ses études.
5. Je te ferai confiance si tu ne mens plus.

D. Employez *à moins que*.

> ***Modèle***: Nous ferons un pique-nique sauf s'il fait mauvais.
> *Nous ferons un pique-nique à moins qu'il fasse mauvais.*

1. Nous n'arriverons jamais à temps sauf si nous prenons un taxi.
2. Je serai désespéré(e) sauf si tu m'écris souvent.
3. Elle s'inquiétera sauf si nous lui téléphonons.
4. Nous irons au cinéma sauf s'il y a un bon film à la télé.
5. Ils devraient arriver bientôt sauf s'ils ont eu un accident.

E. Employez *sans que*.

> ***Modèle***: Tu réussiras à le faire. Nous ne t'aiderons pas.
> *Tu réussiras à le faire sans que nous t'aidions.*

1. Son chien lui obéit. Elle n'a pas besoin de le punir.
2. Il m'oblige à répondre. Je n'ai pas le temps de réfléchir.
3. Je peux prendre une décision. Vous ne me donnez pas de conseils.
4. Essayons de sortir. On ne nous verra pas.
5. Je peux te vendre ces livres. Tu ne dois pas me payer tout de suite.

F. Employez *avant que*.

> ***Modèle***: Faisons une promenade. Il fera nuit.
> *Faisons une promenade avant qu'il fasse nuit.*

1. Je voudrais le revoir. Il s'en ira.
2. Nous te reverrons. Tu partiras.
3. Elle embrasse ses enfants. Ils dormiront.
4. Le professeur veut que nous lisions ce livre. Nous ferons notre composition.
5. Nous irons prendre un café. Tu partiras.

G. Employez *jusqu'à ce que*.

> ***Modèle***: Attends-moi. Je reviendrai.
> *Attends-moi jusqu'à ce que je revienne.*

1. Nous regarderons ce film. Il se terminera.
2. Je te répéterai la même chose. Tu comprendras.

3. Elle restera au lit. Elle n'aura plus de fièvre.
4. Elle refuse de manger. Elle perdra cinq kilos.
5. Vous devriez rester ici. Il cesse de pleuvoir.

Emploi de l'infinitif à la place du subjonctif

When the subject of the main clause refers to the same person or thing as the subject of the subordinate clause in the subjunctive, the subjunctive is replaced by the infinitive and the following conjunctions are replaced by corresponding prepositions:

Conjunctions	Prepositions
pour que	pour
afin que	afin de
à condition que	à condition de
à moins que	à moins de
sans que	sans
avant que	avant de

Do not use these constructions:

J'étudie pour que je devienne avocat.
Elle travaille pour qu'elle gagne de l'argent.
Elle viendra à condition qu'elle soit disponible.
Nous avons passé deux nuits sans que nous dormions.
Viens me voir avant que tu t'en ailles.
Je te le prêterai à moins que j'en aie besoin.

Use instead:

J'étudie pour devenir avocat.
Elle travaille pour gagner de l'argent.

Elle viendra à condition d'être disponible.
Nous avons passé deux nuits sans dormir.
Viens me voir avant de t'en aller.
Je te le prêterai à moins d'en avoir besoin.

Some conjunctions do not have a corresponding preposition: **bien que, quoique, pourvu que, jusqu'à ce que**. In such a case, the infinitive construction is not possible and the subjunctive must be used:

Il fait du théâtre bien qu'il n'ait pas de talent.
Quoique nous soyons occupés, nous irons voir ce film.
J'étudierai jusqu'à ce que je reçoive mon diplôme.
Elle ira faire du patin pourvu qu'elle n'ait pas le rhume.

Exercices (Oralement)

A. Transformez les phrases d'après le modèle.

Modèle: Je reviendrai vous voir. J'en aurai le temps. (à condition de)
Je reviendrai vous voir à condition d'en avoir le temps.

1. Je l'ai fait. J'y pensais. (sans)
2. Tu dois lire ce livre. Tu comprendras cette théorie. (afin de)

3. Il veut la revoir. Il va partir. (avant de)
4. Fais la vaisselle. Tu aideras ta mère. (pour)
5. Il réussira. Il travaillera. (à condition de)
6. Il tombera malade. Il se détendra. (à moins de)
7. Elle s'entraîne. Elle participera au marathon. (afin de)
8. On ne peut pas devenir ingénieur. On fait des maths. (à moins de)
9. Lave-toi les mains. Tu vas manger. (avant de)

B. Complétez les phrases suivantes. Employez l'infinitif ou le subjonctif selon le cas:

1. Je te téléphonerai avant de. . . .
2. Elle étudiera jusqu'à ce que. . . .
3. Je bois du café bien que. . . .
4. Va voir un médecin pour que. . . .
5. Je te prêterai ma voiture à condition que. . . .
6. Il portera une cravate afin de. . . .
7. Elle ne veut pas partir sans. . . .
8. Nous irons nous promener à moins que. . . .
9. Il s'habille avec élégance pour. . . .
10. Tu réussiras pourvu que. . . .
11. Les vacances finiront avant que. . . .

Faire + *infinitif*

The causative construction **faire** plus infinitive indicates that the subject of **faire** causes an action to be performed by someone else. It corresponds to the English constructions "to make someone do (something)" and "to have something done (by someone)".

1) **Il fait travailler ses étudiants.**   He makes his students work.

In this sentence, **ses étudiants** refers to the people performing the action and is the direct object of **faire**. As a noun, it follows the infinitive. If it is replaced by a direct object pronoun, this pronoun must precede **faire**:

Il les fait travailler.   He makes them work.

Similarly:
Elle faisait lire sa fille. ⟶ Elle la faisait lire.
Il fait rire les spectateurs. ⟶ Il les fait rire.

2) **Il a fait réparer sa voiture.**   He had his car repaired.

Here, we do not know who performs the action: **sa voiture** is the direct object of the infinitive **réparer** and refers to what the action is performed upon. However, the construction is identical to the one in (1): as a noun, the direct object of the infinitive follows it; as a direct object, it precedes **faire**:

Il l'a fait réparer.   He had it repaired.

Similarly:

Elle fait décorer sa maison. ⟶ Elle la fait décorer.

Il a fait bâtir sa maison. ⟶ Il l'a fait bâtir.

> **Note:** that the past participle of **faire** does not agree with the direct object in a causative construction.

3) **Il fait répéter la phrase aux étudiants.** He makes the students repeat the sentence.

When, as in this sentence, the infinitive has a direct object (**la phrase**) and the person or group performing the action is also mentioned, the noun referring to the latter is preceded by the preposition **à**. If it is a pronoun, the *indirect* object pronoun is used:

> **Il <u>leur</u> fait répéter la phrase.** He makes them repeat the sentence.

Similarly:

J'ai fait lire la lettre à Henri. ⟶ Je lui ai fait lire la lettre.

Elle fait laver la vaisselle aux enfants. ⟶ Elle leur fait laver la vaisselle.

Note that a direct object pronoun and an indirect object pronoun may be used together in this construction:

Il <u>la leur</u> fait répéter.

Je <u>la lui</u> ai fait lire.

Elle <u>la leur</u> fait laver.

Exercices (Oralement)

A. Répondez aux questions en remplaçant les noms par des pronoms.

> *Modèle*: Est-ce que Maurice fait lire ses enfants?
> *Il les fait lire.*

1. Est-ce que Charlie Chaplin faisait rire les gens?
2. Est-ce que les professeurs font travailler les étudiants?
3. Est-ce que je vous fais parler français?
4. Est-ce que les parents font étudier leurs enfants?
5. Est-ce que je vous fais rire?
6. Est-ce que tu fais pleurer les jeunes femmes/les jeunes hommes?
7. Est-ce que le café te fait dormir?
8. Est-ce que le cours de français vous fait dormir?
9. Est-ce que le cours de français vous fait réfléchir?

B. Même exercice:

1. Est-ce que tu fais réparer ton auto?
2. Est-ce que tu fais laver ton auto?
3. Est-ce que je fais écrire des compositions?
4. Est-ce que tu fais bâtir une maison?
5. Est-ce que le gouvernement fait payer des impôts?
6. Est-ce que je fais répéter les phrases?

C.   Répondez aux questions d'après le modèle.

> ***Modèle***: A qui fais-tu faire la vaisselle? (mon petit frère)
> *Je la fais faire à mon petit frère.*

1. A qui fais-tu réparer ta voiture? (le mécanicien)
2. A qui fais-tu laver ton auto? (le garagiste)
3. A qui est-ce que je fais répéter des phrases? (les étudiants)
4. A qui fait-on apprendre le calcul? (les enfants)
5. A qui faites-vous écouter de la musique rock? (nos parents)
6. A qui fait-on payer des impôts? (les contribuables)

D.   Suivez le modèle: employez d'abord un pronom object indirect, ensuite, employez aussi un pronom objet direct.

> ***Modèle***: Je fais laver la vaisselle à Béatrice.
> *Je lui fais laver la vaisselle.*
> *Je la lui fais laver.*

1. Je fais réparer mon auto au garagiste.
2. Elle fait répéter des phrases aux étudiants.
3. Il a fait lire ce livre à son frère.
4. Nous avons fait boire du café à Nicolas.
5. Tu feras regarder ce film à tes parents.

E.   Transformez les phrases selon le modèle.

> ***Modèle***: Ma mère me demande de faire la cuisine.
> *Ma mère me fait faire la cuisine.*

1. Elle demande à son mari d'acheter une nouvelle voiture.
2. Il demande à son fils de laver la voiture.
3. Je lui demande d'apporter des disques.
4. Demandez-leur de faire le ménage.
5. Demandez à Jean de mettre la table.
6. Ils demandent à leur professeur d'expliquer l'exercice.
7. Ne me demandez pas de jouer du piano.
8. Est-ce que vous demandez à votre fille d'apprendre le latin?

Le verbe irrégulier conduire

Présent de l'indicatif		Participe passé:	Futur:
je conduis	nous conduisons	conduit	je conduirai
tu conduis	vous conduisez		
il/elle/on conduit	ils/elles conduisent		

The present subjunctive of **conduire** is regular.

Conduire means "to drive" or "to lead". Other verbs conjugated like **conduire** include construire (to build), **détruire** (to destroy), **produire** (to produce), **reconduire** (to drive/escort/take someone back home; to accompany), **réduire** (to reduce, to decrease) and **traduire** (to translate; to convey).

Elle conduit une vieille voiture.
On a construit une nouvelle maison dans cette rue.
Ce village a été détruit pendant la guerre.
Ces vaches produisent beaucoup de lait.
Est-ce qu'on a traduit Margaret Atwood en français?

Exercice (Oralement)

Répondez aux questions:

1. Est-ce que tu conduis bien?
2. Est-ce que tu conduis vite?
3. Quel genre de voiture conduis-tu?
4. Quelle voiture conduisent tes parents?
5. Est-ce qu'on conduit mieux quand on a bu de l'alcool?
6. Est-ce que ton père te conduit à l'université le matin?
7. Est-ce que tu conduis ta mère ou ton père au travail?
8. Reconduis-tu ton ami(e) chez lui/elle quand vous êtes sortis ensemble?
9. As-tu déjà conduit une moto? un camion? un tracteur?
10. Est-ce qu'on construit de nouveaux bâtiments sur le campus?
11. Est-ce qu'on a construit un centre nucléaire près d'ici?
12. Est-ce que la pollution détruit l'environnement?
13. Qu'est-ce qui détruit les poissons dans l'océan?
14. Qu'est-ce qu'on produit dans un centre nucléaire?
15. Qu'est-ce que les fermiers produisent surtout dans votre région?
16. Est-ce qu'on a traduit Mao-Tsé-Toung en anglais?

Les pronoms indéfinis

The indefinite pronouns **quelqu'un, quelque chose, personne** and **rien** have already been presented. The following are also indefinite pronouns.

1) **Tout/tous/toutes** (all/everything)

The singular form **tout** is invariable:

J'ai tout entendu, mais je n'ai pas tout compris.
Nous n'avons plus rien à faire: tout est fini.
Cet enfant veut tout connaître.

Tous and **toutes** replace the adjectives **tous** and **toutes** when the noun they modify is replaced by a personal pronoun (subject, direct or indirect object):

Tous les étudiants sont absents. ⟶ Ils sont tous absents.
Toutes ses amies travaillent. ⟶ Elles travaillent toutes.
Il a mangé tous les biscuits. ⟶ Il les a tous mangés.
Elle parlera à toutes ses amies. ⟶ Elle leur parlera à toutes.

Note that

— the **s** in **tous** is pronounced;
— **tout, tous** and **toutes** are placed between the auxiliary verb and the past participle in compound tenses when used as direct objects;
— **tous** and **toutes** may function as subjects without a personal subject pronoun:

Tous sont absents. / Toutes travaillent.

2) **Chacun/chacune** (each one)

Chacun(e) replaces the adjective **chaque** and the masculine or feminine noun it modifies:

Chaque étudiant est différent.   Chacun est différent.
Il a parlé à chaque étudiante.   Il a parlé à chacune.

Chacun(e) may be followed by the preposition **de** + stress pronoun or by **de** + determiner + noun:

Chacun de nous est fatigué.   Chacune de mes amies est sportive.
Il a parlé à chacune d'elles.   Il connaît chacune de mes faiblesses.
Je remercie chacun de vous.   Il a obéi à chacun des ordres.

3) **Aucun/aucune** (none/not . . . a single one)

Aucun/aucune replaces the adjective **aucun/aucune** and the noun it modifies when used as a subject. When used as a direct object, the pronoun **en** must replace the noun. Like the corresponding adjective, the pronoun **aucun/aucune** is used with **ne**.

Aucune étudiante n'est venue. ⟶ Aucune n'est venue.
Je n'ai vu aucun film. ⟶ Je n'en ai vu aucun.

Aucun(e) may be followed by the preposition **de** + stress pronoun or by **de** + determiner + noun:

Aucun de nous n'est responsable.
Je n'ai parlé à aucune d'elles.
Aucun de ces livres ne l'intéresse.
Elle ne veut rencontrer aucun de mes amis.

4) **Quelques-uns/quelques-unes** (some)

Quelques-uns/quelques-unes replaces the adjective **quelques** and the masculine or feminine noun it modifies when used as a subject. When used as a direct object, the pronoun **en** must replace the noun.

Quelques tomates sont mûres. Quelques-unes sont mûres.
J'ai lu quelques livres. J'en ai lu quelques-uns.

These pronouns may be followed by **de** + determiner + noun:

Quelques-uns de ces sports sont dangereux.
J'aime quelques-unes des pièces de Michel Tremblay.

They may also be followed by **d'entre** + stress pronoun:

Je l'ai déjà dit à quelques-uns d'entre vous.
Quelques-unes d'entre elles font des mathématiques.

Exercices (Oralement)

A. Dites le contraire. Employez *tout* ou *aucun/aucune*:

1. Il ne veut rien lire.
2. Tous ses cours l'intéressent.
3. Rien ne l'amuse.
4. Je n'ai rien mangé.
5. Toutes mes soeurs sont mariées.
6. Il n'a rien su faire.
7. J'en ai parlé à tous mes amis.
8. Elle veut jeter toutes ses robes.
9. Je n'ai rien perdu.

B. Employez les pronoms *tous* ou *toutes*.

Modèle: Il fait lire tous ses étudiants.
Il les fait tous lire.

1. J'ai téléphoné à tous mes cousins.
2. Tous mes amis sont venus.
3. Elle vendra toutes ses robes.
4. Toutes mes chemises sont sales.
5. Elle prête de l'argent à toutes ses amies.
6. Je te donnerai tous mes disques.
7. Toutes mes soeurs sont mariées.
8. J'ai lu tous les livres d'Yves Thériault.

C. Transformez les phrases d'après le modèle.

Modèle: Nous sommes tous responsables.
Chacun de nous est responsable.

1. Elles sont toutes différentes.
2. Vous avez tous des responsabilités.
3. Nous avons tous du travail.
4. Je vous écrirai à tous.
5. Il nous a tous encouragés.

D. Dites le contraire.

> ***Modèle***: Chacun de nous est responsable.
> *Aucun de nous n'est responsable.*

1. Chacune d'elles sait conduire.
2. Chacun de nous a le temps de le faire.
3. J'en ai donné à chacun de vous.
4. Il aime chacune d'elles.
5. Ecoute chacun d'eux.

E. Répondez aux questions, soit avec *aucun(e)*, soit avec *quelques-un(e)s*.

> ***Modèle:*** As-tu vu des pièces de théâtre récemment?
> *J'en ai vu quelques-unes./Je n'en ai vu aucune.*

1. As-tu acheté des disques récemment?
2. As-tu regardé des films à la télé?
3. Lis-tu des livres de philosophie?
4. Mangeras-tu des pommes de terre ce soir?
5. As-tu fumé des cigarettes aujourd'hui?
6. Est-ce qu'il y a des nuages dans le ciel?

EXERCICES ECRITS

A. Transformez les phrases d'après le modèle.

> ***Modèle***: Dépêchons-nous. Elle ne doit pas nous attendre. (afin que)
> *Dépêchons-nous afin qu'elle ne doive pas nous attendre.*

1. Je voudrais te revoir. Tu t'en vas. (avant que)
2. Je dois aller à la banque. Tu veux y aller à ma place. (à moins que)
3. Ses parents ont économisé de l'argent. Il pourra faire des études. (pour que)
4. Nous t'attendrons. Tu ne seras pas trop en retard. (pourvu que)
5. Il n'est pas nerveux. Il boit beaucoup de café. (bien que)
6. Elle ne peut rien faire. Nous l'aidons. (sans que)
7. Tu devras travailler fort. Tu feras des progrès. (jusqu'à ce que)
8. C'est une bonne secrétaire. Elle n'est pas très rapide. (quoique)
9. Je vais te donner des instructions. Tu sauras ce qu'il faut faire. (afin que)
10. La banque vous prêtera de l'argent. Vous avez un emploi. (à condition que)

B. Transformez les phrases selon le modèle.

> ***Modèle***: Je t'accompagnerai. J'aurai le temps. (à condition de)
> *Je t'accompagnerai à condition d'en avoir le temps.*

1. Nous avons décidé d'aller le voir. Nous en discuterons avec lui. (afin de)
2. Il ne guérira pas. Il prendra des antibiotiques. (à moins de)
3. Téléphone-moi. Tu viendras me voir. (avant de)
4. Vous devez lui parler. Vous la rassurerez. (pour)
5. Il a nagé deux kilomètres. Il ne s'est pas arrêté. (sans)

C. Transformez les phrases d'après le modèle. Employez le verbe *faire* au présent.

> ***Modèle***: Les étudiants refont l'exercice. (le professeur)
> *Le professeur fait refaire l'exercice aux étudiants.*

1. Son petit-fils écoute de la musique classique. (Olivier)
2. Sa fille apprend le russe. (la pharmacienne)
3. Le maçon répare la cheminée. (je)
4. Nous faisons des compositions. (le professeur)
5. Il lit le journal. (son père)
6. Elles lavent la vaisselle. (leur mère)

D. Répondez aux questions par des phrases complètes:

1. A qui fais-tu lire tes compositions?
2. A qui fait-on apprendre à écrire?
3. A qui le professeur fait-il étudier la leçon?
4. A qui fait-on réparer sa voiture?
5. A qui les médecins font-ils prendre des médicaments?

E. Mettez les verbes entre parenthèses au présent de l'indicatif:

1. Il (traduire) ce roman en allemand.
2. Les gens qui ont bu (conduire) dangereusement.
3. Est-ce que tu (reconduire) Sylvie chez elle?
4. Je (construire) ma maison moi-même.
5. Il dit que nous (détruire) la planète.
6. Est-ce que vous (produire) beaucoup de pétrole dans votre pays?

F. Remplacez les mots soulignés par les pronoms appropriés:

1. J'ai vu tous les films de Fassbinder.
2. Il a donné des biscuits à chaque petite fille.
3. J'ai jeté toutes mes cravates.
4. Nous avons rencontré quelques Acadiens.
5. Quelques fenêtres sont ouvertes.
6. Chaque homme a son prix.

LECTURE

L'économie et l'emploi

A une époque où les crises économiques se succèdent, où la stagnation succède à l'inflation — ou vice versa — et où des transformations profondes interviennent dans la société post-industrielle, les perspectives de chômage inquiètent les jeunes qui se demandent quelles seront leurs chances de trouver un emploi.

Quels sont les principes que l'on peut adopter pour préparer son avenir? D'abord, il faut étudier le plus possible: il est vrai qu'un certain pourcentage de diplômés sont sans travail, mais les statistiques indiquent qu'il y a toujours plus d'emplois pour les diplômés que pour les autres. Par ailleurs, les fonctions subalternes disparaissent les premières et les gens qui perdent ainsi leur emploi doivent retourner aux études pour se recycler car leur manque de formation les empêche de trouver des postes dans un domaine différent. Il faut non seulement une bonne formation, mais il faut aussi que cette formation soit suffisamment générale pour qu'on puisse s'adapter à de nouvelles fonctions. De plus en plus, il devient nécessaire de changer d'emploi au cours de sa vie; il faut donc être capable de mobilité interprofessionnelle, ce que exige une formation diversifiée: la surspécialisation au détriment d'une solide formation générale est devenue un obstacle. Il convient aussi de vouloir acquérir une solide compétence: dans les secteurs d'avenir, les candidats sont nombreux et les employeurs peuvent se permettre d'être très sélectifs. Il faut enfin être prêt à se déplacer: les grands centres sont souvent saturés alors que les régions moins peuplées manquent souvent de spécialistes de toutes sortes.

Ces principes étant admis, quels sont les secteurs d'activité qui semblent les plus prometteurs? Un grand nombre de carrières sont bouchées et le resteront sans doute pour longtemps. Il s'agit principalement des carrières dans la fonction publique: on assiste à une stabilisation ou même à une décroissance du nombre des fonctionnaires car les gouvernements sont contraints de réduire leurs dépenses, la capacité de payer des contribuables n'étant pas illimitée. Le droit, les sciences humaines et sociales, l'enseignement, les arts et lettres ouvrent surtout sur des emplois dans la fonction publique et para-publique: il faut être conscient que les débouchés seront peu nombreux dans ces domaines.

Par contre, il existe des secteurs en expansion qui offrent des débouchés sûrs et qui vont exiger bon nombre de spécialistes. Ce sont surtout les secteurs industriels liés aux nouvelles technologies. Les chances de se placer sont fortes pour les ingénieurs, dans tous les génies (mécanique, physique, chimique, industriel, minier, électrique, etc.), car le Canada connaît une pénurie grave de cette catégorie de travailleurs. Les informaticiens seront également en demande; l'expansion s'effectue d'ailleurs davantage au niveau des logiciels que dans le domaine de la micro-électronique. Le Canada connaît également un retard en biotechnologie et ses applications dans l'industrie pharmaceutique et dans les pâtes et papiers.

D'autres secteurs se développeront en fonction des changements sociaux. Ainsi, il faudra davantage de médecins, tant en médecine générale qu'en médecine spécialisée: l'âge moyen au Canada sera de 36 ans en l'an 2000 et les besoins médicaux augmentent avec l'âge! Le domaine agro-alimentaire augmentera en importance: la population mondiale ne cesse de croître tandis que les espaces cultivables diminuent et le problème de la nourriture va occuper une place prépondérante, ce qui va demander des agronomes spécialisés. Du côté de l'environnement, les législations nouvelles et les énormes investissements pour l'assainissement des eaux, le recyclage des déchets et le contrôle des polluants ouvrent la porte aux ingénieurs en mécanique et en aménagements sanitaires. On a également grand besoin d'urbanistes.

Enfin, il y a les domaines des télécommunications et des transports qui constituent un pourcentage important de la croissance économique: il y a en particulier des postes à combler dans l'aéronautique et dans la marine. La finance et l'administration continueront à offrir de bons débouchés, surtout pour les comptables et les notaires.

L'avenir demeure donc prometteur, mais il faut s'orienter avec lucidité, être flexible et surtout persévérant.

ainsi	in this way	**employeur** (m.)	employer
aménagements sanitaires (m. pl.)	sanitation	**fonction publique** (f.)	public service
assainissement (m.)	purification	**fonctionnaire** (m./f.)	civil servant
avenir (m.)	future	**génie** (m.)	engineering
avenir: d'—	promising	**ingénieur** (m.)	engineer
bouché(e)	saturated	**lié(e) à**	connected with
candidat (m.)	candidate	**logiciels** (m. pl.)	software
carrière (f.)	career	**moyen, enne**	average
chance (f.)	opportunity	**par ailleurs**	besides
chômage (m.)	unemployment	**par contre**	on the other hand
comptable (m.)	accountant	**pâtes et papiers** (pl.)	pulp and paper (industry)
connaître	to experience	**placement** (m.)	employment
contraint(e)	forced	**(se) placer**	to find employment
contribuable (m.)	taxpayer	**poste** (m.)	position
convient: il — de	it is advisable	**prêt, prête**	ready
croître	to increase	**prometteur, euse**	promising
davantage	more	**retard: connaître un —**	to lag behind
débouché (m.)	job opportunity	**sans doute**	probably
déchets (m. pl.)	waste material	**secteur** (m.)	area
dépenses (f. pl.)	spending	**subalterne**	subordinate
diplômé(e)	graduate	**suffisamment**	sufficiently, enough
(s')effectuer	occur	**tandis que**	while
empêcher	to prevent	**tant . . . que**	as well as
emploi (m.)	employment/job	**urbaniste** (m./f.)	urban planning expert

Questions

1. Pourquoi les jeunes s'inquiètent-ils? Quels sont certains des facteurs de chômage?
2. Quel est le premier principe qu'il faut adopter pour préparer son avenir? Pourquoi?
3. Quel genre de formation est-il préférable d'avoir? Qu'est-ce qu'il faut éviter? Pourquoi?
4. Pourquoi faut-il chercher à obtenir une compétence solide?
5. Pourquoi faut-il être prêt à se déplacer?
6. Quelles sont les carrières qui semblent bouchées pour longtemps? Quels sont les types de formation qui orientent principalement vers le secteur public et parapublic?

7. Quels sont les secteurs prometteurs, du point de vue de l'emploi?
8. Dans quels domaines le Canada connaît-il une pénurie ou un retard?
9. Pourquoi le secteur de la santé va-t-il augmenter en importance? Celui de l'agronomie? Celui de l'environnement?
10. Quels autres secteurs offrent des débouchés?

SITUATIONS / CONVERSATIONS

1. Racontez à tour de rôle ce que vos parents, vos professeurs et vos amis vous font faire. Racontez aussi ce que vous faites faire à votre chien ou à votre chat, à vos frères et soeurs, à vos parents, à vos amis. En fonction des réponses de chaque étudiant(e), jugez dans quelle mesure chacun a un tempérament dominateur ou docile.

2. Parlez de la profession que vous avez choisie et de vos projets d'avenir. Qu'est-ce que vous devez faire pour trouver un emploi? Est-ce que ce sera facile ou difficile? Pensez-vous que vos études vous préparent de façon adéquate pour le marché du travail?

3. De nouvelles professions, encore inconnues, apparaîtront avec les changements technologiques. Imaginez quelles seront ces professions.

4. Quel est pour vous l'intérêt des études universitaires? Pensez-vous que l'université doive surtout vous préparer à trouver de l'emploi ou surtout vous préparer à mieux vivre et à mieux penser? Est-ce que le système universitaire que vous connaissez réussit à atteindre ces deux objectifs? l'un ou l'autre? aucun des deux?

5. Est-ce que la perspective du chômage vous fait peur? Qu'est-ce que le chômage représente pour vous? Que pensez-vous du système actuel de l'assurance-chômage?

COMPOSITIONS

1. Comment envisagez-vous votre avenir professionnel? Etes-vous optimiste ou pessimiste à ce sujet? Avez-vous confiance de pouvoir travailler dans le domaine de votre choix? Quelles sont les obstacles et les difficultés que vous pensez rencontrer? Que pensez-vous devoir faire pour réaliser vos objectifs?

2. Est-ce que le travail est la priorité essentielle de votre vie ou est-ce que vous avez d'autres priorités. Selon vous, quelle devrait être la place du travail dans une vie équilibrée? Les conditions sociales actuelles favorisent-elles cet équilibre? Qu'est-ce que vous changeriez si vous le pouviez?

PRONONCIATION

S + i ou u

When followed by **i** or **u**, the letters **s, ss** and **z** are always pronounced / s / or / z /.

Répétez:

1) / z /

azur	brisure	vision	lisiez
usure	césure	visière	cerisier
usuel	casuel	rasions	cohésion
visuel	frisure	rasiez	fusion
mesure	masure	lisions	décision

2) / s /

sur	massue	passion	poussions
rassurer	moussu	dossier	laissions
tonsure	bossu	poussière	cassions
tissu	assurance	scission	dépensions
issue	pansu	pension	fassions

CHAPITRE VINGT ET UN

LA REVOLUTION INFORMATIQUE

Photo avec la permission de IBM Corporation

INTRODUCTION

Est-ce que ça vaut la peine d'acheter un ordinateur pour les jeunes enfants?

Je ne crois pas. Je pense qu'il vaut mieux attendre: quand ils seront plus âgés, ils en profiteront davantage.

Est-ce que tu as un ordinateur?

Non, j'avais pensé en acheter un mais je ne l'ai pas fait parce que je n'avais pas économisé assez d'argent.

Est-ce que ta soeur savait déjà programmer avant d'acheter le sien?

Oui, elle avait suivi des cours d'informatique.

Moi, j'ai commencé à m'intéresser aux ordinateurs après être allé au Salon de l'informatique et avoir vu fonctionner plusieurs modèles. Et vous?

Nous, nous avons été fascinés après avoir joué avec l'ordinateur de nos voisins.

Est-ce que l'ordinateur rend le travail plus agréable?

Je ne sais pas s'il rend le travail plus agréable, mais il rend certaines tâches plus faciles.

GRAMMAIRE ET EXERCICES ORAUX

L'antériorité dans le passé: le plus-que-parfait

The **plus-que-parfait** was presented in Chapter 16 in conjunction with the past conditional. Apart from its use in **si** (if) clauses, the **plus-que-parfait** may be used to indicate anteriority in relation to some point in the past which is sometimes stated and sometimes understood:

Elle était fatiguée parce qu'elle <u>avait</u> beaucoup <u>travaillé</u>.
She was tired because she had worked a lot.

Il a jeté la cravate que son amie lui <u>avait donnée</u>.
He threw away the tie that his girlfriend had given him.

J'<u>avais</u> déjà <u>mangé</u> quand tu es arrivé(e).
I had already eaten when you arrived.

It may also be used in contrast to the **passé composé** to emphasize the fact that one is referring to the distant past. Compare the following sentences:

Il n'a jamais <u>pensé</u> devenir comptable.
He has never thought of becoming an accountant (until now).

Il n'<u>avait</u> jamais <u>pensé</u> devenir comptable.
He had never thought of becoming an accountant (until then).

J'ai perdu le stylo que tu m'<u>as donné</u>.
I lost the pen that you gave me (more or less recently.)

J'ai perdu le stylo que tu m'<u>avais donné</u>.
I lost the pen that you gave me (quite a while ago.)

Exercices (Oralement)

A. Transformez les phrases d'après le modèle.

Modèle: Tu m'as parlé de ce film la semaine dernière. Je l'ai vu hier.
J'ai vu hier le film dont tu m'avais parlé la semaine dernière.

1. Elle a rencontré ce garçon à Bâton Rouge l'an dernier. Elle l'a épousé.
2. Cette ville a été détruite pendant la guerre. On l'a reconstruite.
3. Il a acheté ce parapluie à Calgary. Il ne l'a pas retrouvé.
4. J'ai prêté dix dollars à ce garçon. Je ne l'ai pas revu.
5. Mon frère a fait ce gâteau. Je l'ai tout mangé.
6. Cet étudiant n'a pas fait ses exercices. Le professeur l'a interrogé.

B. Répondez aux questions d'après le modèle.

Modèle: Pourquoi sa mère l'a-t-elle puni? (il désobéit)
Sa mère l'a puni parce qu'il avait désobéi.

1. Pourquoi n'a-t-elle pas réussi à l'examen? (elle ne prépare rien)
2. Pourquoi a-t-il eu un accident? (il conduit trop vite)
3. Pourquoi étais-tu fatigué(e)? (je ne dors pas assez)

4. Pourquoi n'étais-tu pas là? (j'oublie notre rendez-vous)
5. Pourquoi êtes-vous rentrés? (nous nous ennuyons)
6. Pourquoi étaient-ils de mauvaise humeur? (ils se battent)

C. Complétez les phrases d'après le modèle.

> *Modèle*: Avant l'âge de seize ans, je . . . (conduire une voiture)
> *Avant l'âge de seize ans, j'avais déjà conduit une voiture.*

1. Avant d'avoir quinze ans, il . . . (commencer à fumer)
2. Avant d'entrer à l'université, elle . . . (étudier l'informatique)
3. Avant d'étudier le français, je . . . (apprendre l'espagnol)
4. Avant sa crise cardiaque, il . . . (avoir des ennuis de santé)
5. Avant de dîner, nous . . . (manger des sandwichs)
6. Avant que nous arrivions, ils . . . (préparer le repas)
7. Avant de partir en voyage, elles . . . (se renseigner)
8. Avant son mariage, elle . . . (avoir un enfant)

L'infinitif passé

The perfect infinitive is formed by using the infinitive of the auxiliary verb (**avoir** or **être**) and the past participle of the verb:

> avoir chanté   être revenu   s'être lavé

It is used to indicate anteriority in relation to the conjugated verb. The agreement of the past participle follows the usual rules:

> Il regrette d'avoir acheté cette voiture.
> Cette voiture, je regrette de l'avoir achetée.
> Elle est heureuse d'être venue vous voir.
> Elles se souviennent de s'être promenées dans ce parc pendant leur enfance.

The perfect infinitive must be used after the preposition **après**:
> **Après être rentrés du cinéma, ils ont dîné.**
> After coming back (having come back) from the cinema, they had dinner.
>
> **Il est allé au lit après avoir mangé.**
> He went to bed after having eaten.

Exercices (Oralement)

A. Transformez les phrases d'après le modèle.

> *Modèle*: Je les ai rencontrés. Je ne me rappelle pas cela.
> *Je ne me rappelle pas les avoir rencontrés.*

1. Il a oublié ses clés au motel. Il pense cela.
2. J'ai réussi à l'examen. J'espère cela.
3. Elle s'est mariée trop jeune. Elle regrette cela.
4. Ils ont pris une bonne décision. Ils croient cela.

5. Nous nous sommes dépêchés. Nous sommes contents de cela.
6. Tu as assez mangé. Es-tu sûr(e) de cela?
7. J'ai vu cet homme quelque part. Je me souviens de cela.
8. J'ai attrapé froid. J'ai peur de cela.

B. Complétez les phrases en employant des infinitifs passés.

Modèle: Je suis désolé(e) de . . . .
   Je suis désolé(e) d'être arrivé(e) en retard.

1. Je ne crois pas . . . .
2. Je suis certain(e) de . . . .
3. Je regrette de . . . .
4. J'ai peur de . . . .

5. J'espère . . . .
6. Je suis surpris(e) de . . . .
7. Je pense . . . .
8. Je me souviens de . . . .

C. Transformez les phrases d'après le modèle.

Modèle: Il a pris son déjeuner. Ensuite, il est sorti.
   Il est sorti après avoir pris son déjeuner.

1. Elle est rentrée de vacances. Ensuite, elle a trouvé un emploi.
2. J'ai dîné dans ce nouveau restaurant. Ensuite, j'ai eu une indigestion.
3. Elle a rencontré Alain. Ensuite, elle s'est séparée de son mari.
4. Parle à tes parents. Ensuite, nous mangerons.
5. Tu finiras tes études. Qu'est-ce que tu feras ensuite?
6. Ils ont acheté un ordinateur. Ensuite, ils ont appris à programmer.
7. Il a perdu son emploi. Ensuite, il s'est mis à boire.

D. Complétez les phrases en employant des infinitifs passés.

Modèle: Le professeur a eu mal à la tête après . . . .
   Le professeur a eu mal à la tête après avoir lu ma composition.

1. Il se brosse les dents après . . . .
2. J'ai sommeil après . . . .
3. Elle a décidé de devenir médecin après . . . .
4. Nous avons attrapé un rhume après. . . .
5. Marc a cessé de fumer après . . . .
6. Ils sont allés au restaurant après . . . .
7. J'ai eu mal à l'estomac après . . . .
8. Nous irons au restaurant après. . . . .

Rendre + *adjectif*

Rendre, not **faire**, is used with an adjective in a causative construction:

Il rend sa femme malheureuse.
He makes his wife unhappy.

Son succès l'a rendu vaniteux.
His success made him vain.

Exercice (Oralement)

Répondez aux questions:

1. Est-ce que tu rends tes parents malheureux?
2. Est-ce que je vous rends malheureux?
3. Est-ce que les épinards rendent les hommes plus forts?
4. Est-ce que la musique de Vivaldi vous rend tristes ou joyeux?
5. Qu'est-ce qui rend la vaisselle propre?
6. Qu'est-ce qui te rend impatient?
7. Est-ce que l'argent rend les gens arrogants?
8. Qu'est-ce qui rend une femme séduisante?
9. Qu'est-ce qui rend un homme séduisant?
10. Est-ce que l'alcool rend les gens agressifs?
11. Est-ce que le café te rend nerveux(-euse)?
12. Est-ce que les guerres ont rendu les hommes plus sages?
13. Est-ce que l'ordinateur rend certaines tâches plus faciles?

Le verbe irrégulier _valoir_

Although **valoir** may be used in all persons with the meaning of "to be worth", it is most commonly used in the third person singular.

Présent de l'indicatif:	il vaut
Futur:	il vaudra
Participe passé:	valu
Présent du subjonctif:	il vaille

Valoir is used in the expression **il vaut mieux** (it is better), followed either by an infinitive or by **que** + subjunctive:

Il vaut mieux ne pas s'impatienter: il est toujours en retard.
Il vaut mieux que nous partions tôt parce qu'il va neiger.
Il vaudrait mieux que tu t'en ailles, car tu deviens agressif.
Il vaudrait mieux que tu dormes plutôt que d'aller à la discothèque.
Il aurait mieux valu que tu ne viennes pas: elle ne veut pas te voir.

It is also used in the expression **ça vaut la peine/ça ne vaut pas la peine** (it is well worth/ it is not worth the trouble):

Ça vaut la peine de suivre ce cours: il est intéressant.
Ça ne vaut pas la peine que tu ailles voir ce film: il est très mauvais.

Note that these expressions are followed either by **de** + infinitive or by **que** + subjunctive.

Exercices (Oralement)

A. Répondez selon le modèle.

> *Modèle*: Je rentrerai à onze heures. (plus tôt)
> *Il vaudrait mieux que tu rentres plus tôt.*

1. Nous irons à Boston en train.
   (en avion)
2. Elle suivra un cours de chimie.
   (de mathématiques)
3. Je m'en vais. (attendre)
4. Ils jouent au poker. (faire du sport)
5. Paul partira demain. (tout de suite)

B. Répondez aux questions:

1. Qu'est-ce qu'il vaut mieux faire quand on est trop fatigué pour sortir?
2. Qu'est-ce qu'il vaut mieux faire quand on a la grippe?
3. Quand on doit étudier, est-ce qu'il vaut mieux boire du vin ou du café?
4. Est-ce qu'il vaut mieux prendre des vitamines ou manger des fruits frais?
5. Si tu étais malade, est-ce qu'il vaudrait mieux que tu prennes une aspirine ou que tu ailles à la discothèque?
6. Est-ce qu'il vaudrait mieux éliminer la pollution que de fabriquer des armes nucléaires?
7. Est-ce qu'il vaudrait mieux utiliser l'énergie solaire que le pétrole?
8. Est-ce qu'il aurait mieux valu que tu ne fasses pas d'études universitaires?
9. Est-ce qu'il aurait mieux valu que l'homme ne découvre pas l'énergie nucléaire?
10. Est-ce que ça vaut la peine d'apprendre les mathématiques? le français? l'histoire?
11. Pourquoi est-ce que ça vaut la peine de faire du sport?
12. Pourquoi est-ce que ça ne vaut pas la peine de boire quand on est déprimé?
13. Quand est-ce que ça vaut la peine de regarder la télévision?
14. Combien de fois par an est-ce que ça vaut la peine d'aller chez le dentiste?

Le discours indirect

The difference between direct speech (**discours direct**) and indirect speech (**discours indirect**) is shown in the following two sentences:

> Il m'a dit: "Je suis très occupé aujourd'hui."
> Il m'a dit qu'il était très occupé ce jour-là.

The change from direct to indirect speech entails several modifications. In this particular instance:

> a) the quote becomes a subordinate clause;
> b) the subject of the quote must be changed;
> c) the tense must be changed;
> d) words and expressions of time must change.

From Quote to Subordinate Clause

1) Imperative Sentence

The imperative is changed to the infinitive form preceded by **de**:
Il nous dit: "Venez."————▶Il nous dit de venir.

2) Declarative Sentence

A declarative sentence is replaced by a subordinate clause introduced by the conjunctive **que**:

Il dit: "Je téléphonerai."————▶Il dit qu'il téléphonera.

3) Interrogative Sentence

a) A question requiring a "yes" or "no" answer, using **est-ce que** or an equivalent, becomes a subordinate clause introduced by **si** (whether):

Elle demande: "Vient-il?"————▶Elle demande s'il vient.

b) A question beginning with **qu'est-ce qui** is changed to a subordinate clause beginning with **ce qui**:

Il se demande: "Qu'est-ce qui fait ce bruit?"
————▶ Il se demande ce qui fait ce bruit.

c) A question beginning with **que** or **qu'est-ce que** is changed to a subordinate clause beginning with **ce que**:

Tu me demandes: "Que fait-il?"————▶Tu me demandes ce qu'il fait.
Elle demande: "Qu'est-ce que c'est?"————▶Elle demande ce que c'est.

d) The other interrogative words (adjectives, pronouns or adverbs) do not change:

Je me demande quelle heure il est.
Il demande laquelle j'ai achetée.
Elle demande avec qui je suis sorti(e).
Il lui demande pourquoi elle est partie.

Personal Pronouns and Possessive Adjectives

Personal pronouns (subject, direct and indirect objet) and possessive adjectives change in a logical fashion:

Elle dit: "Je viendrai."————▶ Elle dit qu'elle viendra.
Il me dit: "Tu ne me comprends pas."————▶ Il me dit que je ne le comprends pas.
Ils demandent: "Où as-tu mis nos livres?"————▶Ils demandent où j'ai mis leurs livres.

Changes in Verb Tenses

1) When the verb of the main clause is in the present of the future tense, no change occurs in the subordinate clause:

Elle nous dit: "J'arrive."   Elle nous dit qu'elle arrive.
Elle me dira: "J'ai oublié."   Elle me dira qu'elle a oublié.

2) If the verb of the main clause is in a past tense (**passé composé, imparfait** or **plus-que-parfait**), the following tenses used in quotes must be changed in subordinate clauses:

Direct Speech	Indirect Speech
présent	imparfait
Elle m'a dit: Il se repose."	Elle m'a dit qu'il se reposait.
passé composé	plus-que-parfait
Tu m'as dit: "Il fait beau."	Tu m'as dit qu'il avait fait beau.
futur	conditionnel présent
Elle se demandait: "Où irai-je?"	Elle se demandait où elle irait.
futur antérieur	conditionnel passé
J'ai demandé: "Quand auront-ils fini?"	J'ai demandé quand ils auraient fini.

Expressions of Time

When indirect speech is used to report what was said at some point in the past, the following expression of time must change:

Direct Speech	Indirect Speech
aujourd'hui	ce jour-là
hier	la veille
demain	le lendemain
ce matin	ce matin-là
ce soir	ce soir-là
cette semaine	cette semaine-là
ce mois-ci	ce mois-là
cette année	cette année-là
la semaine dernière	la semaine précédente
la semaine prochaine	la semaine suivante
l'année dernière	l'année précédente
l'année prochaine	l'année suivante
en ce moment / maintenant	à ce moment-là, alors

Exercices (Oralement)

A.   Mettez les phrases au discours indirect:

1. Elle a dit: "Venez tout de suite."
2. Il m'a dit: "Apporte un sandwich."
3. Je lui dis: "Fais la vaisselle."
4. Elle nous dit: "Ouvrez vos livres."
5. Il m'a dit: "Parle à tes parents."
6. Je lui dirai: "Oublie tes problèmes."
7. Il leur a conseillé: "Faites votre travail."
8. Tu nous as dit: "Amenez vos amis."

B.   Mettez au style indirect. Attention aux pronoms personnels et aux adjectifs possessifs.

1. Il dit: "Je suis venu hier."
2. Elles disent: "Nous allons au magasin."
3. Je te dis: "Je reviendrai demain."
4. Nous lui disons: "Tu as tort."
5. Elle nous dit: "Vous n'arriverez pas à temps."
6. Il nous dit: "Vous ne m'écoutez pas."
7. Il me dit: "Tu me prêteras ta voiture."
8. Je te dis: "Tu m'oublieras."
9. Je dis à Suzanne: "Tu m'oublieras."
10. Elle dit à Pierre: "Tu ne me parles pas assez."
11. Elle dit à ses enfants: "Vous devez m'obéir."
12. Il dit à son ami: "Tu dois me rendre mon stylo."
13. Je dis à Henri: "Tu as oublié de m'apporter mes disques."

C.   Mettez les questions suivantes au style indirect en les faisant précéder de "Elle me demande. . . ."

Modèle: Est-ce qu'il pleut?
   Elle me demande s'il pleut.

1. Y a-t-il des fruits dans le réfrigérateur?
2. Est-ce que tu as déjà mangé?
3. Viendras-tu avec nous?
4. As-tu terminé ton travail?
5. Est-ce que tu veux emprunter ma voiture?
6. Qu'est-ce qui fait ce bruit?
7. Qu'est-ce qui t'inquiète?
8. Qu'est-ce qui cause ce problème?
9. Qu'est-ce qui te fait peur?
10. Qu'est-ce qu'il cherche?
11. Qu'est-ce que tu fais?
12. Qu'est-ce que tu veux manger?
13. Qu'as-tu trouvé?

14. Que feras-tu?
15. Qu'est-ce que tu voudrais?
16. Où iras-tu?
17. Pourquoi as-tu acheté cette voiture?
18. Quel cours est-ce que tu suis?
19. Comment a-t-il fait pour réussir?
20. Combien vaut cette voiture?

D. Mettez les phrases suivantes au style indirect en effectuant les changements de temps nécessaires.

Modèle: Alain m'a dit. . . .
 J'ai beaucoup de travail
 Alain m'a dit qu'il avait beaucoup de travail.

1. Il va neiger.
2. Je vais à la bibliothèque.
3. Je pars en vacances.
4. Je ne peux pas venir.
5. Tu es trop nerveux(-euse).
6. Nous devons partir.

Modèle: Hélène m'a demandé . . . .

7. Veux-tu du café?
8. Est-ce que tu as quelque chose à faire?
9. Qu'est-ce qui te rend nerveux?
10. Qu'est-ce que tu regardes?
11. Que fais-tu?
12. Pourquoi fais-tu du sport?

Modèle: Je jui ai répondu . . . .

13. Je suis allé(e) à Rome.
14. Je me suis promené(e) dans le parc.
15. J'ai étudié toute la journée.
16. J'ai réussi à mon examen.
17. Nous t'avons attendu(e).

Modèle: Je lui a demandé . . . .

18. Où es-tu allé(e)?
19. Qu'est-ce que tu as fait?
20. Pourquoi as-tu abandonné tes études?
21. As-tu déjà déjeuné?
22. Qu'est-ce qui t'a rendu triste?

Modèle: Elle lui a demandé . . . .

23. Quand arriveras-tu?
24. Qu'est-ce que tu feras?
25. A quelle heure rentreras-tu?
26. Quand termineras-tu ton travail?
27. Seras-tu à la maison à onze heures?

Modèle: Il lui a répondu . . . .

28. Nous te téléphonerons.
29. L'opération durera dix minutes.
30. Je prendrai le train de huit heures.
31. Nous irons faire du ski.
32. Ils seront en retard.

Modèle: Nous lui avons dit . . . .

33. Nous aurons fini avant cinq heures.
34. Nous te téléphonerons quand nous aurons dîné.

35. Nous viendrons te voir quand tu seras revenu(e).
36. Nous t'écrirons dès que nous serons arrivé(e)s.
37. Nous ferons du ski aussitôt que les cours seront finis.

E. Mettez les phrases au style indirect. Changez les expressions de temps.

Modèle: La semaine dernière, j'ai rencontré Violette. Elle m'a demandé . . .

1. Qu'est-ce que tu fais ce soir?
2. Est-ce que tu seras libre demain?
3. Es-tu allé(e) danser hier?
4. Vas-tu à l'université aujourd'hui?

Modèle: Je lui ai répondu . . . .

5. Je joue au football ce matin.
6. Je vais à la discothèque ce soir.
7. Je suis allé(e) au concert hier.
8. Je suis occupé(e) cet après-midi.
9. En ce moment, je n'ai pas le temps.

EXERCICES ECRITS

A. Mettez les verbes entre parenthèses au plus-que-parfait:

1. Je suis allé(e) voir le film d'épouvante dont tu me (parler).
2. Nous sommes retournés au restaurant où vous nous (amener).
3. Jean nous a raconté ce qu'il (faire) pendant ses vacances.
4. Comme elle (être) malade, elle devait se reposer.
5. Il a échoué à l'examen parce qu'il (ne pas travailler).

B. Transformez les phrases d'après le modèle. Remplacez les mots soulignés par un pronom.

Modèle: Je ne me souviens pas de cela: j'ai rencontré cette jeune femme.
Je ne me souviens pas de l'avoir rencontrée.

1. Je crois cela: j'ai oublié mes clés chez vous.
2. Elle pensait cela: elle avait bien répondu aux questions.
3. Nous sommes désolés de cela: nous sommes arrivés en retard.
4. Elle est contente de cela: elle a acheté une nouvelle robe.
5. J'espère cela: j'ai trouvé la bonne solution.

C. Transformez les phrases selon le modèle.

Modèle: J'ai travaillé dans le jardin. Ensuite, j'ai pris une douche.
J'ai pris une douche après avoir travaillé dans le jardin.

1. Ma soeur s'est mariée. Ensuite, elle est devenue pilote.
2. Tu feras la vaisselle. Ensuite, tu pourras regarder la télé.
3. Le médecin m'a examiné. Ensuite, il m'a conseillé de faire de l'exercice.
4. Il est allé à la bibliothèque. Ensuite, il est rentré chez lui.

D. Transformez les phrases d'après le modèle.

Modèle: Les gens deviennent déprimés. (l'inactivité)
L'inactivité rend les gens déprimés.

1. Je suis devenu(e) prudent(e). (cet accident)
2. Les gens deviennent paresseux. (trop de confort)
3. Pierre devient désagréable. (l'alcool)
4. Elle devenait ridicule. (son snobisme)
5. Vous devenez très élégante. (ces vêtements)

E. Répondez aux questions par des phrases complètes:

1. Est-ce que ça vaut le peine de faire du sport régulièrement?
2. Pourquoi est-ce que ça vaut la peine que tu finisses tes études?
3. Combien d'heures vaut-il mieux que tu dormes pour être en forme?
4. Est-ce qu'il vaut mieux prendre un café ou prendre une aspirine quand on a mal à la tête?

F. Mettez les phrases suivantes au discours indirect:

1. Julien m'a dit: "Ne m'attends pas."
2. Il m'a demandé: "Qu'est-ce que tu as fait hier?
3. Je lui ai dit: "Tu me dois cinquante dollars."
4. Elle m'a répondu: "Je suis allée à mon cours ce matin."
5. Micheline nous a raconté: "J'ai visité le Japon le mois dernier."
6. Nous lui avons demandé: "Quand passeras-tu ton examen?"
7. Ils m'ont dit: "Nous serons déjà partis quand tu reviendras."
8. Il y a un mois, je lui ai dit: "Aujourd'hui, je vais voir ma grand-mère."
9. Tu lui as répondu: "Tu dois me rendre mon livre demain."
10. Je lui ai demandé: "Sais-tu où se trouve mon stylo?"

LECTURE

La révolution informatique

L'ordinateur a longtemps été une machine mystérieuse et la compréhension de son fonctionnement semblait réservée à une élite. Les progrès technologiques considérables ont changé tout cela: les micro-ordinateurs ont envahi les bureaux, les magasins, les entreprises. Par l'intermédiaire des jeux vidéo, le micro-ordinateur a même fait son entrée dans les foyers. En devenant un instrument de loisir et d'amusement, l'ordinateur a cessé d'être un monstre pour devenir un objet familier, domestique. Bien souvent, ce sont les enfants qui ont converti leurs parents à l'emploi de l'ordinateur. Les coûts de production de moins en moins élevés ainsi que la concurrence entre les firmes de plus en plus nonbreuses ont placé les "micros" à la portée de la plupart des gens.

Sur le plan économique, l'arrivée du micro-ordinateur dans la maison n'est qu'un début: il faut ajouter des périphériques, plus de mémoire, des logiciels, s'abonner à des banques de données, etc. Mais les perspectives qui sont ainsi ouvertes sont multiples; non seulement bien des appareils peuvent s'informatiser (la cuisine, les systèmes de chauffage et d'éclairage, la radio, le tourne-disque, la télévision), mais surtout, l'accès aux banques de données par voie téléphonique permet, comme jamais auparavant, de s'informer sur les sujets plus divers.

Par ailleurs, des transformations profondes interviennent au niveau du travail. Un certain nombre de gens peuvent travailler à domicile, sans plus avoir besoin de se déplacer pour se rendre au bureau. Dans les bureaux eux-mêmes, les ordinateurs remplissent un grand nombre de tâches qui exigeaient auparavant beaucoup de temps et de personnel: le traitement de textes, le courrier électronique, l'agenda électronique qui organise l'emploi du temps et les rendez-vous.

Ces innovations produisent des changements sociaux. En effet, 50% des travailleurs nord-américains occupent des emplois directement reliés à des fonctions d'information. La bureautique (l'informatisation des tâches de bureau) transforme de façon dramatique certaines branches du secteur tertiaire qui avaient jusque là peu évolué. Inévitablement, la machine remplace une partie du personnel dont elle rend les activités désuètes et l'oblige à se recycler.

Au Canada, 5 millions de personnes exercent des fonctions reliées au travail de bureau. Ce sont d'abord les femmes qui sont soumises aux répercussions de la bureautique puisque 80% de la main-d'oeuvre féminine se trouve dans le secteur tertiaire.

Certains prévoient que le marché créé par la demande en informatique pourra récupérer les travailleurs dont les emplois auront été supprimés. Il y a cependant des obstacles: d'abord le rythme d'introduction des nouvelles technologies est certainement plus rapide que le temps d'adaptation; ensuite, il n'est pas sûr que les nouveaux emplois spécialisés soient accessibles aux travailleurs qui ont perdu leur emploi; enfin, comme il s'agit d'une technologie économe par nature, tant au niveau de la production qu'à celui de l'utilisation, on peut douter qu'elle puisse créer autant d'emplois qu'elle n'en supprime.

Les crises économiques que connaît le monde occidental n'améliorent pas la situation et les changements apportés par l'informatique ne peuvent que faire augmenter le taux de chômage qui est déjà élevé. La solution serait peut-être de partager les emplois existants ou ceux qui sont nouvellement crées: diviser la semaine de 40 heures, deux personnes travaillant chacune 20 heures, par exemple. De la sorte, nous aurions peut-être vraiment cette société de loisirs dont on nous parle depuis si longtemps et, par ailleurs, si la machine libère les travailleurs des tâches ennuyantes, le travail peut devenir plus intéressant, moins aliénant. Est-ce une utopie? Dans la réalité, l'informatisation de certaines tâches (secrétariat, standards téléphoniques) tend à accélérer le rythme de travail; parfois, l'ordinateur codifie et contrôle un travail encore plus monotone qu'il ne l'était auparavant. Par ailleurs, si on partageait les emplois, est-ce qu'on partagerait également les revenus?

La révolution informatique est aussi une crise qui exige des adaptations individuelles et des changements sociaux. Notre mode de vie, notre rythme de travail, nos valeurs se transforment, et ces changements demandent qu'on s'y adapte avec patience et imagination.

(s')abonner	to subscribe	**logiciel** (m.)	program
améliorer	to improve	**logiciels** (m. pl.)	software
appareil (m.)	appliance	**main-d'oeuvre** (f.)	labor force
auparavant	before	**mémoire** (f.)	memory
autant de	as many	**par l'intermé-**	through, by means
compréhension (f.)	understanding	**diaire de**	of
convertir à	to bring over to	**partager**	to share
courrier	mail	**périphérique** (m.)	peripheral unit
coût	cost	**plan** (m.)	level
désuet, ète	obsolete	**portée: à la —**	within (financial)
domestique	domestic	**de**	reach
domicile (m.)	home	**récupérer**	to provide
données (f. pl.)	data		employment for
économe	thrifty	**relié(e) à**	connected with
exercer	to carry out	**remplir**	to carry out
emploi (m.)	use	**rendez-vous** (m.)	appointment
emploi du temps (m.)	schedule	**revenu** (m.)	income
envahir	to invade	**soumis, ise**	subjected/affected
évoluer	to evolve/to advance	**standard**	switchboard
fonctionnement (m.)	working (machine)	**téléphonique** (m.)	
(s')informatiser	to become automated	**taux** (m.)	rate
informatisation (f.)	automation	**traitement de**	word processing
libérer	to free	**textes** (m.)	

Questions

1. Comment voyait-on les ordinateurs autrefois?
2. Qu'est-ce qui s'est passé quand les micro-ordinateurs sont venus?
3. Comment les enfants ont-ils réagi?
4. Qu'est-ce qui a permis l'introduction de l'ordinateur dans les foyers ordinaires?
5. Quand les gens possèdent un micro-ordinateur, qu'est-ce qu'ils achètent d'autre.
6. Donnez des exemples d'appareils qui peuvent être informatisés (ne vous limitez pas aux exemples du texte).
7. Que permet l'accès aux banques de données? Donnez des exemples de types de renseignements qu'on peut ainsi obtenir.
8. Quels sont les changements qui interviennent au niveau du travail?
9. Expliquez les avantages du traitement de textes et du courrier électronique.
10. Quel est le pourcentage des emplois reliés à l'information en Amérique du Nord. Qu'est-ce que le secteur tertiaire? le secteur secondaire? le secteur primaire?
11. Quelles sont les conséquences de l'introduction des ordinateurs dans les bureaux?
12. Croyez-vous que l'informatique créera de nouveaux emplois pour les travailleurs qui auront été remplacés par les ordinateurs? Quels sont les obstacles à cette possibilité?
13. Quelle serait une solution possible au problème du chômage? Quelles seraient les avantages de cette solution? Croyez-vous que cela puisse se faire?
14. Quels sont les effets que produit l'informatisation de certaines tâches?

SITUATIONS / CONVERSATIONS

1. Un(e) ami(e) vous a raconté comment il/elle avait passé sa fin de semaine. Répétez ce qu'il/elle vous a dit en employant le style indirect.

2. Dites ce que vous êtes heureux(-euse) d'avoir fait dans votre vie jusqu'à présent; dites ce que vous regrettez de ne pas avoir fait. Employez des infinitifs passés.

3. En général, qu'est-ce qui vous rend triste, gai(e), enthousiaste, nerveux(-euse), mélancolique, etc.? Posez des questions et répondez-y.

4. Vous êtes une équipe de chercheurs et vous créez un robot qui sera programmé pour faire des tâches ménagères. Décrivez à tour de rôle les tâches que vous voulez que le robot accomplisse.

5. Est-ce que vous aimez jouer avec un ordinateur? Quels sont les jeux que vous préférez? Décrivez un des ces jeux.

6. Employez-vous un ordinateur pour vos études? Dans quels domaines et pour quelles tâches l'utilisez-vous?

7. Quelles sont les utilisations qu'on peut faire d'un ordinateur chez soi dans la vie quotidienne? Imaginez d'autres utilisations possibles.

8. Pensez-vous que la révolution informatique provoque une crise? Citez certains problèmes précis et suggérez des solutions.

9. Quelles sont les innovations apportées par l'informatique qui vous semblent les plus intéressantes? Quelles autres applications futures espérez-vous?

COMPOSITIONS

1. Y a-t-il, dans ce que vous étudiez, des domaines où l'utilisation de l'ordinateur et de programmes adéquats pourrait être utile? Quels sont ces domaines? Quels seraient, pour chacun de ces domaines, les types de logiciels dont vous auriez besoin?

2. Les ordinateurs remplacent beaucoup de personnel et font diminuer le nombre des emplois disponibles. Y a-t-il des solutions à ce problème?

3. Ecrivez un dialogue entre un enthousiaste des ordinateurs et quelqu'un qui les déteste.

PRONONCIATION

Liaisons interdites et liaisons obligatoires

As mentioned in Chapter 2, **liaison** is optional in many instances. It is however important to remember particular instances when it must never be made (**liaisons interdites**) and when it must always occur (**liaisons obligatoires**).

Liaisons interdites

Do not make a **liaison**
— between two rhythmic groups:

Mes amis / ont faim.   Je pars / en train.
Les enfants / arrivent.   Peu de gens / étaient là.

— with a word beginning with an aspirate **h**:

très / haut   des / homards   les / harpons

— with the **t** of **et** and the following word:

nous et / eux   il part et / elle arrive

— between the pronouns **ils** and **elles** and the past participle in a question with inversion:

Sont-ils / arrivés?   Ont-elles / écouté?

Liaisons obligatoires

Always link
— a determiner and a noun or adjective:

les oranges   tes idées   les autres cours
des arbres   ses achats   mes anciens cours
deux autos   quelques oeufs   plusieurs autres cours
trois arbres   plusieurs autos   leurs anciennes maisons

— an adjective and the noun following it:

de vieux arbres   d'anciens amis
de beaux enfants   les vieilles églises

— a subject or object pronoun and a verb:

nous avons   ils écoutaient   ils ont fini
vous aimez   elles adorent   elles ont mangé
je les aime   tu les écoutes   il vous admire

— a verb and a subject pronoun (or **y** and **en**) following it (in a question with inversion or in the imperative):

Part-il?   Chantaient-ils?   Prends-en.
Attend-elle?   Parleront-elles?   Allez-y.

— the adverbs **très, plus, moins** and the adjectives or verbs they modify:

très élégant   plus âgé   moins actif
J'ai moins aimé ce cours.

— monosyllabic prepositions and the following article, noun or pronoun:

chez elles   sans eux   en Italie
dans une chambre   sous une table

— the conjunction **quand** and the following pronoun:
quand elle arrive   quand il reviendra

CHAPITRE VINGT-DEUX

LE PLURALISME CULTUREL

Kensington Market, Toronto

INTRODUCTION

Tes grands-parents sont-ils heureux d'être venus s'établir ici?

Mes grands-parents pensent que c'est l'aventure la plus fantastique qu'ils aient vécue, bien qu'ils aient trouvé pénible de quitter leurs parents et leurs amis

Le regrettent-ils maintenant?

Non, ils sont heureux que leurs enfants soient nés ici et qu'ils aient eu l'avantage de vivre dans une société démocratique.

De quoi manquaient-ils dans leur pays?
   Ils manquaient de travail et
   d'argent, c'est pourquoi ils l'ont
   quitté.

Ont-ils fui pour des raisons politiques?
   Non, pas vraiment, ils ont fui
   une situation économique désastreuse.

Ils n'ont plus rien à craindre
maintenant, n'est-ce pas?
   C'est vrai; ils ne craignent plus
   le chômage et ne se plaignent
   de rien. Ils ont atteint leurs
   objectifs.

GRAMMAIRE ET EXERCICES ORAUX

Le subjonctif passé

The past subjunctive is formed by using the present subjunctive of **avoir** or **être** and the past participle of the verb.

aimer

j'aie aimé	nous ayons aimé
tu aies aimé	vous ayez aimé
il/elle/on ait aimé	ils/elles aient aimé

venir

je sois venu(e)	nous soyons venu(e)s
tu sois venu(e)	vous soyez venu(e)(s)
il/on soit venu	ils soient venus
elle soit venue	elles soient venues

s'habiller

je me sois habillé(e)	nous nous soyons habillé(e)s
tu te sois habillé(e)	vous vous soyez habillé(e)(s)
il/on se soit habillé	ils se soient habillés
elle se soit habillée	elles se soient habillées

While the present subjunctive indicates *simultaneity* or *posteriority* in relation to the action described by the verb in the main clause, the past subjunctive indicates *anteriority*. Compare the following examples:

1) the verb in the main clause is in the present tense:

> Je suis heureux(-euse) que tu <u>sois</u> ici. (simultaneity)
> Je veux que tu <u>viennes</u> demain. (posteriority)
> Je regrette que tu ne <u>sois</u> pas <u>venu(e)</u> hier. (anteriority)

2) the verb in the main clause is in a past tense:

> Il était content que nous <u>soyons</u> avec lui. (simultaneity)
> Il est parti avant que nous <u>arrivions</u>. (posteriority)
> Il a réussi à l'examen bien qu'il n'<u>ait</u> pas beaucoup <u>étudié</u>. (anteriority)

3) the verb in the main clause is in the future tense (or the **futur antérieur**):

> Nous ferons ce travail sans que vous nous <u>aidiez</u>. (simultaneity)
> J'aurai fini avant que vous <u>arriviez</u>. (posteriority)
> Il sera triste que tu ne <u>sois</u> pas <u>allé(e)</u> le voir. (anteriority)

Remember that the infinitive construction replaces the subjunctive when the subject of the subordinate clause in the subjunctive would refer to the same person or thing as the subject of the main clause. The past subjunctive is replaced by the past infinitive form:

Il est content de t'avoir vu.
Je regrette d'être venu(e).
Elle est morte sans avoir connu son petit-fils.
Vous réussirez à condition d'avoir travaillé.

Exercices (Oralement)

A. Répondez selon le modèle.

Modèle: Est-ce qu'il a pris l'avion?
Je ne crois pas qu'il ait pris l'avion.

1. Est-ce qu'ils sont partis?
2. Est-ce qu'il a bu du cognac?
3. Est-ce qu'elles sont rentrées?
4. Est-ce qu'elle s'est maquillée?
5. Est-ce qu'ils ont menti?
6. Est-ce que Richard est devenu avocat?
7. Est-ce qu'Hélène a mangé?
8. Est-ce qu'ils se sont rendu compte de leur erreur?

B. Répondez selon le modèle.

Modèle: Il a déjà conduit une moto. (je doute)
Je doute qu'il ait déjà conduit une moto.

1. Il est parti en Afrique. (il est possible)
2. Ils se sont parlé au télélphone. (je ne pense pas)
3. Nous avons attendu trop longtemps. (j'ai peur)
4. Tu as assez réfléchi. (je doute)
5. Vous êtes allés voir ce film. (je suis content(e))
6. Nous nous sommes parlé. (je suis heureux(-euse))
7. Vous avez trop bu. (il est regrettable)
8. Tu es resté(e) à l'université. (je suis surpris(e))

C. Subjonctif présent ou subjonctif passé? Employez le temps qui convient:

1. Il est parti avant que nous (arriver).
2. Je regrette que tu ne (pouvoir) pas venir dimanche dernier.
3. Bien qu'elle (être) malade la semaine dernière, elle a remis sa composition au professeur ce matin.
4. J'ai attendu jusqu'à ce que vous me (téléphoner).
5. Après leur séparation, il était triste que sa femme (vouloir) le quitter.
6. Je lui avais prêté de l'argent pour qu'il (pouvoir) acheter un ordinateur.

D. Transformez les phrases selon le modèle.

>   *Modèle:* Je suis désolé(e). Je vous ai fait attendre.
>   *Je suis désolé(e) de vous avoir fait attendre.*

1. Je suis heureux(-euse). J'ai réussi.
2. Nous sommes contents. Nous vous avons vus.
3. Il était triste. Il n'avait pas pu nous voir.
4. Elle regrettait. Elle n'était pas sortie avec nous.
5. Je ne pensais pas. J'avais fait des progrès.
6. Il a eu peur. Il avait fait une erreur.

E. Transformez les phrases selon le modèle.

>   *Modèle:* Tu réussiras. Tu auras fait des progrès. (à condition de)
>   *Tu réussiras à condition d'avoir fait des progrès.*

1. Robert part. Il a averti ses parents. (sans)
2. J'ai pris une décision. J'avais beaucoup réfléchi. (sans)
3. Les enfants peuvent regarder la télévision. Ils ont terminé leurs devoirs. (à condition de)
4. Il arrivera bientôt. Il aura oublié notre rendez-vous. (à moins de)

Le verbe manquer

Manquer is a regular **-er** verb with two★ distinct uses:

1) **manquer** + direct object means ''to miss'':

J'ai manqué le train.	I missed the train.
Il vient de manquer l'autobus.	He has just missed the bus.
Tu as manqué un bon film à la télé.	You have missed a good movie on TV.

2) **manquer de** means ''to lack'' ''not to have enough'':

Il manque de talent.	He lacks talent.
Je manque de farine pour faire un gâteau.	I do not have enough flour to make a cake.

★ A third use of **manquer** is with a indirect object, with the meaning of ''to miss (someone)'', in a construction which is the reverse of the English one. For instance, ''I miss you'' corresponds to ''**Tu me manques**'', where **me** is the indirect object. In Quebec, however, another construction is used to express the same meaning: **s'ennuyer de quelqu'un**. For instance, ''**Je m'ennuie de toi**'' would correspond to ''I miss you''.

Exercices (Oralement)

A. Répondez selon le modèle.

> *Modèle:* As-tu entendu ce concert?
> > *Non, je l'ai manqué.*

1. A-t-il pris le train de 11h40?
2. As-tu eu le temps de prendre l'autobus?
3. Avez-vous vu ce film?
4. As-tu pu voir tes amis quand ils sont venus?

B. Répondez selon le modèle.

> *Modèle:* A-t-il assez d'argent?
> > *Non, il manque d'argent.*

1. As-tu assez de temps pour terminer ton travail?
2. A-t-elle assez d'ambition pour devenir avocate?
3. Est-ce que les gens ont assez de nourriture dans ce pays?
4. A-t-il assez d'initiative pour prendre des décisions?
5. Avons-nous assez de vin pour tous ces invités?

Le verbe irrégulier *fuir*

Présent de l'indicatif		Participe passé:	Futur:
je fuis	nous fuyons	fui	je fuirai
tu fuis	vous fuyez		
il/elle/on fuit	ils/elles fuient		

Subjonctif présent: fuie, fuies, fuie, fuyions, fuyiez, fuient
Fuir means "to flee" and **s'enfuir de** means "to run away from".

> Pierre fuit les responsabilités.   Le criminel s'est enfui avant que la police arrive.
> Ces immigrants ont fui la guerre.   Trop d'adolescents s'enfuient de chez eux.

Exercice (Oralement)

Répondez aux questions.

1. Est-ce que tu fuis tes responsabilités?
2. As-tu quelquefois envie de fuir la réalité? Quand?
3. Quel genre de personnes est-ce que tu fuis?
4. Où les gens fuiraient-ils s'il y avait une guerre nucléaire?
5. T'es-tu parfois enfui(e) de chez toi quand tu étais enfant?
6. Trouves-tu que le temps fuit trop vite?
7. Avec qui t'enfuirais-tu pour aller sur une île déserte?
8. Est-ce que les écureuils s'enfuient quand on veut les toucher?

Les verbes irréguliers en -indre

Atteindre (to reach), **craindre** (to fear), **peindre** (to paint) and **se plaindre** (to complain) are all irregular verbs conjugated on the same pattern.

Présent de l'indicatif

	craindre	**peindre**
je	crains	peins
tu	crains	peins
il/elle/on	craint	peint
nous	craignons	peignons
vous	craignez	peignez
ils/elles	craignent	peignent

Participes passés: craint, peint
Futur: je craindrai, je peindrai
The present subjunctive is regular.

Exemples:

Je crains de m'être trompé. (+ **de** + infinitive)
Il craignait que nous ne l'attendions pas. (+ subjunctive)
Jean-Paul Riopelle a beaucoup peint.
Je repeindrai la maison au printemps.
On a atteint le sommet de l'Everest.
Est-ce que le gouvernement atteindra ses objectifs?
Il s'est plaint au directeur.
Elle se plaignait d'avoir mal à la tête (+ **de** + infinitive)
Il se plaint d'un mal de tête continuel. (+ **de** + noun)

Exercices (Oralement)

A. Remplacez le sujet par les mots entre parenthèses:

1. Il atteint toujours ses objectifs. (je, nous, vous, ils)
2. Elle peint surtout des paysages. (ces peintres, vous, je)
3. Tu te plains trop. (Pierre, vous, vos amis)
4. Nous craignons la guerre. (je, vous, elle, les jeunes)
5. Elle se plaignait du bruit. (je, nous, les étudiants)
6. J'atteindrai mon objectif. (vous, tu, nous)

B. Répondez aux questions:

1. Est-ce que tu crains la guerre nucléaire?
2. Est-ce que tu crains de ne pas trouver d'emploi?
3. Est-ce que tu craignais d'être seul(e) quand tu étais enfant?

4.   Qu'est-ce que tu crains le plus?
5.   Est-ce que les sculpteurs peignent?
6.   Qui a peint la Joconde (Mona Lisa)?
7.   Y a-t-il des gens qui se peignent le visage?
8.   Est-ce que tu as déjà repeint une maison?
9.   Qui a atteint le premier le sommet de l'Everest?
10. Est-ce que tu atteins toujours tes objectifs?
11. Est-ce que tes parents se plaignent de toi?
12. Est-ce que tu te plains de tes professeurs?
13. Est-ce que tu te plains d'avoir trop de travail?
14. A qui te plaindras-tu si tu as de mauvaises notes?

EXERCICES ECRITS

A.   Mettez les verbes entre parenthèses au subjonctif passé:

1.   Bien qu'il (faire) des progrès en mathématiques, il n'a pas réussi à l'examen.
2.   Je regrette qu'elle (ne pas s'entendre) avec lui.
3.   Il est possible qu'elles (revenir) en train.
4.   Je doute qu'ils (téléphoner).
5.   Elle regrette que nous (s'inquiéter).
6.   Il était surpris qu'elle (rentrer) avant minuit.
7.   Je lui téléphonerai à moins qu'elle (partir) déjà.

B.   Refaites les phrases selon le modèle. Employez le temps du subjonctif qui convient (présent ou passé) dans la subordonnée.

Modèle: Je suis sûr(e) qu'il est venu. (je doute)
   Je doute qu'il soit venu.

1.   J'espère qu'il viendra. (il est possible)
2.   Je savais que tu avais acheté une nouvelle voiture. (je ne pensais pas)
3.   Nous pensons qu'elle est repartie à Montréal. (nous sommes contents)
4.   Je crois qu'il est malade. (je ne crois pas)
5.   Je pense qu'elle n'a pas réussi à l'examen. (j'ai peur)
6.   Il est certain qu'il a du talent. (il n'est pas impossible)
7.   Il a cru qu'elle était déjà partie. (il a eu peur)

C.   Refaites les phrases suivantes en employant le verbe *manquer (de)*:

1.   Il n'a pas assez d'argent pour poursuivre ses études.
2.   Je n'ai pas pu voir ce film parce que j'étais trop occupé(e).
3.   Je devais prendre le train, mais quand je suis arrivé(e) à la gare, il était déjà parti.
4.   Je n'aime pas le camping parce qu'on n'a pas assez de confort.

D. Mettez les verbes *fuir* et *s'enfuir* au temps et au mode qui conviennent:

1. Il (fuir) toujours les responsabilités.
2. Quand elle était enfant, elle (s'enfuir) souvent de chez elle.
3. S'il y avait une guerre ici, il (s'enfuir) pour aller dans un autre pays.
4. Je suis désolé(e) que ton chien (s'enfuir) hier et ne soit pas revenu.
5. Ne (fuir) pas les efforts que vous devez faire pour réussir.
6. Nous sommes venus vivre à la campagne il y a cinq ans: nous (fuir) la ville et la pollution.

E. Mettez les verbes entre parenthèses au temps et au mode qui conviennent:

1. Tout le monde (craindre) d'aller chez le dentiste.
2. Quand il est devenu architecte, il (atteindre) son objectif.
3. Si le professeur me donne une mauvaise note, je (se plaindre).
4. Si tu (peindre) ta chambre en blanc, elle serait plus jolie.
5. Il est possible que vous (craindre) des choses qui n'existent pas.
6. Chaque foi que vous avez un peu de travail, vous (se plaindre)!
7. Si j'avais du talent, je (peindre).
8. Si elle (se plaindre) d'un mal de tête, tu lui donneras une aspirine.

LECTURE

Le pluralisme culturel

Pour se distinguer de son puissant voisin qui applique le concept du ''melting pot'', le Canada se définit comme un pays bilingue et multiculturel. Il est vrai que le pluralisme n'est pas nouveau dans ce pays habité depuis des milliers d'années par différentes nations amérindiennes et inuit. La mosaïque culturelle n'a pas cessé de s'enrichir.

Lorsque, en 1867, les Pères de la Confédération élaborent le projet d'une fédération des colonies de l'Amérique du Nord, la population du territoire alors connu sous le nom de Canada est de trois millions cinq cent mille habitants. A cette époque, quatre-vingt-dix pour cent de cette population se répartit à travers les quatre provinces qui constituent le Dominion du Canada. Soixante pour cent des citoyens descendent de colons venus des Iles Britanniques, une bonne partie d'entre eux arrivent directement des Etats-Unis et trente pour cent, originaires de France, se sont établis deux siècles auparavant le long des rives du Saint-Laurent. Seulement huit pour cent des habitants sont d'origines autres, car il existe un petit nombre de personnes d'extraction allemande ou hollandaise et des communautés noires et juives bien établies.

Le Canada avait connu une première vague d'immigration pendant la première moitié du 19e siècle. Jusqu'à la guerre de 1812 la grande majorité des immigrants provenait des Etats-Unis. Le mouvement des Loyalistes vers le Haut-Canada avait cessé en 1797. Si la guerre a arrêté le flot des colons américains, à leur place des immigrants des Iles Britanniques et en particulier d'Irlande avaient commencé à venir. Les protestants irlandais étaient fortement représentés et leur influence est restée très marquée jusqu'au 20e siècle. Il est venu aussi un grand nombre de colons d'Ecosse. Certaines parties de l'Ontario étaient occupées par des Ecossais des Highlands, d'autres par ceux des Lowlands, d'autres par des Irlandais catholiques ou protestants, des Gallois, des Anglais, des Allemands et des Canadiens français. Cette diversité se retrouvait dans les coutumes, les vêtements, le style des maisons et des granges, les cimetières, les églises.

Jusqu'au 19e siècle, la Prairie ne présentait pas beaucoup d'attraits pour les colons. Le gouvernement du Canada a fait l'acquisition des terres de la Compagnie de la Baie d'Hudson et les a distribuées gratuitement aux colons, ce qui a attiré des immigrants de toutes les nationalités et croyances religieuses. La proportion la plus importante de ce contingent est d'origine britannique, y compris des colons de la vieille province d'Ontario, mais des Ukrainiens, dont la plupart étaient des réfugiés politiques, des Polonais, des Slovaques et des Hongrois qui cherchaient à améliorer leur situation économique sont arrivés. Il y vient aussi des Canadiens français, des Indiens et des Métis. La période qui précède l'achèvement du chemin de fer se caractérise par une colonisation en groupes ou en colonies. En 1874, des Mennonites russes de langue allemande recherchent des terres à cultiver mais aussi des garanties de liberté religieuse et d'exemption du service militaire. Le gouvernement paie leur frais de déplacement et leur accorde une réserve de terres. On attribue de même des lots à des groupes venus d'Europe.

De 1901 à 1911, la population du Canada a augmenté de 43% grâce à l'immigration qui a atteint 23%. La population allogène constituait 34% de la population du Manitoba, 40% de celle de la Saskatchewan et 33% de celle de l'Alberta.

Après la Deuxième guerre mondiale, avec l'arrivée de réfugiés qui fuyaient une Europe à feu et à sang, le Canada connaît une autre vague d'immigration. Entre 1941 et 1961, la proportion de néo-canadiens a augmenté de 12% en Ontario, ce qui a profondément modifié la physionomie urbaine de cette province. C'est au cours des années cinquante et soixante que des immigrants des pays méditerranéens, du Portugal, de la Grèce et de l'Italie sont arrivés en nombre croissant. En 1961, les Italiens sont devenus plus nombreux et se concentrent dans les villes.

Au 19e siècle, la population de la ville de Toronto était à dominance britannique avec une forte proportion d'Irlandais. En 1961 il n'y avait plus que 54% de la population urbaine d'origine anglo-saxonne. Dans certains quartiers de la vieille ville, les langues parlées dans les rues, le style des vêtements, les enseignes des magasins, les vitrines rappelaient les villes de différentes parties de l'Europe continentale. De même Vancouver possède certaines caractéristiques ethniques qui donnent à la ville des traits culturels particuliers. Le "Chinatown" est bien connu. Ce quartier a été fondé au début du siècle par des Chinois que l'on retrouvait dans les mines ou à la construction du chemin de fer. Un autre groupe ethnique, les Sikhs, s'est rassemblé près des scieries où ils travaillaient au début du siècle. Ayant amené Allemands, Italiens et autres Européens, l'immigration d'après-guerre a contribué à atténuer l'importance du caractère britannique de la population.

Le fait de s'adapter au Canada n'a pas entraîné une perte d'indentité mais plutôt un partage d'expériences et de valeurs. Les membres de chaque groupe d'immigrants ont emprunté à la culture canadienne tout en l'enrichissant. En dépit des difficultés et des pressions sociales, les Canadiens de toutes origines ont pu conserver leurs églises, leurs lieux de rencontre, leurs clubs, leurs centres communautaires, leurs chansons et, jusqu'à un certain point, leur langue. Les immigrants ont apporté leur culture et ont collaboré à l'amélioration du mode de vie des Canadiens.

accorder	to grant	**feu: à — et**	(put) to fire and
achèvement (m.)	completion	**à sang**	the sword
allogène	non-native	**flot** (m.)	influx
à travers	across	**frais** (m. pl.)	expenses
attrait (m.)	attraction	**grange** (f.)	barn
attribuer	to allot	**gratuitement**	free of charge
car	for, because	**juif, ive**	Jewish
chemin de fer (m.)	railroad	**lieu de**	meeting place
cimetière (m.)	cemetery	**rencontre** (m.)	
citoyen, citoyenne	citizen	**moitié** (f.)	half
(m.f.)		**rappeler**	to remind
cultiver	to cultivate, to farm		(someone) of
(se) définir	to define oneself	**rechercher**	to seek after
descendre de	to be descended from	**réfugié(e)**	refugee
distribuer	to give away	**(se) répartir**	to be distributed
élaborer	to work out	**rive** (f.)	bank
(s')enrichir	to grow richer	**scierie** (f.)	sawmill
entraîner	to entail, to	**trait** (m.)	feature, characteristic
	bring about	**vague** (f.)	wave

Questions

1. Qu'est-ce que le pluralisme culturel?
2. Quelles cultures étaient déjà présentes avant l'arrivée des Européens?
3. Comment se répartissait la population du Canada en 1867?
4. Quand a eu lieu la première vague d'immigration? Quels groupes en faisaient partie?
5. Qu'a fait le gouvernement pour attirer des colons vers l'Ouest?
6. Quelles autres raisons ont poussé les immigrants d'Europe de l'Est et d'Europe de l'Ouest à venir au Canada?
7. De quelles nationalités étaient les immigrants qui sont venus après la Deuxième guerre mondiale?
8. Quelle était le proportion des néo-canadiens en milieu urbain en 1961?
9. Comment les immigrants ont-ils modifié le caractère des villes de Toronto et de Vancouver?
10. Qu'est-ce que les immigrants ont pu conserver au Canada?

SITUATIONS / CONVERSATIONS

1. Quel était le pays de vos ancêtres? Quand et comment sont-ils venus? Où se sont-ils établis?
2. Quelles habitudes familiales (ou traditions) vous viennent de vos grands-parents et que vous voulez conserver?

3. Depuis que vous avez quitté votre pays/province/ville, qu'est-ce qui vous a le plus manqué?

4. Quel est le plus beau cadeau que vous ayez reçu de votre vie? Quel âge aviez-vous? Qui vous l'a offert? A quelle occasion?

5. Organisez un débat sur le sujet suivant: le multiculturalisme est-il souhaitable et comment peut-on l'établir?

6. Quand vous étiez enfant, quels sont les choses que vous craigniez le plus?

7. Pouvez-vous décrire l'expérience la plus amusante (ou embarrassante) que vous ayez vécue?

8. Quelles contributions les différentes ethnies ont-elles apportées au Canada, et dans quels domaines?

COMPOSITIONS

1. Dans votre province/région, quel est le pourcentage d'immigrants d'origine autre que britannique ou française? Quelle influence ont-ils exercée? Comment se manifeste cette influence?

2. Dans un contexte urbain, à quoi reconnaît-on la contribution des néo-canadiens?

3. Avez-vous des parents ou d'amis d'origine différente de la vôtre? Comment sont-ils? En quoi diffèrent-ils de vous? En quoi vous ressemblent-ils?

4. S'il avait fallu que vous abandonniez cetains droits ou privilèges au bénéfice de la communauté canadienne, lesquels auriez-vous sacrifiés? Lesquels auriez-vous conservés?

PRONONCIATION

Les groupes figés

I. When two unstable es (/ ə /) follow each other at the beginning of a rhythmic group, it is sometimes possible to pronounce either the first or the second one:

je le fais	or	je le fais
ne me parle pas	or	ne me parle pas
je repars	or	je repars

II. Fixed groups (**groupes figés**) are those which are always pronounced in the same way.

1) je ne

Je ne parle pas.   Je ne l'ai pas fait.
Je ne chante pas.   Je ne l'ai pas pris.

Je né sais pas.

Je né peux pas.

Je né veux pas.

Je né l'ai pas cassé.

Je né l'ai pas fini.

Je né l'ai pas rendu.

2) de né

Il m'a dit de né pas boire.

Il m'a dit de né pas parler.

Il m'a dit de né pas partir.

Il me demande de né pas manger.

Elle essaie de né plus fumer.

J'ai décidé de né pas rentrer.

Il a choisi de né pas venir.

Elle m'accuse de né pas travailler.

Je suis sûr(e) de né pas réussir.

Je m'excuse de né pas comprendre.

3) jé te

Jé te vois.

Jé te comprends.

Jé te regarde.

Jé te parle.

Jé te crois.

Jé te ramènerai.

Jé te téléphonerai.

Jé te conduirai.

Jé te répondrai.

Jé te punirai.

4) cé que

Dis-moi cé que tu fais.

Dis-moi cé que tu vaux.

Il fait cé que nous voulons

Je comprends cé que tu dis.

Elle demande cé que vous faites.

Fais cé que tu veux.

Prends cé que tu peux.

Répète cé que tu dis.

Dis cé que tu penses.

Regarde cé que tu fais.

LA CONJUGAISON DES VERBES

A. Les verbes réguliers des trois groupes

	Verbes en -er	Verbes en -ir	Verbes en -re
INFINITIF	parler	finir	attendre
PARTICIPES			
Passé	parlé	fini	attendu
Présent	parlant	finissant	attendant
INDICATIF			
Présent	parle	finis	attends
	parles	finis	attends
	parle	finit	attend
	parlons	finissons	attendons
	parlez	finissez	attendez
	parlent	finissent	attendent
Imparfait	parlais	finissais	attendais
	parlais	finissais	attendais
	parlait	finissait	attendait
	parlions	finissions	attendions
	parliez	finissiez	attendiez
	parlaient	finissaient	attendaient
Futur	parlerai	finirai	attendrai
	parleras	finiras	attendras
	parlera	finira	attendra
	parlerons	finirons	attendrons
	parlerez	finirez	attendrez
	parleront	finiront	attendront
Passé composé	ai parlé	ai fini	ai attendu
Plus-que-parfait	avais parlé	avais fini	avais attendu
Futur antérieur	aurai parlé	aurai fini	aurai attendu
IMPÉRATIF	parle	finis	attends
	parlons	finissons	attendons
	parlez	finissez	attendez
CONDITIONNEL			
Présent	parlerais	finirais	attendrais
	parlerais	finirais	attendrais
	parlerait	finirait	attendrait
	parlerions	finirions	attendrions
	parleriez	finiriez	attendriez
	parleraient	finiraient	attendraient
Passé	aurais parlé	aurais fini	aurais attendu

SUBJONCTIF			
Présent	parle	finisse	attende
	parles	finisses	attendes
	parle	finisse	attende
	parlions	finissions	attendions
	parliez	finissiez	attendiez
	parlent	finissent	attendent
Passé	aie parlé	aie fini	aie attendu

B. *Verbes dont l'orthographe varie*

1) Les verbes comme **acheter** (**amener, emmener, lever, mener, promener**): le **e** qui précède la consonne devient **è** quand la consonne est suivie d'un **e muet**.

PARTICIPES
Présent/Passé   achetant/acheté

INDICATIF
Présent   achète, achètes, achète,
                                 achetons, achetez, achètent

Imparfait   achetais, etc.

Futur   achèterai, etc.

CONDITIONNEL
Présent   achèterais, etc.

SUBJONCTIF
Présent   achète, achètes, achète,
                                 achetions, achetiez, achètent

2) Les verbes comme **espérer** (**inquiéter, précéder, préférer, répéter**): le **é** qui précède la consonne devient **è** quand la consonne est suivie d'un **e caduc**, sauf au future et au conditionnel présent.

PARTICIPES
Présent/Passé   espérant/espéré

INDICATIF
Présent   espère, espères, espère,
                                 espérons, espérez, espèrent

Imparfait   espérais, etc.

Futur   espérerai, espéreras, espérera,
                                 espérerons, espérerez, espéreront

CONDITIONNEL
Présent   espérerais, espérerais, espérerait,
                                 espérerions, espéreriez, espéreraient

SUBJONCTIF
Présent   espère, espères, espère,
                                     espérions, espériez, espèrent

3) Les verbes comme **appeler** (**jeter, rappeler, rejeter**): la consonne finale est redoub-
    lée devant un **e muet.**

PARTICIPES
Présent/Passé   appelant/appelé

INDICATIF
Présent   appelle, appelles, appelle
                                     appelons, appelez, appellent

Imparfait   appelais, etc.

Futur   appellerai, etc.

CONDITIONNEL
Présent   appellerais, etc.

SUBJONCTIF
Présent   appelle, appelles, appelle,
                                     appelions, appeliez, appellent

4) Les verbes comme **payer** (**ennuyer, essayer**): le **y** devient **i** devant un **e muet.**

PARTICIPES
Présent/Passé   payant/payé

INDICATIF
Présent   paie, paies, paie,
                                     payons, payez, paient

Imparfait   payais, etc.

Futur   paierai, etc.

CONDITIONNEL
Présent   paierais, etc.

SUBJONCTIF
Présent   paie, paies, paie,
                                     payions, payiez, paient

5) Les verbes comme **manger** (**changer, corriger, diriger, nager**): le **g** est suivi d'un **e**
   devant une voyelle différente de **e** ou **i.**

PARTICIPES
Présent/Passé   mangeant/mangé

INDICATIF
Présent   mange, manges, mange,
                                     mangeons, mangez, mangent

| Imparfait | mangeais, mangeais, mangeait, mangions, mangiez, mangeaient |
| Futur | mangerai, etc. |

CONDITIONNEL
| Présent | mangerais, etc. |

SUBJONCTIF
| Présent | mange, manges, mange, mangions, mangiez, mangent |

6) Les verbes comme **commencer** (**agacer**): le **c** prend une cédille (ç) devant une voyelle différente de **e** ou **i**.

PARTICIPES
| Présent/Passé | commençant/commencé |

INDICATIF
Présent	commence, commences, commence, commençons, commencez, commencent
Imparfait	commençais, commençais, commençait, commencions, commenciez, commençaient
Futur	commencerai, etc.

CONDITIONNEL
| Présent | commencerais, etc. |

SUBJONCTIF
| Présent | commence, commences, commence, commencions, commenciez, commencent |

C. Les verbes auxiliaires _avoir_ et _être_

INFINITIF	**avoir**		**être**	
PARTICIPES				
Passé	eu		été	
Présent	ayant		étant	
INDICATIF				
Présent	ai	avons	suis	sommes
	as	avez	es	êtes
	a	ont	est	sont
Imparfait	avais	avions	étais	étions
	avais	aviez	étais	étiez
	avait	avaient	était	étaient

Futur	aurai	aurons	serai	serons
	auras	aurez	seras	serez
	aura	auront	sera	seront
Passé composé	ai eu	avons eu	ai été	avons été
	as eu	avez eu	as été	avez été
	a eu	ont eu	a été	ont été
Plus-que-parfait	avais eu		avais été	
Futur antérieur	aurai eu		aurai été	
IMPÉRATIF	aie		sois	
	ayons		soyons	
	ayez		soyez	
CONDITIONNEL				
Présent	aurais	aurions	serais	serions
	aurais	auriez	serais	seriez
	aurait	auraient	serait	seraient
Passé	aurais eu		aurais été	
SUBJONCTIF				
Présent	aie	ayons	sois	soyons
	aies	ayez	sois	soyez
	ait	aient	soit	soient
Passé	aie eu		aie été	

D. Verbes irréguliers

Chacun des verbes suivants se conjugue de la même façon que le verbe entre parenthèses qui le suit.

abattre	(battre)	offrir	(ouvrir)
admettre	(mettre)	peindre	(craindre)
apercevoir	(recevoir)	plaindre	(craindre)
apprendre	(prendre)	produire	(conduire)
atteindre	(craindre)	promettre	(mettre)
combattre	(battre)	recouvrir	(ouvrir)
comprendre	(prendre)	retenir	(tenir)
construire	(conduire)	sentir	(partir)
couvrir	(ouvrir)	servir	(partir)
décevoir	(recevoir)	soumettre	(mettre)
découvrir	(ouvrir)	sourire	(rire)
détruire	(conduire)	sortir	(partir)
dormir	(partir)	souffrir	(ouvrir)
s'enfuir	(fuir)	survivre	(vivre)
mentir	(partir)		

INFINITIF PARTICIPES	présent			INDICATIF imparfait	futur	IMPÉRATIF	SUBJONCTIF présent	
aller allant allé	vais vas va	allons allez vont		allais	irai	va allons allez	aille ailles aille	allions alliez aillent
asseoir asseyant assis	assieds assieds assied	asseyons asseyez asseyent		asseyais	assiérai	assieds asseyons asseyez	asseye asseyes asseye	asseyions asseyiez asseyent
battre battant battu	bats bats bat	battons battez battent		battais	battrai	bats battons battez	batte battes batte	battions battiez battent
boire buvant bu	bois bois boit	buvons buvez boivent		buvais	boirai	bois buvons buvez	boive boives boive	buvions buviez boivent
conduire conduisant conduit	conduis conduis conduit	conduisons conduisez conduisent		conduisais	conduirai	conduis conduisons conduisez	conduise conduises conduise	conduisions conduisiez conduisent
connaître connaissant connu	connais connais connaît	connaissons connaissez connaissent		connaissais	connaîtrai	connais connaissons connaissez	connaisse connaisses connaisse	connaissions connaissiez connaissent
craindre craignant craint	crains crains craint	craignons craignez craignent		craignais	craindrai	crains craignons craignez	craigne craignes craigne	craignions craigniez craignent
croire croyant cru	crois crois croit	croyons croyez croient		croyais	croirai	crois croyons croyez	croie croies croie	croyions croyiez croient
devoir devant dû	dois dois doit	devons devez doivent		devais	devrai	— — —	doive doives doive	devions deviez doivent
dire disant dit	dis dis dit	disons dites disent		disais	dirai	dis disons dites	dise dises dise	disions disiez disent

Infinitif / Participes	Présent		Imparfait	Futur	Impératif	Subjonctif présent	
écrire	écris	écrivons	écrivais	écrirai	écris	écrive	écrivions
écrivant	écris	écrivez			écrivons	écrives	écriviez
écrit	écrit	écrivent			écrivez	écrive	écrivent
faire	fais	faisons	faisais	ferai	fais	fasse	fassions
faisant	fais	faites			faisons	fasses	fassiez
fait	fait	font			faites	fasse	fassent
falloir	il faut		il fallait	il faudra	—	il faille	
fallu							
lire	lis	lisons	lisais	lirai	lis	lise	lisions
lisant	lis	lisez			lisons	lises	lisiez
lu	lit	lisent			lisez	lise	lisent
mettre	mets	mettons	mettais	mettrai	mets	mette	mettions
mettant	mets	mettez			mettons	mettes	mettiez
mis	met	mettent			mettez	mette	mettent
ouvrir	ouvre	ouvrons	ouvrais	ouvrirai	ouvre	ouvre	ouvrions
ouvrant	ouvres	ouvrez			ouvrons	ouvres	ouvriez
ouvert	ouvre	ouvrent			ouvrez	ouvre	ouvrent
partir	pars	partons	partais	partirai	pars	parte	partions
partant	pars	partez			partons	partes	partiez
parti	part	partent			partez	parte	partent
pleuvoir	il pleut		il pleuvait	il pleuvra	—	il pleuve	
pleuvant							
plu							
pouvoir	peux,puis	pouvons	pouvais	pourrai	—	puisse	puissions
pouvant	peux	pouvez			—	puisses	puissiez
pu	peut	peuvent			—	puisse	puissent
prendre	prends	prenons	prenais	prendrai	prends	prenne	prenions
prenant	prends	prenez			prenons	prennes	preniez
pris	prend	prennent			prenez	prenne	prennent

Infinitif / Participes	Présent	Présent	Imparfait	Futur	Impératif	Subjonctif	Subjonctif
recevoir	reçois	recevons			reçois	reçoive	recevions
recevant	reçois	recevez	recevais	recevrai	recevons	reçoives	receviez
reçu	reçoit	reçoivent			recevez	reçoive	reçoivent
rire	ris	rions			ris	rie	riions
riant	ris	riez	riais	rirai	rions	ries	riiez
ri	rit	rient			riez	rie	rient
savoir	sais	savons			sache	sache	sachions
sachant	sais	savez	savais	saurai	sachons	saches	sachiez
su	sait	savent			sachez	sache	sachent
suivre	suis	suivons			suis	suive	suivions
suivant	suis	suivez	suivais	suivrai	suivons	suives	suiviez
suivi	suit	suivent			suivez	suive	suivent
tenir	tiens	tenons			tiens	tienne	tenions
tenant	tiens	tenez	tenais	tiendrai	tenons	tiennes	teniez
tenu	tient	tiennent			tenez	tienne	tiennent
valoir	vaux	valons			vaux	vaille	valions
valant	vaux	valez	valais	vaudrai	valons	vailles	valiez
valu	vaut	valent			valez	vaille	vaillent
venir	viens	venons			viens	vienne	venions
venant	viens	venez	venais	viendrai	venons	viennes	veniez
venu	vient	viennent			venez	vienne	viennent
vivre	vis	vivons			vis	vive	vivions
vivant	vis	vivez	vivais	vivrai	vivons	vives	viviez
vécu	vit	vivent			vivez	vive	vivent
voir	vois	voyons			vois	voie	voyions
voyant	vois	voyez	voyais	verrai	voyons	voies	voyiez
vu	voit	voient			voyez	voie	voient
vouloir	veux	voulons			veuille	veuille	voulions
voulant	veux	voulez	voulais	voudrai	veuillons	veuilles	vouliez
voulu	veut	veulent			veuillez	veuille	veuillent

VOCABULAIRE

A

à at, in, to
abandonner to abandon; to give up
abattre to knock down; to fell
abîmé(e) damaged
abondant, ante abundant
abonder to be plentiful
abord: d'— firstly
aborder to tackle
aboutir à to lead to
abricot (m.) apricot
absent, ente absent
absolument absolutely
absurde absurd
abus (m.) abuse
abuser to abuse
à cause de because of
accélérer to accelerate
accentuer to accentuate
accès (m.) access
accessoires (m.pl.) accessories
accident (m.) accident
accidenté(e) injured (person)
accommoder to accommodate
accompagner to accompany
accomplir to accomplish
accord (m.) agreement;
  d'— agreed/O.K.;
  être d'— to agree
accorder to grant; to attach;
  s'— avec to fit in with
accourir to come running
à côté de besides, as well as
accueillant, ante friendly
accueillir to meet, to welcome
accumuler to accumulate
accuser to accuse
achat (m.) purchase
acheter to buy
achever to end
accroître to increase;
  s'— to grow
acquérir to acquire
acteur, trice actor, actress
activité (f.) activity
actuel(le) present
actuellement at present, now
adepte (m./f.) follower, enthusiast

addition (f.) addition
adieu (m.) farewell
admettre to admit
adonner: s'— aux sports to do sports
adoptif, ive adoptive
adorer to adore
adresser:s'— à to address (someone)
à droite de to the right of
adroit, oite skillful
adversaire (m.) opponent
aéroport (m.) airport
affaire (f.) deal;
  —s business; belongings
affamé(e) hungry
affectueux, euse affectionate
affiche (f.) poster
afficher to exhibit; to display
affirmer: s'— to assert oneself
affreux, euse awful
afin que so that
agacer to annoy, to irritate
âge (m.) age;
  quel — avez-vous? how old are you?
âgé(e) old, aged
à gauche de to the left of
agence (f.) agency
agent (m.) agent; police officer;
  — immobilier realtor
aggraver: s'— to worsen
agir to act; **s'— de** to be about
agiter to perturb
agneau (m.) lamb
agrandir to enlarge
agréable pleasant
agresser to attack
agressif, ive aggressive
agriculteur (m.) farmer
aide (f.) help
aider to help
aiguille (f.) hand (clock); needle
ail (m.) garlic
aile (f.) wing
ailleurs elsewhere
aimable amiable, friendly
aimer to like, to love; **— mieux** to prefer
aîné(e) eldest (child)
ainsi thus; so; in this way

air (m.) air; appearance;
  en plein — outdoors
ailleurs elsewhere
aise: à l'— comfortable (person)
ajouter to add
alarmer to alarm
alcool (m.) alcohol
aliment (m.) food
alimentation (f.) food
Allemagne (f.) Germany
allemand, ande German
aller to go; **s'en —** to leave
aller (m.) one-way ticket;
  —-retour round-trip ticket
allonger to lengthen, to stretch;
  s'— to lie down
allumer to light
allure (f.) look
alors so, then;
  — que whereas
alpinisme (m.) mountaineering
alto (m.) viola
amabilité (f.) kindness
amaigrissant, ante
  reducing, slimming (diet)
ambiance (f.) atmosphere
ambitieux, euse ambitious
ambition (f.) ambition
amélioration (f.) improvement
améliorer to improve
aménagement (m.) development
amener to bring (a person)
Amérique (f.) America
ami(e) friend
amical(e) friendly
amour (m.) love
amoureux, euse in love;
  être — (de) to be in love (with)
  tomber — de to fall in love with
amusant, ante amusing, funny
amuser to amuse;
  s'— to have a good time.
an (m.) year
analogue similar
ananas (m.) pineapple
ancêtre (m.) ancestor
ancien, ienne ancient, old
anémie (f.) anemia
anglais, aise English
Angleterre (f.) England
animateur, trice activity leader
année (f.) year; grade
anniversaire (m.) anniversary, birthday
annonce (f.) announcement,
  advertisement
annoncer to announce, to herald
annuellement annually

antan long ago
antérieur(e) anterior
antipathique disagreeable
août August
apathique apathetic
apercevoir to catch a glimpse of;
  s'— to realize
apparaître to appear
appareil (m.) appliance; plane; device
apparence (f.) appearance
appartement (m.) apartment
appartenir (à) to belong (to)
appeler to call; **s'—** to be called
appétit (m.) appetite
applaudir to applaud
appliquer to apply;
  s'— à to apply oneself to
apporter to bring (something)
apprécier to appreciate
apprendre to learn
apprentissage (m.) apprenticeship,
  learning process
approcher to come near;
  s'— de to get near, to go up to
approprié(e) appropriate
approuver to approve
approximativement approximately
après after;
  — que after
après-midi (m.) afternoon
aquarelle (f.) watercolor
arbitre (m.) referee
arbre (m.) tree
architecte (m.) architect
ardeur (f.) ardor, zeal, eagerness
argent (m.) money
argument (m.) argument
armoire (f.) cupboard, cabinet
arracher to tear out, pull off
arranger to arrange
arrêt (m.) stop;
  sans — without stopping
arrêter to stop; to arrest; **s'—** to stop
arrière (m.) back part;
  en — backward
arrivée (f.) arrival
arriver to arrive
artisan, ane (m., f.) craftsperson
artisanat (m.) crafts
ascenseur (m.) elevator
aspect (m.) aspect
assemblée (f.) meeting
asseoir: s'— to sit down
assez enough; **— de** enough
assimiler to assimilate
assis, ise seated, sitting
assister à to attend; to witness

assurance (f.)   assurance; insurance
assurer   to assure; to insure
atelier (m.)   workshop
athée (m./f.)   atheist; atheistic
athlète (m./f.)   athlete
atout (m.)   asset
attacher   to attach
attaquer   to attack
atteindre   to reach
attendant: en —   in the meantime
attendre   to wait for;   **s'— à**   to expect
attente (f.)   waiting
Attention!   Watch out!
attention (f.)   attention
atténuer   to attenuate, to lessen
atterrir   to land
atterrissage (m.)   landing
attirer   to attract
attrait (m.)   appeal, attraction
attraper   to catch
attribuer   to award, to grant
attrister   to sadden
aubaine (f.)   bargain
aucun, une   none, not any
audace (f.)   daring, boldness
au-dessous de   below
au-dessus de   above
au fait   by the way
augmentation (f.)   increase
augmenter   to increase
aujourd'hui   today
au moins   at least
auparavant   before
auprès de   near
Au revoir   Goodbye
aussi   also
aussitôt   right away;   **— que**   as soon as
autant (de). . .que   as much/many as;
   d'— plus que   all the more, especially as
auteur (m.)   author
authentique   genuine
autobus (m.)   bus
autochtone (m./f.)   native person
automne (m.)   autumn, fall
autorisation (f.)   authorization
autoriser   to authorize
autoritaire   authoritative; bossy
autoroute (f.)   freeway
autour de   around
autre   other;   **— chose**   something else
autrefois   in the past, formerly
autrement   otherwise
auxiliaire   auxiliary
avaler   to swallow
avance (f.)   advance;
   être en —   to be early
avancer   to be fast; to move along

avant (que, de)   before
avantage (m.)   advantage
avant-midi (m.)   morning
avec   with
avenir (m.)   future
avertir   to inform; to warn
aveugle   blind
avion (m.)   airplane;   **— à réaction**   jet
avis (m.)   opinion, advice;   **à mon —**   in my
   opinion
avocat, ate (m./f.)   lawyer
avoir   to have;
   — des nouvelles de   to hear from;
   — du mal à   to have a hard time;
   — envie de   to feel like;
   — honte de   to be ashamed of;
   — l'intention de   to intend to;
   — l'air   to seem, look;
   — lieu   to take place;
   — mal (à)   to ache, hurt;
   — peur de   to be afraid of;
   — raison (de)   to be right;
   — sommeil   to be sleepy;
   — tort (de)   to be wrong;
   en — assez   to have had enough
avouer   to confess
avril   April

B

baccalauréat (m.)   Bachelor's degree
bagages (m.pl.)   luggage
bague (f.)   ring
baigner: se —   to take a bath, to bathe
bâiller   to yawn
bain (m.)   bath
baiser (m.)   kiss
baisse (f.)   drop, decline
baisser   to lower
balade (f.)   stroll, walk
balai (m.)   broom
balayer   to sweep
balle (f.)   ball
ballon (m.)   balloon
banal(e)   trite
banane (f.)   banana
banc (m.)   bench
bande (f.)   group, band;
   — magnétique   tape
banlieue (f.)   suburb
banque   bank
banquier (m.)   banker
barbe (f.)   beard
barbu (m.)   bearded man
barrage (m.)   dam
bas, basse   low;   **en —**   downstairs;
   tout —   in a low voice
base (f.)   base, basis

bataille (f.) battle
bateau (m.) boat;
  — **à voile** sailboat;
  — **de pêche** fishing boat
bâtiment (m.) building
bâtir to build
bâton (m.) stick
batterie (f.) drums
battre to beat; **se —** to fight
bavarder to chat
beau, belle beautiful
beaucoup much, many, a lot
beau-frère (m.) brother-in-law,
  stepbrother
beau-père (m.) father-in-law; stepfather
beauté (f.) beauty
bébé (m.) baby
belge Belgian
Belgique (f.) Belgium
belle-mère (f.) mother-in-law;
  stepmother
belle-soeur (f.) sister-in-law; stepsister
bénéfice (m.) profit
bénéficier de to benefit from
bénédiction (f.) blessing
bénir to bless
berceau (m.) cradle
besoin (m.) need **avoir — de** to need
bête stupid
beurre (m.) butter
beurrer to butter
bibliothécaire (m./f.) librarian
bibliothèque (f.) library
bicyclette (f.) bicycle
bien quite, well; — **que** although;
  — **sûr** of course;
  très — very well;
  — **de(s)** many
bienfait (m.) benefit
bientôt soon; **À —** See you soon
bière (f.) beer
bijou (pl.**-oux**) (m.) jewel
billet (m.) ticket
biscuit (m.) cookie
bison (m.) buffalo
bizarre strange
blanc, blanche white
  — **d'oeuf** egg white
blanchir to turn white; to make sth. white
blé (m.) wheat
blessé(e) injured
blesser: se — to hurt oneself
bleu(e) blue
bleuir to become blue
bleuet (m.) blueberry
blondir to turn blond
bloquer to block (up)

bobo (m.) sore, hurt (childish)
boeuf (m.) beef
boire to drink
bois (m.) wood
boîte (f) box; — **de conserves** can
bon, bonne good
bon marché inexpensive
bonbon (m.) candy
bonheur (m.) happiness
bonhomme de neige (m.) snowman
Bonjour Hello; Good morning; Good day
Bonsoir Good evening
bord (m.) edge; **à —** aboard;
  au — de on the edge of
botte (f.) boot
bouche (f.) mouth
bouchée (f.) mouthful
boucher (m.) butcher
boucle d'oreille (f.) earring
boue (f.) mud
bouger to move
bougie (f.) candle
bouillir to boil
boule (f.) ball
bouleversement (m.) disruption, upheaval
bouleverser to disrupt, to upset
bourse (f.) scholarship
bout (m.) tip; end; **au — de** at the end of
bouteille (f.) bottle
boutique (f.) boutique
bouton (m.) button
branche (f.) branch
bras (m.) arm
brillamment brilliantly
brillant, ante brilliant, bright
brio (m.) brilliance
briser to break, to smash
brochure (f.) booklet, pamphlet
bronchite (f.) bronchitis
brosse (f.) brush
brosser: se — to brush
brouillard (m.) fog
bru (f.) daughter-in-law
bruit (m.) noise
brun, brune brown; dark(-haired)
brunir to turn brown
brusquement abruptly
brutal(e) rough
bûche (f.) log
buffle (m.) buffalo
bureau (m.) desk; office
but (m.) goal, objective, purpose

C

ça that;
  c'est comme — that's how it is;
  c'est pour — that's why

cabine (f.) cabin
cacher to hide
cachet (m.) fee
cadeau (m.) gift
café (m.) coffee
cahier (m.) notebook
calculatrice (f.) calculator
calendrier (m.) calendar
calme calm; (m.) calm, quiet
calmer to quiet down
camarade (m./f.) companion, friend
camion (m.) truck
campagne (f.) country
canard (m.) duck
candidature (f.) candidacy;
  application
canot (m.) canoe
canotage (m.) boating;
  faire du — to go canoeing
cantique (m.) hymn
canton (m.) township
caprice (m.) whim
capter to pick up, to intercept, to
  captivate
captivant, ante captivating
car for, because
caractère (m.) characteristic; nature;
  avoir bon/mauvais —
    to have a good/bad disposition
cardiaque cardiac
carotte (f.) carrot
carré(e) square
carrefour (m.) intersection
carrière (f.) career
carte (f.) card; map
cas (m.) case; **en — de** in case of;
  dans ce —-là in that case
casque (m.) helmet
casquette (f.) cap
casser to break
cavalier,ière (m./f.) rider
caviar (m.) caviar
ce, cet, cette, ces this, that, these, those
ceinture (f.) belt
célèbre famous
célébrer to celebrate
célébrité (f.) fame, celebrity
célibataire single
cent one hundred
centaine (f.) about a hundred
centre (m.) center;
  — commercial shopping center;
  — hospitalier hospital complex
cependant however, nevertheless
cerner to surround
cerise (f.) cherry
certain, aine certain; (pl.) some

certainement certainly
certitude (f.) certainty
cesser to cease
chacun, une each one
chaise (f.) chair
chaleureux, euse warm, cordial
chambre (f.) bedroom
charmant, ante charming
champ (m.) field
champignon (m.) mushroom
championnat (m.) championship
chance (f.) luck, opportunity
chandail (m.) sweater
changement (m.) change
chanson (f.) song
chant (m.) song
chanter to sing
chanteur, teuse (m./f.) singer
chapeau (m.) hat
chapitre (m.) chapter
chaque each
char (m.) parade float
chasser to hunt; to chase
chat, chatte (m., f.) cat
château (m.) castle
chaud, chaude warm, hot
chaudement warmly
chauffage (m.) heating
chauffeur (m.) driver
chaussette (f.) sock
chaussure (f.) shoe
chef-d'oeuvre (m.) masterpiece
chemin (m.) path; **— de fer** railroad
cheminée (f.) chimney
chemise (f.) shirt
chèque (m.) check
cher, ère dear; expensive
chercher to look for
chercheur (m.) researcher
cheval (pl. **-aux**) (m.) horse
chevalet (m.) easel
cheveu (pl. **-eux**) (m.) hair
cheville (f.) ankle
chez at, to (home, office of)
chien, chienne dog, bitch
chiffre (m.) figure, number
chimie (f.) chemistry
chimpanzé (m.) chimpanzee
Chine (f.) China
chinois, oise Chinese
chirurgien (m.) surgeon
chocolat (m.) chocolate
choisir to choose
choix (m.) choice
chômage (m.) unemployment
chose (f.) thing
chou (m.) cabbage

chute (f.) fall
cible (f.) target
ciel (m.) sky
cigarette (f.) cigarette
cimetière (m.) cemetery
cinéma (m.) movie theater
cinéphile (m./f.) film enthusiast,
movie buff
circulation (f.) traffic
citadin (m.) city dweller
citer to quote
citoyen, enne (m., f.) citizen
civet (m.) stew
clairière (f.) clearing
classe (f.) class; classroom
clavecin (m.) harpsichord
clé (f.) key
clément, ente mild
cloche (f.) bell
clouté(e) hobnailed
coeur (m.) heart; **avoir mal au —** to be
nauseated; **de bon —** heartily;
par — by heart
coffre (m.) chest
cohabitation (f.) living together
coiffeur, euse (m., f.) hairdresser
coiffure (f.) hairdo
coin (m.) corner
colère (f.) anger
collègue (m./f.) colleague
colline (f.) hill
colon (m.) settler
combat (m.) fight
combattre to fight
combien how much (many)
combler to fill
combustible (m.) fuel
comédien, ienne actor, actress
comique comical, funny
comité (m.) committee
commande (f.) order (of goods)
commander to order
comme as, like;
— d'habitude as usual;
—ci — ça so – so
commencer to begin
comment how, what; **—allez-vous?** how
are you? **— vous appelez-vous?** what is
your name?
commentaire (m.) comment
commerçant, ante merchant
commerce (m.) trade, business
commettre to commit
commis (m.) clerk
commode convenient
commun, une common
communauté (f.) community

communiquer to communicate
compagnon, compagne (m., f.)
companion; roommate
compagnie (f.) company
comparaison (f.) comparison
compenser to compensate
complet, ète complete
compliqué(e) complicated
comportement (m.) behavior
composition (f.) composition
compréhension (f.) understanding
comprendre to understand; to include
comprimé (m.) tablet, pill
comptable (m.) accountant
comptabilité (f.) accounting
comptant: payer — to pay cash
compte (m.) count; account;
se rendre — to realize
compter to count; to intend;
— sur to count on
comptoir (m.) counter
concentrer: se — to concentrate
conception (f.) idea
conclure to conclude
concombre (m.) cucumber
concours (m.) competition
concubinage (m.) cohabitation
concurrence (f.) competition
conducteur, trice (m., f.) driver
conduire to drive
conférencier, ière (m., f.) speaker
confiance (f.) confidence
confier: se — à to confide in
confiture (f.) jam
confort (m.) comfort
confortable comfortable
confronter to confront
congé (m.) holiday; **en —** on leave
conjuguer to conjugate
conjoint, conjointe (m., f.) spouse
connaissance (f.) knowledge;
faire — to meet
connaître to know, to experience
conquête (f.) conquest
consacrer to devote
conscience (f.) awareness;
prendre — de to become aware of
conscient, ente conscious, aware
conseil (m.) advice
conseiller to advise
conséquence (f.) consequence
conséquent: par — therefore,
consequently
conservatoire (m.) school of music
conserver to preserve, to keep
consommateur, trice (m., f.) consumer
consommation (f.) consumption; drink

constamment constantly
constater to note; to verify
construire to build
consulter to consult
contemporain, aine contemporary
contenir to contain
content, ente glad
contenter: se — de to be content with
conteur (m.) storyteller
continuer to continue
continuel(le) constant
contraignant, ante constraining, compelling
contre against
contrebasse (m.) double bass
contribuable (m./f.) taxpayer
contribuer to contribute
contribution (f.) contribution
convaincre to convince
conventionnel(le) conventional
convive (m./f.) guest
copain, copine (m., f.) buddy, pal
cor (m.) horn
corps (m.) body
correctement correctly
corriger to correct
costume (m.) costume, suit
côte (f.) coast
côté (m.) side; **à — de** next to;
  de l'autre — de on the other side, across
côtelette (f.) chop
côtier, ière coastal
coton (m.) cotton
côtoyer to mix with
cou (m.) neck
coucher: se — to lie down; to go to bed
coude (m.) elbow
couler to flow
couleur (f.) color;
  de quelle —? what color?
coup (m.): **— de fil** phone call, ring;
  — de foudre love at first sight
couper to cut
cour (f.) yard
courageux, euse courageous
courant, ante current
courant (m.): **—d'air** draft;
  être au — to be informed
courbé(e) bent
coureur (m.) runner
courrier (m.) mail
cours (m.) class, course;
  au — de in the course of
course (f.) race (sport);
  faire des —s to go shopping
court, courte short
cousin, cousine (m., f.) cousin

coût (m.) cost
coûter to cost
coûteux, euse costly
coutume (f.) custom
couvert, erte covered
couverture (f.) blanket
couvrir to cover
crabe (m.) crab
craie (f.) chalk
craindre to fear
cravate (f.) tie
crayon (m.) pencil
créer to create
crème (f.) cream
crevette (f.) shrimp
cri (m.) shout, scream
criminel(le) criminal
crise (f.) crisis
critique critical
crochet (m.) hook
croire to believe
croisière (f.) cruise
croissance (f.) growth
croissant, ante growing
croître to grow, to increase
croquis (m.) sketch
croûte (f.) crust
croyance (f.) belief
cru(e) raw
crustacé (m.) shellfish
cuir (m.) leather
cuisine (f.) kitchen; cuisine; cooking
culture (f.) culture, cultivation, agriculture
culturel(le) culture
cultivé(e) educated, cultivated
cultiver to cultivate, to farm
curieux, euse curious, strange
cycliste (m./f.) cyclist

D

d'abord (at) first
dactylographier to type
danger (m.) danger
dangereux, euse dangerous
dans in, into
danse (f.) dance
danser to dance
d'après according to
date (f.) date
dauphin (m.) dolphin
davantage more
de of, from
déambuler to stroll
débarquer to disembark
débrouiller: se — to manage
débouché (m.) opening

debout standing
début (m.) beginning
débuter to begin
décembre December
déchet (m.) waste
décennie (f.) decade
décevoir to disappoint
décision (f.) decision:
  prendre une — to make a decision
déclarer to declare
décollage (m.) takeoff
décontracté(e) relaxed
décor setting
décorer to decorate
découvrir to discover
décrire to describe
décroissance (f.) decrease
dedans inside
défaut (m.) fault, flaw
défilé (m.): **— de mode** fashion show
définir: se — to define oneself
définitif, ive final
degré (m.) level, degree
déguster to sample
dehors outside
déjà already
déjeuner (m.) lunch; breakfast
  (Québec)
demain tomorrow; **à —** see you tomorrow;
  après-— day after tomorrow
demande (f.) request
demander to ask for; **se —** to wonder
déménager to move
demeurer to live, to reside
demi(e) half
démodé(e) out of date, old-fashioned
démolir to demolish
démontrer to demonstrate
dénoncer to denounce
dent (f.) tooth
dentiste (m./f.) dentist
départ (m.) departure
dépêcher: se — to hurry
dépendre (de) to depend (on)
dépense (f.) expense, consumption
dépenser to spend
dépit: en — de in spite of
déplacement (m.) travelling, trip
déplacer: se — to move about
dépliant (m.) leaflet
déplorer to deplore
déprimé(e) depressed
depuis since, for; **— que** since
déraper to skid
dernier, ière last
derrière behind
dès as early as; **— que** as soon as

désagréable unpleasant
descendre to go down;
  — de to be descended from
désespéré(e) desperate
déshabiller: se — to undress
désir (m.) desire
désirer to desire
désobéir to disobey
désolé(e) upset, sorry
désormais henceforth
dessert (m.) desert
dessin (m.) drawing
dessiner to draw
dessinateur, trice (m./f.) draftsperson;
  cartoonist
dessous below
détendre: se — to relax
détendu(e) relaxed
détente (f.) relaxation
détester to detest
détour (m.) deviation, circuitous way
détruire to destroy
dette (f.) debt
devant in front of
développer to develop
devenir to become
deviner to guess
devoir to have to; to owe
devoir (m.) duty; **—s** homework
dévoué(e) devoted
diagnostic (m.) diagnosis
dictionnaire (m.) dictionary
dieu, déesse god, goddess
différence (f.) difference
difficile difficult
difficilement with difficulty
difficulté (f.) difficulty
digérer to digest
dimanche Sunday
diminuer to diminish, to decrease
diminution (f.) decrease
dinde (f.) turkey
dîner to dine, to have dinner
dîner (m.) dinner; lunch (Quebec)
dingue crazy
diplôme (m.) degree, diploma
dire to say, to tell;
  c'est-à-— that is to say; **se —** to say to
  oneself
directeur, trice (m./f.) director, manager
discours (m.) speech
discuter to discuss
disparaître to disappear
dispendieux, ieuse expensive
disponible available
dispute (f.) quarrel
disputer: se — to quarrel

disque (m.)   record
dissertation (f.)   essay
dissimuler   to dissimulate
distinguer   to distinguish
divertir: se —   to amuse oneself, to have fun
divers, erse(s)   varied, various
divorce (m.)   divorce
divorcer   to divorce
dizaine (f.)   about ten
doctorat (m.)   doctoral degree
doigt (m.)   finger
domaine (m.)   field, area; domain
dommage: c'est —   it is a pity
don (m.)   gift
donc   therefore
donner   to give
données (f.pl.)   data
dont   of which, whose
dormir   to sleep
dos (m.)   back
dossier (m.)   file
d'où   hence; whence
douane (f.)   customs (inspection)
doublé(e)   dubbed
doucement   gently, slowly, softly
douceur (f.)   gentleness
douche (f.)   shower
douleur (f.)   pain
douloureux, euse   painful
doute (m.) doubt;   **sans —** probably;
  sans aucun —   without a doubt
douter   to doubt;   **se — de**   to suspect
doux, douce   gentle, sweet
douzaine (f.)   dozen
doyen (m.) dean
dramaturge (m.)   playwright
dresser   to train (animal)
drogue (f.)   drug
droit (m.)   right; (study of) law;
  faire du —   to study law
droit, droite   right, straight;
  à droite de   to the right of
drôle   funny
dune (f.)   dune
durant   during
durée (f.)   duration
durer   to last
dynamique   dynamic
dynamisme (m.)   drive

E

eau (pl. **eaux**) (f.)   water;
  — douce   fresh water
échange (f.)   exchange
échapper: s'—   to escape
échec (m.)   failure; **—s** chess
échelle (f.)   ladder

échelon (m.)   grade (level)
échouer   to fail
éclairage (f.)   lighting
éclater de rire   to burst into laughter
éclatement   explosion
école (f.)   school
écolier, ière   schoolboy, schoolgirl
économe   thrifty
économie (f.)   economics (class);
  economy;
  —s savings
économiser   to save
écouter   to listen to
écouteurs (m.)   headphones, earphones
écrire   to write
écriture (f.)   writing
écrivain (m.)   writer
écureuil (m.)   squirrel
édifice (m.)   building
éducation (f.)   education, upringing
effet (m.)   effect; **en —**   indeed
efficace   effective
effectuer   to carry out
effort (m.)   effort
effronté(e)   insolent
égal(e)   equal
également   equally, also
égalité   equality
égard (m.): **à cet —**   in this respect
église (f.)   church
égout (m.)   sewer
élargir   to widen, to broaden
électricien, ienne (m., f.)   electrician
électrique   electric
élève (m./f.)   pupil
élevé(e)   high
élever   to bring up; to raise
éliminer   to eliminate
élire   to elect
éloge (m.)   praise
élu(e)   elected, chosen
emballer   to thrill, to wrap
embarrassant, ante   embarrassing
embarquer   to embark
embêter   to bother
embrasser   to kiss
émergence (f.)   surfacing
émerger   to emerge
émission (f.)   programme, broadcast
emmener   to take (someone) along
émouvant, ante   touching, moving
empêcher   to prevent
emplette (f.)   purchase, shopping
emploi (m.)   job; employment; use
  — du temps (m.)   schedule
employé(e)   employee, clerk
employer   to use

employeur (m.) employer
emporter to take (something) along
emprunter to borrow
ému(e) moved, disturbed
en in, by
encaisser to cash
enchanter to delight
encombrant, ante inhibiting
encore again, still
  — une fois once more
endommager to damage
endormir: s'— to fall asleep
endroit (m.) place, spot
énergie (f.) energy
énergique energetic
énervé(e) on edge
enfance (f.) childhood
enfant (m./f.) child
enfin finally, at last
enfuir: s'— (de) to flee, to escape
engagement (m.) agreement;
  involvement
engin (m.) machine
enneigé(e) snow-covered
ennemi(e) enemy
ennui (m.) boredom; trouble
ennuyer to annoy; to bore;
  s'— to be bored
ennuyeux, euse boring
énorme enormous, huge
enquête (f.) investigation
enrichir to enrich
enseigne (f.) sign
enseigner to teach
enseignement (m.) teaching;
  education
ensemble together
ensuite then
entendre to hear;
  — dire que to hear that;
  — parler de to hear about;
  s'— avec to get along with
entêter: s'— to persist
enthousiasme (m.) enthusiasm
entier, ière entire, whole
entièrement entirely
entorse (f.) sprain
entourer to surround
entraide (f.) mutual aid
entraîner: s'— to train
entraînement (m.) training
entraîneur (m.) coach
entre between; among
entrée (f.) entrance; main course
entreprendre to undertake
entrepreneur (m.) contractor
entreprise (f.) firm, business

entrer to enter
entretenir to maintain;
  s'— to converse with
entretien (m.) maintenance
énumérer to enumerate
envahir to invade
envergure (f.) range, scope
envers: à l'— inside out
envie (f.) envy:
  avoir — de to wish for, to feel like
environ about
environs (m.pl.) surroundings
envisager to consider
envoyer to send
épais, aisse thick
épanouissement (m.) blossoming
épatant, ante splendid
épater to amaze
épaule (f.) shoulder
épeler to spell
épice (f.) spice
épicerie (f.) grocery store
épinards (m.pl.) spinach
éponge (f.) sponge
époque (f.) period
épouser to marry
époux, ouse spouse
épouvante (f.) terror;
  film d'— horror movie
éprouver to feel
épuisement (m.) exhaustion; scarcity
équilibre (m.) balance
équilibré(e) (m.) balanced
équipe (f.) team
équipage (m.) crew
équipier (m.): **co- —** team member
équitation (f.) horseback riding
érable (m.) maple tree
erreur (f.) error, mistake
escalier (m.) staircase, stairs
escargot (m.) snail
escrime (f.) fencing
espace (m.) space
espadrille (f.) sneaker
Espagne (f.) Spain
espagnol(e) Spanish
espèce (f.) species, type, sort
espérer to hope
espionnage (m.) spying
espoir (m.) hope
esprit (m.) mind
essayer to try
essence (f.) gasoline
essor (m.) progress
est (m.) east
estomac (m.) stomach
estomper: s'— to shade off; to fade

établir to establish; **s'—** to settle
établissement (m.) institution
étage (m.) floor
étagère (f.) shelf
étape (f.) lap; stage
état (m.) state
Etats-Unis (m.pl.) United States
été (m.) summer
éteindre to turn off (lights); to put out
(fire)
étendre: s'— to lie down; to stretch,
to spread
étendue (f.) stretch
étoile (f.) star;
à la belle — in the open air
étonner to amaze
étouffer to suffocate; to smother
étourdissement (m.) dizzy spell
étranger, ère foreign
être to be; **— à** to belong to
étrenne (f.) New Year's gift
étroit, oite narrow
études (f.pl.) studies;
faire des — to study
étudiant, ante student
étudier to study
eux, elles them
évaluer to evaluate
événement (m.) event
évident, ente obvious
évidemment of course, obviously
éviter to avoid
évoluer to evolve
exactement exactly
examen (m.) exam
examiner to check, to examine
excentrique eccentric
excepté except
exceptionnel(le) exceptional
exciter to stimulate
excursion (f.) excursion, outing
excuse (f.) excuse
excuser to excuse
exécuter to execute, to perform
exercer to exercise
exercice (m.) exercise
exigeant, ante demanding, requiring
exiger to demand, to require
exode (m.) exodus
exiger to demand, to require
expérience (f.) experience; experiment
explication (f.) explanation
expliquer to explain
explorateur (m.) explorer
exportation (f.) export
exposer to exhibit
exposition (f.) exhibition

exprès: faire — to do on purpose
exprimer to express
extérieur(e) exterior, outside
extérieur (m.) exterior;
à l'— de outside of
extrêmement extremely

F

fabriquer to make, manufacture
façade (f.) façade, frontage
face (f.) face; **en — de** facing
fâché(e) mad, angry
fâcher: se — to get mad
facile easy
facilement easily
facteur (m.) factor; mailman
façon (f.) manner, way;
de toute — in any case
facultatif, ive optional
faible weak; slight
faiblesse (f.) weakness
faim (f.) hunger;
avoir — to be hungry
faire to do, make;
— le tour to go around;
— la queue to wait in line,
se — mal to hurt oneself
fait (m.) fact
fait: ça ne — rien it doesn't matter
falaise (f.) cliff
falloir to be necessary
famille (f.) family
familial(e) family, domestic
fantôme (f.) ghost
farine (f.) flour
farcir to stuff
fascinant, ante fascinating
fasciner to fascinate
fatigant, ante tiring
fatigué(e) tired
fatiguer: se — to get tired
faut:il — it is necessary
faute (f.) fault, mistake
fauteuil (m.) armchair
faux, fausse false
favori, ite favorite
favoriser to favor
fée (f.) fairy
félicitations (f.pl.) congratulations
féliciter to congratulate
femme (f.) woman, wife
fenêtre (f.) window
fer (m.) iron
ferme (f.) farm
fermer to close
fermier, ière farmer
fermeture (f.) closing

fête (f.) holiday, feast day, celebration; birthday
fêter to celebrate
feu (m.) fire; traffic light;
  faire un — to build a fire
feuille (f.) leaf; sheet (of paper)
fève (f.) bean
février February
fiancer: se — to get engaged
fiche (f.) slip, form
fidèle faithful
fier, fière proud
fierté (f.) pride
fièvre (f.) fever
fil (m.) thread, wire
filet (m.) net; fillet
fille (f.) girl, daughter;
  jeune — young lady
fils (m.) son
fin (f.) end;
  à la — de at the end of
finalement finally
fin, fine slender
finir to finish
firme (f.) firm
fixation (f.) binding (ski)
fixer to determine
flâner to stroll
flatteur, euse flatterer
fleur (f.) flower
fleurir to bloom
fleuve (m.) river
flûte (f.) flute
foie (m.) liver
fois (f.) time;
  une — once; **à la —** at the same time
folie (f.) madness
follement madly
folklore (m.) folklore
fonction publique (f.) civil service
fonctionnaire (m./f) civil servant
fonctionnement (m.) working (machine)
fond (m.) bottom, background
fonder to found
fondre to melt
force (f.) strength
forestier, ière (pertaining to a) forest
forêt (f.) forest
formation (f.) training, education
forme (f.) shape, form; **en pleine —** in great shape
former to make up; to train
formidable fantastic, great
fort, forte strong; loud;
  travailler fort to work hard
fou, folle mad, crazy
foule (f.) crowd

foulard (m.) scarf
four (m.) oven; flop
fourchette (f.) fork
fournir to supply, to provide
fourrure (f.) fur
foyer (m.) home; fireplace
fracassant, ante shattering
frais (m.pl.) **— de scolarité** tuition fees
frais, fraîche cool, fresh
fraise (f.) strawberry
framboise (f.) raspberry
français, aise French
France (f.) France
francophone French-speaking
frapper to knock, to hit, to strike
frère (m.) brother
fringale (f.) raging hunger
frites (f.pl.) French fries
froid (m.) cold
  avoir — to be cold
fromage (m.) cheese
front (m.) forehead
fruit (m.) fruit
fuir to flee, to evade
fumée (f.) smoke
fumer to smoke
fumeur, euse (m., f.) smoker
furieux, euse furious
futile trivial, frivolous

G

gagnant, ante (m., f.) winner
gagner to win, to earn, to gain
gai(e) gay, cheerful
galerie (f.) (art) gallery
gant (m.) glove
garagiste (m.) garage owner
garantir to safeguard, to guarantee
garçon (m.) boy; waiter
garder to keep
gardien, ienne (m., f.) babysitter
gare (f.) train station
gâté(e) spoiled
gâteau (m.) cake
gauche (f.) left;
  à — de to the left of
gaz (m.) gas
gazon (m.) grass, lawn
geler to freeze
gêné(e) embarrassed, shy
gênant, ante embarrassing
généreux, euse generous
générosité (f.) generosity
génie (m.) genius; engineering
génial(e) brilliant, inspired
genou (pl. **-oux**) (m.) knee
genre (m.) gender; sort, kind

gens (m.pl.) people
gentil, ille nice, kind
gentillesse (f.) kindness
gérer to manage
gigue (f.) jig
gigantesque gigantic, immense
gifle (f.) slap
girafe (f.) giraffe
glace (f.) mirror; ice
glacé(e) chilled, frozen
glisser to slide
gorge (f.) throat, gorge
goût (m.) taste
goûter to taste
gouvernement (m.) government
grâce à thanks to
grammaire (f.) grammar
grand, grande tall, big
grand magasin (m.) department store
grand-mère (f.) grandmother
grand-père (m.) grandfather
grandir to grow up
grands-parents (m.pl.) grandparents
gratter to scratch
gratuit, uite free of charge
grave serious
gravure (f.) engraving
grec, grecque Greek
Grèce (f.) Greece
grêler to hail (weather)
grenouille (f.) frog
grief (m.) grievance
griffe (f.) claw
grippe (f.) flu
gris, grise gray
gronder to scold
gros, grosse big, fat
grossesse (f.) pregnancy
grossir to gain weight
guérir to cure, to heal
guerre (f.) war
gueule (f.) mouth (animal)
guichet (m.) ticket window
guitare (f.) guitar

H

habillé(e) dressed
habiller: s'— to get dressed
habit (m.) garment
habitant, ante (m., f.) inhabitant
habitation (f.) dwelling
habiter to live, to dwell
habitude (f.) custom, habit;
  d'— usually
habituel(le) habitual, customary
habituer: s'— to get used to
haricot (m.) bean

hasard (m.) coincidence, chance
hâte (f.) haste;
  avoir — de to be eager to
hausse (f.) rising, increase
haut, haute high;
  du — de from the top of;
  en — upstairs
haut-parleur (m.) loudspeaker
hebdomadaire weekly
hebdomadaire (m.) weekly magazine
hein? what? eh?
hélas! alas!
herbe (f.) grass
hésiter to hesitate
heure (f.) hour; à l'— on time;
  à quelle —? at what time?
  quelle — est-il? what time is it?
  tout à l'— in a while, a moment ago
heureux, euse happy
heureusement fortunately
hier yesterday
histoire (f.) history, story
hiver (m.) winter
hollandais, aise Dutch
Hollande (f.) Holland
homard (m.) lobster
homme (m.) man;
  — d'affaires businessman
honnête honest
honnêteté (f.) honesty
honneur (m.) honor
honte (f.) shame
hôpital (m.) hospital
horaire (m.) schedule
horloge (f.) clock
hors-d'oeuvre (m.) hors d'oeuvres
hors outside
hôte, hôtesse host, hostess
huile (f.) oil
humeur (f.) mood;
  être de bonne/mauvaise — to be in a
    good/bad mood
humide humid, damp
humour (m.) humor

I

ici here
idée (f.) idea
idéal(e) ideal
il y a there is, there are; ago
île (f.) island
illuminer to light up
image (f.) picture, image
imaginer to imagine
imiter to imitate
immédiat, ate immediate
impatienter: s'— to lose patience

impatient, ente impatient
imperméable (m.) raincoat
impliquer to imply
imposer to impose
impôts (m.pl.) income tax
impressionner to impress
incendie (m.) fire
incommoder to disturb, to bother
inconnu(e) stranger
inconvénient (m.) disadvantage, drawback
incroyable incredible
indécis, ise undecided
indice (m.) clue
indiquer to indicate
individu (m.) individual
industrie (f.) industry
inévitable unavoidable
infirmier, ière nurse
influer sur to affect
informaticien, ienne, (m., f.) computer scientist
informatique (f.) computer science
informatisation (f.) automation
informatiser: s'— to become automated
informer to inform
infortune (f.) misfortune
ingénieur (m.) engineer
ingéniosité (f.) ingenuity
ingrat, ate ungrateful
inhabituel(le) unusual
inhibé(e) inhibited
injustice (f.) injustice, unfairness
inquiet, ète worried
inquiéter: s'— to worry
inscription (f.) registration
inscrire: s'— to register
insister to insist
insociable unsociable
insolite unusual
inspecteur, trice (m., f.) inspector
inspirer: s'— de to draw inspiration from
installer: s'— to settle
instituteur, trice (m., f.) schoolteacher
instructeur (m.) instructor
instrument (m.) instrument, tool
insuffisant, ante insufficient
insulter to insult
intelligent, ente smart, intelligent
intention (f.) intention;
  avoir l'— de to intend to
intéresser to interest;
  s'— à to be interested in
intéressant, ante interesting
interdire to forbid
intérieur (m.) inside; **à l'— (de)** inside
interminable endless

interroger to interrogate, to question
intervenir to intervene
intrigue (f.) plot
inutile useless
investir to invest
investissement (m.) investment
invité(e) guest
inviter to invite
irrégulier, ière irregular
irriter to irritate
isolé(e) isolated
Italie (f.) Italy
italien, ienne Italien
ivre drunk

J

jamais never
jambe (f.) leg
jambon (m.) ham
janvier January
Japon (m.) Japan
japonais, aise Japanese
jardin (m.) garden
jaser to chat (Québec)
jaune yellow; **— d'oeuf** egg yolk
jaunir to turn yellow
jeter to throw (away);
  — un coup d'oeil to glance
jeton (m.) token
jeu (m.) game, play
jeudi (m.) Thursday
jeune young;
  — homme young man;
  les —s young people;
  des —s gens young men, young people
jeunesse (f.) youth
joie (f.) joy
joli(e) pretty
joue (f.) cheek
jouer to play
joueur, euse (m., f.) player
jour (m.) day
  — de l'An New Year's day;
  de nos —s nowadays;
  par — per day;
  tous les —s every day
journal (pl. **-aux**) (m.) newspaper
journée (f.) day
joyeux, euse merry, joyful
juillet July
juin June
jumeau, elle twin
jupe (f.) skirt
jus (m.) juice
jusque until
jusqu'à (ce que) up to; until
justement precisely

K

kilo(gramme) (m.) kilogram
kilomètre (m.) kilometer

L

là there; **—-bas** over there
laboratoire (m.) laboratory
lac (m.) lake
laid, laide ugly
laine (f.) wool
laisse (f.) leash
laisser to let; to allow; to leave;
 — tomber to drop
lait (m.) milk
laitue (f.) lettuce
lampe (f.) lamp
lancer to throw
lanceur (m.) pitcher
langue (f.) language; tongue
 — maternelle first language
lapin (m.) rabbit
large wide
lavabo (m.) washbasin
laver to wash;
 se — to wash oneself
lave-vaisselle (m.) dishwasher
le, la, l', les the; him, her, it, them
le long de along
leçon (f.) lesson
lecteur (m.) reader
lecture (f.) reading
légende (f.) legend
léger, ère light
légume (m.) vegetable
lendemain (m.):
 le — the next day
lent, lente slow
lequel, laquelle which, which one
lever to raise; **se —** to get up
lèvre (f.) lip
libérer to free
liberté (f.) liberty, freedom
librairie (f.) bookstore
libre free
lien (m.) bond, link
lier to bind, to connect
lieu (m.) place; **au — de** instead of;
 avoir — to take place;
 donner — à to give rise to
ligne (f.) line; **— aérienne** airline
ligue (f.) league
lilas (m.) lilac
limonade (f.) lemonade
liqueur (f.) liqueur
lire to read
liste (f.) list
lit (m.) bed

litre (m.) litre
littéraire literary
littérature (f.) literature
livre (m.) book
locataire (m./f.) tenant
logement (m.) dwelling
logiciel (m.) computer program
logis (m.) dwelling, home
loi (f.) law
loin far;
 — de far from
loisir (m.) leisure
long, longue long
long: le — de: along
longtemps a long time
longueur (f.) length
lorsque when
loterie (f.) lottery
louer to rent
lourd, lourde heavy
loyer (m.) rent
lumière (f.) light
lundi (m.) Monday
lune (f.) moon:
 — de miel honeymoon
lunettes (f.pl.) glasses
lutte (f.) struggle
luxe (m.) luxury
luxueux, euse luxurious

M

machine à coudre (f.) sewing machine
machine à écrire (f.) typewriter
maçon (m.) mason
madame Madam, Mrs.
mademoiselle Miss
magasin (m.) store
magasinage (m.) shopping (Québec)
magasiner to go shopping (Québec)
magie (f.) magic
magnifique magnificent
mai May
maigre skinny
maigrir to grow thin, to lose weight
maillot (m.) **(de bain)** swimsuit
main (f.) hand
main-d'oeuvre (f.) labor force
maintenant now
maintenir to maintain, to hold
mais but
maïs (m.) corn
maison (f.) house;
 à la — at home
maîtrise (f.) Master's degree
maîtriser to master, to control
maîtresse de maison (f.) housewife
majeur(e) major

mal (m.) evil, difficulty;
  avoir — (à) to ache, hurt;
  pas — not bad
malade sick; (m.) patient
maladie (f.) sickness, illness, disease
maladroit, oite clumsy
malaise (m.) indisposition
malchanceux, euse unlucky
malgré in spite of
malheur (m.) misfortune
malheureux, euse unhappy
malhonnête dishonest
maman mama, mom, mummy
manche (f.) sleeve
manger to eat
manière (f.) manner, way
manifester to manifest
manque (m.) lack
manquer to lack; to miss
manteau (m.) coat
maquillage (m.) make-up
maquiller: se — to make up (one's face)
marchand, ande merchant,
  shopkeeper
marché (m.) market;
  bon — cheap, inexpensive
marcher to walk; to work (function)
mardi (m.) Tuesday
marée (f.) tide
mari (m.) husband
mariage (m.) marriage
marié(e) married
marier: se — (avec) to marry (get
  married to)
marin (m.) sailor
marquer to mark;
  — des points to score points
mars March
matelas (m.) mattress
maternel(le) maternal
maternelle (f.) nursery school
mathématiques (f.pl.) mathematics
matière (f.) material; subject (school)
matin (m.) morning
mauvais, aise bad, wrong
mécanicien, ienne (m., f.) mechanic
méchant, ante mean
mécontent, ente discontented
médaille (f.) medal
médecin (m.) doctor
médecine (f.) medicine
médicament (m.) medicine
méfier: se — de to distrust
meilleur(e). . .que better. . .than
  le, la — the best
mélanger to mix
mêler: se — à to mingle

même even; same; very
  de — que as well as
mémoire (f.) memory
menace (f.) threat
menacer to threaten
ménage (m.) household; housekeeping
mener to lead
mensonge (m.) lie
mensuel(le) monthly
mentalité (f.) mentality
mentionner to mention
mentir to lie
menton (m.) chin
menuisier (m.) carpenter
mer (f.) sea
Merci Thank you
mercredi (m.) Wednesday
mère (f.) mother
mériter to deserve
merveilleux, euse marvelous,
  wonderful
messe (f.) mass
mesure (f.) measure; measurement
mesurer to measure
métal (m.) metal
méthode (f.) method
métier (m.) profession, trade
mètre (m.) meter
métro (m.) subway
mets (m.) dish (of food)
metteur en scène (m.) film director
mettre to put, to place;
  se — à to begin
meuble (m.) piece of furniture
mexicain, aine Mexican
Mexique (m.) Mexico
midi (m.) noon
mieux. . .que better. . .than
mijoter to simmer
milieu (m.) middle; environment;
  au — de in the middle of
mille thousand
milliard (m.) billion
million (m.) million
mince thin
minerai (m.) ore
mineur (f.) miner
minorité (f.) minority
minuscule tiny
minime very small
ministre (m.) minister
minuit midnight
miroir mirror
missionnaire (m.) missionary
mixte mixed
mode (f.) fashion
  à la — fashionable

mode (m.) (**de vie**) way (of life)
modèle (m.) model
modérément moderately
moderne modern
modifier to modify
moins less, minus;
  à — que unless;
  au — at least;
  — de fewer than;
  — . . .que less. . .than
mois (m.) month
moitié (f.) half
moment (m.) moment, instant;
  à ce — -là at the time;
  au — où at the time when;
  en ce — now
monde (m.) world; people;
  tout le — everybody, everyone
mondial(e) worldwide;
  guerre mondiale world war
monnaie (f.) change
monoparentale: famille — (f.)
  single-parent family
monsieur (m.) gentleman, sir, Mr.
montagne (f.) mountain
montant (m.) amount
monter to go up, to get on
montre (f.) watch
montrer to show
monument (m.) monument
moquer: se — de to make fun of
morceau (m.) piece
mordre bite
mort (f.) death
mort, morte death
mortel(le) mortal
morue (f.) cod
mot (m.) word;
  en un — in short
moto (f.) motorbike
motoneige (f.) snowmobile
mou, molle soft
mourir to die;
  — de faim to be starving
moutarde (f.) mustard
mouton (m.) sheep
mouvement (m.) movement
mouvementé(e) animated
moyen (m.) means, way;
  — de transport means of
  transportation
moyenne (f.) average
muet, ette dumb
multiple numerous
mur (m.) wall
mûr(e) ripe
musclé(e) muscular

museau (m.) muzzle
musée (m.) museum
musicien, ienne (m., f.) musician
musique (f.) music
mutisme (m.) muteness, dumbness,
  silence
myope short-sighted
mystère (m.) mystery
mystérieux, euse mysterious

N

nager to swim
naissance (f.) birth
naître to be born
natal(e) birth
natalité (f.) birth
natation (f.) swimming
nation (f.) nation
naturel(le) natural
navet (m.) turnip; flop
néanmoins nevertheless
né(e) born
ne. . .guère hardly
ne. . .jamais never
ne. . .ni. . .ni neither. . . nor
ne. . .non plus neither, not either
ne. . .nulle part nowhere
ne. . .pas not
ne. . .pas encore not yet
ne. . .personne nobody
ne. . .plus no longer, no more
ne. . .que only
ne. . .rien nothing
nécessaire necessary
nécessiter to necessitate
négatif, ive negative
neige (f.) snow
neiger to snow
nervosité (f.) nervousness
nerveux, euse nervous
net, nette clear, precise, sharp
nettoyer to clean
neuf, neuve brand-new
neveu (m.) nephew
nez (m.) nose
ni. . .ni neither. . .nor
nid (m.) nest
nièce (f.) niece
niveau (m.) level
noce (f.) wedding
Noël (m.) Christmas
noir(e) black
noircir to become black
noirceur (f.) darkness
nom (m.) noun, name
nombre (m.) number
nombreux, euse(s) numerous

non no; — **plus** neither
nord (m.) north
normalement normally
notaire (m.) notary
note (f.) note, grade
noter to note; to grade
nouille (f.) noodle
nourrir to nourish
nourrissant, ante nourishing
nourriture (f.) food
nouveau, nouvelle new
nouvelles (f.pl.) news
novembre November
nucléaire nuclear
nu(e) naked
nuage (m.) cloud
nuisible harmful
nuit (f.) night
nulle: ne. . . — part nowhere, not anywhere
numéro (m.) number

O

obéir to obey
objet (m.) object
objectif, ive objective
objectif (m.) goal, objective
obligatoire compulsory
obliger to force, to impel
obtenir to obtain, to get, to receive
occasion (f.) opportunity;
  d'— second-hand
occupé(e) busy
occuper to occupy;
  s'— to busy oneself;
  s'— de to look after
octobre October
odeur (f.) odor, smell
odorant, ante sweet-smelling
oeil (pl. **yeux**) (m.) eye
oeuf (m.) egg
oeuvre (f.) work
officiel(le) official
offrir to offer
oie (f.) goose
oignon (m.) onion
oiseau (m.) bird
ombre (f.) shade, shadow;
  à l'— in the shade
on one, people
oncle (m.) uncle
ongle (m.) nail
onguent (m.) ointment
optimiste optimistic
or (m.) gold
orage (m.) thunderstorm
ordinaire ordinary

ordinateur (m.) computer
ordonnance (f.) prescription
ordonner to order
ordre (m.) command;
  en — in order
oreille (f.) ear
organisme (m.) organization
orgue (m.) organ
origine (f.) origin;
  à l'— originally
originaire originating from
oser to dare
ôter to take off
ou or
où where;
  d'— whence
oublier to forget
ouest (m.) west
oui yes
outil (m.) tool
ouvert, erte open
ouverture (f.) opening
ouvrier, ière (m., f.) worker
ouvrir to open

P

pacifique peaceful
pain (m.) bread
paix (f.) peace
palais (m.) palace
pamplemousse (m.) grapefruit
pâlir to turn pale
panier (m.) basket
panne (f.) failure;
  tomber en — to have a mechanical breakdown
panneau indicateur (m.) road sign
pantalon (m.) pants
papa (m.) dad
papier (m.) paper
Pâques (f.) Easter
paquet (m.) package
par by;
  — hasard by chance
paraître to appear
parapluie (m.) umbrella
parc (m.) park
parce que because
parcours (m.) course
pardon! excuse me!
pareil(le) like, similar
parenté (f.) kinship
paresseux, euse lazy
parfait, aite perfect
parfaitement perfectly
parfois sometimes
parfum (m.) perfume, fragrance

parlement (m.) parliament
parler to speak, talk
pari (m.) bet
parmi among
paroisse (f.) parish
parole (f.) spoken word
part: à — except, aside;
  de la — de on behalf of;
  quelque — somewhere
part (f.) part, share
partager to share, to split
partenaire (m./f.) partner
participer to participate
particulier, ière particular;
  en — in particular
particulièrement particularly
partie (f.) part; game;
  faire — de to be part of
partir to leave
partition (f.) musical score
partout everywhere
parvenir à to manage to
pas (m.) step
pas: ne. . . — not
passager, ère (m., f.) passenger
passeport (m.) passport
passé (m.) past
passer to pass, to go through; to spend
  (time);
  se — to happen;
  — un examen to take an exam;
  — un film to show a film
patate (f.) potato
pâte (f.) dough; (pl.) pasta
paternel(le) paternal
patience (f.) patience
patin skate
patinage ice skating
patiner to skate
patinoire (f.) ice rink
pâtisserie (f.) pastry; pastry shop
patron boss
patte (f.) paw
pauvre poor; (m./f.) poor person
payer to pay for
pays country, land
paysage landscape, scenery
paysan, anne (m./f.) peasant
peau (f.) skin
pêche (f.) fishing; peach
pêcheur (m.) fisherman
peigner: se — to comb one's hair
peindre to paint
peine (f.) sadness, difficulty;
  à — hardly;
  — de mort death penalty
pelage (m.) fur

pendant during;
  — que while
pendre to hang
pénible hard, tiresome
pensée (f.) thought
penser to think
pénurie (f.) shortage
pente (f.) slope
percevoir to perceive
perdant, ante (m./f.) loser
perdre to lose
perdrix (f.) partridge
père father
période (f.) period (of time)
permettre to allow, to permit; to enable, to
  make it possible
permis (m.) de conduire driver's license
perron (m.) porch
personne (f.) person;
  ne. . . — nobody
personnage character; person of rank
persister to persist
perte (f.) loss
peser to weigh
pessimiste pessimistic
petit, ite small
petit, ite ami(e) (m., f.) boyfriend,
  girlfriend
petit-déjeuner (m.) breakfast
petit-fils (m.) grandson
petite-fille (f.) granddaughter
petits-enfants (m.) grandchildren
pétoncle (m.) scallop
pétrole (m.) crude oil
peu: un — de a little;
  — à — little by little;
  à — près about, almost
peur (f.) fear
peut-être perhaps, maybe
pharmacien, ienne (m., f.) druggist
phénomène (m.) phenomenon
phrase (f.) sentence
physiquement physically
pièce (f.) room; part; coin;
  — de théâtre play
pied (m.) foot
pierre (f.) stone
pilote (m./f.) pilot
pilule (f.) pill
pinceau (m.) brush
pique-nique (m.) picnic
piqûre (f.) shot, injection
pire worse;
  le — the worst
piscine (f.) swimming pool
piste (f.) trail
place (f.) place, room, seat, square

placer to place; **se —** to find employment
plafond (m.) ceiling
plage (f.) beach
plaidoyer (m.) plea
plaindre to pity;
 se — to complain
plaire à to please;
 s'il vous plaît please
plaisir (m.) pleasure
plan (m.) plan, project; level
plancher (m.) floor
planche à voile (f.) sailboard
planète (f.) planet
plat (m.) dish
plat, plate flat
plein, pleine full
pleurer to cry
pleuvoir to rain;
 il pleut it is raining
plier to fold
plombier (m.) plumber
plongée sous-marine (f.) skin-diving
plonger to dive
pluie (f.) rain
plupart: la — de most of
plus more
 ne. . .— no more, no longer;
 — ou moins more or less;
 — que more than;
 de — furthermore;
 de — en — more and more
plusieurs several, many
plutôt rather
poêle (f.) frying pan
poème (m.) poem
poésie (f.) poetry
poids (m.) weight
poignet (m.) wrist
point (m.) **de vue** point of view
pointe (f.) point
pointu(e) sharp
pointure (f.) size (shoes, gloves)
poire (f.) pear
poisson (m.) fish
poitrine (f.) chest
poivre (m.) pepper
poli(e) polite
policier (m.) policeman
politicien, ienne (m., f.) politician
politique (f.) politics; policy
pollué(e) polluted
pollueur (m.) polluter
pollution (f.) pollution
pomme (f.) apple; **— de terre** potato
pompier (m.) fireman
pont (m.) bridge
porc (m.) pig, pork

port (m.) harbor
porte (f.) door
porté(e): être — vers to be inclined toward
portée (f.) significance
portefeuille (m.) wallet
porte-monnaie (m.) purse
porter to carry; to wear
poser to put;
 — une question to ask a question
possibilité (f.) possibility
posséder to possess, to own
poste (f.) post office
poste (m.) position
potage (m.) soup
poterie (f.) pottery
pouce (m.) thumb
poulet (m.) chicken
poumon (m.) lung
poupée (f.) doll
pour for, in order to;
 — que so that
pourboire (m.) tip
pourquoi why
poursuivre to chase, to pursue; to carry on
 with
pourtant however, yet
pourvu que provided that
pousser to grow; to push;
 — à to urge, to impel
pouvoir to be able to
pouvoir (m.) power, authority
pratique practical; (f.) practice
pratiquer to practice
préalable previous
précédent, ente preceding
précéder to precede
précieux, euse precious
précisément precisely
préféré(e) favorite
préférer to prefer
premier, ière first
premièrement firstly, in the first place
prendre to take
prendre conscience de to become aware of
prénom (m.) first name
préoccupé preoccupied
préparatif (m.) preparation
préparer (m.) to prepare
près de near, close to
présentement presently
présenter to present, to introduce
presque almost
pressé(e) in a hurry
pression (f.) pressure
prêt, prête ready
prêter (m.) to lend
prêtre (m.) priest

prévaloir to prevail
prévenir to forewarn
prévoir (m.) to foresee, to expect, to anticipate
prière (f.) prayer
principal(e) main
principe (m.) principle;
  en — theoretically, as a rule
printemps (m.) spring
priorité (f.) priority
prix (m.) price, prize
probable likely
probablement probably
problème (m.) problem
procès (m.) lawsuit
prochain, aine next
prochain (m.) fellow human being
proche close, near
proclamer to proclaim
procurer to supply, to provide
produire to produce;
  se — to perform, to happen
produit (m.) product
professeur (m.) professor, teacher
profiter to profit, to take advantage of
profond, onde deep, profound
programmer to program
progrès (m.) progress, improvement
projet (m.) project
prolonger to prolong
promenade (f.) walk, stroll
promener to take for a walk;
  se — to take a walk
promesse (f.) promise
promettre to promise
propos: à — by the way;
  à — de about, concerning
propre proper; clean own
propriétaire (m.) owner; landlord
provenir to come from
province (f.) province
provision (f.) food supply
prudent, ente cautious
psychologie (f.) psychology
publier to publish
puis then
puisque since
puissant, ante powerful
punir to punish
punition (f.) punishment
pupitre (m.) desk
purée (f.) **de pommes de terre**
  mashed potatoes

Q

qualifié(e) qualified
qualité (f.) quality

quand when
quant à as for/to
quart (m.) quarter, fourth
quartier (m.) neighborhood, district
quatuor (m.) quarter
que whom, which, that
quel(le) what, which
quelque chose something
quelquefois sometimes
quelque part somewhere
quelques a few, some
quelqu'un someone
quelques-uns, unes some, a few
question (f.) question
quête (f.) quest
queue (f.) queue, line
qui who, which;
  — est-ce? who is it?
quincaillerie (f.) hardware: hardware store
quitter to leave
quoi what
quoique although
quotidien, enne daily
quotidien (m.) daily newspaper

R

raconter to tell
radio (f.) radio
radiographie (f.) x-ray
rafraîchir to refresh, to cool
ragoût (m.) stew
raisin (m.) grape
raison (f.) reason;
  avoir — to be right
raisonnable reasonable
rajeunir to rejuvenate, to get younger
ralentir to slow down
ramasser to pick up
rame (f.) oar
ramener to bring back
ramer to row
randonnée (f.) outing, walk
rang (m.): **être au premier —** to be in the forefront
rangée (f.) row
rapide fast, quick
rappeler to remind;
  se — to remember;
rapport (m.) report; rapport; relationship;
  par — à in comparison with
rapporter to bring back
raquette (f.) racket
rare rare, unusual
raser: se — to shave
rassembler to gather
rassurer to reassure
rattacher: se — à to be connected with

rater to fail; to miss
rationnel(le) rational
rationner to ration
ravir to delight
rayon (m.) ray
réagir to act
réaliser to realize; to achieve
réaliste realistic
réalité (f.) reality
réapparaître to reappear
récent, ente recent
recette (f.) recipe
recevoir to receive
réchauffer: se — to warm up
recherche (f.) research
rechercher to search for
récit (m.) narration
réclamer to claim, to demand
recommandé(e) registered (mail)
recommander to recommend
recommencer to start over
récompense (f.) reward
reconduire to see home
réconfort (m.) comfort
reconnaissance (f.) recognition
reconnaître to recognize
reconnu(e) recognized, well known
reconstruire to rebuild
recours (m.) resort, recourse
recouvrir to cover
recueillir to collect
rédiger to write, to compose
redonner to give back
redressement (m.) setting right
réduire to reduce
réel(le) real
réfléchir to think, reflect
refléter to reflect
réfrigérateur (m.) refrigerator
réfrigérer to refrigerate
refuser to refuse
régaler: se — to feast
regard (m.) look, glance
regarder to look at
régime (m.) diet; suivre un — to diet
règle (f.) rule
règlement (m.) regulation
regretter to regret
régulièrement regularly
reine (f.) queen
rejet (m.) rejection
rejeton (m.) offspring
rejoindre to rejoin, to meet
réjouir: se — to rejoice
réjouissance (f.) rejoicing;
  (pl.) festivities
relever to help (someone) up

relier to bind, to connect, to link
religieux, euse religious
relire to reread
remarquable remarkable
remarque (f.) remark
remarquer to notice
remède (m.) remedy, cure
remercier to thank
remettre to put back, to hand back;
  se — to recover
remonter to go back up
rempart (m.) rampart
remplacer to replace
remplir to fill (out); to carry out
remporter to win
rémunérateur, trice paying, profitable
rencontrer to meet
rendez-vous (m.) date, appointment
rendre to give back;
  se — to go;
  se — compte to realize
renfermer to contain, to hold
renommé(e) renowned, famous
renouveau (m.) revival, renewal
renouveler (m.) to renew, to replace
renseignement (m.) (piece of) information
renseigner (m.) to inform;
  se — to make inquiries
renvoyer to send back
réparer to repair, to fix
répartir to allocate, to distribute
répartition (f.) distribution
repas (m.) meal
répéter to repeat
répondre to answer
repos (m.) rest
reposer to put back;
  se — to rest
repousser to grow again
reprendre to take back, to resume
représentant, ante (m./f.) representative
représentation (f.) performance
reproche (m.) reproach
réputé(e) famous, well-known
réseau (m.) network
réservé(e) reserved (f.)
résister to resist
résoudre to solve
respectueux, euse respectful
respirer to breathe
responsable responsible
ressembler (à) to look like, to resemble
restaurant (m.) restaurant
rester to stay
résultat (m.) result
retard: être en — to be late
retour (m.) return

retourner to return, to go back
retrouver to find again
  se — to meet, to join, to gather
réunion (f.) meeting
réunir to unite, to gather;
  se — to get together
réussir to succeed
réussite (f.) success
rêve (m.) dream
révéler to reveal
réveille-matin (m.) alarm clock
réveiller: se — to wake up
réveillon (m.) Christmas dinner
revendiquer to assert, to claim
revenir to come back, to return
rêver to dream
revoir to see again
rhume (m.) cold
riche rich
ridicule ridiculous
rien nothing
rire (m.) laugh
rite (m.) rite
rivière (f.) river, stream
riz (m.) rice
robe (f.) dress
roc (m.) rock
roi (m.) king
rôle (m.) role, part
roman (m.) novel; **— policier** detective novel
romancier (m.) novelist
rond, ronde round
rondelle (f.) puck
rosbif (m.) roast beef
rose pink
rose (f.) rose
rôti (m.) roast
roue (f.) wheel
rouge red
rougir to turn red; to blush
rouleau (m.) roll
rouler to roll along
route (f.) road
rubrique (f.) column
rudement harshly
rudiments (m.pl.) basics
rue (f.) street
ruiner: se — to ruin oneself
ruisseau (m.) brook
rupture (f.) breaking off
rural(e) country, rural
russe Russian
Russie (f.) Russia

S

sable (m.) sand
sac (m.) bag, purse

sacrifier to sacrifice
sadique sadistic
sage wise
saignant rare (steak)
saison (f.) season
salade (f.) salad; lettuce
salaire (m.) salary, wages
sale dirty
salle (f.) room;
  — d'attente waiting room;
  — de bains bathroom;
  — de cours classroom;
  — à manger dining room
salon (m.) living room
saluer to salute, to greet
Salut! Hello!, Hi!; Good-bye!
samedi (m.) Saturday
sang (m.) blood
sans (que) without
santé (f.) health;
  en bonne — in good health
sapin (m.) fir
satisfait, aite satisfied, content
saucisse (f.) sausage
sauf except
saumon (m.) salmon
sauter to jump
sauvage wild
sauvegarder to safeguard
sauver to save
savoir to know
savoir (m.) knowledge
savon (m.) soap
science (f.) science
scientifique scientific
scolaire academic
scolarisation (f.) schooling
sculpture (f.) sculpture
sec, sèche dry
secondaire secondary
secrétaire (m./f.) secretary
secteur (m.) area
séduisant, ante seductive
sel (m.) salt
selle (f.) saddle
selon according to
semaine (f.) week
sembler to seem
sens (m.) meaning;
  — de l'humour sense of humor
sensible sensitive
sentier path
sentiment (m.) feeling
sentir to feel; to smell;
  se — to feel
séparer to separate
septembre September

sérieux, euse serious
serpent (m.) snake
serre (f.) greenhouse
serrer la main to shake hands
serviette (f.) napkin; briefcase
servir to serve;
  se — de to use
seul(e) alone
seulement only
sévère strict
sexe (m.) sex
sexuel(le) sexual
si if, whether
siècle (m.) century
siège (m.) seat
signifier to mean
simple simple, easy
singe (m.) monkey
sinon if not, or else
sirop (m.) syrup
site (m.) site
situé(e) located
ski (m.) ski, skiing;
  — nautique water skiing;
  — de fond cross-country skiing;
  — alpin downhill skiing
skieur (m.) skier
société (f.) society
sociologie (f.) sociology
soeur (f.) sister
soi-disant supposedly
soif (f.) thirst;
  avoir — to be thirsty
soigner to care for, to look after, to tend
soin (m.) care;
  avec — carefully
soir (m.) evening;
  ce — tonight
soirée (f.) evening; evening party
soit either, or
solaire solar
soleil (m.) sun;
  au — in the sun
solennel(le) solemn
sommeil (m.) sleep;
  avoir — to be sleepy
sommet (m.) top, summit
somnifère (m.) sleeping pill
son (m.) sound
sondage (m.) poll
sonner to ring
sorcière (f.) witch
sornette (f.) twaddle
sort (m.) fate
sorte (f.) sort, kind
sortie (f.) exit
sortir to go out

sot, sotte silly
souci (m.) worry
soucoupe (f.) saucer; **— volante**
  flying saucer
soudain all of a sudden
souffrir to suffer
souhait (m.) wish
souhaitable desirable
souhaiter to wish
soulagement (m.) relief
soulever to lift
soulier (m.) shoe
soumettre to submit
soupe (f.) soup
souper to have supper
soupirer to sigh
source (f.) spring, source
sourcil (m.) eyebrow
sourd, sourde deaf
sourire (m.) smile
sourire to smile
souris (f.) mouse
sous under
soustraction (f.) subtraction
sous-vêtement (m.) undergarment
soutien-gorge (m.) bra
souvenir: se — de to remember
souvenir (m.) memory, recollection
souvent often
spatule (f.) spatula
spécialement especially
spécialiser: se — to specialize
spécialiste (m., f.) specialist
spectacle (m.) show play
spectateur, trice (m., f.) spectator
sport (m.) sport
sportif, ive athletic; (m.) sportsman
stade (m.) stadium
stationnement (m.) parking
stationner to park
stylo (m.) pen; **— à bille** ballpoint pen
subir to undergo
subitement suddenly
subvenir to provide
succès (m.) success
succulent, ente delicious
sucre (m.) sugar
sud (m.) south
Suède (f.) Sweden
suffisamment sufficiently, enough
suffisant, ante sufficient
suggérer to suggest (f.)
suicider: se — to commit suicide
Suisse (f.) Switzerland
suivant, ante following
suivre to follow; to take (a course)
sujet (m.) subject, topic

supermarché (m.) supermarket
supposer to suppose
supprimer to remove
sur on
sûr(e) sure; safe
sûrement surely
surgir to appear
surprise (f.) surprise
surtout above all, especially
surveiller to watch over
survivre to survive, to outlive
susciter to give rise to
sympathique likable, nice
symphonie (f.) symphony
syndicat (m.) trade union
système (m.) system

T

tabac (m.) tobacco
table (f.) table
tableau (m.) blackboard, painting
tache (f.) stain
tâche (f.) task, work
taché(e) stained
taille (f.) size; waist; figure
tailleur (m.) tailor
taire: se — to be quiet, to be silent
talent (m.) talent
talon (m.) heel
tambour (m.) drum
tandis que while, whereas
tant (de) so much (many);
  — mieux so much the better;
  — pis too bad
tant que as long as, as well as
tante (f.) aunt
tantôt at one time
tapis (m.) rug
taquiner to tease
tard late
tarder: sans — without delay
tarte (f.) pie
tas: un — de a lot of
tasse (f.) cup
taux (m.) rate
technique technical
technologie (f.) technology
tel(le) such; **— que** such as
télé(vision) (f.) TV set
tellement so, so much
témoigner to testify **— de** to bear witness to
témoin (m.) witness
tempérament (m.) nature
tempête (f.) storm
temps (m.) time; weather; tense (verb);
  de — en — from time to time;
  en même — at the same time;

perdre son — to lose one's time:
  Quel — fait-il? What is the weather like?
ténacité (f.) stubbornness
tendresse (f.) tenderness
tenir to hold:
  — à to insist upon; to value
tennis (m.) tennis
tentative (f.) attempt
tenter to attempt, to try
terminaison (f.) ending
terminer to end
terminus (m.) terminal
terrain (m.) ground, lot
terrasse (f.) terrace
terre (f.) earth, soil; land;
  par — on the floor (ground)
terrifiant, ante terrifying
terrifier to terrify
territoire (m.) territory
tête (f.) head;
  — à — private conversation;
  mal de — headache
thé (m.) tea
théâtre (m.) theater
théorie (f.) theory
thèse (f.) thesis
Tiers-Monde (m.) Third World
tigre, tigresse (m., f.) tiger, tigress
timide timid, shy
tirer to pull
tiroir (m.) drawer
tisane (f.) herbal tea
tissu (m.) material
titre (m.) title
toile (f.) canvas; painting
toilette (f.) washing up, dressing up;
  —s restrooms
toit (m.) roof
tolérer to tolerate
tomate (f.) tomato
tomber to fall
ton (m.) (**de la voix**) tone (of voice)
tonnerre (m.) thunder
tornade (f.) tornado
tort (m.) fault;
  avoir — to be wrong
tôt early
toucher to touch
toujours always, still
tour (m.) turn;
  à mon — my turn;
  faire le — de to tour, to go around;
  jouer un — to play a bad trick
tour (f.) tower
tourne-disque (m.) record player
tournée: être en — to be on tour
tourner to turn

tourtière (f.)   meat pie
tousser   to cough
tout, toute, tous, toutes   all, whole, every, everything;
  — à coup   suddenly;
  — à fait   quite;
  — de suite   immediately;
  — le temps   all the time;
  pas du —   not at all
toutefois   however, yet
trac (m.)   stage fright
traditionel(le)   traditional
traducteur, trice (m., f.)   translator
traduire   to translate; to convey
train: être en — de   to be in the midst of (doing something)
traîneau (m.)   sleigh
trait (m.)   feature, characteristic
traitement (m.)   treatment
tranche (f.)   slice
tranquille   quiet;
  laisser —   to leave alone
transformer   to transform
transmettre   to transmit, to convey, to pass on
transporter   to carry
travail (m.)   work, job; assignment
travailler   to work
travailleur, euse   hardworking; (m., f.)   worker
travers: à   through; across
traverser   to cross
traversier (m.)   ferryboat
très   very
trésor (m.)   treasure
tribu (f.)   tribe
triste   sad
tristesse (f.)   sadness
 tromper: se —   to make a mistake
trompette (f.)   trumpet
tronc (m.)   trunk
trop (de)   too, too much/many
trottoir (m.)   sidewalk
trou (m.)   hole
trouver   to find
truc (m.)   device
truite (f.)   trout
tuque (f.)   cap, tuque
tutu (m.)   ballet skirt
typique   typical
tyrannique   tyrannical

U

un, une   a, an; one
uniforme (m.)   uniform
unir   to unite
urbain, aine   urban

urgence (f.)   emergency
usage (m.)   use, usage; practice
usé(e)   worn out
usine (f.)   plant, factory
ustensile (m.)   utensil
utile   useful
utilisation (f.)   use
utiliser   to use

V

va-et-vient (m.)   coming and going
vacances (f.pl.)   vacation, holidays
vache (f.)   cow
vague (f.)   wave
vaguement   vaguely
vain: en —   in vain
vainqueur (m.)   conqueror, victor
vaisselle (f.)   dishes;
  faire la —   to do the dishes
valeur (f.)   value;
  mettre en —   to enhance
valise (f.)   suitcase
vallée (f.)   valley
valoir   to be worth
valoriser   to self-actualize
vaniteux, euse   vain, conceited
vapeur (f.)   steam
varié(e)   varied
variété (f.)   variety
vaut: ça — la peine de   it's worth (doing);
  il — mieux   it is better
veau (m.)   calf, veal
vedette (f.)   star
végétarien, ienne   vegetarian
veille: la — de   the day before
veillée (f.)   evening gathering
veiller à   to see to, to look after
vélo (m.)   bicycle
vendeur, euse (m., f.)   salesclerk
vendre   to sell
vendredi (m.)   Friday
vénérien, ienne   venereal
venir   to come
vent (m.)   wind
vente (f.)   sale
ventre (m.)   belly, stomach
verdir   to turn green
vérifier   to check
véritable   real, genuine, true
vérité (f.)   truth
verre (m.)   glass;
  —s de contact   contact lenses
vers   toward; around; about
vert, verte   green
vertige (m.)   vertigo
veste (f.)   jacket
veston (m.)   jacket

vêtement (m.) garment, clothing
vétérinaire (m.) veterinary
veuf, veuve widower, widow
viande (f.) meat
victoire (f.) victory
vide empty
vie (f.) life
vieillard (m.) old man
vieillesse (f.) old age
vieillir to grow old
vieux, vieille old
vilain, aine ugly
ville (f.) town, city
vin (m.) wine
violemment violently
violet, ette purple, violet
violon (m.) violin
violoncelle (m.) 'cello
visage (m.) face
viser to aim
visite (f.) visit;
  rendre — à to visit someone
visiter to visit (a place)
visiteur (m.) visitor
vitamine (f.) vitamin
vite quickly, fast
vitesse (f.) speed
vitrine (f.) shop window
vivre to live
vocabulaire (m.) vocabulary
voici here is, here are
voie (f.) track, way
voilà there is, there are

voile (f.) sail
voilier (m.) sailing ship
voir to see
voisin, ine (m., f.) neighbor
voiture (f.) car
voix (f.) voice;
  à — basse in a low voice
vol (m.) theft; flight
voler to steal
voleur (m.) thief
volume (m.) book
vouloir to want, wish;
  — dire to mean
voyage (m.) trip, journey:
  — de noces honeymoon
voyager to travel
voyageur, euse (m., f.) traveller
vrai(e) true
vraiment really, indeed
vue (f.) sight, view
vulgaire vulgar

W

wagon-lit (m.) sleeping car
week-end (m.) weekend

Y

y there
yeux (m. pl.) (sing. **oeil**) eyes

Z

zodiaque (m.) zodiac
zoo (m.) zoo

INDEX

A

à
  contractions with article, 36, 40
  être à to express possession 273
  with geographical names, 164
  with indirect object nouns, 139
  with *lequel* forms, 234
  + infinitive, 251, 288
  + place, 36, 42
à cause de, 62
acheter, 93
adjectives
  agreement, 9–10, 11, 22–23
  comparative, 99
  demonstrative, 76–77
  indefinite, 124,146, 286
  interrogative, 45
  irregular, 22–23
  position, 24, 25
  possessive, 60–61
  superlative, 201
adverbs
  comparison, 236
  formation, 188
  interrogative, 37, 62
  negative, 306–307
  position in sentence, 188–189
ainsi, 290
aller
  contrasted with *partir*, 115
  present indicative, 42
  with *à/chez*, 42
  + infinitive, 63, 101
alphabet, 4
amener, 94
s'apercevoir, 233
appartenir à, 273
s'appeler, 93, 181
apporter, 94
après + perfect infinitive, 368
article, definite
  compared with partitive, 95–96

contractions with *à/de*, 36, 59
  forms, 34–35
  uses, 35
  with days of the week, 44
article, indefinite, 19, 126
  in negative sentences, 20, 40, 119, 190
article, partitive
  after *ne . . . pas*, 95, 119, 190
  forms, 95
  compared with definite article, 95–96
s'asseoir, 341
assez de, 124
atteindre, 389
aucun
  adjective, 286
  pronoun, 356
aussi, 306
avoir
  auxiliary, 142–143, 159
  passé composé with, 142–143, 159
  present tense, 20
  idioms with, 80

B

battre, 323–324
beaucoup de, 124
body, parts of the, 82
boire, 220

C

ça, 235
ça vaut la peine, 370
ce
  subject of *être*, 235
  demonstrative adjective, 76–77
cependant, 290
c'est, ce sont, 17, 126
c'est/il est, 126, 127
c'est pourquoi, 290
ce que, ce qui, in indirect speech, 372

ce que, ce qui, ce dont, 322–323
chacun, 356
chaque, 286
chaque fois que, 286
chez, 42
clothing, articles of, 107
combien de, 124
commencer, 93
comment, 62
comparison (comparitive and superlative)
  of adjectives, 199, 201
  of adverbs, 236
comparitive. *See* comparison
conditionnel passé (past conditional tense), 283, 373
conditionnel présent (present conditional tense), 267, 373
conditional sentence, 268–269, 285
conduire, 354–355
conjunctions followed by subjunctive, 349
connaître, 140–141
construire, 355
contractions, 36, 59, 234
craindre, 389
croire, 203–204

D

d'abord, 289
dans, 36, 165
date, 45
days of the week, 44
de
  after expressions of quantity, 124
  after *pas*, 20, 40, 95, 119, 190
  contractions with article, 36, 40, 59
  in indirect speech, 372
  in passive construction, 338

to indicate possession, 60, 273
with geographical names, 164–165
with *lequel* forms, 234
+ infinitive, 251, 288
+ place, 36, 59
décevoir, 233
definite article. *See* article, definite
demi, 57
demonstrative adjectives. *See* adjectives
demonstrative pronouns. *See* pronouns
depuis
used with *imparfait*, 231–232
used with present tense, 186–187
derrière, 36
détruire, 355
devant, 36
devoir
present tense, 97
tenses other than present, 270–271
dire, 162
direct object pronouns. *See* pronouns, personal
donc, 290
dont, 256–257
dormir, 115

E

écrire, 162
emmener, 94
emporter, 94
en
as pronoun, 160, 183–184, 252–253, 254
with geographical names 164–165
with present participle, 304
encore, 307
enfin, 289
s'ennuyer, 93, 206
ensuite, 289
entre, 36
est-ce que
after interrogative adverbs, 62
in interrogative sentences, 7, 8, 20
être
auxiliary, 157
in passive voice, 338

passé composé with, 157
present tense, 6
être à, 273
expressions of time direct speech vs. indirect speech), 373

F

faire
idioms with, 116–117
in expressions regarding weather conditions, 118
present tense, 116
+ infinitive (causative construction), 352–353
falloir, 120–121
family, members of, 216–217
fois. *See* **une fois**
foods, names of, 218–219
fuir, 388
furniture, pieces of, 17
futur (future tense)
formation of, 247
irregular stems, 247
with *quand, dès que, tant que*, 250
futur antérieur (future perfect tense), 301–302
future tense. *See* **futur**
future perfect tense. *See* **futur antérieur**

G

geographical names, 164–165

I

il est/c'est, 126, 127
il y a, 119, 161
il y a (meaning *ago*), 145
il vaut mieux, 370
imparfait (imperfect tense)
contrasted with *passé composé*, 229–230
formation of, 213
in conditional sentences, 268
in indirect speech, 373
uses, 213–214
with *depuis*, 231–232
impératif (imperative mood)
formation, 39
of reflexive verbs, 182–183
with object pronouns, 252–253, 254

imperative mood. *See* **impératif**
imperfect tense. *See* **imparfait**
indefinite adjectives. *See* adjectives
indefinite article. *See* article, indefinite
indefinite pronouns. *See* pronouns
indirect object pronouns. *See* pronouns, personal
indirect speech, 371–373
infinitive
after *aller*, 63
after *faire*, 352–353
after *venir de*, 78
after verbs followed by *à* or *de*, 288
after verbs not requiring a preposition, 100–101
perfect, 368, 386
vs. subjunctive, 318–319, 351, 386
infinitive clause, after verbs of perception, 101
interrogative
adjectives, 45
adverbs, 37, 62
pronouns, 98–99, 118–119, 233–234
intonation
in declarative sentences, 7, 14
in interrogative sentences, 7, 14, 36
inversion of word order
after interrogative adverbs, 36–37, 62
in questions, 36–37

J

jamais, 306
jeter, 93
jouer à, jouer de, 40

L

la plupart, 124
lequel
interrogative pronoun, 233–234
relative pronoun, 325
lire, 162
logical links, 289–290

M

mais, 290

manger, 93
manquer, 387
meilleur, 199, 201
mentir, 115
mettre, 137
mieux, 236
moins, 199, 201, 236
months, 45

N
nationalities, names of, 166
ne
ne . . . jamais, 306
ne . . . ni . . . ni, 307
ne . . . nulle part, 306
ne . . . pas, 8, 20, 39, 40–41, 95, 142, 184
ne . . . pas encore, 306
ne . . . pas non plus, 306
ne . . . personne, 251
ne . . . plus, 307
ne . . . que, 308
ne . . . rien, 251
néammoins, 290
negative adverbs, 306–307
ni, 307
nouns, 18–19
nulle part, 306
numbers
1 to 50, 26
50 to 1 billion, 64–65

O
object pronouns. *See* pronouns, personal
offrir, 303
on (alternative to passive voice), 339
où
interrogative adverb, 37, 62
relative pronoun, 145
ouvrir, 303

P
par (in passive voice), 338
parce que, 62
parler de, 40
par conséquent, 290
parfois, 306
partout, 307
participle, past
agreement, pronominal verbs, 204–205

agreement, when used with *avoir*, 159, 161
agreement, when used with *être*, 157
formation, 142–143
in passive voice, 338
participle, present, 304
partir
contrasted with *aller, laisser, quitter*, 115
present tense, 115
partitive article. *See* article, partitive
pas. *See* **ne**
past participle. *See* participle, past
passé composé (past perfect tense)
contrasted with *imparfait*, 229–230
of irregular verbs, 143
of pronominal verbs, 204–205
of regular verbs, 142
with *avoir*, 142–143, 159
with *être*, 157
passive voice
alternatives to, 338–339
formation, 338
past conditional tense. *See* **conditionnel passé**
past perfect tense. *See* **passé composé**
past subjunctive tense. *See* **subjonctif passé**
payer, 93
peindre, 389
perfect infinitive
formation, 368
vs. past subjunctive, 386
personne, 251
peu de, 124
se **pleindre**, 389
pleuvoir, 118
plupart. *See* **la plupart**
pluperfect tense. *See* **plus-que-parfait**
plus, 199, 201, 236, 306, 307
plusieurs, 124
plus-que-parfait (pluperfect tense)
formation, 284–285
in conditional sentences, 284–285
in indirect speech, 373
in indicate anteriority, 367

vs. *passé composé*, 367
possession
être à, 273
with *de*, 60
possessive adjectives. *See* adjectives
possessive pronouns. *See* pronouns
pourquoi, 62
pourtant, 290
pouvoir, 78–79, 141
préférer, 93
prendre, 137
prepositions
à and *de* before infinitive, 288
of place, 36
used with verbs, 40
with geographical names, 164–165
present conditional tense. *See* **conditionnel présent**
présent de l'indicatif (present indicative tense)
of *avoir*, 20
of *être*, 6
of regular *-er* verbs, 33
of regular *-ir* verbs, 55
of regular *-re* verbs, 75
with *depuis*, 186–187
present indicative tense. *See* **présent de l'indicatif**
present participle. *See* participle, present
present subjunctive tense. *See* **subjonctif présent**
produire, 355
professions, names of, with *être*, 125–126
pronominal verbs
in passive sense, 339
indicating a reflexive or reciprocal action, 179–180
passé composé, 204–205
with idiomatic meaning, 181
pronouns
demonstrative, 234–235
indefinite, 251, 355–357
in indirect speech, 372
interrogative, 98–99, 118–119, 233–234
personal, direct object, 122, 159, 252–253
personal, indirect object, 139, 252–253

personal, reflexive, 179,
182–183, 204–205
personal, subject, 5–6, 11
order after imperative
forms, 183, 254
order before verb, 122, 139,
142, 159, 179, 183–184
possessive, 272–273
relative, 101, 102–103, 145,
159, 256–257, 322–323,
325
stress, 43, 273
See also **en** and **y**
puis, 289

Q

quand, 62
quantity, expressions of, 124
que
in indirect speech, 372
interrogative pronoun, 99
ne . . . que, 308
relative pronoun, 103, 159
quel, 45, 159
quelque chose, 251
quelquefois, 306
quelque part, 307
quelques, 124
quelques-uns, 357
quelqu'un, 251
**qu'est-ce que, qu'est-ce
qui**, 99
qu'est-ce que c'est?, 17
questions
by intonation, 7
in indirect speech, 372
with *est-ce que*, 7, 36
with inversion, 7, 36–37, 142
See also interrogative
qui
qui (interrogative
pronoun), 98–99, 118
qui (relative pronoun)
after preposition, 325
subject, 101
quitter, 115
quoi
interrogative pronoun,
118–119
relative pronoun, 325

R

relative clause, 102–103
relative pronouns. *See* pronouns
recevoir, 232
reflexive pronouns. *See*
pronouns, personal
rendre + adjective, 369
rien, 251
rire, 163

S

savoir, 140–141
seasons, 45
sentir, 115
servir, 115
seulement, 308
si
in conditional sentences,
268, 285
in indirect speech, 372
sortir, 115
souffrir, 303
souvent, 306
stress pronouns. *See* pronouns
subjonctif (subjunctive mood)
after certain
conjunctions, 349
after certain verbs, 317–318
after impersonal
expressions, 321
vs. infinitive, 317–318, 351,
386
subjonctif passé (past
subjunctive tense), 385
subjonctif présent (present
subjunctive tense)
of regular verbs, 317
of irregular verbs, 335
subjunctive mood. *See*
**subjonctif, subjonctif
passé,** and **subjonctif
présent**
suivre, 274
superlative. *See* comparison

T

tant de, 124
tenir, 255

time of day, 57
tout
adjective, 146
indefinite pronoun, 355–356
toujours, 306
traduire, 355
transportation, means of,
167–168
trop de, 124

U

une fois, 306
un peu de, 124

V

valoir, 370
venir
present tense, 59
+ *de* + infinitive, 78
+ infinitive, 101
verbs
followed by *à* or *de* + infinitive, 288
of perception, 101
pronominal. *See* pronominal
verbs
regular *-er* verbs, 33, 93
regular *-ir* verbs, 55
regular *-re* verbs, 75
regular vs. irregular, 33
transitive, 41
use of prepositions with, 40
with *avoir* as auxiliary,
142–143, 159
with *être* as auxiliary, 157
+ infinitive, 101–102
vivre, 256
voir, 202
vouloir, 78

W

weather, expressions
concerning the, 118

Y

y, 119, 161, 183–184, 252–253,
254